걸프 사태

주변국 지원 2

이집트

걸프 사태

주변국 지원 2

이집트

| 머리말

걸프 전쟁은 미국의 주도하에 34개국 연합군 병력이 수행한 전쟁으로, 1990년 8월 이라크의 쿠웨이트 침공 및 합병에 반대하며 발발했다. 미국은 초기부터 파병 외교에 나섰고, 1990년 9월 서울 등에 고위 관리를 파견하며 한국의 동참을 요청했다. 88올림픽 이후 동구권 국교 수립과 유엔 가입 추진 등 적극적인 외교 활동을 펼치는 당시 한국에 있어 이는 미국과 국제 사회의 지지를 얻기 위해서라도 피할 수 없는 일이었다. 결국 정부는 91년 1월부터 약 3개월에 걸쳐 국군의료지원단과 공군수송단을 사우디아라비아 및 아랍 에미리트 연합 등에 파병하였고, 군·민간 의료 활동, 병력 수송 임무를 수행했다. 동시에 당시 걸프 지역 8개국에 살던 5천여 명의 교민에게 방독면 등 물자를 제공하고, 특별기 파견 등으로 비상시 대피할 수 있도록 지원했다. 비록 전쟁 부담금과 유가 상승 등 어려움도 있었지만, 걸프전 파병과 군사 외교를 통해 한국은 유엔 가입에 박차를 가할 수 있었고 미국 등 선진 우방국, 아랍권 국가 등과 밀접한 외교 관계를 유지하며 여러 국익을 창출할 수 있었다.

본 총서는 외교부에서 작성하여 30여 년간 유지한 걸프 사태 관련 자료를 담고 있다. 미국을 비롯한 여러 국가와의 군사 외교 과정, 일일 보고 자료와 기타 정부의 대응 및 조치, 재외동포 철수와 보호, 의료지원단과 수송단 파견 및 지원 과정, 유엔을 포함해 세계 각국에서 수집한 관련 동향 자료, 주변국 지원과 전후복구사업 참여 등 총 48권으로 구성되었다. 전체 분량은 약 2만 4천여 쪽에 이른다.

2024년 3월

한국학술정보(주)

| 일러두기

· 본 총서에 실린 자료는 2022년 4월과 2023년 4월에 각각 공개한 외교문서 4,827권, 76만 여 쪽 가운데 일부를 발췌한 것이다.

· 각 권의 제목과 순서는 공개된 원본을 최대한 반영하였으나, 주제에 따라 일부는 적절히 변경하였다.

· 원본 자료는 A4 판형에 맞게 축소하거나 원본 비율을 유지한 채 A4 페이지 안에 삽입 하였다. 또한 현재 시점에선 공개되지 않아 '공란'이란 표기만 있는 페이지 역시 그대로 실었다.

· 외교부가 공개한 문서 각 권의 첫 페이지에는 '정리 보존 문서 목록'이란 이름으로 기록물 종류, 일자, 명칭, 간단한 내용 등의 정보가 수록되어 있으며, 이를 기준으로 0001번부터 번호가 매겨져 있다. 이는 삭제하지 않고 총서에 그대로 수록하였다.

· 보고서 내용에 관한 더 자세한 정보가 필요하다면, 외교부가 온라인상에 제공하는 『대한 민국 외교사료요약집』 1991년과 1992년 자료를 참조할 수 있다.

| 차례

정 리 보 존 문 서 목 록

기록물종류	일반공문서철	등록번호	2020110076	등록일자	2020-11-18
분류번호	721.1	국가코드	XF	보존기간	영구
명 칭	걸프사태: 주변국 지원, 1990-92. 전12권				
생 산 과	중동2과/북미1과	생산년도	1990~1992	담당그룹	
권 차 명	V.3 이집트 I: 1990.8-91.6월				
내용목차					

0001

대 이라크 아랍다국적군 지원

(이집트군에 대한 방독면 지원)

1. 지원필요성

   o 대 이라크 제재조치 참여에 대한 미국측 요구부응

   o 이라크에 대항하는 친서방 아랍국가들에 대한 이집트의 지도적
     역할 감안

   - 현재 이집트군 5,000여명 아랍다국적군으로 사우디 파병중

   o 한·이집트수교 여건 조성

   - 1961. 9. 영사관계수립했으나 미수교상태
   - 중동전쟁시 북한측의 군사원조제공으로 인한 무바락 대통령의
     대북한 우대감때문에 아국과의 수교회피
   - 이집트측은 수교분위기 조성을 위한 구체적이고 실질적인
     협력 요망

2. 지원효과

   o 이라크에 대항하는 다국적군을 지원함으로써 군사지원을 요청한
     미국요구 충족

   o 그러나 미국에대한 직접적인 군사지원은 아니므로 일부 아랍
     국가의 반발 가능성 희박

   o 사실상 이집트를 지원함으로써 한·이집트 수교촉진 효과 기대

0002

(참고사항)

1. 공식관계

   영사관계수립 : 61.12. 5.

   주 카이로 총영사관 설치 : 62. 5. 1.

2. 수교추진 현황

   ○ 89.1.1.　　주 이집트 외교단 명부에 주 카이로 총영사관 등재

   ○ 89.5.16.　　이집트, 주일 이집트 대사관을 아국 영사관할 공관
   　　　　　　　으로 지정

   ○ 89.12.4.　　이집트 외무장관, 양국간 구체적 경협 전망에 대한
   　　　　　　　아측 비망록 제공 요청

   ○ 89.12.27.　총영사 명의 비망록 수교
   　　　　　　　(석유화학, 조선, 인력고용, 전자, 관광, 방산분야등
   　　　　　　　예시)

   ○ 90.1.14.　　미 국방차관보, 이집트 방문시 무바라크 대통령에게
   　　　　　　　수교문제 거론

   ○ 90.1.16.　　외무장관, 그레그 주한 미 대사를 통하여 미측의
   　　　　　　　측면 지원 요청

   ○ 90.2.6.　　외무장관 친서 발송(2.19. 비서실장 경유 전달)

   ○ 90.2.5.　　이집트 외무장관, 무바라크 대통령에게 수교 건의서
   　　　　　　　상신

0003

3. 경제 관계

  가. 교역현황

(단위 : 백만불)

	86	87	88
수 출	119	112	110
수 입	43	61	150

  ○ 주요수출품 : 견직물, 고무제품, 전기제품, 기계류
  ○ 주요수입품 : 원유, 원면, 알미늄

  나. 주재 기관 및 상사현황

  ○ KOTRA

  ○ 주재상사(13) : 현대, 삼성, 대우, 금성, 효성, 선경, 한국
            타이어, 금호, 두산, 한국중공업, 한일합섬,
            삼성전자, 금성전자

  다. 경제협력

  ○ 무상원조

   - 87년 : 30만불(간디스토마 약품, 교과서 인쇄용지)

   - 88년 : 25만불(〃   )

   - 89년 : 30만불(퍼스널컴퓨터, 전자제품, 의약품)

  ○ 기술연수생 초청

   - 87년 6명, 88년 4명, 89년 7명.

0004

발 신 전 보

WCA-0325   900829 1726 DP

번   호 : _____   종별 : _____

수   신 : 주 카이로   "대사" 총영사

발   신 : 장 관 (중근동)

제   목 : 대 이라크 제재 동참

    1. 정부는 이라크의 쿠웨이트 침공 및 합병에 제재를 가하는 유엔 안보리 결의를 준수하고 제재 이행을 확보하는 국제적 노력에 가능한 한 동참하는 방침임.

    검토필(1990.12.31.)

    2. 이러한 동참 노력의 일환으로 귀 주재국 정부가 희망할 ~~경우 및 예상하는~~ 주재국 다국적군 군용으로 방독면 3천개 정도의 지원 문제를 검토할 용의가 있음.

    3. 귀관 실무 직원으로 하여금 귀 주재국 관계자를 접촉, 방독면 소요 여부와 접수에 대한 입장등을 예비적으로 타진하여 지급 보고 바람. lawkey로

    4. 본건 주재국측의 적극적 반응이 있을 경우에만 추진 검토 예정임을 유념 바라며 본건과 관련하여 특별한 의견이 있으면 보고 바람. 끝.

    아울러 보안 이각별히 기 바람.

(장 관 최 호 중)

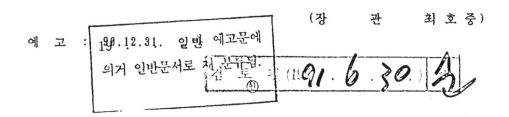

예 고 : 1990.12.31. 일반 예고문에 의거 일반문서로 채검토. 검토(15 91. 6. 30.) 심

미국국장: 기훈

보 안 통 제	[서명]

앙고재	90년8월29일 중근동	기안자성명		과 장		국 장	차관보	차 관	장 관		외신과통제
		[서명]		[서명]		[서명]	[서명]	[서명]	[서명]		[서명]

0005

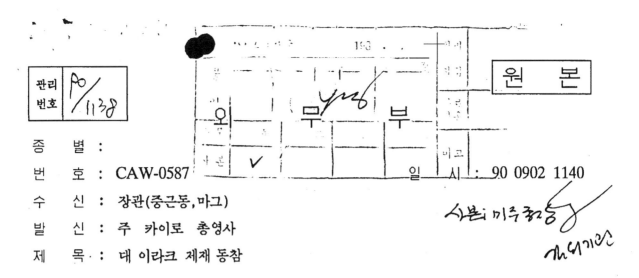

관리
번호 AO/1138

종 별 :

번 호 : CAW-0587

수 신 : 장관(중근동,마그)

발 신 : 주 카이로 총영사

제 목 : 대 이라크 제재 동참

일 시 : 90 0902 1140

대:WCA-0325

1. 당관은 90.9.1(토) 주재국 국방부 작전참모장인 HUSSEIN TANTAWY 장관(소장)을 접촉, 대호 방독면 3 천개 지원문제를 협의한바, 동 작전참모장은 동방독면은 현재 사우디에 파병중인 주재국의 다국적군이 절실히 필요로 하는것으로서 아측이 이를 지원하면 기꺼이 접수 하겠다는 의사를 표명하고 아측의 이러한 의사를 ABU TALEB 국방장관 에게도 보고 하겠다고 말했음.

2. 동장관은 이어 주재국도 방독면을 생산하고 있으나 그량이 현재 수만명(동장군은 확실한 수자를 밝히려고 하지않았으나 현재 다국적군에 참여중인 주재국 군대는 수만명이라고 언급함. 참고로 당지에서는 현재 약 5 만명의 주재국 군대가 다국적군에 참여하고 있는 것으로 관측하고 있음)에 달하고 있는 주재국 다국적군 참여병사의 수요에 응하기에는 크게 부족하므로, 현재 약 5 만개의 방독면 구입을 시도하고 있으나(당지주재 아국상사도 동 공급 요청을 받은바 있음) 상기금 구입선을 찾지 못하고 있다고 하면서, 아측의 지원(무상)량을 다소 늘려주는 문제를 호의적으로 검토하여 줄것을 강력히 희망하고 동 방독면을 가능한한조속히 지원해 줄것을 요청했음.

3. 동장군은 또한 주재국이 아국 으로부터 구입할수 있는 각종 군수물자의 품목과 가격도 봉보해 줄것을 요청했음.

4. 의견

가. 주재국의 이락. 이사태에대한 입장

. 주재국은 8.2 이락-쿠웨이트 사태 발생이후, 이락군의 쿠웨이트 로부터의즉각 철수, 쿠웨이트 왕정 회복, 쿠웨이트 합병 불인정등 입장을 밝히고 특히 미국과의 긴밀한 협조 하에 다국적군의 파견, 아랍긴급 정상회담 및 아랍외상회담개최 및

중아국	장관	차관	1차보	2차보	중아국	청와대	안기부	대책반

PAGE 1

90.09.02 19:33

외신 2과 통제관 FE

0006

아랍국가들과의 개별접촉등을 봉하여 동사태의 해결을 위해 적극 노력하고 있으며 아랍국가 중에서는 군사적으로 동사태 해결을 위하여 주도적 역할을할수 있는 유일 국가임.

나. 이락, 쿠웨이트 사태와 주재국의 정치경제 사정

1) 주재국은 세계원유의 절대량을 공급하고 있는 중동의 정치, 군사적 안보를 확보함에 있어서 지정학적 위치 및 인구등의 관점에서 가장 중요한 국가이며 미국은 이러한 중요성을 인정, 매년 약 25 억불에 달하는 경제, 군사원조를 제공하고 있으며 기타 EC 제국 및 일본도 상당한 경제지원을 제공하고 있음.

(이하 CAW-0588 로 계속됨.

검토필(1990.12.31.)

검 토 필 (19 91. 6. 30)

PAGE 2

외　무　부

종　별 :

번　호 : CAW-0588

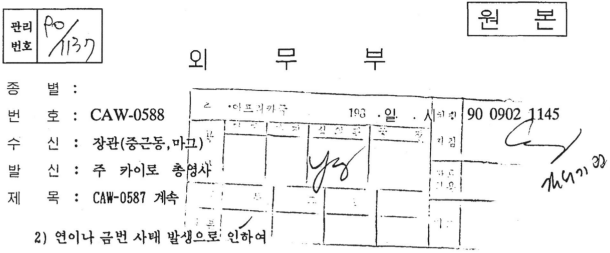

90 0902 1145

수　신 : 장관(중근동,마그)

발　신 : 주 카이로 총영사

제　목 : CAW-0587 계속

2) 연이나 금번 사태 발생으로 인하여

주재국은 금년도 회기에 약 22 억-24 억불의 경제적 손실(쿠웨이트, 이락 거주주재국 근로자의 본국송금 감소분 10-12 억불, 관광수입 감소분 5 억불, 수에즈운하 수입금 감소분 2 억-3 억불, 기타 수출감소및 자본도입 감도분 5 억불)이 예상되며 이는 이미 예견되고 있는 재정적자 55 억불에 추가되어 주재국 경제를 악화시킬것으로 보이며 궁극적으로 국내정치 안정도 위협을 받을것으로 관측되고 있음.

3) 주재국 정부는 상기급박한 실정에 비추어 최근 당지주재 OECD 대사를 외무부로 초치 동사정을 설명하고 동경제난국 타개를 위하여 추가 경제원조의 제공을 요청했으며, 미국, EC 제국, 일본등 다수국가가 이를 적극 검토하고 있음. 특히 미국은 1 억 6 천 3 백만불의 경제원조를 현금으로 지급키로 주재국 정부에통보해왔으며, 또한 75 억불에 달하는 대주재국 군사차관금을 전액 면제하는 문제를 호의적으로 검토하고 있다고 함.

다. 금번 사태 수습후의 주재국 위치

금번사태의 수습을 위하여 지금까지 주재국은 미국등 서방제국과의 긴밀한 협조하에 온건 아랍국가를 규합, 적극노력해 왔으며, 또한 금후 동사태가 평화적또는 무력사용등 어떠한 방법으로 해결되든, 주재국의 지정학적 위치, 인구및 경제적 잠재력등에 비추어 동국의 중동지역및 아랍권 내부에 있어서의 중요성및 중동의 안정세력으로서의 역할은 더욱 증대될것이며 이는 아국을 포함한 서방세계와의 관계에 있어서 더욱 중요성을 갖게될것임.

라. 아국과의 관계

1) 주재국은 비록 아직 아국과는 미수교상태이나, 무바락대통령을 제외한

중아국	장관	차관	1차보	2차보	중아국	청와대	안기부	대책반

PAGE 1

90.09.02　19:35

외신 2과　통제관 FE

0008

주재국정부의 절대다수및 일반인들도 아국과의 수교를 절대지지하고 있음이 확인되고 있으며, 주재국과의 정치.경제. 관광등 실질관계에 있어서도 아국이 북한에비하여 절대 우위를 자치하고 있음.

2) 한. 애 수교에 있어서 유일한 장애는 북한의 주재국지원(73 년 전쟁 전후)을 바탕으로 하는 무바락-김일성간의 특별한 개인적 관계때이며, 주재국 정부의 고위인사들은 이를 공공연히 인정하고 있는 실정임.

3) 연이나 무바락대통령의 이러한 입장도 남북한 총리회담 개최등 남북한 관계개선 및 한. 애 양국간의 경제. 봉상등 실질관계 심화에 따라 궁극적으로 변하지 않수 없을것이며, 양국간 수교도 실현될 것이 주재국 정부 고위인사들의 일된 의견임.

CAW-0589 로 계속

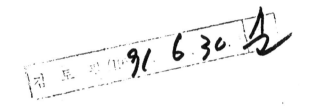

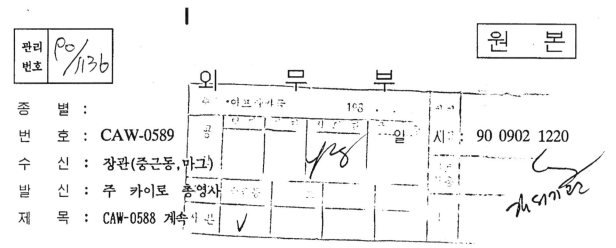

원　본

외　무　부

종　별 :

번　호 : CAW-0589

수　신 : 장관(중근동,마그)

발　신 : 주 카이로 총영사

제　목 : CAW-0588 계속

시 : 90 0902 1220

　　4) 아국의 89 년 대주재국 수출은 11,592 만불, 대주재국 수입은 11,399 만불이었으나 90.1-6 간 대주재국 수출은 80,658 천불(수입은 14,643 천불)로서 전년동기대비 153 퍼센트 증가했으며, 년말 수출실적은 약 1 억 4 천만불이 될것으로 추정되고 있으며

　　5) 주재국내에는 또한 1979 년에 설립된 한. 애 합작은행인 CAIRO FAR EASTBANK, 최근에는 럭키금성에서 당지에 T.V 공장설립 합작투자를 완료하고 조만간 생산에 들어갈 예정인바, 한. 애 야국의 경제. 봉상관계가 앞으로 더욱 증대할것이 기대되고 있음.

　　6) 주재국은 상기와 같이 지정학적으로 중요할뿐 아니라 55 백만의 인구, 원유및 면 원료 생산등 경제적 으로도 발전할 충분한 잠재력을 가진 나라로서, 비록 현재 외교관계는 없으나 금후 꾸준히 실질관계를 추진해 가는것이 국익증진에도 도움이 될것으로 판단됨.

　　5. 건의

　　상기 비추어 금번 사태는 한. 애 양국관계 개선을 위하여 활용할수 있는 좋은계기로 사료되며 아래와 같이 건의함.

　　1) 금번 방독면 지원 수량을 1 만개로 상향조정 지원해 주실것을 건의함.

　　2) 금번 사태 해결을 위한 국제적인 경비분담에 아국이 미국등 선진제국과 함께 동참하게 되는경우, 동부담액의 상당부분을 주재국의 다국적군에게 할애하는 방안을 종합 검토 해 주실것을 건의함. 아국의 금번사태 관련 경비 분담참여가 불가필할 경우 동 경비일부를 주재국 다국적군을 위하여 사용할 수 있으며 데이라크 제재동참, 구체적 경비분담 참여 및 주재국과의 관계개선을 위한 실질관계 증진등 여러 목적을 동시에 달성하는데 도움이 될것으로 사료됨.

중아국	장관	차관	1차보	2차보	중아국	정와대	안기부	대책반

PAGE 1

90.09.02　19:39

외신 2과　통제관 FE

0010

3) 아국이 수출가능한 군수품 품목(카다로그 및 가격) 통보바람. 끝.

(총영사 박동순- 장관)

예고:1990.12.31. 일반 예고문에
의거 일반문서로 재 분류됨.

검토필(1990.12기. ㅣ

검 토 필 (19 91. 6. 30. ㅣ

PAGE 2

0011

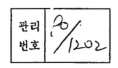

외 무 부

종 별 :

번 호 : CAW-0604   일 시 : 90 0909 1530

수 신 : 장관(중근동,마그)

발 신 : 주 카이로 총영사

제 목 : 대이라크 제재동참

연:CAW-0587

대:WCA-0325

대호, 대주재국 방독면 지원은 그시기가 중요할것으로 사료되오니 우선 당초
계획한대로 동방독면 3 천개를 지원하여 줄것을 건의함. 끝.

(총영사 박동순-국장)

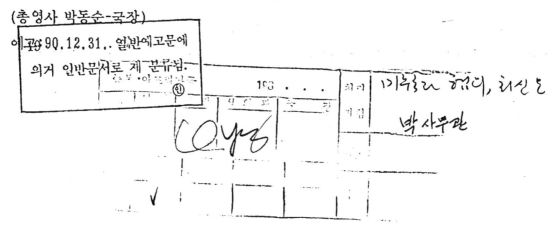

중아국   중아국

PAGE 1   90.09.09   22:11
                                                    외신 2과 통제관 CW

                                                        0012

걸프 사태 주변국 지원 2: 이집트

	분류번호	보존기간

발 신 전 보

WCA-0343   900910 1846 DY

번 호 :   종별 : _____

수 신 : 주   카 이 로   대사·총영사

발 신 : 장 관   (중근동)

제 목 : 대이라크 제재 동참

대 : CAW-0587~89, 0604

연 : WCA-0325

검토필(1990.12.31.)

1. 대호 방독면 지원건 예산 사정상 10,000 개 지원은 어려우며, 귀주재국에 5,000 개(50만불 상당)를 지원 ~~예정임.~~ 검토중

2. 상기 소요 재원을 일반 예산 조치 및 생산소요일 관계로 ~~현재 대이라크 제재 군비 지원 경비에 포함 예비비 사용 신청 계획안 바, 다소 시일이 걸릴 것이며, 관계 업체에 확인한 바에 의하면,~~ 주문일로부터 ~~선적~~ 조달 시까지는 약 1개월이 소요된다 하니 참고 바람.

(중동아국장 이두복)

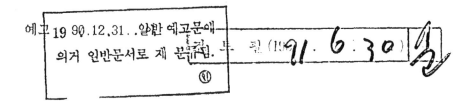

예고 19 90.12.31. 일반 예고문에 의거 일반문서로 재 분류됨. 검 토 필(19 91. 6. 30)

미주국장: 길동

앙 고 재	90 년 9 월 10 일	중 근 동 과	기안자 성명		과 장	심의관	국 장		차 관	장 관		외신과통제
							전결					

보 안 통 제	

0013

외　무　부

종　별 :

번　호 : CAW-0611

일　시 : 90 0910 1530

수　신 : 장관(중근동,마그)

발　신 : 주 카이로 총영사

제　목 : 대이라크 제재동참

연:CAW-0604

대:WCA-0343

대호 방독면 5 천개 지원시, 지원시기를 주재국측에 사전 통고하는것이 지원

효과를 거양할수 있을것으로 사료되니 대략적인 지원 가능 시기를 회시바람.

(총영사 박동순-국장)

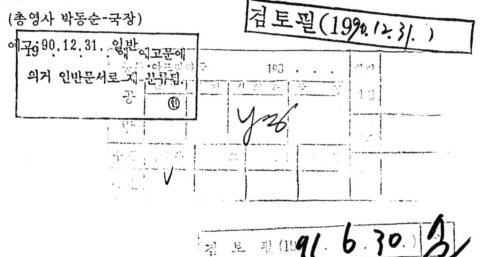

검토필(1990.12.31.)

예규9 90.12.31. 일반 예고문에
의거 인반문서로 재분류됨.

검 토 필 (1991. 6. 30.)

중아국　　차관　　1차보　　2차보　　중아국　　대책반

PAGE 1

90.09.10　　23:03

외신 2과　통제관 CF

0014

아랍 다국적군 군장비 지원(안)

1. 지원 예정 예산 : 1,500 만불 (대 이집트 방독면 지원액 포함)

2. 지원 대상국

    ○ 이집트 (19,000 명 파병)

    ○ 시리아 (15,000 명 파병)

    ○ 모로코 (1,200 명 파병)

    ※ 기타 다국적군 참여국 GCC 5개국(10,000명)과 파키스탄

      (5,000명)은 제외

3. 선정 사유

    ○ 이라크 제재 아랍국중 주도적 역할

    ○ GCC에 비해 경제적으로 어려운 상태

4. 국별 지원액

    ○ 지원액

      - 이집트 : 700 만불

      - 시리아 : 550 만불

      - 모로코 : 150 만불

      ※ 수송료 : 100만불 예상

    ○ 고려사항

      - 다국적군에의 파견 병력수

      - 이집트, 시리아와의 수교문제 연계등 정책적 고려

0015

5. 지원 대상 품목

   ○ 군복, 방독면, 군화, 모포등 비살상용 장비

   ○ 대상국의 희망 품목 지원 원칙

     - 이집트, 모로코와는 아국 대사관을 통해 즉각 교섭 개시

     - 시리아와는 적절한 접촉 공관 선정 교섭하되 수교 문제에

       최대 활용 노력

     ※ 이집트에는 방독면 10,000개 지원 기결정

6. 수송 수단

   ○ 일반 항공 이용 : kg당 약 6미불

   ○ 선박 이용 : 콘테이너당 2,000 미불

                - 월 4회 출발

                - 소요 기일 : 35일

   ○ 전세기 이용 : 약 47만불

                - 적재 가능 무게 : 90톤

                - 운임 내역

                  · 운 송 료 : 35만불 (시간당 13,000불,

                                        27시간 왕복 비행기준)

                  · 공항 rolyaty : 5만불

                  · 보험료 및 기타 : 7만불

7. 지원 물품 구매 계약

   ○ 종합 상사중 1개 업체 선정, 전체 구매 및 선적토록 조치
     (정책적인 사항인만큼 대책회의에서 수의계약 가능토록 결정 요망)

0016

8. 대 이집트 방독면 지원

   o 지원 수량 : 10,000 개

   o 지원 품목 세부 및 단가

     - K1 방독면 세트 (방독면, 덮개, 정화통 및 케이스포함) : 45,000원

     - 스페어 정화통 2조 : 23,000원 (통상 2조 추가 구입)

     - KMK1 해독 주사기 세트 : 8,000원

     - 1세트 총액 : 76,000원(스페어 정화통 2개 구입시)

                 미불 107불(1불＝710원 기준)

   o 지원 총액

     76,000원 × 10,000개 ＝ 760,000,000 원 (1,070,000불 상당)

   o 수송비용

     - 일반 항공 이용시 :

       . 전체 포장 무게 : 약 30톤 (개당 무게 3kg)

       . kg당 수송 가격 : 약 6불

       . 수송비 총액 : 180,000불

     - 전세기 이용시 (여타 지원 예정 군장비 포함 수송)

0017

각국의 대 이라크 군사 제재 동참 현황

(파병 결정 포함)

중근동과

국가 군별	총 병 력 수	함 정	항 공 기
북 미 (2)			
미 국	155,000	48 척	150 대
카 나 다	450	3 척	
구 주 (11)			
영 국	6,000	7 척	40 대
불 란 서	13,000	14 척	100 대
서 독		5 척	
이 태 리		5 척	
화 란		2 척	
스 페 인		3 척	
벨 기 에		3 척	
희 랍		1 척	
폴 투 갈		1 척	
티 키	자국내기지 사용허용	합정 파견 검토중	
덴 마 크		민간 수송선	
중 동 (8)			
이 집 트	19,000		
모 로 코	1,200		
시 리 아	15,000		
GCC 5개국	10,000		
아 주 (5)			
호 주		3 척	
일 본		민간 수송선	민간 수송기
방 글 라 데 쉬	5,000(예정)		
파 키 스 탄	5,000		
인 니	지상군 파병 용의 표명		
계 (26개국)	229,650	95 척	290 대

※ 소련, 함정 2척 파견

0018

폐만사태 관련 각국의 경비분담 현황

1. 일본, 40억불

   ○ 군비분담 : 20억불

   ○ 경제원조 : 20억불

     . 이집트, 요르단, 터키등 전선국가에 90년중 6억불 원조(30년 만기, 연리 1%의 차관 형식)

2. 서독, 20억불

   ○ 군비분담 : 10억불 (군사 장비 지원)

   ○ 경제원조 : 10억불

     . 2.6 억불 경제제재 피해국 원조 기금에 이미 기여

     . 양자관계 차원의 전선국가 경제 원조

       이집트 : 6.09 억불

       요르단 : 2억불

       터 키 : 68 백만불

     ※ 1.25억불 상당 물품 지원, 7.75억불 개발 원조

3. 이테리, 1.45억불

4. 카나다, 7,500만 카나다불 (250만 카불 기지원)

5. GCC 국가, 120억불

   ○ 사우디 : 60억불

   ○ 쿠웨이트 망명정부 : 40억불

   ○ UAE등 : 20억불

6. 기타

   ○ EC, 이집트, 요르단, 터키등 전선국가에 20억불 경제 원조 제공 결정

   ○ 대만, 2-3억불 분담 약속설

0019

별표1   　　　　일 반 방 산 품 자

분 야	품　　　　　명	비 고
기 능	- 군용표준 차량 　(1/4톤, 5/4톤, 2 1/2톤, 5톤, 10톤) - 군용 트레일러 　* 무기 탑재용 차량 포함	
통 신	- 한국인 유무선 통신 장비류 　• 신호 변환기 (TA-182, TA-182A) 　• 신신전화 덮맡기, 단말장치 (KAN/FCC-1) 　• 휴대용 진신단자기 (AN/PGC-1) 　• 무선 진신 단자기 (KAN/GRC-122, KAN/GRC-142) 　• VHF 중계 및 단말장비 (KAN/TRC-113, KAN/TRC-145) 　• 마이크로 웨이브 　　(MS-518, MW-518, MR-200M, MX-108, MPR-2, MDR-8, 　　RTP-248BM) - 전자 광학 장비류 　• 레이저 광학 부품	
함 정	- 비무장 보조선 　(다목적서수송선, 함정탑재단정, 잠수작업선, 중형 상륙주정, 소형유조선, 집수선, 빙음선, 기지용선, 도하정비선, 해상진신거선, 고속정교암복선, 해상초소부선)	
일 반	- 쌍안경, 구명대, 시뢰탐지기, 작전용고무보트, 어뢰망, 낙하산, 군용항공기 타이어, 특수전술타이어, 정수기구셑, 사수상한의, 부교, 붕침무성보호의셑, 제논탐조등, 군용 컴퓨렛사, 리벳트민트빝, 비.디. 알 깃트, 분명구, 피부 세독킫, 아트로핀자동주사기, 아질산아밍앰쁠, 간범핻밑 및 송수화장치, 기상관측자재, 화학작용제자동겸보기, 화학작용제 탐지킫 (냉독변)	
소 재	- 특수알미늄, 정밀주조, 특수기, 표면처리, 유리섬유, 특수고무류, 동합금, 열처리, 특수상압연강세, 특수유집봄, 밍스테종합금	

분 야	품 명	비 고
부 제	- 디스크휠, 완충스프링, 베링류, 크러스탁, 밀러, 녹녹방습 및 보호제, 배아링, 군용지펜송, 콘마디, 사격통제기기 기아 및 축류, 와프 및 특수장비 정비용 공구류, 볼트, 넛드, 군용 항공기 표저, 베타베아링, 게도	

** 1. 대비성의 숨목이나 총모 및 만약류 인지라도 단순부품 (PARTS) 은 일반 품목으로 분류.

2. 차후 새로운 무기체계에 대한 분류는 국방부 및 성공부가 위의하여 별도 정함.

0021

DAEWOO CORPORATION

Messrs,

C. P. O. BOX 2810
SEOUL, KOREA

Offer No. ___HGA-9037___

Date ___SEPT. 26, 1990___

Ref. No. _____

OFFER SHEET

MCI Reg. No. _____

We are pleased to offer the under-mentioning article(s) as per conditions and details described as follows

ORIGIN   : REPUBLIC OF KOREA

SUPPLIER   : DAEWOO CORPORATION, C.P.O. BOX 2810, SEOUL, KOREA

PACKING   : GENERAL STANDARD EXPORT PACKING

SHIPMENT   : WILL BE ADVISED AFTER QUANTITIES ARE FIXED.

INSPECTION   : SUPPLIER'S INSPECTION TO BE FINAL

PAYMENT   :

VALIDITY   : TILL OCT. 31, 1990

REMARKS   :

Looking forward to your valued order for the above offer, we are,

Yours faithfully;

DAEWOO CORPORATION

AUTHORIZED SINGNATURE

Item. No.	Description	Q'ty	Unit price	Amount
			FOB KOREA	
1.	CAMOUFLAGE SUITS(A)		U$18.00/SET	
	SIMILIAR TO D209 STYLE, OUTSHELL : POLYESTER 65%, COTTON 35% FABRIC, 230GR/SQ.M, DESERT CAMOUFLAGE PATTERN			
2.	CAMOUFLAGE SUITS(B)		U$19.00/SET	
	SIMILIAR TO D210 STYLE, OUTSHELL : POLYESTER 50%, COTTON 50% FABRIC, 210GR/SQ.M, DESERT CAMOUFLAGE PATTERN			
3.	CAMOUFLAGE FIELD JACKET		U$20.00/PC	
	SIMILIAR TO D301 STYLE OUTSHELL : POLYESTER 65%, COTTON 35% FABRIC, 250GR/SQ.M, DESERT CAMOUFLAGE PATTERN LINING AND HOOD : COTTON LINER : 3 OZ QUILTED PADDING LINER FOR BODY AND SLEEVE ZIPPER : BRASS			

- TO BE CONTINUED -

0022

Item No.	Description	Q'ty	Unit price	Amount
4.	PULLOVER ACRYLIC 50%, WOOL 50%, 680GR/PC, CAMOU COLOR V-NECK, 2 CHEST POCKET WITH FLAP PEN POCKET SHOULDER PATCH ELBOW PATCH		U$14.00/PC	
5.	SOCKS COTTON 80%, OTHERS 20% W'T : AVERAGE 67GR/PR		U$1.60/PR	
6.	FATIGUE CAP SIMILIAR TO D701C STYLE OUTSHELL : POLYESTER 65%, COTTON 35% DESERT CAMOUFLAG PATTERN		U$1.05/PC	
7.	BALLISTIC HELMET(D707B STYLE) MADE OF NYLON REINFORCED PLASTIC		U$20.00/PC	
8.	COMBAT BOOTS CORRECTED GRAIN LEATHER UPPER SPLIT LEATHER TONGUE, 9 EYELETS TEXON INSOLE, PVC WELT RUBBER OUTSOLE & HEEL		U$22.00/PR	
9.	DESERT BOOTS SPLIT LEATHER UPPER & TONGUE 9 EYELET, TEXON INSOLE RUBBER OUTSOLE & HEEL		U$19.50/PR	
10.	FIELD PACK MADE OF NYLON, U.S. TYPE WITH ALUMINUM FRAME COMPONENTS : PISTOL BELT, AMMUNITION POUCH SHOVEL COVER, CANTEEN COVER, SUSPENDER, FIRST AID KIT		U$50.00/SET	
11.	WATER CANTEEN WITH COVER CANTEEN : D1101D STYLE, ALUMINIUM COVER : D929A STYLE, NYLON, DESERT COLOR		U$6.50/SET	
12.	PISTOL BELT (D1002G STYLE) MADE OF NYLON		U$2.50/PC	
13.	BLANKET (D1202A STYLE) WOOL 20%, OTHERS 80% SIZE : 160x225CM W'T : 4 - 5LBS/PC OLIVE GREEN COLOR		U$12.00/PC	
14.	TENT, GENERAL PURPOSE, MEDIUM(D1305 STYLE) 100% COTTON, W/P, W/R, F/R 9.75M(L) x 4.88M(W) CENTER HEIGHT : 3.05M SIDE WALL : 1.68M		U$1,100/SET	

0023

E.&.O.E.

```
              ITEM                                    UNIT PRICE (FOB KOREA)
           ======                                 ================

    1.  K1 GAS MASK WITH HOOD :                           W45,000.-

        COMPLETED WITH - FACEPIECE

                       - CANISTER

                       - CARRYING BAG



    2.  ESTRA CANISTER                                     W11,500.-



    3.  PERMEABLE PROTECTIVE SUIT, CAMOUFLAGE PATTERN      W73,000.-

        ACC. - FOOTWEAR COVER

             - GLOVE



    4.  ANTIDOTE KIT KMK1                                  W8,000.-

        (ASSEMBLED WITH 1EA AUTO ATROPINE INJECTOR &

        1EA PRALIDOXIME CHROLIDE INJECTOR)



    5.  KM258 DECONTAMINATION KIT                          W7,000.-



    ＊ REMARKS  :  상기 가격은 '90 예측 군납가격 기준임.
```

0024

I T E M	UNIT PRICE (FOB KOREA)

1. K1 GAS MASK WITH HOOD :   W45,000.-

    COMPLETED WITH - FACEPIECE

                - CANISTER (정화통).

                - CARRYING BAG

2. EXTRA CANISTER   W11,500.-

        침투성 보호의   ?

3. PERMEABLE PROTECTIVE SUIT, CAMOUFLAGE PATTERN   W73,000.-

    ACC. - FOOTWEAR COVER   (산약품 위장 색깔로)

           - GLOVE

4. ANTIDOTE KIT KMK1   (해독 주사기 kit)   W8,000.-

    (ASSEMBLED WITH 1EA <u>AUTO ATROPINE INJECTOR</u> &

    1EA PRALIDOXIME CHROLIDE INJECTOR)

5. KM258 DECONTAMINATION KIT   W7,000.-

         제독 kit (분말, 따로 약처).

✱ REMARKS :   상기 가격은 '90 예측 군납가격 기준임.

6. DETECTOR KIT, KM9.

    PAPER

三 共 物 産 株 式 會 社
SAMGONG INDUSTRIAL CO., LTD.

HEAD OFFICE
NO. 136, CHUNGJIN-DONG.
CHONGRO-KU, SEOUL, KOREA
CABLE ADD: "SAMRAIN" SEOUL
PHONES: 72-4352 74-8150

MANUFACTURERS
IMPORTERS & EXPORTERS
P. O. BOX NO. 76, KWANGHWAMOON
SEOUL, KOREA

PLANT:
NO. 4, 1-KA, SUNGSOO-DONG
SUNGDONG-KU, SEOUL, KOREA
PHONE: 446-0715-6 445-7491

OFFER SHEET

REF. NO. SG- 9050   SEOUL, SEP. 26, 1990

Messrs. TO WHOM IT MAY CONCERN;

Dear Sirs,
    We have much pleasure to submit you the following offer on terms and conditions speciefied hereunder, subject to reply to us by

Descriptions	Quantity	Unit Price	Amount
		FOB KOREAN PORTS	
K-1 GAS MASK WITH HOOD	10,000PCS	$60.00	US$600,000.—

Shipment : Within   30   days upon receipt of your L/C

Payment : By An Irrevocable L/C at sight in our favour.

Packing : Export standard Packing.

Validity : OCT. 30, 1990

Remarks : PACKING SIZE(CARTON)
        880x535x315mm
        10PCS/CARTON
        N/W : 13KGS
        G/W : 31KGS

Yours truly,

SAMGONG INDUSTRIAL CO., LTD.

KORN LEE, PRESIDENT

0026

0027

0027

자   료
===========================

삼 양 화 학 공 업 (주)

0028

품 목	제원 및 용도

품명 : SUIT CHEMICAL PROTECTIVE SET

(침투 보호 의셑)

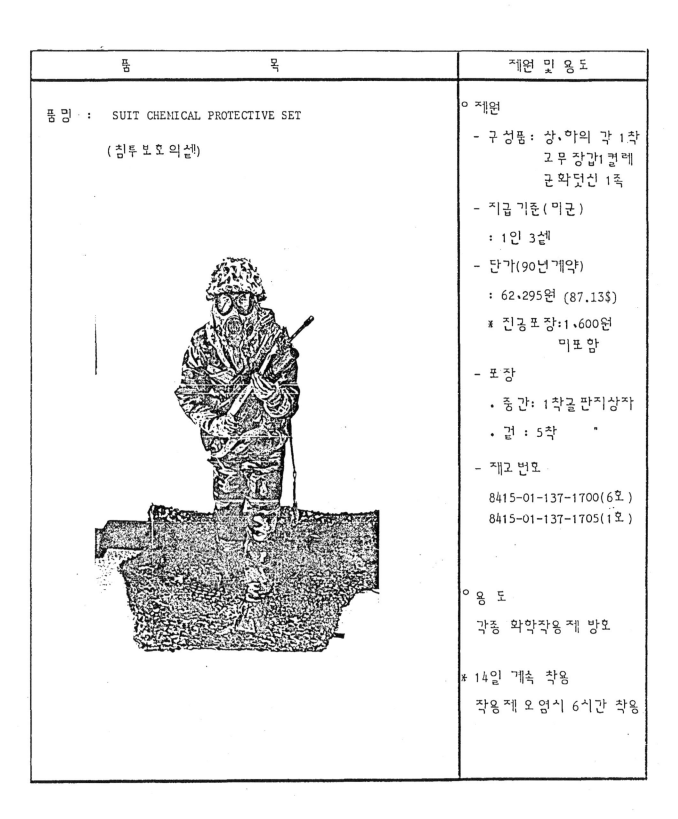

o 제원

- 구성품 : 상·하의 각 1착
  고무 장갑 1 컬레
  군화덧신 1족

- 지급 기준 (미군)

  : 1인 3셑

- 단가(90년 계약)

  : 62,295원 (87.13$)

  * 진공포장 : 1,600원
    미포함

- 포장

  • 중간 : 1착들 판지상자

  • 겉 : 5착   "

- 재고 번호

  8415-01-137-1700 (6호)
  8415-01-137-1705 (1호)

o 용 도
각종 화학작용제 방호

* 14일 계속 착용
작용제 오염시 6시간 착용

0029

품 목	제원

보호의(SUIT CHEMICAL PROTECTIVE)

보호의 : 산×38×37 (13Kg)

구 분	상의(가슴둘레)		하의(허리둘레)	
	미군 (Cm)	국산	미군 (Cm)	국산
Large	137	1-2호	127 -116	1-2호
Medium	127	3-5 호	106	3-4호
Small	116	6 호	96	5-6호

고무장갑(GLOVES AND GLOVE SET CHEMICAL PROTECTIVE)

고무장갑 51×39×44 (16Kg)

구 분		Cm	미 군	국 산
Large	길 이		36	대
	넓 이		16	
	손 목		12	
	손가락		9.5	
Medium	길 이		36	중
	넓 이		16	
	손 목		11.5	
	손가락		9	
Small	길 이		36	소
	넓 이		16	
	손 목		11	
	손 가락		8.5	

군화덧신(FOOTWEAR COVER CHEMICAL PROTECTIVE)

군화덧신 64×51×30 (24Kg)

구 분	mm	미 군	국 산
Large	발바닥	270	대
Small	"	264	소

0030

품 목	제원 및 용도
품명 : AMTIDOTE KIT, NERVE AGENT, MARK-I (해독 제키트 MK-I) 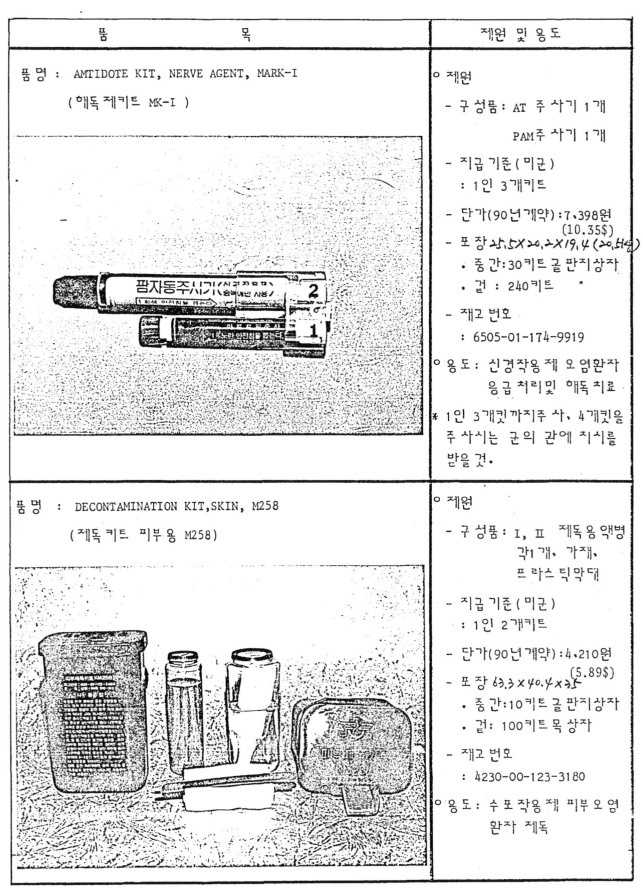	○ 제원 - 구성품 : AT 주 사기 1개 　　　　　 PAM주 사기 1개 - 지급 기준 (미군) 　: 1인 3개키트 - 단가(90년계약) : 7,398원 　　　　　　　　　 (10.35$) - 포장 23.5×20.2×19.4 (20.5㎏) 　• 중간 : 30키트 골판지상자 　• 겉 : 240키트　　〃 - 재고 번호 　: 6505-01-174-9919 ○ 용도 : 신경작용제 오염환자 　　　　 응급 처리및 해독 치료 ＊ 1인 3개킷까지주 사, 4개킷을 주 사시는 군 의 관에 치시를 받을 것.
품명 : DECONTAMINATION KIT,SKIN, M258 (제독 키트 피부용 M258)	○ 제원 - 구성품 : I, Ⅱ 제독용 액병 　　　　　 각1 개, 가제, 　　　　　 프라스틱막대 - 지급 기준 (미군) 　: 1인 2개키트 - 단가(90년계약) : 4,210원 　　　　　　　　　 (5.89$) - 포장 63.3×40.4×25 　• 중간 : 10키트 골판지상자 　• 겉 : 100키트 목 상자 - 재고 번호 　: 4230-00-123-3180 ○ 용도 : 수포작용제 피부오염 　　　　 환자 제독

0031

품 목	제원 및 용도

품 명 : DECONTAMINATION KIT SKIN M258A1
 	
(제독 키트 피부용 M258A1)
 	
	○ 제원
	
	• 구성품 :1、2제독 제패드
	    각 3개
	
	• 지급 기준 (미군)
	  : 1인 2개키트
	
	• 단가(90년계약)
	  : 4、210 원 (5.89$)
	
	• 포장 88.5X3½.1X2.7
	 - 중간: 10키트 골판지상자
	 - 겉: 100키트 목상자
	
	• 재고 번호
	  : 4230-01-101-3984
	
	○ 용도
	수포 작용제 피부 오 염환자
	제독

품 명 : NERVE AGENT PYRIDOSTIGMINE PRETREATMENT TABLET SET
(예방정제)
 	
	○ 제원
	
	• 구성품 : 정제 21정 1키트
	
	• 지급 기준 : 1인1포 (21정)
	
	• 단가(개발단가)
	
	  : 1、600 원 (2.24$)
	
	• 포장
	
	 - 중간 :10키트 (210정)
	   포장백
	 - 겉 :20포장백(4、200정)
	   골판지상자
	 - 재고 번호 :6505-01-178
	   -7903
	○ 용도 :신경작용 제오 염예방
	
	＊ 해독 제키트와 혼용복용하여
	약효를 배가할 수 있음.

0032

품 목	제원 및 용도
품명 : DETECTOR KIT CHEMICAL AGENT M256 (화학작용제 탐지키트 M256) 	○ 제원 - 구성품 : 탐지판 10개 　　　　　　탐지지 1권 - 지급 기준 (미군) 　: 중 대급 당 1개키트 　(독립소 대규 모 1개키트) - 단가(90년계약) 　: 102,700 원 (143.63$) - 포장 60×27×37 (6,61Kg) 　• 중간 : 1키트 골 판지상자 　• 겉 : 10키트 골 판지상자 - 재고 번호 　: 6665-01-016-8399 ○ 용도 - 각종 화학작용제 탐지식별 - 방독면 벗는시기 결정 　제독후 작용제 유무확인
품명 : PAPER CHEMICAL AGENT DEETECTOR M9 (화학작용제 탐지지 M9) 	○ 제원 - 구성품 : 탐지지 1통 - 지급 기준 (미군) : 1인 1통 - 단가(90년계약) : 5,980원 　　　　　　　　　　　(8.36$) - 포장 34×45×37 　• 중간 : 1통 프 라스 틱주머니 　• 겉 : 100통 목 상자 - 재고 번호 　: 6665-01-049-8982 ○ 용도 : 각종 화학작용제 　　　　　　오염 탐지

0033

발 신 전 보

번 호 : WCA-0377   900928 1828 CG   종별 :

수 신 : 주 카이로   ~~대사~~. 총영사

발 신 : 장 관   (마그)

제 목 : 방독면 지원

대 : CAW-0611

　　정부는 현 걸프만사태 관련 아랍다국적군에 대한 지원의 일환으로 귀주재국에
대한 방독면을 10,000개 지원하기로 결정하였는바, 이를 주재국측에 통보하고
접수희망시기, 인도방법, 인도장소등 인도에 필요한 세부절차를 협의하고 결과
보고바람.　끝.

(중동아국장 이 두 복)

예고 : 90.12.31.일반.

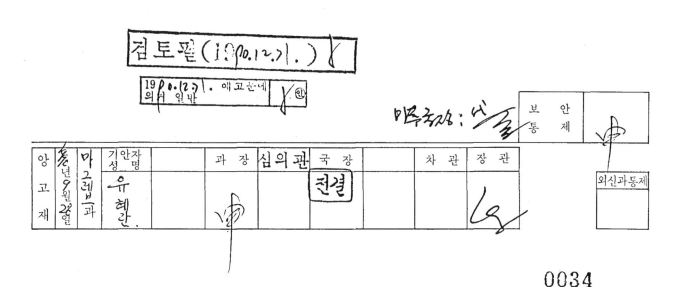

접토필(1990.12.21.)

1990.12.21. 예고문에
의거 일반

보 안
통 제

앙 고 재	90년 9월 28일	마 그 과	기안자 성명 유 혜 란	과 장	심의관	국 장 전결	차 관	장 관

외신과통제

0034

<table>
<tr><td>관 리
번 호</td><td>90-
597</td></tr>
</table>

외 무 부

종 별 :

번 호 : CAW-0662　　　　　　　　　　일 시 : 90 0929 1200

수 신 : 장관(마그)

발 신 : 주 카이로 총영사

제 목 : 방동면 지원 가능시기

대:WCA-0377

대호 방동면의 대 이집트 인도 가능 시기를 우선 회보바람. 끝.

(총영사 박동순-국장)

예고:90.12.31. 일반

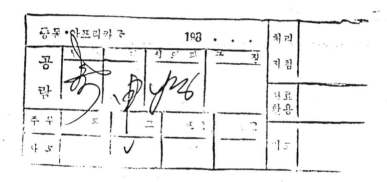

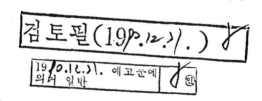

중아국

PAGE 1

90-
612

발 신 전 보

분류번호	보존기간

번 호 : WCA-0389　901006 1210 AO　종별 : _____

수 신 : 주　카이로　대사. 총영사

발 신 : 장 관　（마그）

제 목 : 방독면 지원

연 : WCA-0377

대 : CAW-0662

1. 대호 방독면 10,000개 지원 관련 필요한 절차를 취하고 있는 중인바 ~~불은 현물이 준비되어 있는 상태인바~~

주재국 정부에 동 ~~국내절차 취한후 조속 지원예정임.~~

~~공사통보하고~~ 접수의사 및 인도장소등 인도 관련 절차 협의 보고바람.

연호시 따라 공식통보하고 결과 보고바람. 가 결정되는대로 송부예정임.

2. 운송은 항공편 이용예정이며 상세물품내역 아래와 같으니 참고바람.

- K1 Gas Mask with Hood (facepiece, Canister, Carrying bag)

- Extra Canister, 2 Sets

- Antidote Kit KMK1 (해독주세)

- 총 소요비용 : 운송료 포함 약 120만불 (키참2불)

- 총무게 : 31톤　　　끝.

(중동아국장 이 두 복)

예고 : 90.12.31. 일반.

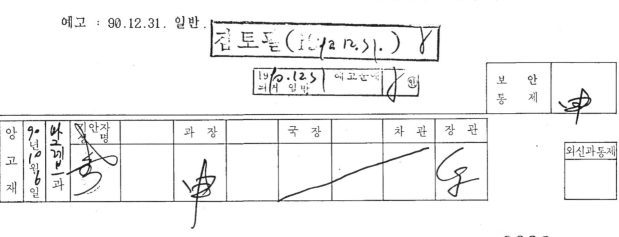

0036

SAUDI 地域行 航空機 CHARTER RATE

o FREIGHT CHARGE $426,452
  (CHARTERAGE)

o ADM. FEE $ 63.968

o GROUND
  HANDLING CHARGE $ 5.867 (22.000 RIYAL)

_____

TTL $ 496,287

* 上記 RATE 中 F/CHARGE 에는 機体 保險料 및
  5%의 對代理店 NORMAL COMMISSION 包含

** 運航 航空機種에 따라 機体 保險料는 多少 變動 可能

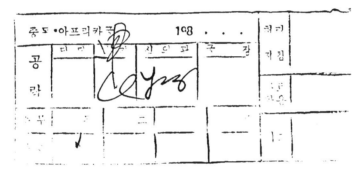

관리 번호	90- 62

외 무 부

종 별 :

번 호 : CAW-0681

일 시 : 90 1008 1018

수 신 : 장관(중근동)

발 신 : 주 카이로 총영사

제 목 : 군수품 구매

대:WCA-0361

연:CAW-0579

대호 가급적 조속 회신바람. 끝.

(총영사 박동순-국장)

예고:90.12.31. 일반

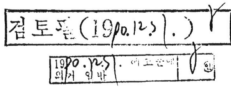

중아국

PAGE 1

90.10.08   17:48
외신 2과 통제관 EZ

0038

걸프사태 : 주변국 지원, 1990-92. 전12권 (V.3 이집트 I: 1990.8-91.6월)   45

발 신 전 보

WCA-0399   901010 1421 DN

번 호 : _____   종별 : _____

수 신 : 주 카이로 ~~대사~~. 총영사

발 신 : 장 관   (마그)

제 목 : 다국적군 및 전선국 지원

1. 대호 지원계획(안)을 아래 통보하니 확정통보시까지 귀관 참고로만
하기바랍.

　가) 주변피해국 경제지원

　　o 대 상 국 : 이집트, 터키, 요르단, 방글라데쉬, 파키스탄

　　o 지원총액 : 1억불

　　o 대이집트 지원액 : 4,000만불(90년 3,000만불, 91년 1,000만불)

　　　- EDCF 자금 : 2,000만불

　　　- 구호생필품 : 900만불

　　　- 잉여쌀 지원 : 100만불

　나) 다국적군 지원(미국제외)

　　o 대 상 국 : 이집트, 시리아, 모로코, 파키스탄

　　o 지원총액 : 1,500만불(91년에도 같은 규모예상)

　　o 대이집트 지원액 : 600만불(방독면 및 일반군수물자)

2. 다국적군지원 총액(1억2천만불)중 일부는 미국에 대한 현금지원이고
나머지는 아국 교통수단 이용운송비이며 주변피해국 경제지원비도 거의 아국
물품구입비용에 충당되는것이므로 귀주재국에 대한 현금지원은 ~~곤란한 형편임~~ 불가능함

/계속...

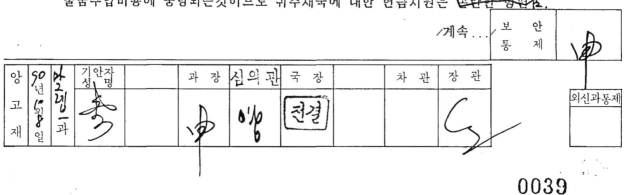

0039

배포방침은 잠정결정한것이며 10. 10 워싱톤에서 개최되는 조정회의
에서협의등

3. 또한 상기에서와 같이 주재국에 대한 지원이 미국을 제외한 여타국
총지원액의 약 40%를 차지, 막대한 비중을 차지하고 있음을 양지하고 동지원을
계기로 수교문제가 타결될수 있도록 강구바람. 끝.
사정 교섭 명확

(중동아국장 이 두 복)

예고 : 91.12.31. 일반

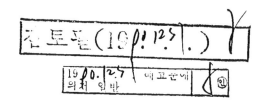

0040

외 무 부

종 별 :
번 호 : CAW-0696
수 신 : 장관(마그)
발 신 : 주 카이로
제 목 : 방독면지원

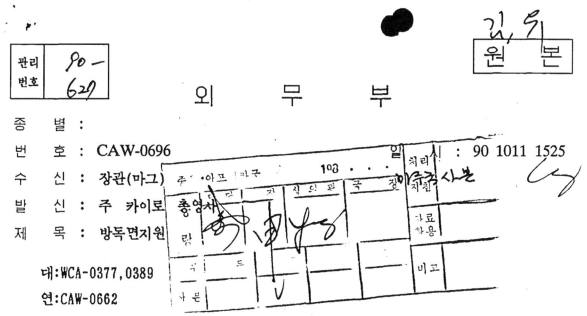

대:WCA-0377,0389
연:CAW-0662

1. 본직은 90.10.11. 오전 ABU TALEB 주재국 국방장관을 동인 사무실로 방문, 대호 방독면 1 만개 지원을 공식 통보하고(통고문서 전달) 접수인사 및 인도장소를 협의 했는바, 동장관은 수취인을 동장관명의 (H.E YOUSSEF SABRI ABU TALEB, MINISTER OF DEFENSE AND MILITARY PRODUCTION, CAIRO EGYPT) 로 하여 가능한한 조속한 시일내에 카이로로 항공수송해 줄것과 동물품의 아지 도착예정 일자를 통보해줄것을 희망 했으니 물건 조치, 도착예정일자등 회시바람.

2. 동장관은 한국의 그동안의 여러방면의 발전에 대해 상세히 알고 있다고 하면서, 특히 상기 기증은 주재국군의 대 사우디 추가파송이 임박한 현시점에서 시기적으로 적절하다고 하면서 동기증에 대하여 주재국 정부의 사의를 한국정부에 전달해 줄것을 요청했음.

3. 동장은 또한 아국정부가 현금을 포함하여 다국적군에게 1 억 2 천만불을지원하는것으로 외신은 보도하고 있는데, 상기 1 항의 방독면 지원이 주재국에대한 지원의 전부인가를 문의하고, 다국적군에 참가하고 있는 이집트군은 그수에 있어서 미국다음이며 따라서 많은 경비가 소요된다고 하면서 현금을 포함하여 상당한 추가지원을 제공해 줄것을 강력히 희망했음.

4. 본직은 상기 추가지원문제에 대하여 공식으로 통보받은바 없어 아직 구체적으로 알고 있지않으나 현금지원이 포함되어 있지않은것으로 안다고 하였음.

5. 본직은 현걸프사태에 대한 아국의 입장을 설명하고, 외교관계가 없는 국가에 대하여 상기 1 항의 군수물자 지원은 이례적인 것이며, 금후 양국관계 증진을 위하여서도 외교관계 수립이 실현되기아트합결이라고 말하고, 무바락대통령의 측근인

중아국

PAGE 1

국방장관으로서 동 수교실현을 위해 협조해 줄것을 요청한바, 동장관은 군인이 외교문제에 언급하는것이 오히려 장애가 되지 않을가 생각된다고 하면서 MEGUID 외무장관이 한. 애 수교지지자 이므로 동장관과 긴밀히 협조해가도록 당부했음.

6. 본직은 MEGUID 외무 및 GHALI 외무담당 국무장관과 그동안 접촉한바 한. 애 수교문제 관한 동문제의 해결은 최고위층의 결심여하에 달려 있다고 생각된다 말하고, 따라서 대통령의 측근인 국방장관의 협력이 필요하다고 말한바, 동장관은 직접적인 언급은 회피하고 양국간 외교관계는 불원간 실현 될것으로 믿고 있다고 말함.

7. 금후 주재국 다국적군에 대한 추가지원 문제가 공식화되는대로 이를 수교문제와 연관시켜 동장관의 협력을 얻는 방향으로 추진 위계임.

8. 건의

걸프사태관련, 정부의 전체적인 지원 방침상 극히 어려울것으로 사료되오나, 주재국 정부및 다국적군에 대한 지원을 주재국과의 수교문제와 연관시켜 추진함에 있어서는 일부 현금지원이 가장 효과적인것으로 사료되오니 본건 그 가능성을 재검토해 주실것을 건의함. 끝.

(총영사 박동순-국장)

예고:90.12.31. 일반

발 신 전 보

번 호 : WCA-0405   901012 1113   FC   종별 : _____

수 신 : 주 카이로   <del>대사.</del>총영사

발 신 : 장 관   (마그)

제 목 : 다국적군 지원과 수교연계

전 : WCA-0399

1. 정부의 <del>미수교국과의 수교방침</del>인 선수교 후경협에 따라 금번 소련과의 <ins>원칙</ins> 수교시 아측은 소련의 선경협 주장에 대해 경협협의를 위해서는 수교가 선행 되어야 한다는 집요한 설득으로 수교를 앞당겼음. <ins>정부는 한·소수교를 계기로 세계 모든 국가와의 수교를 추진하는 방침이며, 수교교섭시 상기원칙을 적극 원용할 예정임.</ins>

2. 상기 수교방침이 이집트에 유독 예외가 되어야할 이유가 없을뿐만 아니라 내년이면 양국간의 영사관계수립 30주년이 되<del>면서도 외교관계가 계속 거절되고 있는</del> 현상황에서 주재국에 대한 연호지원 및 경협자금을 통한 일방적인 원조가 <del>현안중인 양국간의 수교에 도움이 되는지에 대하여 회의적이며,</del> 아국의 미수교국과의 수교원칙에<del>도</del> 부합되지않기 때문에 상기 대이집트 원조에 반론이 많음.

3. 따라서 동건관련 수교교섭시 아국 정부가 연호 전선국지원 경우 전선국중 외교관계가 있는 국가에 더많은 비중을 두고있다는점과 경협자급등의 집행을 위해서는 수교가 선결되어야 한다는 아측입장을 강력히 피력, 수교교섭에 적극 대처바람.   끝.

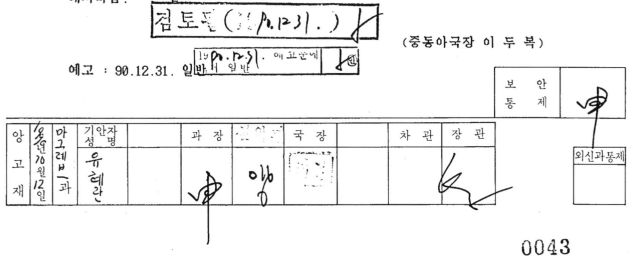

(중동아국장 이 두 복)

예고 : 90.12.31. 일반

0043

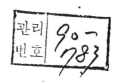
"페"湾 事態 関聯 支援 執行 計劃

1990. 10. 17.

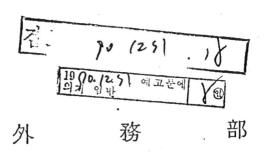

外 務 部

o 폐灣 事態 支援 關聯 그간 措置事項과 앞으로의
   執行計劃을 말씀드리겠음.

o 폐灣 事態 關聯 我國의 支援 規模는 잘 아시다시피
   多國籍軍 活動 支援에 1億2千萬弗, 周邊國 經濟
   支援에 1億弗, 總2億2千萬弗로 確定됨

o 지난달말 關係部處 會議를 통해 마련된 執行 計劃(案)은
   9.29. 上部 報告를 드린후, 經濟企劃院이 860億원
   (1.2億弗 상당)을 追更 豫算에 豫備費로 計上하여
   國會 審議를 待機中에 있음.

o 그간 關係部處 實務對策會議에서 마련한 同 執行
   計劃(案)을 駐韓 美大使舘과 駐美 韓國大使舘을 통해
   美側과 協議하였음. 또한 폐灣 事態 對策班長으로 하여금
   지난 10.10-15間 訪美케 하여 第2次 폐灣 事態
   財政 支援 供與國 그룹 調整會議에 參席, 關係國과
   協議를 하는 한편, 美 國防部, 國務部 및 財務部內
   關係官과 接觸, 美側과 協議를 마쳤음.

o 同 計劃(案)을 내일 國務會議에 報告하고, 다시 關係
   部處 實務會議를 가진후 受援國과 協議를 거쳐 國家別
   支援額, 物品 및 引導 時期等을 決定 施行하고자 함.

o 現在 支援 對象國으로는 이집트, 터키, 요르단 等
   所謂 周邊 前線國家와 其他 파키스탄, 시리아, 모로코等

多國籍軍에 軍隊를 派遣하고 있는 國家 및 금번 事態로
심한 經濟的 被害를 입고 있는 방글라데쉬, 필리핀 等
아시아 友邦國家들을 考慮中에 있음. 지원 對象國別
詳細 支援 規模는 高位 調査團의 現地 派遣後 關係部處
會議를 거쳐 確定할 豫定임

○ 軍 醫療陣 派遣 問題는 對策班長 訪美時, 美側에 派遣,
駐屯 및 補給 經費를 美側 또는 駐屯國이 負擔토록
要請한 바, 美側은 同 問題를 시간을 가지고 研究해
보자는 反應을 보인바 있어, 我側이 現時点에서 積極的인
立場을 취할 必要는 없을 것으로 보임. 또한 쌀 支援
問題도 美農務部側의 反對가 없도록 協議中임.

添 附 : "페·灣 事態 關聯 國別 支援 執行 計劃(案)

"폐"灣 事態 關聯 國別 支援 執行計劃(案)

（長官님 參考用 實務案）

1. 支援 內譯

가. 90年

（單位：万弗）

支援內譯 / 國別	多國籍軍 活動			周邊國 및 國際機構				計
	現金	輸送	現物	EDCF	生必品	쌀	IOM	
美 國	5,000	3,000						8,000
이집트			700	1,500	800			3,000
터 키				1,500	300			1,800
요르단				500	500			1,000
방글라데쉬					200	400		600
파키스탄				500	200			700
시리아			600		450			1,050
모로코			200					200
필리핀						600		600
IOM							50	50
小 計	5,000	3,000	1,500	4,000	2,450	1,000	50	17,000
計	9,500			7,500				17,000

0047

나. 91年

(單位：万弗)

	多國籍軍 活動	周 邊 國	計
支援 規模	2,500	2,500	5,000

0048

< 별첨 3 >

중동 경협 관련 공급가능품목 명세서

(1990.10.17. 현재)

(1990. 12. 31. 한 공급가능품목대상)

(금액 : 천불, CIF 가격기준)

번호	품 목	규격 (재질)	수 량	금 액	비 고
1	직 물	P. E.	7,919,000 YDS	7,277	세양(주) 외 6개사
2	타 이 어	트럭, 버스, 승용차	7,000 PCS & 60,000 PCS	3,000	한국타이어 외 1개사
3	복 사 기	FT 46000 외	3,000 SETS	8,827	신도리코
4	팩시밀리	—	10,000 SETS	3,900	삼성전자
5	타 자 기	DBM	2,000 SETS	1,400	경방기계 외
6	전 화 기	SS 1800	30,000 SETS	710	삼성전자 외
7	COLOR TV	20"	500 SETS	115	삼성전자
8	냉 장 고	SR-271	1,184 SETS	376	삼성전자(주)
9	라 디 오	ARC 191 외	100,000 PCS	5,900	대우전자
10	자 전 거	T-26, 5-SPEED	9,630 SETS	762	(주)삼천리공업
11	세탁비누	300 G	8,000 M/T	4,580	동산유지 외 1개사

0049

〈1990. 10. 17. 현재〉

(금액 : 천불, CIF 가격기준)

번호	품 목	규격 (재질)	수 량	금 액	비 고
12	화장비누	110 G	22,800,000 PCS	6,156	동산유지 외 2개사
13	설 탕	30 KG	5,000 M/T	2,584	삼양사 외 1개사
14	밀가루	-	29,000 BAG	337	대한제분
15	종 이	아트지	1,000 M/T	1,210	무림제지
16	식품(통조림)	CAN	1,500,000 PCS	1,098	쾌켠 외 1개사
17	담 배	-	47,000 BOX	267	(주)농심 외 1개사
18	신발(운동화)	P.U.	500,000 PAIRS	4,410	동진상업 외 2개사
19	주방용품	STAINLESS, ALUMINIUM	165,000 PCS	1,600	우진경금속 외 3개사
20	화장지	102MM X 35MM 2PLY	5,500,000 ROLLS	1,601	동신제지 외 1개사
21	치 솔	-	7,000,000 PCS	1,610	럭키 외 1개사
22	치 약	-	1,000 M/T	2,930	럭키 외 1개사
23	음료브신류	-	1,300,000 PCS	1,157	태평양화학

0050

(1990. 10. 17. 현재)

(금액 : 천불, CIF 가격기준)

번호	품 목	규격 (제질)	수 량	금 액	비 고
24	면 도 기	-	2,600,000 PCS	700	도루코
25	라 이 타	-	2,000,000 PCS	342	싸이롯트
26	만 년 필	-	50,000 SETS	730	싸이롯트
27	펜 턴	-	750,000 PCS	1,450	삼강라이트 외 1개사
28	건 전 지	R20 (M) / DM	15,287,600 PCS	1,296	(주)서롱, 로켓트전기
29	정 수 기	-	35,250 SETS	1,830	(주)워터스 외 1개사
30	매 트	-	153,720 PCS	492	(주)두남
31	차 양 막	2MM X 60M X 160M X 150MM	156,000 PCS	156	(주)두남
32	내 의	-	27,500 DZ	518	(주)백양
33	양 말	-	27,000 DZ	188	승한물산 외 1개사
34	스 타 킹	-	17,000 DZ	58	(주)두성양말
35	타 올	-	2,500,000 PCS	4,000	한미타올 외 1개사

(1990.10.17. 현재)

(금액 : 천불, CIF 가격기준)

번호	품 목	규격(제질)	수 량	금 액	비 고
36	모 표	MINK	4,000 PCS	168	범아전장
37	의약품(주사제)	마취제, 항생제 해열진통소염제 등	-	2,700	유한양행 외
38	의약품(정제)	지혈제, 해독제, 항생제 해열진통소염제 등	-	3,260	중외제약 외
39	구급함(가정용)	-	20,000 SETS	1,142	남신약품 외
40	앰블란스	BESTA	200 UNIT	3,000	기아자동차
41	미니버스	BESTA 12인승	200 UNIT	2,800	기아자동차
42	미니버스	COMBI 25인승	300 UNIT	7,110	아시아자동차
43	오토바이	50 CC	1,000 UNIT	550	대림자동차
44	FORK LIFT	1.5 TON 외	90 UNIT	2,205	삼성중장비
45	EXCAVOTOR	SE 40 W	20 UNIT	1,320	삼성중공업
46	LOADER	SL 10	20 UNIT	2,200	삼성중공업
47	DOZER	SD 15P	20 UNIT	2,200	삼성중공업

0052

(1990. 10. 17. 현재)   (금액 : 천불, CIF 가격기준)

번호	품 목	규격 (재질)	수 량	금 액	비 고
48	발전기	145 KW 외	20 UNIT	860	대흥기계
49	양수기	100 MM 외	5,000 UNIT	5,560	국제종합기계
50	정수장비	MD 1500-1990	20 UNIT	2,500	만도기계
51	경운기	10 HP	800 SETS	1,855	대통경영 외
52	트 럭	1 TON	200 UNIT	2,000	기아자동차
53	카고트럭	4 X 4, 3 TON	200 UNIT	2,946	기아자동차
54	STEEL WIRE 외	DIA 1/2" 외	700 TON	548	고려제강
55	야전선	-	2,500 MILE	387	국제전선
56	소화기	3.3 KG 외	10,000 SETS	340	정계소방 외
57	X-RAY 기기	HB 100 M	110 SETS	1,134	동아 X-RAY 외
58	초음파기기	SONAR ACE-4500	50 SETS	1,414	(주)메디슨
59	마취기	MINI-7 외	200 SETS	2,354	로얄상사

〈1990. 10. 17. 현재〉

(금액 : 천불, CIF 가격기준)

번호	품 목	규격 (재질)	수 량	금 액	비 고
60	수술용 모니터	CS 502 H	400 SETS	1,384	유진전자
61	수술실 장비일체	-	50 SETS	675	동광의료기 외
62	기타 의료기기	50 병상	50 SETS	1,050	신진전자 외외
63	군 복	T/C 65/35	80,000 벌	1,013	신생유니온 외 3개사
64	안전장비	T/C 65/35	90,000 PCS	1,272	JP 무역 외 2개사
65	군용외의류	-	82,000 PCS	2,158	신생유니온 외 3개사
66	군 화 류	-	120,000 족	2,232	대동화학 외 2개사
67	헬 멧	NYLON REINFORCED PLASTIC	100,000 PCS	2,670	오리엔탈공영
68	텐 트 류	NYLON OR COTTON	40,350 SETS	1,330	풍국기업 외 2개사
69	배 낭	NYLON	40,000 PCS	1,511	대정산업 외 2개사
70	DUFFLE BAG	NYLON 외	160,000 PCS	1,106	풍국기업 외 3개사
71	군용모포	WOOL 외	70,000 장	1,083	신흥모직 외 1개사

0054

(1990. 10. 17. 현재)

(금액 : 천불, CIF 가격기준)

번호	품 목	규격 (재질)	수 량	금 액	비 고
72	등 겆	ALUMINIUM	10,000 PCS	549	원일금속
73	방 탄 복	-	1,500 PCS	104	코오롱상사
74	PONCHO	NYLON TAFFETA	10,000 PCS	124	JP 무역
75	야전삽, 곡괭이	STEEL	310,000 PCS	1,097	광성공업사 외 4개사
76	수 통	PLASTIC	50,000 PCS	54	조일양행
77	삽피, 수통피	NYLON	330,000 PCS	730	풍구기업 외 1개사
78	탄 일 대	NYLON OR COTTON	100,000 PCS	361	JP 무역 외 1개사
79	PISTOL BELT	NYLON	260,000 PCS	707	풍구기업 외 3개사
80	군용 TOWEL	COTTON	100,000 장	308	동양타올
81	군용양말	WOOL 등	270,000 족	267	신생유니온 외 1개사
82	SAND BAG	P.P.	300,000 PCS	105	신생유니온
83	NBC SUIT	-	100,000 SETS	11,000	코오롱상사
	합 계			157,010	

〈주〉 1. 상기 수량 및 금액은 10월말 발주 확정 기준임.

2. '90년 11월 15일 확정시 50% 물량 감소 예상.

0055

國家別 支援

	多國籍軍 活動			周 邊 國				計
	現金	輸送	現物	EDCF	生必品	쌀	IOM	
美 國	5,000	3,000						8,000
Egypt			700	1,500	800			3,000
Turkey				1,500	300			1,800
Jordan				500	500			1,000
Bangladesh					200	400		600
Pakistan				500	200			700
Syria			600		450			1,050
Morroco			200					200
필리핀						600		600
기 타							50	50
小 計	5,000	3,000	1,500	4,000	2,450	1,000		17,000
計		9,500			7,500			17,000

'91		2,500			2,500			5,000

0056

걸프 5개국 공관 방독면 수요조사

공 관 명	공 관 원	가 족	계	비 고
사 우 디	33	80	113	고용원 포함
U A E	8	11	19	
카 타 르	9	4	13	고용원 포함
바 레 인	3	11	14	대 인 10명, 소 인 4명
요 르 단	3	9	12	대 인 10명, 소 인 2명
누 계	56	115	171	

예2: 90.12.41 일박

0057

외 무 부

종 별 :

번 호 : CAW-0747   일 시 : 90 1031 0250

수 신 : 장관(마그,중근동,미북,기정)

발 신 : 차관

제 목 : 걸프만사태관련 조사산(6-이집트)

    본직은 10.29-30 간 이집트 주요각료들과의 면담외에 10.30. 에는 외무차관주최로 외무성간부들이 참석한 오찬이 있었으며 동일아침에는 주이집트 WISNER미국대사와의 조찬이 있었는바 이들과 환담시 현 걸프만사태 현황 및 전망, 특히 전쟁발발 가능성 및 시기등에대해 탐문한 내용을 아래와 같이 보고함.

    1. 이집트 및 미측 공히 평화적 해결가능성은 제약되어 있다고 보며 군사적충돌가능성이 큰것으로 보고있음.

    2. 단 군사행동을 개시하기로 결정한다면 시기는 11 월중이 가장 유력한바 이집트는 금번 위기로 인한 각종 손실을 조기에 막고 특히 중동지역에서 팽배할수 있는 친이라크 여론의 확산을 막기 위하여 가급적 빠른 시일내에 다국적군이 군사행동을 취할것을 요구하고 있음.

    3. 반면 미측은 깨끗한 결과를 가져오기 위하여 가급적 완전한 준비조치를 취하는것이 필요하다고 보고 이집트측을 설독 하고 있는것으로 보임. 단 미국은 현재 체니 장관이 언급한 10 만명의 증원군이 배치된 이후에야 꼭 군사활동을 할수 있다는것은 아니며 현재의 COMMAND CONTROL 및 COMMUNICATION 개선이 완료되는 시점에 군사행동을 취할수 있다고 보고 있음.

    4. 미측은 이라크군의 저항이 적지않을것이며 이라크군이 십중팔구 화학무기를 사용할것 이므로 인명피해 및 비참상은 상당할것으로 평가하고 있음.

    5. 이집트로서는 사담후세인의 제거만으로서는 만족할수 없고 이라크의 전력을 축소시키는것이 필요하나 만약에 이라크의 군사력을 지나치게 파괴시키는 경우 장기적으로 이란에 의한 대아랍우위를 가져와 중동의 균형을 깰 위험성이 있으므로 적절한 수준에서 이라크 전력을 보존시키기를 희망하고 있음.

    6. 금번사태가 정상화된 이후 걸프지역에대한 이집트의 역할은 일층 증대될것임.

중아국   장관   차관   1차보   미주국   중아국   안기부

단 이집트와 시리아의 상호불신 및 대결 관계는 첨예할 가능성이 있음.
   (차관-장관)
   예고:90.12.31. 일반

예고문에의거 일반문서로
재분류19 90 12.31 서명 73

PAGE 2

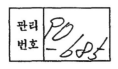

외 무 부

연:CAW-0741

대:WCA-0439

연호 1 항 다(주재국측이 검토코자 하는 10 개 품목 -63 번제외- 에대한 카다로그,
사진, 가격 상세 설명서등)를 조속 송부되도록 조치바람. 끝.

(총영사 박동순-국장)

예고:90.12.31. 일반

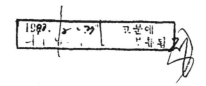

중아국   경제국

PAGE 1   90.11.01   22:57
                                                외신 2과 통제관 DO

외 무 부

종 별 : 긴 급

번 호 : JOW-0555　　　　　　　　　　일 시 : 90 1031 1800

수 신 : 장 관(마그,<u>미북</u>,정이,기정)

발 신 : 차관(주 요르단 대사 경유)

제 목 : 걸프만 사태 조사단(7-이집트)

　　1. MEKKI 이집트 외무성 아주국장은 금 10.31 공항에서 소직을 전송하는 자리에서 본직의 이집트 방문결과에 관하여 다음과 같이 자신의 평가를 전하여 왔음

　　2. 금번 소직일행의 방문중 가장 중요한 면담은 ABU TALEB 국방장관과의 면담으로 이는 무바락 대통령의 사전 재가를 얻지않고 불가능한바, 회담결과가 좋았다는 평가를 접함. MEGUID 외무장관 및 GHALI 국무상과의 면담에서 아측이 한, 애 수교를 강요하는 인상을 피하면서 유연한 자세를 취하여 오히려 이집트측으로서는 부담감을 증가시켰다고 보며 특히 북한과의 관계에 있어서 북한을 공격하지않고 남북대화를 진지하게 평가하면서 북한을 국제사회의 일원으로 유도하는데이집트가 건설적으로 기여해 주기를 바란다고 말함으로써 남한 공격을 상습으로 하는 북한의 태도와 대조를 보였으며, 남북대화를 한국과의 수교 계기로 삼으려는 이집트측 생각과 부합하였음

　　3. 한국측이 금번에 제공한 경제원조와 수교를 연계시키는 언급을 피한것은현명한 조치였음

　　4. 한국과의 수교는 금번의 면담결과에 기초하여 무바락 대통령이 결정하는바 북한이 어떻게 나올것인지는 두고보아야 할것이나, 이러한 결정은 4-6 개월이내에 가능하지 않을까 하는 감촉을 받고있음

　　(차관-장관)

　　예고:90.12.31 일반

예고문에 의거 일반문서로 재분류 19__ 0123 서명

중아국	장관	차관	1차보	2차보	미주국	정문국	정와대	안기부

관리 번호	90- 141	

기 안 용 지

분류기호 문서번호	마그20005- 1534	(전화 :)	시 행 상 특별취급	
보존기간	영구·준영구. 10. 5. 3. 1.	장 관		
수 신 처 보존기간				
시행일자	1990.11.1.			

보 조 기 관	국 장	전결	협 조 기 관		문 서 통 제	검열 1990.11. 3 통제관
	심의관					
	과 장	代			발 송 인	
	기안책임자	김은석				

경 유 수 신 참 조	주 이집트 대사	발 신 명 의	발송 1990 11. 3 외무부
제 목	지원품목 상세 송부		

대호 이집트측 검토희망 요청 품목 12개에 대한 상세자료를

별첨과 같이 각 5부 송부합니다.

첨 부 : 상기자료 4종 각5부. 끝.   검토필(19?0. 12.11)

예2: 1990.12.31. 일반   1990.12.7. 어고진예
외처 일반

0062

I. 국별 공여물자 개요 설명

1. 이집트 (군수물자)

o 총예산 : 7백만불

o 이집트측에서 요청한 12개 전품목에 대하여 아국측 나름대로 CIF 가격을
   감안하여 수량을 추정 제시하였으며, 총금액은 U$7,000,770 임.
   (U$770 의 예산초과금액은 추후 발주확정시 계수조정 예정임)

o 이집트측에서 아국의 제안을 검토후 CIF 가격을 감안하여 수량을 가감
   통보시 최종수량 확정예정임.

o 선적기일 ('90년 12월초 발주확정기준)

   - 차량 및 중장비, 의료기기는 '90년 12월말경에 선적이 가능함.

   - 군복은 작업복과 위장복 각 20,000착으로서, '91년 3월경 선적이 가능함.

   - 화생방 보호복과 방독면은 국방부 비축물자이므로 금년중 선적이 가능함.

2. 터키 (생필품)

o 총예산 : 5백만불

o 터키측에서는 당초 아국이 기 제시한 83개품목중 터키측이 선택한 16개
   품목(List I)과 아국의 제시품목은 아니나 터키측이 추가 희망한 10개
   품목(List II)을 희망수량과 함께 요청하여 왔음.

o List I 의 16개품목에 대하여는 터키측의 희망수량대로 총금액
   U$2,591,560 의 공여물량을 제시하였으며,

0063

o List Ⅱ 의 10개품목에 대하여는 구체적인 사양이 있는 3개품목(혈액냉장고,

원심분리기, 고속냉각기)에 대하여만 터키측의 희망수량(U$302,360 해당)

대로 제시함.

List Ⅱ 의 잔여 7개품목은 추후 터키측이 구체적인 사양을 ~~꼭 납자사를~~

~~동타여 송부해으면~~ 공급가능여부를 조사하여 가격, 선적시기 등을 제시코저 함.

보해스멘

o 현재 제시총액은 19개품목 U$2,893,920 으로서 예산잔액 U$2,106,080 에

대하여는

- 상기 19개품목의 물량 증대, 또는

- 당초 아국이 제시한 83개품목중에서의 여타품목 추가선택, 또는

- List Ⅱ 의 잔여 7개품목에 대하여 구체적인 사양제시가 있을 경우

동 품목으로의 물량추가결정 등

세가지안중 터키측의 선택에 따라 품목 및 수량을 결정코저 함.

o 선적기일 ('90년 12월초 발주확정기준)

- 차량, 중장비, 의료기기 : '90년 12월말

- Camping Mat, 정수기 : '91년 1월

3. 요르단 (생필품)

o 총예산 : 5백만불

o 요르단측에서는 설탕 1만톤과 미니버스 100대, 강관(물량 미결정)의

3개품목을 요청하여 왔으나,

0C64

o 미니버스는 요르단측의 희망수량인 100대를 그대로 제시하고, 설탕과 강관은

국내의 생산여력을 고려하여 설탕 1,000M/T, 강관 2,000M/T 으로 제시함.

단, 강관은 요르단측에서 요청하는 구체적인 사양에 따라 공급가능물량을

재점검하여 물량을 확정할 예정임.

o 현재의 제시총액은 3개품목 U$4,336,000 으로서 예산잔액 U$664,000 에

대하여는

- 당초 아국이 제시한 83개품목중에서의 여타품목 추가선택

중 미니버스와 강관 2개품목의

- 또는 상기 3개품목의 일부물량 증대

양자중 요르단측의 선택에 따를 예정임.

o 선적기일 ('90년 12월초 발주확정기준)

- 미니버스, 설탕 : '90년 12월말 내지 '91년 1월

- 강관 : '91년 2월

Ⅱ. 국별 공여물자 제안현황

※ 별첨자료 1, 2, 3, 참조

0065

〈 별첨 1 〉

THE ECONOMIC COOPERATION ITEMS FOR EGYPT (MILITARY SUPPLIES)

SERIAL NO.	II.S. NO.	ITEM	SPECIFICATION	QUANTITY	UNIT PRICE (CIF)	AMOUNT
1	8427.20	FORK LIFT	DPS 20	10 UNIT	@$19,891	U$198,910
2	8427.20	LOADER	SL 5	2 UNIT	@$56,840	U$113,680
		〃	SL 10	2 UNIT	@$103,300	U$206,600
		〃	SL 15	2 UNIT	@$138,570	U$277,140
3	8429.11	DOZER	SD 4P	2 UNIT	@$42,130	U$84,260
		〃	DX 5P	2 UNIT	@$44,420	U$88,840
		〃	SD 6	2 UNIT	@$48,160	U$96,320
4	8703.32	AMBULANCE	BESTA	20 UNIT	@$15,000	U$300,000
5	8702.10	BESTA 12C		30 UNIT	@$14,000	U$420,000
6	8702.10	MINI BUS	FOR 25 PERSONS	20 UNIT	@$23,700	U$474,000

SERIAL NO.	H.S. NO.	I T E M	SPECIFICATION	QUANTITY	UNIT PRICE (CIF)	AMOUNT
7	8704.31	TRUCK	1 TON	20 UNIT	@$10,000	U$200,000
8		CARGO TRUCK	3 TON	20 UNIT	@$14,730	U$294,600
9	9018.39	MEDICAL INSTRUMENT	GENERAL SURGERY (FOR 50 BED)	10 UNIT	@$55,878	U$558,780
		"	ORTHOPAEDIC & NEURO SURGERY (FOR 50 BED)	10 UNIT	@$57,000	U$570,000
		"	PHYSICAL THERAPHY INSTRUMENT (FOR 50 BED)	8 UNIT	@$16,080	U$128,640
		"	LABORATORY INSTRUMENT (FOR 50 BED)	10 UNIT	@$13,500	U$135,000
10	6203.12	FATIGUE UNIFORM	SSU 131	20,000 SETS	@$12.80	U$256,000
	6203.12	CAMOUFLAGE UNFORM	SSU 139	20,000 SETS	@$20.40	U$408,000
11	6211.33	NBC SUIT		10,000 SETS	@$112	U$1,120,000
12		GAS MASK		10,000 SETS	@$107	U$1,070,000
TOTAL						U$7,000,770

중동 경협 관련 공급가능품목 명세서 (군수물자)

(1990.10.17. 현재)

(1990. 12. 31. 한 공급가능품목대상)

(금액 : 천불, CIF 가격기준)

번호	품 목	규격 (제질)	수 량	금 액	비 고
1	군 복	T/C 65/35	80,000 벌	1,013	신생유니온 외 3개사
2	야전점바	T/C 65/35	90,000 PCS	1,272	JP 무역 외 2개사
3	군용외의류	-	82,000 PCS	2,158	신생유니온 외 3개사
4	군화류	-	120,000 족	2,232	대동화학 외 2개사
5	헬 멧	NYLON REINFORCED PLASTIC	100,000 PCS	2,670	어리엘탈공업
6	벨트류	NYLON OR COTTON	40,350 SETS	1,330	동부기업 외 2개사
7	배 낭	NYLON	40,000 PCS	1,511	대정산업 외 2개사
8	DUFFLE BAG	NYLON 외	160,000 PCS	1,106	동부기업 외 3개사
9	군용모포	WOOL 외	70,000 장	1,083	신흥모직 외 1개사
10	물 컵	ALUMINIUM	10,000 PCS	549	원일금속
11	방 탄 복	-	1,500 PCS	104	교오통상사

(1990. 10. 17. 현재)　　　　　　　　　　　　　　　　　　　　　　　　(금액 : 천불, CIF 가격기준)

번호	품 목	규격 (재질)	수 량	금 액	비 고
12	PONCHO	NYLON TAFFETA	10,000 PCS	124	JP 무역
13	야전삽, 곡괭이	STEEL	310,000 PCS	1,097	광성공업사 외 4개사
14	수 통	PLASTIC	50,000 PCS	54	준일알미늄
15	삽과, 수통피	NYLON	330,000 PCS	730	통구기업 외 1개사
16	탄 입 대	NYLON OR COTTON	100,000 PCS	361	JP 무역 외 1개사
17	PISTOL BELT	NYLON	260,000 PCS	707	통구기업 외 3개사
18	군용 TOWEL	COTTON	100,000 장	308	동양타올
19	군용양말	WOOL 등	270,000 족	267	신생유니온 외 1개사
20	SAND BAG	P.P.	300,000 PCS	105	신생유니온
21	NBC SUIT	-	100,000 SETS	11,000	교오롱상사
	합 계			29,781	

<주> 1. 상기 수량 및 금액은 10월말 발주 확정 기준임.
　　 2. '90년 11월 15일 확정시 50% 물량 감소 예상.

중동 경협관련 공급가능품목 명세서 (군수물자 : 국방부 제안)

(1990. 12. 31. 한 공급가능품목대상)

■90. 10. 17. 현재)

(금액 : 천불, IMF 가격기준)

번호	품목	국제재고번호	수량	금액	비고
1	방독면	4240375000203	395,764 개	32,769	
2	화생보호의	8415011371700	100,000 개	10,800	
3	신경작용제	6505011749919	300,000 개	3,990	
4	모포	7210371800647	200,000 개	4,888	
5	일반유틸낭	8465371800647	522,023 개	8,311	
	계			60,758	

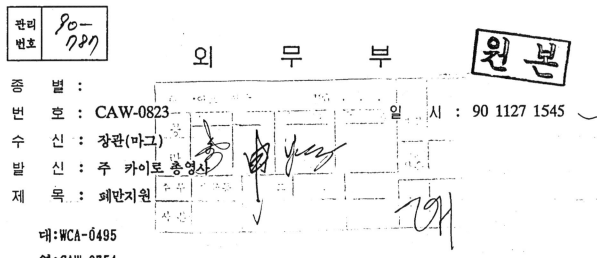

외 무 부

원 본

종 별 :

번 호 : CAW-0823

일 시 : 90 1127 1545

수 신 : 장관(마그)

발 신 : 주 카이로 총영사

제 목 : 페만지원

대:WCA-0495

연:CAW-0754

1. 대호 지원과 관련, 당관은 주재국 국방부, 외무부 및 국제협력부와 계속 접촉, 동지원의 연내 집행을 위해 노력중이나, 품목선정 및 EDCF 차관에 의한사업선정과 관련 주재국 정부부처간의 협의등 행정절차상의 이유로 동지원의 집행까지는 상당한 시일이 소요될 것으로 판단됨.

2. 동지원 계획의 추진현황은 아래와 같음.

가. 군수품 지원문제

. 당관은 연호 수송장비 및 건설기계류의 카다로그를 국방부에 전달하고 조기품목 선정을 요청했으나, 동카다로그중 일부(미니버스 및 앰블란스) 설명이 모두 한국어로 되어있어 국방부측은 영문카다로그를 요청했음.

. 동국방부 당국은 또한 카다로그만에 의하여 품목을 선정하는데는 어려움이 있다고 말하고 동지원 계획의 조기집행을 위하여 국방부의 조달, 병참및 연구개발을 관장하고 있는 ARMAMENT AUTHORITY 의 책임자(CHAIRMAN)인 GEN. M. EL-GHAMRAWY DAWUD 장군을 포함한 4 명의 전문가를 파한하여 직접 품목을 선정및시험할 수 있도록 해줄것을 제의해옴(경비: 지원금중에서 지급).

나. 민수품지원 문제

주재국 외무부, 총리실관계관 및 국제협력국 관계관과 계속 접촉중이나, 아직까지 주재국 정부내 각부처간의 협의단계에 있다고함.

다. EDCF 차관 문제

. 주재국 관계당국은 GULF 사태 발생이전에 이미 다수국가가 제공한 차관 및 동사태이후 제공된 다수의 차관에 대한 종합 차관 사용계획을 수립하지 못하고 있는

중아국   차관   1차보

실정이나, 아국차관의 조기 우선 집행을 위해 동관계당국과 긴밀히 접촉노력중임.

. 연이나 주재국 정부측은 동차관의 이자율(3.5 퍼센트)이 타국가가 제공한 SOFT LOAN(1-2 퍼센트)에 비해 높다고 말하고 동이자율을 2 퍼센트로 인하해 줄것을 요청해옴.

3. 건의

가. 군수푸목의 조기선정 및 선적을 위해 주재국 국방부 ARMAMENT AUTHORITY 의장인 GHAMRAWY 장군외 3 명의 전문가를 방한초청(경비: 지원금에서 지급)해줄것과

나. EDCF 차관의 이자율을 2 퍼센트로 인하해 줄것을 건의함. 끝.

(총영사 박동순-국장)

예고:91.6.30. 일반

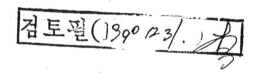

발 신 전 보

번   호 : WCA-0523   901130 1858 DP   종별 :

수   신 : 주   카이로 ▨▨▨. 총영사

발   신 : 장 관   (마그)

제   목 : 페만지원

대 : CAW-0823

1. 대호 물품 조기선정을 위한 Dawud 장군일행 방한초청건 귀관 건의대로
추진할것을 검토코자하니 하기사항 파악 보고바람.

　　가. 군수 전문가단의 명단 및 인적사항

　　나. 체한희망기간 및 체한기간중 주선 요망 일정.

　　다. 기타 필요한 사항

2. 단순히 지원대상물품의 시험만을 위해서는 동인들 방한이 불필요하나
금번 기회에 아국산 군수품 현황을 잘 파악할 경우 추후 대 이집트 수출에
도움이 될수있다는 견지에서 동인 방한을 긍정적으로 검토코자하는 것이니
참고하고 귀관에서도 이에따라 적절히 조치바람. 끝.

(차   관)

예고 : 91.6.30. 일반.

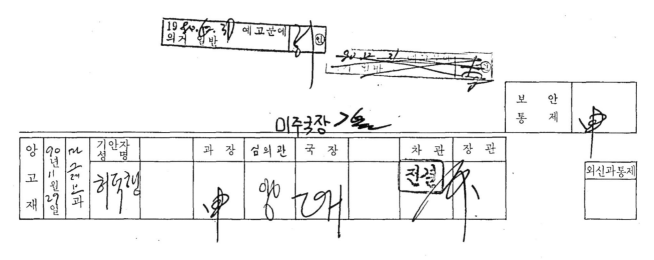

관리 번호	(signature)		분류번호	보존기간

발 신 전 보

WCA-0546　　901212 1548　DY　　종별 :

번　　　호 :

수　　　신 : 주　카이로　~~대사~~. 총영사

발　　　신 : 장　관　（마그）

제　　　목 : 걸프만 사태관련 지원

　　　대 : CAW-0860

　　　연 : WCA-0495, 0523, 마그 20005-1534

　　1.　대 이집트 지원물자는 원칙상 금년내 집행해야하고 지연될 경우 선적상 차질이 생길 우려가 있는바 주재국측에서 희망품목 조속 확정토록 촉구하고 결과 보고바람.

　　2.　대호 내각사무처 및 행정개혁장관의 주민등록 전산화 사업관련 요망사항은, 성격상 EDCF 자금사용과 더 관련이 있고 동 사업소요자금이 5000만불이 넘으며 외무성을 통한 공식요청이 아닌등 문제점이 많은바 총소요 자금 충당계획, EDCF 자금 1500만불의 사용계획등 상세 검토사항 보고바람.

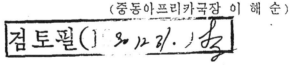

　　2.　국방부 Dawud 장군일행 방한도 연말연시에는 관계부처 방문주선등이 어려운 상황임을 ~~감안 현지에서 적절히 조치바람.~~　끝.

　예고 : 90.12.31.일반.

（중동아프리카국장 이 해 순）

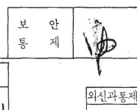

검토필(　)　90.12.31.

90.12.31. 예고문에
의거 일반

				보안 통제	(signature)

앙 고 재	90 년 12 월 12 일	마 그 과	기안자 성명 허뜩행	과 장 (sig)	심의관 (sig)	국 장 전결	차 관	장 관 (sig)	외신과통제

0074

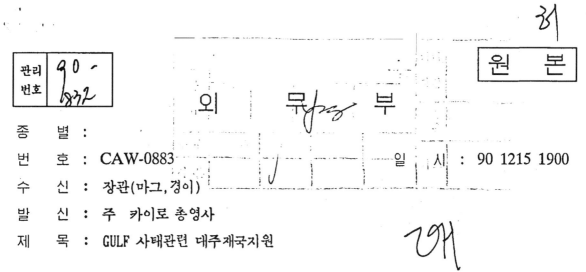

외 무 부

관리번호 : 90-832

종   별 :

번   호 : CAW-0883   일 시 : 90 1215 1900

수   신 : 장관(마그,경이)

발   신 : 주 카이로 총영사

제   목 : GULF 사태관련 대주재국지원

WCA-0546

1. 당관은 그동안 주재국 외무부, 경제국장, 국방부 군수조달처장, 국제경제협력장관 및 내각 사무처장관등과 접촉, 대호 아국지원액의 조기집행을 위해 노력중이나 다음과 같은 사유로인해 집행은 불가능할것으로 판단됨.

가. 주재국의 만성적인 행정의 비능률

. 주재국의 행정관행은 비능률과 추진력결여를 바탕으로 하는 전형적인 후진국의 형태를 벗어나지 못하고 있으며 외형상으로는 외국의 원조업무를 종합관장하는 국제협력부(MINISTRY OF INTERNATIONAL COOPERATION) 가 있으나 실제로는이를 사업계획을 수립, 상부결재를 맡는것에 한해 이를 사후처리 하고 있는실정임.

. 따라 외국원조를 어느부처가 사용할 것인가에 관한 결정에는 상당한 시간이___ 소요되고 있음.

나. 외국원조의 쇄도

. 특히 현 걸프사태이후 아국을 포함하여 미국, 일본및 EC 제국등으로부터 상당액의 긴급원조(차관, 부상원조)가 주재국에 제공 되었으나 주재국은 상금 동원조의 종합사용계획을 수립하지 못하였음.

. 당지 일본및 EC 공관에 의하면 걸프사태관련 제공된 원조자금에 대하여 주재국으로부터 아직 하등의 반응이 없으며 동원조자금의 집행까지는 상당한 시일이 소요될것으로 관측하고 있음.

2. 아국원조의 처리문제

가. EDCF 차관

. 일반적으로 주재국정부는 SOFT LOEN 이라 할지라도 국가의 부채가되는 추가적인 차관 도입은 신중을 기하고 있음.

중아국   1차보   2차보   경제국

. 연이나 당관은 주재국정부 당국과 현재 당지진출 아국상사가 이미 추진해온 사업중 주재국 산업발전상 필요하다고 인정되는 사업을 동차관으로 추진하는 문제를 협의중인바,91.1 월말 까지 합의에 도달할것을 목표로 추진중임.

나. 군수물자 지원(7 백만불)

현재 국방부 당국에서 파한할 대표단을 선정, 상부에 결재 상신중이라고 하는바, 본건도 주재국의 행정관행상 상당한 시일이 소요되고 있음.

다. 민수물자 지원

. 주재국 관계부처간에 아직 동물품 선정에 합의를 못보고있음.

. 내각 사무부에서는 동원조금액을(8 백만불) 주재국 ID CARD 사업자금의 일부로 사용코저(아국으로부터 컴퓨터도입 및 기술협력) 정부내에서 협의를 진행중이나 아직 결론을 얻지 못하고 있음.

3. 91 년도는 한. 애 영사관계수립 30 주년으로 양국간 외교관계수립을 위한 호기회로 사료되므로 본건 지원을 걸프사태와 연결시켜 조기집행하는 것보다는 예산집행상 다소 어려움이 예상되나 양국수교관계와 연계시켜 다소 시간적 여유를 가지고 추진함이 좋을것으로 사료됨. 끝.

(총영사 박동순-국장)

예고:91.6.30. 일반

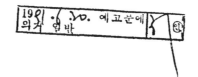

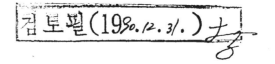

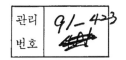

분류번호	보존기간

발 신 전 보

WCA-0042   910114 1620   DN

번 호 :   종별 :

수 신 : 주   카이로   ~~대사~~. 총영사
           (마그)
발 신 : 장 관

제 목 : 걸프사태 주변국 지원사업

대 : CAW-0860, 0883

연 : WCA-0523, 0546

아국의 걸프만 사태 관련 대 이집트 지원사업은 주재국에 대한 외국

원조의 쇄도, 행정의 비능률로 인해 지연되고 있으나 가능한 조기에 집행코자

하는것이 아국의 기본방침인바 지원희망사업 및 품목을 조속 확정토록 촉구하고

결과 보고바람. 끝.

(중동아국장 이 해 순)

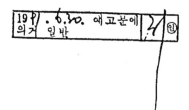

| 19 91. 6. 30. 예고문에 |
| 의거 일반 |

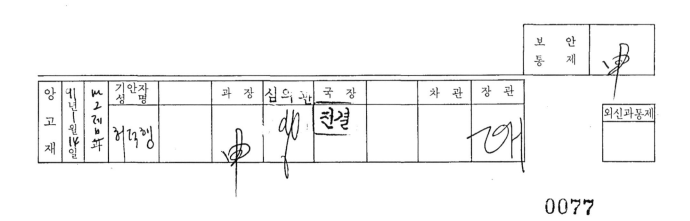

앙 고 재	91년 1월 14일	중 2 재 보 과	기안자 성 명 허강행	과 장	심의관	국 장 전결	차 관	장 관

보 안 통 제
외신과통제

0077

국　　방　　부

군계 24403-207　　　　　　(795-6217)　　　　　　　91. 2. 1

수신 외무부장관　　　　　　　　　　　　　　　　　(1년)

참조 중동아프리카국장

제목 군수물자 지원 가능 품목 목록(통보)

　　　1. 관련근거 : 걸프만사태 관련 지원 집행 계획(90.10.23)

　　　2. 위 관련근거에 의거 걸프만사태 관련 주변 피해국 지원계획을 당부가
참여하여 적극 추진될 수 있도록 필요한 협조를 바랍니다.

　　　3. 또한 대상품목도 첨부와 같이 확대할 수 있음을 첨언합니다.

첨부 : 군수물자 지원 가능 품목 목록 1부.　　끝.

국　　　방　　　부　　　장

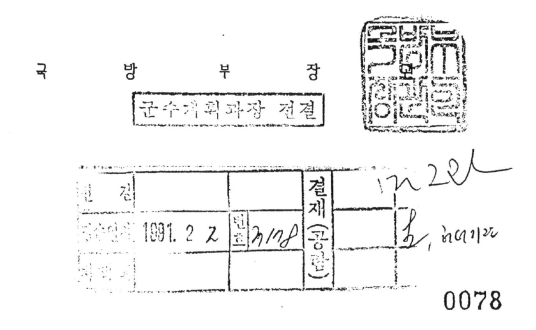

0078

군수물자 지원가능 품목

구 분	품 목
일반물자류 (19개품목)	전투복(사막색), 전투화, 개인천막, 방탄헬멧, 모포, 일반용배낭, 프라스틱수통, 알미늄수통, 수통피, M16탄입대, 개인장구 요대, 샌드빽, 의류대, 밧테리(차량), 타이어, 야전선(WD-1/TT), 철조망(유자, 윤형), 미송, 합판
화생방 물자류 (5개 품목)	방독면(K-1), 예비정화통, 침투보호의, MARK-1(해독제). 피부치료키트(M258 A1)
장 비 류 (33개품목)	K-2소총, K201유탄발사기, M60기관총, 155미리 개량포, 1/4톤카고, 5/4톤카고, 2 1/2톤카고, 2 1/2톤 SHOP, 2 1/2톤 FDC, 5톤카고, 5톤구난차, 5톤벤차량, K-200장갑차, 무전기(P-77), 8톤 카고, 11톤 카고, 고속버스(45인승), 도쟈, 구레이다, 로다스코프, 굴삭기, 진동로라, 발전기(1.5KW, 3KW, 5KW), 연막소독기(150형, 400형) 1톤벤(소독기 탑제형), 지게차(6천 L/B, 1만 L/B), 쌍안경(7×50), 유압크레인 (2.5톤, 5톤)

0079

PROPOSED LOGISTIC SUPPORT

TYPES	I T E M S
General Items 19 Items	Battle Dress Uniform(Desert camouflage), Combat boots Pup tents, Helmet, Blankets, Ruck sacks, Plastic Canteens with Covers, Aluminum Canteens with Covers, Web Belts, Duffle bags, Sand bags, M16 Ammo Pouches Batteries(Vehicles), Tires, Telephone Wire Cables(WD-1/TT) Wires(Concertina wires & Barbed wires) Lumbers, Plywoods
NBC Equipments 5 Items	K-1 Chemical Mask, Filters, Garments MARK-1 Antidote Injectors, Decontamination Kit(M258 A1)
Major End Items 33 Items	K-2 Rifles, K201 Grenade Launchers, M60 Machine guns 155mm Howitzers, 1/4Ton Utility Trucks, 5/4Ton Trucks 2 1/2Ton trucks, 2 1/2Ton SHOP Trucks, 2 1/2Ton FDC Trucks 5Ton Cargo trucks, 5Ton Wreckers, 5Ton Vans, K200 APCs AN/PRC-77 Radios, 8Ton Cargo trucks, 11Ton Cargo trucks, 45 Passenger Buses, Bulldozers, Graders, Roaders, Crawler Excavators, Road Rollers Generators(1.5Kw, 3Kw, 5Kw), Insect Repellent Foggers (Portable, Vehicle), 1Ton Vans with Foggers Forklifts(6,000 L/B, 10,000 L/B), Binoculars(7×50) Hydraulic Cranes

0080

		기 안 용 지		
분류기호 문서번호	군계24403- 207	(전화 : 5722)	시 행 상 특별취급	
보존기간	영구·준영구. 10. 5. 3. 1.	장 관		
수 신 처 보존기간				
시행일자	91. 2. 1			

보 조 기 관	국 장		협 조 기 관		문 서 통 제
	차 장				검열 1991. 2. 01 통제관
	과 장	전 결			
기안책임자	소령 나승초			발 발송 1991. 2. 01 국방부

경 유 수 신 참 조	외무부장관 중동아프리카국장	발 신 명 의	장 관

제 목	군수물자 지원 가능 품목 목록 (통보)

1. 관련근거 : 걸프만사태 관련 지원 집행계획 (90.10.23)

2. 위 관련근거에 의거 걸프만사태 관련 주변 피해국 지원계획을

당부가 참여하여 추진할 수 있도록 필요한 협조를 바랍니다.

3. 또한 대상품목도 첨부와 같이 확대할 수 있음을 첨언합니다.

첨부 : 군수물자 지원 가능품목 목록 1부. 끝.

0081

190mm×268mm 인쇄용지 2급 60g/㎡

지원 가능 품목

구 분	군 수 용 품	민 수 용 품
일반물자류 (37개품목)	전투복(사막색), 전투화, 개인천막, 방탄헬멧, 모포, 일반용배낭, 프라스틱수통, 알미늄수통, 수통피, M16탄입대 개인장구요대, 샌드빽, 의류대 밧테리(차량), 타이어, 야전선(WD-1/TT), 철조망(유자, 윤형)	미송, 합판, 침낭, 위장망, 군용타올, 군용스웨터, 런닝셔츠 방상외피, 양말, 비누, 화장지, 샴푸, 치약, 컬러TV(20" 리모콘) 라디오카세트, 냉장고(200L) 세탁기(5Kg 전자동), 전자렌지 (0.6CU전자식), 건전지(1.5V) 팩시밀리
화생방 물자류 (5개 품목)	방독면(K-1), 예비정화통 침투보호의, MARK-1(해독제) 피부치료키트(M258 A1)	-
장 비 류 (35개품목)	K-2소총, K201유탄발사기 M60기관총, 155미리 개량포 1/4톤카고, 5/4톤카고, 2 1/2톤 카고, 2 1/2톤SHOP, 2 1/2톤FDC 5톤카고, 5톤구난차, 5톤벤차량 K-200장갑차, 무전기(P-77)	8톤카고, 11톤카고, 고속버스 앰블런스, 제독차, 도쟈, 구레이다 로다스코프, 굴삭기, 진동로라 발전기(1.5K,3K,5K), 연막소독기(150형, 400형) 1톤벤(소독기 탑제형) 지게차(6천 L/B, 1만 L/B 쌍안경(7×50), 유압크레인(2.5톤, 5톤)
탄 약 류 (3개 품목)	전차연막탄(KL8 A1) 연막통(KM5) 부유연막통(KM4 A2)	-

0082

PROPOSED SUPPORT ITEMS

TYPES	MILITARY ITEMS	COMMERCIAL ITEMS
General items 37 Items	Battle Dress Uniform(Desert camouflage), Combat boots Pup tents, Helmet, Blankets Ruck sacks, Plastic Canteens with Covers, Aluminum Cantee-ns with Covers, Web Belts Duffle bags, Sand bags M16 Ammo Pouches, Batteries (Vehicles), Tires, Telephone Wire Cables(WD-1/TT), Wires(Concertina wires & Barbed wires),	Lumbers, Plywoods, Sleeping Bags,Camouflage Nets Towels,Sweaters(Military Use) Underwears, Field Jackets Socks, Soaps, Toilet Tissue & Rolls, Shampoo, Tooth Pastes Color T.V(20" remote) Radio Cassettes(Medium size) Refrigerators(200L) Washing Machine(5Kg automatic) Microwave Oven(0.6Cu.Ft) Dry Cell(1.5V), Faxmiles
NBC Equipments 5 Items	K-1 Chemical Mask, Filters Garments MARK-1 Antidote Injectors, Decontamination Kit(M258 A1)	–
Major End Items 35 Items	K-2 Rifles, K201 Grenade Launchers M60 Machine guns, 155mm Howi-tzers, 1/4Ton Utility Trucks 5/4Ton Trucks, 2 1/2Ton Truc-ks, 2 1/2Ton SHOP Trucks 2 1/2Ton FDC Trucks, 5Ton Ca-rgo truck, 5Ton Wreckers 5Ton Vans, K200 APCs AN/PRC-77 Radios	8Ton Cargo Trucks, 11Ton Car-go trucks, 45 passenger Buses Ambulances, Antidote Truck (2.5Ton), Bulldozers, Graders Crawler Excavators, Road Rollers, Generators(1.5 Kw, 3Kw,5Kw),Insect Repellent Foggers(Portable, Vehicle) 1Ton Vans with Foggers Forklifts(6,000L/B,10,000L/B) Binoculars(7 ×50), Hydraulic Cranes,Load Scooper
Ammunition Items 3 Items	Green Aid Launcher Smoke Screening HC KL8 A1(G815) Smoke Pot HC KM5(K866) Smoke Pot Floating HC KM4 A2 (K867)	–

0083

관리 9/-
번호 484

외 무 부

종 별 :

번 호 : CAW-0205   일 시 : 91 0205 1830

수 신 : 장관(마그,경이)

발 신 : 주 카이로 총영사

제 목 : 걸프사태관련 대주재국지원

    대:WCA-0042

    연:CAW-0883(90),0122(91),0106(91),0587(90.9)

    연호관련, 당관은 주재국 관계부처장관및 당국자등과 계속접촉, 동지원금의 조기
집행을 위해 노력중인바 동 진행상황 아래보고함.

    1. 물자지원

    가. 민수물자($8M)

    주재국정부는 동지원금을 ID CARD 사업자금의 일부로 충당하기로 원칙적으로
결정했으나 상부의 최종 재가를 대기중이라고 하며, 최종 결정까지는 다소의 시일이
소요될것이라고함.

    나. 군수물자($7M)

    동물품을 직접 선정하기 위하여 군사대표단 파한을 상부에 상신중에 있으나, 현
걸프전관계로 재가가 지연되고 있다고 하는바, 당관은 조기 파한이 어려운경우,
아측이 이미 제공한 품목 리스트중에서 선정해줄것을 요청해 놓고있음.

    2. EDCF 차관($15M)

    당관은 동차관의 효율적인 집행을 위해 현지 진출아국업체가 추진중인 폴리에스타
직물공장 건립에 동차관을 사용할 것을 관계기관과 협의중인바, 동당국자들도
동사업이 주재국 경제발전에 기여할수 있는 사업이라고 이를 환영하고 있으나, 최근
주재국정부의 차관도입 자제정책때문에 결정을 내리지 못하고 있음.

    3. EDCF 차관의 물자원조에로의 전환희망

    가. 연이나 91.2.4 BOUTROS SHALI 외무담당국무장관 및 SAAD EL-FARARGY
외무부경제국장은 본직을 각각 사무실로 초치(송웅엽영사배석)동 지원에대하여 사의를
표하고, 그러나 EDCF 차관은 다음과같은 이유로 이를 물자지원(GRANTS)으로 전환하여

중아국   장관   차관   1차보   2차보   중아국   경제국

줄것을 희망했음.

1) 걸프사태로 인한 경제적 손실: 2백만 해외근로자의 본국송금중단, 관광수입격감, 수에즈운하 수입감소등 약 310억불상당 경제적 손실초래

2) 대외부채 감소정책(신규차관 도입자제)

-걸프사태이전 주재국대외부채는 약 500억불이었으나, 미국의 약 70억불 및 GCC 국가의 약 80억불 부채탕감및 최근 EC 제국의 약 130억불 부채탕금으로 총부채액은 220억으로 현저히 감소되었음.

-주재국은 현재 여타 채권국과도 채무탕감을 교섭중에 있으며 금후 차관은 긴급한 경우를 제외하고는 도입을 자제할 것임.

4. 본직은 상기 물자원조 희망표명에 대하여, 일단 본부에 이를 보고하겠으나, 상기 아국의 대주재국 원조는 단일 원조로서는 아국이 다른국가에 제공한 가장 큰 원조임과, 특히 외교관계가 없는 국가에 이러한 대규모 원조는 전례가 없음을 지적하고, 동 제의가 양국간 외교관계 수립문제와 연관이 있는지를 문의한바, 동장관은 현재로서는 동문제와 직접 연관이 있다고는 할수 없으나, 아측이 동제의를 받아들이고 이것이 상부에 보고되면 외교관계수립에 좋은 영향을 미치게 될것이라고 말했음.

5. 관찰및 건의

가. 상기 물자원조 제의가 주재국정부의 최고위층의 지시에 의한것은 (아닌 것으로) 관측되며, 다만 GHALI 장관이 과거 10여년간에 걸쳐 아국과의 수교를 무바락대통령에게 여러번 건의한바 있으나, 동대통령의 김일성과의 특수관계 때문에 실현되지 못한것을 잘알고 있는 동장관으로서, 아측이 $30M 의 물자원조를 제공하는경우, 이를 동대통령에게 직접 보고하여 외교관계수립의 계기로 삼고자함을 시사하였음.

나. 무바락과 김일성의 특수관계는 1973.10월 중동전쟁당시 무바락이 주재국, 소련관계가 악화되어 소련이 주재국에 대한 군사원조를 전면중단했을 당시, 북한은 소련의 부품공급 중단으로 사용할수 없게된 소련제 무기의 부품을 공급함으로서 돈독히 되었으며, 그후 무바락은 3차에 걸쳐 북한을 방문했음.

다. 상기 북한의 대주재국 지원은 특히 주재국이 어려울때 제공되었기 때문에, 더욱 고맙게 여겨지고 있으며, 무바락은 과거 수차 북한의 지원에 감사를 표명한바 있으며, 가장 최근에는 90.1.14. 당지를 방문한 PAULWOLFWIT 미국방차관보가 동대통령

PAGE 2

0085

면담시 수교문제를 거론한바, 동대통령은 북한및 김일성을 찬양하고 아국과의 수교문제에 대하여는 부정적인 반응을 보였음(CAW-0054,90.1.26)

라. 연이나 상기 무바락대통령의 친 김일성관계에도 불구하고, 특히 최근 양국간 실질관계 증대(교역증대, 민간분야 대주재국 합작투자, KAL 의 주재국 취항예정: 91.10. 정부의 무상원조등)및 아국의 경제발전에 대한 선망등으로 주재국 정부 장. 차관을 포함한 주재국정부, 경제계및 일발 민간인들도 아국과의 수교를 절대지지하고 있는 것이 사실임.

마. 또한 본직이 90.9 월이후 정기적으로 접촉하고 있는 무바락대통령의 장남인 ALLA MUBARAK 을 통해 양국간 수교필요성을 동대통령에게 설명한바, 동대통령도 아국과의 수교필요성을 인정하고 있는것으로 인지되고 있음. 다만 동시기의 선택과 수교의 대가라기보다는 북한측에 대하여 아국의 수교가 불가피하다는 일종의 구실을 갖기위해서도 다소의 실질적인 경협을 아측으로부터 기대하고 있는것이 확실함.

바. 건의

연호보고와 같이 주재국은 중동지역의 주요 지도국가의 하나이며, 걸프전이후에는 국제정치, 특히 중지역의 안보, 경제등 분야에서 지도적 역할을 할것이 확실하며, 이러한 주재국의 국제적 위치뿐 아니라, 주재국의 인구및 경제적 발전잠재력등에 비추어도 아국의 주요 수출시장이 될수 있을것이므로, 주재국이 상기 $15M EDCF 차관을 무상 물자원조로 전환하는 문제를 양국간 수교문제와 연계 또는 병행하여 추진할 의사가 있는경우, 동 주재국 제의를 호의적으로 검토할수 있을것으로 사료되는바, 본부의견 회시바람. 끝.

(총영사 박동순-국장)

예고:91.12.31. 일반

검토필(1991.6.20.)

발 신 전 보

WCA-0116   910206 1646 FG

번   호 :   WCA-0116   910206 1646 FG   종별 :

수   신 :   주   카이로   ~~대사~~·총영사 (친전)

발   신 :   장   관   (이해순 중동아국장)

제   목 :   업   연 (걸프사태지원)

대 : CAW-0205

1. 걸프사태 지원금은 무상원조와 EDCF 차관 사업등으로 구분되어있으며 90.12. 국회에서 추경으로 의결한 지원금에는 EDCF 차관 공여분은 포함되어 있지 않아 이집트의 요청을 반영할수 있는 예산상 뒷받침이 없어 현실적으로 추진이 불가능 합니다.

2. 또한 한·애 수교문제는 무바락 개인에게 달려있다 하겠으므로 차관의 무상원조로의 전환 요청이 무바락의 지시가 아닌한 서울의 분위기로 보아 추진이 어려울것 같습니다.

3. 이상 취지로 회신이 나갈것이니 참고하여 주십시요. 축건승.   끝.

예고: 91. 12. 31 까지

검토필(1991.6.30)

보안통제 6/6

앙고재	9년 2월 6일	112 21 과	기안자성명		과장		국장		차관	장관		외신과통제
			허정원		6/6		전결			19		

0087

長官報告事項

1991. 2. 6.
中東.아프리카局
마그레브 課(7)

<u>題 目</u> : 걸프事態 관련 對이집트 支援問題

> 駐 카이로 總領事는 걸프事態 관련 對이집트 支援金중 EDCF 借款
> 1,500만불을 駐在國 要請대로 無償援助金으로 轉換하여 ~~조치를~~ 對
> 이집트 修交~~교섭~~와 連繫. 建議하여 왔는바 關聯事項 및 對策을 다음과
> 같이 報告합니다. *推進할 것을*

1. 걸프事態 관련 對 이집트 支援事業 推進現況

가. 無償援助 (1,500만불)

　ㅇ 民需物資支援 (8백만불)

　　- 住民登錄電算化 事業 推進 豫定이나, 상금 공식 회신없음.

　ㅇ 軍需物資 (7백만불)

　　- 軍事代表團 派韓, 物資 選定豫定이나 걸프戰爭 勃發로 推進
　　　遲延

나. EDCF 借款 (1,500만불)

　ㅇ 我國 進出業體가 推進中인 폴리에스타 織物工場 建立計劃등이
　　擧論되고있으나 상금 具體案 提示없음.

앙 고 재	마 고 부 과	캔 2 6 과 인	담 당	과 장	심 의 관	국 장
			허정행			

0088

2. 이집트측의 要請內容

o Ghali 外務擔當 國務長官, 我國의 걸프事態 관련 對이집트 支援豫定인
EDCF 차관 1,500만불을 物資無償援助로 轉換, 支援要望 (91.2.4)

- 걸프事態로 인한 310억불 상당의 經濟 損失 豫想 및 이집트의 對外
負債 蕩減을 위한 新規借款 導入 抑制政策 理由

3. 評價 및 對策

o 이측의 同提議는 무바락 大統領등 最高位層의 指示에 의한것이 아니라
對韓修交에 積極的인 Ghali 長官이 韓·이 修交推進을 위한 계기로 삼기
위한것으로 評價됨.

- 韓·이집트 修交問題는 무바락 大統領의 決定이 최대의 관건이므로,
무바락 大統領의 직접 指示가 아닌한 修交와 직접 連結시키기 어려울것임.

o 90.12. 國會에서 追更으로 議決한 걸프事態 支援金에는 EDCF 借款 供與分이
包含되어 있지않아 이집트 要請을 반영할수 있는 豫算 뒷받침이 없음.

o 상기 內容을 駐 카이로 總領事에 회신, 적의 對處토록 함.

0089

長 官 報 告 事 項

1991. 2. 6.
中東.아프리카局
마그레브 課(7)

題 目 : 걸프事態 관련 對이집트 支援問題

> 駐 카이로 總領事는 걸프事態 관련 對이집트 支援金중 EDCF 借款
> 1,500만불을 駐在國 要請대로 無償援助金으로 轉換하여 對 이집트
> 修交와 連繫 推進할것을 建議하여 왔는바 關聯事項 및 對策을 다음과
> 같이 報告합니다.

1. 걸프事態 관련 對 이집트 支援事業 推進現況

가. 無償援助 (1,500만불)

　▫ 民需物資支援 (8백만불)

　　- 住民登錄電算化 事業 推進 豫定이나, 상금 공식 회신없음.

　▫ 軍需物資 (7백만불)

　　- 軍事代表團 派韓, 物資 選定豫定이나 걸프戰爭 勃發로 推進
　　　遲延

나. EDCF 借款 (1,500만불)

　▫ 我國 進出業體가 推進中인 폴리에스타 織物工場 建立計劃등이
　　擧論되고있으나 상금 具體案 提示없음.

0090

2. 이집트측의 要請內容

○ Ghali 外務擔當 國務長官, 我國의 걸프事態 관련 對이집트 支援豫定인
  EDCF 차관 1,500만弗을 物資無償援助로 轉換, 支援要望 (91.2.4)
  - 걸프事態로 인한 310억弗 상당의 經濟 損失 豫想 및 이집트의 對外
    負償 蕩減을 위한 新規借款 導入 抑制政策 理由

3. 評價 및 對策

○ 이측의 同提議는 무바락 大統領등 最高位層의 指示에 의한것이 아니라
  對韓修交에 積極的인 Ghali 長官이 韓·이 修交推進을 위한 계기로 삼기
  위한것으로 評價됨.
  - 韓·이집트 修交問題는 무바락 大統領의 決定이 최대의 관건이므로,
    무바락 大統領의 직접 指示가 아닌한 修交와 직접 連結시키기 어려울것임.

○ 90.12. 國會에서 追更으로 議決한 걸프事態 支援金에는 EDCF 借款 供與分이
  包含되어 있지않아 이집트 要請을 반영할수 있는 豫算 뒷받침이 없음.

○ 상기 內容을 駐 카이로 總領事에 회신, 적의 對處토록 함.

0091

분류번호	보존기간

발 신 전 보

WCA-0122   910209 1220 CG

번 호 :   종별 : _____

수 신 : 주   카이로   대사. ~~총영사~~

발 신 : 장 관   (마그)

제 목 : 걸프사태 관련 지원

대 : CAW-0205

1. 걸프사태 관련 지원예정인 EDCF 자금은 대외경제협력 기금법에 의해 개도국에 장기처리 차관으로 제공되는 기금이므로 정부예산에서 지원되는 물자 지원과는 재원이 근본적으로 다르며, 90.12. 국회에서 추경예산으로 의결한 지원금 860억원(1.2억불)에는 EDCF 차관 공여분이 포함되어 있지 않아, 대호 이집트측의 무상원조로의 전환 요청은 예산상 뒷받침이 없으므로 추진이 불가능한 실정임.

2. 걸프사태 관련 대 이집트 물자지원 1,500만불은 전체 주변국 물자지원액 3,700 만불의 40.5%에 달하는 가장 큰 비중을 차지하고 있으며 우리의 안보 상황과 경제여건을 감안할때 큰 부담임에도 이집트에 대해 이와같이 지원하는 것은 장기간 영사관계만 유지해온 이집트와 국교정상화를 위한 우리정부의 강력한 의지를 반영한것인바, 수교문제와 연계 주재국측에서 전용지원 문제를 다시 거론할때에는 주재국측에 이러한 입장을 적의 설명바람. 끝.

(중동아국장 이 해 순)

예고 : 91.12.31.일반.   검토필(1991.6.20.)

보안통제
초

앙고재	91년 2월 일	기안자 성명	과 장	국 장	차 관	장 관	외신과통제

0092

국　방　부

근계　24403-207　　　　　　(5722)　　　　　　　91. 2. 13

수신　외무부장관　　　　　　　　　　　　　　　(1년)

참조　중동아프리카국장

제목　군수물자 지원 가능 품목 목록 (통보)

　　　1. 관련근거 : 걸프만사태 관련 지원 집행계획 ('90.10.23)
　　　2. 위 관련근거에 의거 걸프만사태 관련 주변 피해국 지원계획을
당부가 참여하여 적극 추진될 수 있도록 필요한 협조를 바랍니다.
　　　3. 또한 대상 품목도 첨부와 같이 확대할 수 있음을 첨언합니다.

첨부 : 군수물자 지원 가능 품목 목록 1부.　　끝.

국　　　방　　　부　　　장

　　　　　　　　　　　　　　　　　　　　　　　　0093

지원 가능 품목

구 분	군 수 용 품	민 수 용 품
일반물자류 (37 개품목)	전투복(사막색), 전투화, 개인천막, 방탄헬멧, 모포, 일반용배낭, 프라스틱수통, 알미늄수통, 수통피, M16탄입대 개인장구요대, 샌드빽, 의류대 밧테리(차량), 타이어, 야전선(WD-1/TT), 철조망(유자, 운형)	미송, 합판, 침낭, 위장망, 군용타올, 군용스웨터, 런닝셔츠 방상외피, 양말, 비누, 화장지, 샴푸, 치약, 컬러TV(20" 리모콘) 라디오카세트, 냉장고(200L) 세탁기(5Kg 전자동), 전자렌지 (0.6CU전자식), 건전지(1.5V) 팩시밀리
화생방 물자류 (5 개 품목)	방독면(K-1), 예비정화통 침투보호의, MARK-1(해독제) 피부치료키트(M258 A1)	-
장 비 류 (35 개품목)	K-2소총, K201유탄발사기 M60기관총, 155미리 개량포 1/4톤카고, 5/4톤카고, 2 1/2톤 카고, 2 1/2톤SHOP, 2 1/2톤FDC 5톤카고, 5톤구난차, 5톤벤차량 K-200장갑차, 무전기(P-77)	8톤카고, 11톤카고, 고속버스 앰블런스, 제독차, 도쟈, 구레이다 로다스코프, 굴삭기, 진동로라 발전기(1.5K,3K,5K), 연막소독기(150형, 400형) 1톤벤(소독기 탑제형) 지게차(6천 L/B, 1만 L/B 쌍안경(7×50), 유압크레인(2.5톤, 5톤)
탄 약 류 (3 개 품목)	전차연막탄(KL8 A1) 연막통(KM5) 부유연막통(KM4 A2)	-

0094

PROPOSED SUPPORT ITEMS

TYPES	MILITARY ITEMS	COMMERCIAL ITEMS
General items 37 Items	Battle Dress Uniform(Desert camouflage), Combat boots Pup tents, Helmet, Blankets Ruck sacks, Plastic Canteens with Covers, Aluminum Cantee-ns with Covers, Web Belts Duffle bags, Sand bags M16 Ammo Pouches, Batteries (Vehicles), Tires, Telephone Wire Cables(WD-1/TT), Wires(Concertina wires & Barbed wires),	Lumbers, Plywoods, Sleeping Bags,Camouflage Nets Towels,Sweaters(Military Use) Underwears, Field Jackets Socks, Soaps, Toilet Tissue & Rolls, Shampoo, Tooth Pastes Color T.V(20" remote) Radio Cassettes(Medium size) Refrigerators(200L) Washing Machine(5Kg automatic) Microwave Oven(0.6Cu.Ft) Dry Cell(1.5V), Facsimiles
NBC Equipments 5 Items	K-1 Chemical Mask, Filters Garments MARK-1 Antidote Injectors, Decontamination Kit(M258 A1)	-
Major End Items 35 Items	K-2 Rifles, K201 Grenade Launchers M60 Machine guns, 155mm Howi-tzers, 1/4Ton Utility Trucks 5/4Ton Trucks, 2 1/2Ton Truc-ks, 2 1/2Ton SHOP Trucks 2 1/2Ton FDC Trucks, 5Ton Ca-rgo truck, 5Ton Wreckers 5Ton Vans, K200 APCs AN/PRC-77 Radios	8Ton Cargo Trucks, 11Ton Car-go trucks, 45 passenger Buses Ambulances, Antidote Truck (2.5Ton), Bulldozers, Graders Crawler Excavators, Road Rollers, Generators(1.5 Kw, 3Kw,5Kw),Insect Repellent Foggers(Portable, Vehicle) 1Ton Vans with Foggers Forklifts(6,000L/B,10,000L/B) Binoculars(7×50), Hydraulic Cranes,Load Scooper
Ammunition Items 3 Items	Green Aid Launcher Smoke Screening HC KL8 A1(G815) Smoke Pot HC KM5(K866) Smoke Pot Floating HC KM4 A2 (K867)	-

0095

관리 91-
번호 481

발 신 전 보

WCA-0135   910213 1649 BX

번 호 : _____   종별 : _____

수 신 : 주   카이로   ~~대지제~~ 총영사

발 신 : 장 관   (마그)

제 목 : 걸프사태 지원(군수품)

대 : CAW-0883(90.12.15), 0205(91.2.5)

연 : 마그20005-1534(90.11.9)

걸프사태 관련 대이집트 군수물자 지원사업(700만불) 추진과 관련, 국방부는
하기품목의 지원도 가능하다는바 주재국에 ~~품목선정시~~ 참고 ~~토록~~ ~~조처~~ 바람.

1. General
   Items
   (16 Items) : Battle Dress Uniform(Desert camouflage), Combat boots,
   Pup tents, Helmet, Blankets, Ruck sacks, Plastic Canteens
   with Covers, Aluminum Canteens with Covers, Web Belts,
   Duffle bags, Sand bags, M16 Ammo Pouches, Batteries
   (Vehicles), Tires, Telephone Wire Cables(WD-1/TT),
   Wires(Concertina wires & Barbed wires),

2. NBC
   Equipments
   (4 Items)   K-1 Chemical Mask, Filters Garments,
   MARK-1 Antidote Injectors, Decontamination Kit(M258 A1)

                                    /계속.../

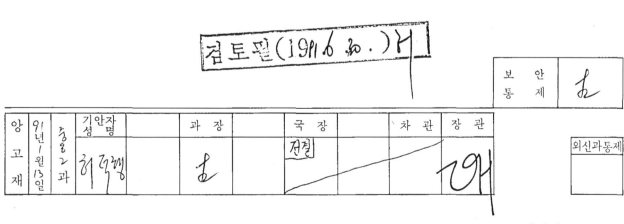

검토필(1991.6.30.)H

		보 안 통 제	

앙 고 재	91 년 1 월 13 일	중 육 2 과	기안자 성명	과 장	국 장 전결	차 관	장 관		외신과통제

0096

3. Major End
   Items
   (14 Items)

K-2 Rifles, K201 Grenade Launchers, M60 Machine guns,

155mm Howitzers, 1/4Ton Utility trucks, 5/4 Ton Trucks,

2 1/2Ton Trucks, 2 1/2Ton Shop Trucks, 2 1/2Ton FDC

Trucks, 5Ton Cargo Truck, 5 Ton Wreckers,

5Ton Vans, K200 APCs, AN/PRC-77 Radios

4. Ammunition
   Items
   (5 Items)

Green Aid Launcher Smoke, Screening HC KL8 A1(G815),

Screening HC KL8 A1(G815), Smoke Pot HC KM5(K866),

Smoke Pot Floating HC KM4 A2(K867)

(중동아국장 이 해 순)

예고: 91. 12. 31 일반

0097

관리 번호	91- 121

외 무 부

종 별 :

번 호 : CAW-0262

일 시 : 91 0217 1615

수 신 : 장관(중이,경이)

발 신 : 주 카이로 총영사

제 목 : 걸프사태관련 지원

대:WCA-0128,0122

연:CAW-0205

1. 대호 폴리에스타 직물공장 건립추진업체는 선경(주)임.

2. 동사는 현재 주재국 직물협회측과 동공장건립(약 9 백만불- 1천1백만불소요예상)을 협의중인바, 동공장 건립을 위하여 EDCF 차관을 사용할수 있기 위하여는 주재국 정부당국의 승인을 얻어야 함.

3. 연이나, 주재국정부는 현재 연호와 같이 차관도입 자제정책으로 외국으로부터의 추가적인 차관도입을 자제하고 있으며, 다른 한편으로는 주재국이 아국이 제공하는 차관을 사용하는 경우에도 동차관을 폴리에스터공장 건립에 사용할 것인지는 주재국 정부관계 부처간의 협의를 거친후 결정될 것임.

4. 다만 당관은 아국차관제공에 대한 주재국 결정이 너무 지연되고 있어 이를 촉진하기 위한 방안으로 상기 폴리에스터 공장건립이 주재국 경제발전에도 도움이 될것으로 사료되어 이를 동정부에 제시한 것임.

5. 본직은 91.2.17 SAAD EL-FARARGY 외무부 경제국장을 방문, 상기 EDCF 차관을 포함한 아국의 걸프사태관련 지원금의 조속 사용을 요청한바, 동국장은 동 지원금에 대한 결정이 늦어지고 있는데 대하여 미안하다고 말하고, EDCF 차관에 대하여는 앞으로도 상당한 시일이 소요될것이며 민수물자 8 백만불에 대하여는 가능한 조속한 시일내에 조치하도록 최선을 다하고 있다고 하였음. 본직은 또한 대호 차관의 무상원조로의 전환은 불가능함을 통고했음.

6. 본직은 또한 2.16 HOSNI SOLIMAN 국방차관보를 방문, 군수물자 7 백만불의 조기 사용을 촉구한바, 현재 동물자의 선정을 위한 대표단 파한을 상부에 상신중인바, 현 걸프전때문에 결정이 지연되고 있다고 말하고 본직의 요청을 상부에 보고하여 조속

중아국	장관	차관	1차보	2차보	경제국	청와대	재무부

PAGE 1

결정이 나도록 노력하겠다고 약속했음.

　7. 본건 조속 처리되도록 계속 추진위계임.끝.

　(총영사 박동순-국장)

　예고:91.12.31. 일반

검토필(1991.6.30 　)

외 무 부

종 별 :

번 호 : CAW-0318　　　　　　　　　　　　　　　일 시 : 91 0227 1830

수 신 : 장관(중아, 경아)

발 신 : 주 카이로 총영사

제 목 : 걸프사태관련 대주재국 지원(주재국 군사사절단 방한)

대:WCA-0523

연:CAW-0883, 0205

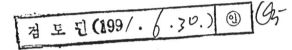

검 도 필(199/. 6.30.)

1. 본직은 금 91.2.26. 주재국 국방부 ARMAMENT AUTHORITY(군수품 조달 및 병기연구 개발기관)의 CHAIRMAN 인 MOHAMED EL-GHAMRAWY 장군(소장)의 요청으로 동장군과 면담한바, 동장군 발언요지 아래 보고함.

　가. 주재국 국방부는 무바락대통령의 재가를 얻어 아국에 군사사절단을 파견키로 결정하였으며, 동 사절단의 방한목적은

　1) 아국이 제공 약속한 군수물자 지원금($7M) 에 의한 물자선정(주로 자동차 계통이 될것이라함)과

　2) 금후 양국간의 군사협력가능성 여부를 조사하기 위해 아국의 군수산업을 시찰하는데 있음.

199/. 12. 31에 예고문에
의거 일반문서로 재분류됨

　나. 주재국 정부가 정부차원의 군사사절단을 파한하는 것은 처음있는 일로서, 이는 고위층의 특별배려로 실현되게 된것인바, 주재국 국방부로서는 아측이 5명(단장, 소장으로서 국방부 차관보급에서 임명될것이라함, 및 군수품 전문가 2, 병기전문가 2)의 군사사절단을 아측의 경비(항공료및 체재비)부담으로 (단, 지원금중의 일부를 동경비로 사용하는 것은 불원)약 1 주일간 예정으로 초청해 줄것을 희망하며, 금후 협력관계의 원활한 추진을 위해서 본직이 함께 갈수 있기를 제의함.

　다. 주재국 국방부로서는 아국으로부터 공식 초청장을 받는대로 언제든지 사절단을 파견할 준비가 되어 있다함.

　라. 군수물자($7M) 지원합의는 양국정부간 협정에 의하며, 실제 계약은 주재국 국방부와 물자공급 한국회사간에 체결되기를 희망함.(동장군은 모든 외국 군사원조가 이 방식에 의해 제공되었다고 강조함)

중아국	장관	차관	1차보	2차보	경제국	국방부

91.02.28　　04:50

외신 2과 통제관 CW

0100

2. 외교관계가 없는 주재국 정부가 아국에 군사사절단을 파견하기로 결정한것은 주재국과 북한간의 친밀관계를 고려할때 주재국측으로서는 상당히 전향적인결정을 한 것으로 이해되며, 또한 양국간 영사관계 수립 30 주년이 되는 금년도에 양국 외교관계 수립실현에 기여할 수 있는 한 계기가 될수 있을 것으로 사료되며, 특히 본직이 정기적으로 접촉하고 있는 MUBARAK 대통령 아들인 ALLA MUBARAK 의 측면지원이 주효하여 이루어질 것인바(금 2.26. ALLA 와의 면담에서 확인함), 동사절단 방한후에는 방한 결과를 대통령에게 보고할 예정으로 있어 동사절단의 방한의의가 클 것으로 사료됨.

3. 상기 사절단의 방한은

. 지원 물자의 선정 목적이외에

. 걸프전 이후 중동지역 안보체제 개편에 있어서 역내 국가로서는 시리아와함께 정치 및 특히 군사적으로 주도적 역할을 수행할 것으로 예상되는 주재국과의 군사협력 추진은 아국 국익증진에도 기여하고(이미 상당한 수준에 있는 주재국 군수사업을 바탕으로 주재국은 전후 GCC 국가의 군비재건 및 확장에 크게 기여할 것으로 예상됨)

. 다국적 연합군에 참여한 시리아에 대해서도 일종의 자극제로 작용할 것이며

. 또한 오랜 현안이 양국관계 개선을 위해 한 전환점이 될 수 있을것으로 사료되므로, 상기 1 항 주재국 요청을 호의적으로 검토, 회시바람.

4. 참고

가. 주재국은 약 7 년전까지만 하드라도 북한과 다소의 군사협력관계(주로 북한이 소련제 무기의 부품공급)를 유지해 왔으나, 그동안 주재국은 소련제 무기의 거의 대부분을 이락및 아프리카국가에 매도하였으며, 현재 북한과의 군사협력은 단절된 상태임.

나. 주재국의 현 무기체제는 미국 무기가 주종이며, 다소의 서방구라파 무기를 소유하고 있음. 끝.

(총영사 박동순-국장)

예고:91.12.31. 일반

PAGE 2

0101

관리 91-
번호 501

외 무 부

종 별 :

번 호 : CAW-0330   일 시 : 91 0228 2315

수 신 : 장관(중동일,기정, 사본: 청와대,총리실)

발 신 : 주 카이로 총영사

제 목 : 걸프사태 조사단 보고(4)

(MEGUID 부총리겸 외무장관 면담)

연:CAW-0326

조사단장은 금 2.28 13:00 부터 한시간동안 MEGUID 부총리겸 외무장관과 면담하였는바(이측: 외부차관보, 아주국장, 아측: 박대사, 김과장, 홍영사 배석),동요지 다음 보고함.

    1. 조사단단장은 먼저 장관님의 안부 말씀을 전달하고, 동장관이 가능한 대로 년내에 방한하기를 희망하는 초청의사를 표명하였음. 한국은 걸프사태관련 유엔 안보리의 제결의에 전폭적인 지지를 표명함과 동시에 다국적군을 지원하기 위하여 재정원조와 의료지원단 및 수송지원단을 파견함으로써 서방제국 및 이지트등 연합군측에 동참함으로써 걸프지역의 조속한 전쟁 종결과 평화, 안정의 회복에 상당한 기여를 한바 있다고 말하였음.

    2. 동장관은 장관님의 안부말씀과 초청의사에 사의를 표명하고 걸프전 종식을 위한 한국측의 기여를 높이 평가하며, 한국측의 그러한 기여는 다국적군에 참가한 모든 국가들에 의해 매우 감사하게 받아들여 지고 있다고 말하였음. 금후 중동지역의 주요과제는 전쟁피해국의 경제재건과 이지역 전반의 부흥인바 한국측이 이 중요과제에 대하여도 커다란 기여를 해주기 바라며, 그것은 한국의 국제적지위향상에도 도움을 주게 될것이라고 말하였음. 또한 이러한 복구 부흥사업,특히 건설공사에 있어서는 한국이 과거 중동지역에서 쌓은 실적과 경험을 토대로 이집트와도 협력하여 참여할 수 있기를 기대한다고 하였음.

    3. 조사단장은 한. 애 양국관계에 언급, 금년이 영사관계를 수립한 30 주년이 되는바 최근 확대되고 있는 양국의 무역, 경제협력 관계및 인적교류등에 비추어 국교관계를 수립해야 한다는 인식에는 상호 공감하고 있으나 그 시기가 지연되고

중아국	장관	차관	1차보	2차보	미주국	경제국	청와대	청와대
총리실	총리실	안기부	안기부					

PAGE 1

91.03.01 09:47
외신 2과 통제관 DG
0102

있음으로 그 시기를 단축할 필요가 있다는 점을 강조하였음. 또한 서울에는80여개국이 대사관을 설치하고 있는바 이집트와 같은 중요한 위치에 있는 국가가 서울에 대사관을 가지고 있지않는 점을 상기시키면서, 현재 대한민국과 외교관계를 가지고 있지 않는 중요한 두개국가중 (중국과 이집트) 이집트가 한국과수교하는 최후의 국가가 되지 않기를 바란다고 말하였음. 이에 대해 동장관은 양국간의 실질관계 특히 한국기업의 대이집트 투자와 무상원조등 경제협력관계의확대가 우선 이루어 지는것이 바람직하며(이와 관련 동장관은 아국의 IEDCF 차관 1500 만불을 무상원조로 전환해 줄것을 요청함), 이러한 과정을 통해 외교관계를 격상하려는 것이 이집트의 생각이며, 우선 양국간 경제관계의 강화가 필요하다는 인식하에 서울에 총영사관을 설치할 것을 검토해 왔으며, 현재 그것이 확정단계에 있으므로 곧 이집트 정부의 결정을 통보해 줄것이라 언급함. 동장관은 이어 한국과의 국교관계를 수립함에 있어서는 북한과의 기존 우호관계를 고려하여야 한다는 측면이 있다고 말하였음.

4. 조사단장은 총영사관 설치보다는 대사관의 조속 설치가 더욱 바람직하며이와 관련 쏘련이 북한과 과거 수십년동안 우호동맹 조약을 가지고 있음에도 불구하고 한국과의 전략적, 경제적 이해관계가 보다 중요하기 때문에 북한의 반대에도 불구하고 한국과 국교를 수립한 사실에 주목할 필요가 있으며, 이러한 쏘련측 외교자세의 변화는 이집트에 대해서도 참고가 될 수 있을것이라고 말하였음. 한국이 금번 걸프전에서 이집트와 같이 다국적군측에 동참하였다는 사실, 한국이 아시아에서 정치적으로나 경제적으로나 중요한 위치를 구축하고 있는 점등을 고려할때 양국간 외교관계 수립은 그 시기가 빠를수록 좋을것이라고 말하였음. 동장관은 아측의 설명에 대해 이해하는 바이며, 이집트가 그러한 방향으로 가고 있는 점은 틀림없다고 말하였음.

5. 조사단장은 전후 복구문제와 관련 금후 쿠웨이트, 이라크등 제국의 건설프로젝트에 있어 금번 걸프전쟁에서 주도적 역할을 맡은 이집트와 한국과의 협력이 강화되기 바란다고 말하고, 구체적인 사항에 관하여는 긴밀히 협조해 나가자고 말하였음. 또한 국제무대에서 그 지위와 역할을 증대시켜 나가고 있는 이집트와 한국이 전후 걸프지역의 평화와 안전의 유지에 관한 제문제에 관하여도 상호 긴밀히 협의해 나갈것을 제의하였음. 동장관은 좋은 생각이며 그렇게 해나가자고 대답하였음.

6. 동장관은 전후의 중동지역 안전 보장체제 구축에 있어서는 (62)를 중심으로 그 협의가 본격화 될 것이며, 이집트가 그 주도적 역할을 수행해 갈것이라고 시사하였음.

끝.

예고:91.6.30. 일반

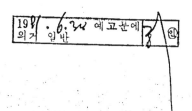

전 언 통 신 문

중동이 2000가 - 25056

수신 : 수신처참조

발신 : 외무부장관

제목 : 이집트 사절단을 위한 자료

　　　1. 이집트 사절단은 91.5.30-6.8간의 방한기간중 아국의 걸프사태 관련 지원물자에 대한 선정을 할 예정입니다.

　　　2. 상기 관련 별첨 이집트측의 요청자료를 참조, 귀사제작 자동차중 12인승 및 25인승 버스의 이집트 포오트사이드항까지의 CIF수출 가격(부대조건 포함)및 기타 자료를 지급 당부 (연락처 : 중동2과)에 명 91.6.4(화) 17:00한 송부하여 주시기 바랍니다.

　　　3. 기타 동 품목의 카타로그 및 기술적 제원에 관한 자료는 동사절단 이 투숙할 예정인 울산 다이아몬드 호텔 (전화 : 32-7171)에 91.6.5(수) 17:00한 필착토록 송부하여 주시기 바랍니다.

첨　부 : 이집트 사절단 요청사항 1부.

수신처 : 기아자동차 사장(참조 : 수출 3과 FAX : 784-0746)

　　　　아시아자동차사장(참조 : 수출 1과, FAX : 785-1485)

　　　　현대자동차 사장(현대종합상사 자동차부 FAX : 746-1080,

　　　　1068), (주) 대우 사장(특수물자 1과 FAX : 778-1085)

외　무　부　장　관

중동아프리카국장 전결

0105

LIST OF MATERIAL FOR DELEGATION
----

1) 12 SEATERS: 200 UNITS, 25 SEATERS: 100 UNITS (MINI & MICRO BUSES CONSEQUE
   (color of the buses will be determined in the contract)

2) OFFER SHOWS BASIC PRICE (CIF PORT SAID) AND PRICES OF OPTIONS
   (AIR-CONDITIONER AND TINTED GLASS)

3) OFFER INCLUDES 2% OF CONTRACT VALUE FOR WARRANTY SPARE PARTS FOR INITIAL
   RUNNING. (To be delivered with the first shipment)

4) OFFER INCLUDE COST OF TRAINING 3 ENGINEERING OFFICERS FOR 2 WEEKS IN
   KOREA FOR MAINTENANCE AND REPAIR: ROUND-TRIP AIRFARE AND LOCAL LODGING
   AND TRAINING FEE TO BE INCLUDED.

5) RECOMMENDED SPARE PARTS LIST TOGETHER WITH PRICE TO BE USED FOR 3 YEARS
   UPTO THE DEPOT LEVEL/OVERHAUL.

6) LIST OF S.S.T. (SPECIAL SERVICE TOOLS) UPTO OVERHAUL LEVEL AND ITS PRICE
   LIST.

7) FULL LIST AND CATALOGUES OF SPARE PARTS AND THEIR PRICE LIST
   (MICRO FICHES) wall drawings)

8) 5 COPIES OF SERVICE MANUAL. (AFTER SIGNING THE CONTRACT) For each mini & micro bus

9) 3 SETS OF CUT-AWAY SECTION OF MAIN AGGREGATES (ENGINE, GEAR BOX, REAR AXLE
   AND DIFFERENTIAL) IN THE FORM OF SLIDE FOR TRAINING BUYER'S MECHANICS/ or wall drawing
   for both buses Typ

10) MODEL YEAR MUST BE NOT OLDER THAN 1991.

11) TO BE GUARANTED FROM against EPIDEMIC DEFECTS.

12) THE BUYER RESERVES THE RIGHT TO AUGMENT THE QUANTITY BY UPTO 100% AT THE
    SAME TERMS AND CONDITIONS AFTER THE FIRST CONTRACT.(one year after the first shipment

13) SEALED ENVELOPE TO BE SUBMITTED. Not later than 1800 WED 5 June, 1991 To
    Maj. Gen. H. M. Abdel Motagaly.

0106

長 官 報 告 事 項

1991. 3 .19.
中東.아프리카局
중 동 2 課(14)

題 目 : 이집트에 대한 EDCF 차관의 현물무상공여 전환

> 이집트에는 걸프사태 관련 물자무상원조 1,500만불, EDCF 차관 1,500
> 만불등 합계 3,000만불 상당의 경제지원이 예정되어 있으나 이집트
> 정부는 EDCF 차관의 무상원조로의 전환을 강력히 요청하고 있는바
> 강영훈 특사 방문을 계기로한 수교교섭 추진 및 주변국 경제지원계획의
> 조기집행 차원에서 다음과 같이 이집트 요청을 긍정적으로 검토 추진
> 코자 함을 보고합니다.

1. 걸프사태 관련 이집트에 대한 경제지원 추진현황

- 이집트에는 700만불 상당의 군수물자 및 800만불 상당의 민수용 물자등
  1,500만불 상당의 물자무상원조와 1,500만불 상당의 EDCF 차관 공여를
  제의했음(90.10 제1차 정부조사단 중동순방시 통보)
- 군수물자무상원조는 이집트측에서 품목선정을 위한 군사사절단의
  파한을 희망해와 현재 구체적 방한일정등을 협의중에 있으며 민수용
  물자 지원추진은 진전이 없음.

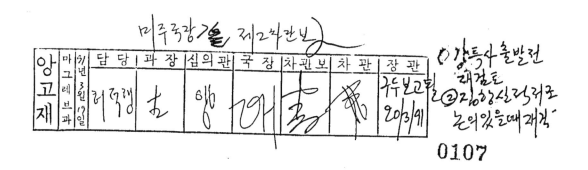

0107

o 이집트측은 91.2. EDCF 차관을 무상원조 자금으로 전환할 것을 요청한바
   있으나 일단 예산적 뒷받침이 없어 불가능함을 통보했음.

o 그러나 이집트는 91.2. 제2차관보 이집트 방문시 메귀드 외무장관을
   비롯해서 국제협력장관, 외무부 차관보등이 모두 EDCF 차관을 무상
   원조로 전환해 줄 것을 요청하였음.

2. 대 이집트 무상원조 추가 필요성 검토

가. 대이집트 수교추진 차원

o 이집트는 아국과의 관계개선 방침을 정하고 주한 총영사관의 조기
   설치와 군사사절단의 방한을 추진중에 있는바 강영훈 특사의 중동
   순방기간중 이집트 방문시에는 양국간 수교문제등 관계개선 방안의
   협의가 예상됨.

o 동 방문시 이집트측이 요청하고있는 EDCF 차관의 무상원조로의
   전환을 아측이 수락 제의할 경우 수교촉진 차원에서 기여할 것으로
   사료됨.

나. 주변국 경제지원 계획의 조기집행 차원

o 걸프사태로 인해 피해를 입고있는 전선국가에 대한 재정지원과
   지원국의 국제적 단결도모 차원에서 추진되어온 재정공여국 조정
   회의에서 미국은 각국지원 발표액의 91.3월말 까지의 집행을 요망
   하고 있으나 아국의 경우 91.3.18 현재 주변국에 대한 지원은
   994만불로서 전체지원 약속액 115백만불 대비 8.6% 집행에 불과함.

o 이집트의 경우 외채누적등 국내경제사정으로 인해 더이상의 차관
   도입을 원치않고 있음.

o 아국의 공여 약속액에 대한 집행은 결국 정부재정에서 부담되는
   것이므로 공약이행에 관한 아국의 국제적 신의차원에서 조기집행을
   위한 대책강구가 요망됨.

0108

ㅇ 아국의 주변국 경제지원 계획상의 원조형태가 대부분 조기집행이
  어려운 실정이므로 수원국의 희망을 감안 원조형태를 일부 전환
  해야할 필요성이 있음.

3. 대 책(건 의)

ㅇ 걸프사태 관련 청와대 회의시 주변국 경제원조사업의 조기추진 및 대
  이집트 수고추진 차원에서 이집트에 대한 EDCF 차관의 물자 무상원조
  로의 전환을 위한 예산을 추경에서 확보토록 함.   끝.

0109

외 무 부

종 별 :

번 호 : CAW-0482   일 시 : 91 0407 1530

수 신 : 장관(중동이)

발 신 : 주 카이로 총영사

제 목 : 걸프사태관련 대주재국 지원

대 WCA-0439(90.10.27)

1. 본직은 금 91.4.7 OMAINA ABDUL AZIZ 국제협력성 차관보의 요청으로 동인과 면담한바, 동인발언 요지 아래보고함.

가. 주재국 정부는 아측이 지원약속한 30백만불을 받아들이기로 결정했음.

나. 동지원액중 15 백만불의 EDCF 자금은 폴리에스터 직물공장 건설을 위해사용계획인바, 동차관 조건을 이자율 연 1 퍼센트, 유예기간 10 년, 상환기간 20 년으로 해줄것을 공식 요청함.

다. 물자지원 15 백만불중 군수물자 7 백만불은 주재국 국방부측에서 사절단을 파한, 품목을 선정키로 이미 결정한바 있으며, 민수용 8 백만불에 대해서는이중 2 백만불은 직업훈련용 시설 및 나머지 6 백만불은 의료기기(리스트 각각제시)를 지원해줄 것을 요청함.

2. 동차관보는 주재국 정부의 대외부채가 걸프전쟁이전 약 5 백억불에서 걸프전을 계기로 미국, EC 제국 및 걸프제국의 부채탕감 조치로 약 330 억불로 감소되었으며, 현재 IMF 와 교섭중인 주재국 경제구조 개편 및 경제체질 개선에 관한 합의가 이루어지면 추가 부채탕감이 기대되고(현부채액의 약 절반 탕감기대)있다고 하면서 선진책국이 제공하는 차관은 연리 1 퍼센트 이상은 없으며 상환기간도 30 년이라는 것을 지적하고, 아측도 양국 우호관계 증진 및 관계개선의 관점에서 동차관 조건을 상기와 같이 완화해 줄것을 요청했음.

3. 금년은 한애 영사관계 30 주년이 되는해로써 양국 우호협력관계 증진및 관계개선의 관점에서 상기 주재국측 요청을 호의적으로 검토해 주실것을 건의함.

4. 민수물자(직업훈련시설 및 의료기기 리스트 차파우치편 송부예정임. 동리스트중 아측의 공급가능품목 선정 지원)

중아국   차관   1차보   2차보   정와대   안기부

(총영사 박동순-국장)
예고:91.12.31. 일반

검토필(1991.6.30. 121)

관리번호 91-409

"소득은 정당하게, 소비는 알뜰하게"

주 카 이 로 총 영 사 관

문서번호 : 주카(경) 20615-152　　　　1991. 4.14

경　　유 :

수　　신 : 장관

참　　조 : 중동.아프리카국장

제　　목 : Gulf사태관련 대주재국 지원

　　　연 : CAW - 0482

1. 주재국 경제협력성은 아국의 30백만불 대주재국 지원관련, 연호 Omaima Abdul Aziz차관보 요청과 동일 내용의 공식 Note를 당관앞으로 송부해 왔읍니다.

가. 아측지원액 30백만불 전액을 받아들이기로 결정

1) 8백만불 민수물자 지원

- 2백만불 : 직업훈련용 시설
- 6백만불 : 의료기기

2) 15백만불 EDCF자금 : 폴리에스터 직물공장 건설

나. 상기 2)항 15백만불 EDCF자금관련, 동차관 이자율 인하등 조건완화

2. 상기 주재국 정부의 Note 및 민수물자 요청 품목리스트(동리스트중 아측이 공급 가능한 품목을 선정,지원)를 각각 송부하오니 동물자의 조달 및 EDCF자금관련 주재국측 요청사항을 호의적으로 검토해 주시기 바랍니다.

검토필(1991.6.30.)

첨　부 : 1. 아측지원액 사용결정 Note 및 요청물자 List 사본 각 1부

2. EDCF자금 조건완화 요청 Note 사본 1부. 끝.

접수일시	1991. 4. 22	번호	2045	처리과	중동1과

(공람)

발송 1991. 4. 18 총영사관

예고) 91.12.31 일반

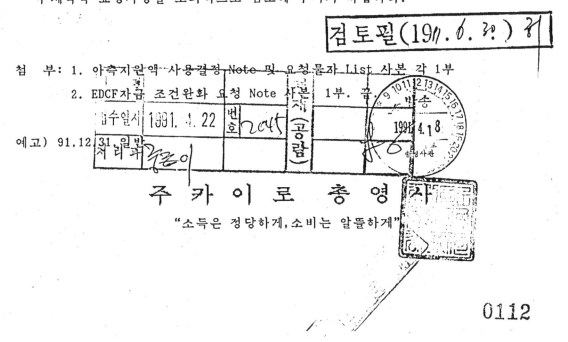

주 카 이 로 총 영 사

"소득은 정당하게, 소비는 알뜰하게"

0112

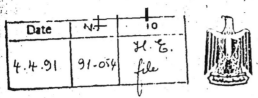

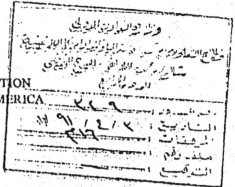

Date	N.+	10
4.4.91	91-054	H.E. file

ARAB REPUBLIC OF EGYPT
MINISTRY OF INTERNATIONAL COOPERATION
ASIA, AUSTRALIA, CANADA AND LATIN AMERICA
SECTOR.

The Ministry of International Cooperation of the Arab Republic of Egypt presents its compliments to the Consulate General of the Republic of Korea, and has the honour to refer to the letter dated Jan.23¦1991 concerning the Korean Economic aid program of US $ 30 Million.

In this respect, the Ministry proposes to use the Grant of US $ 8 Million allocated for the civil use to finance the following projects:-

1- Four training centers requested by the Ministry of Manpower and training with total cost of about US $ 2 Million (copy attached).

2- Medical equipment and instruments requested by the Ministry of Health and Universities' Hospitals with total cost of about US $ 6 Million (copy attached).

Concerning the loan offered, the Ministry accepts the Korean proposal to use this loan to establish a polyester textile manufacturing plant.

The Ministry of International Cooperation of the Arab Republic of Egypt avails itself of this opportunity to renew to the Consulate General of the Republic of Korea the assurances of its highest consideration.

El Borg El Faddi Building, 12 - Wak'd Str., El Alfi - Cairo   Tel. : 913199 - 913291. - Fax : 913306

PROJECTS OF THE V.T. CENTRES

1 - OBJECTIVES OF THE PROJECT FROM THE PERSPECTIVE OF NATIONAL ECONOMY AND THE DEVELOPMENT POLICY.

1/1 The relationship of the project to the plan and it's code number.

The project is under the code number(001024)of the 2nd five-year plan(87/88-91/92).

1/2 The impact of the project on the balance of payments.

V.T.Projects aim at converting unskilled labour to skilled labour,so that the workers needed to carry out the economic and social development plans may be available in the different sectors. seemingly these projects may appear to be service projects yielding no return could be translated into figures,yet its output has a far-reaching impact,either directly or indirectly,on the national product and the balance of payments, because of the role they play in increasing the products,needed to cover export requirements and local consumption and so diminish imports.

2 - SECTORAL ANALYSIS

2/1 Demand for the project products and services.

The outputs of the project are embodied in the technical trained labour force needed for labour market,either:

-for new extensions or replacement projects

-as a result of updating existing projects

-to substitute the migrant labour

-for creating new opportunities for self employment

-to make use of graduates surplus in productive work through transformational training

Trainees of the centres will be the following categories: The drop-outs,school leavers and graduates surplus.

0114

2/2 The demand structure for the project services and products.

2/3 The changing demand for the project services and products.

2/4 Demand forecast for the project services and products.

Vocational Training is characterized by flexibility in a way that facilitates the movement through skill levels, and the possibility of changing its plans and programmes so as to meet the changing training needs and cope with technological developments if necessary.

Existing circumstances necessitate the constant demand for training to meet the needs of the above mentioned categories. Moreover the supply will continue for the following reasons:

-The inability of the elementary education to absorb all the new entrants.

-The continuous phenomenon of the drop-outs in all stages of education.

-The imbalance between supply and demand corresponding to university andhigher institutes graduates and the openings available.

within this concept, training is an important media for the rectification of the manpower struture for the interes of social and economic development.

3 - TECHNICAL AND CONSTITUTIONAL CONSIDERATIONS:

3/1 Precise definition of the project:

The basic data of the project is attached here(annex I).

3/2 The constitutional problems likely to face the implementation of the project. (Nil)

4 - SCHEDULED TIMETABLE FOR THE IMPLEMENTATION FOLLOW-UP INCLOSED HERE(annex II).

5 - THECONSTITUTIONAL AND FINANCIAL STATUS AND THE EFFICIENCY OF PERFORMANCE OF THE STAFF IN CHARGE OF IMPLEMENTATION.

The ministry of Manpower and Training and its directorates

0115

will undertake the implementation of the project through
the competent bodies(i.e.Housing directorates in matters
concerning building and construction of training centres).

6 - TOTAL COSTS OF THE PROJECT

6/1 Total costs.

6/2 Capital costs.

6/3 Costs in foreign currency.

6/4 costs in local currency.

   (Enclosed here are the estimated costs of the project
   in local currency(annex III).

7 - FINANCING

7/1 Sources of financing (The national budget).

7/2 Time-schedule for financing(annex III).

7/3 Conditions:

   According to the regulations governing the national
   budget concerning the finance of the five-year plan
   projects.

7/4 Critical limits for foreign and local currency:

   The item concerning the equipment is inadequate for
   the purpose according to the established standards.

7/5 Components of local financing.

7/6 Components of foreign financing.

8 - FINANCIAL RETURN OF THE PROJECT

8/1 Monetary flow-chart.

8/2 Economic return of the project.

8/3 The existing monetary value of the project.

8/4 Ssensitivity analysis and its impact on financial return
   of the project(taking into considerationthe productive
   capacity , to what extent it is utilized and the equilibium
   point of the project).

   (The project has no monetary return as mentioned above).

0116

ASHMON -V.T. CENTRE

NO	WORKSHOP	TRAINING CAPACITY	LENGTH (m)	WIDTH (m)	AREA (m-2)	TOTAL COST- L.E
1	Auto-mechanic and Auto electrician	15	19,75	9,75	192,56	900.000
2	Mechanical Carpentry	15	20,00	9,75	195,00	100.000
3	Electrical installation and Motor Winding	15	12,00	8,00	95,00	120,000
4	Refregration and Airconditoning	15	15,75	9,75	153,56	50.000
5	Repair and maintenance of T.V & Radio sets	15	12,25	9,75	119,43	65.000
	TOTAL					1.235.000

0117

DAMIETTA V.T.G. CENTRE

NO.	WORKSHOP.	TRAINING CAPACITY	LENGTH (m)	WIDTH (m)	AREA (m²)	TOTAL COST L.E.
1	Heavy Diesel and Benzine engine	15	20	12	240	900.000
2	Refrigeration and Airconditioning	15	20	12	240	50.000
3	Welding	15	20	12	240	40.000
4	Smithing	15	20	12	240	25.000
5	Sheet metal work	15	20	12	240	15.000
6	Metal Casting	15	20	12	240	30.000
7	Electrical installation and Motor Winding Shop	15	20	12	240	120.000
	General Total					1.180.000

SHARABIAH V.T. CENTRE

NO	WORKSHOP	TRAINING CAPACITY	LENGTH (m)	WIDTH (m)	AREA (m^2)	TOTAL COST L.E
1	Repair and maintenance of washers, gas stovers and heaters	15	15	12	180	15.000
	Refrigration and Air conditioning	15	15	12	180	50.000
	Motor Winding	15	12	8	95	75.000
	Repair and maintenance of T.V and Video Sets	15	12	10	120	35.000
	Repair and maintenance of Radio and Recording Sets	15	12	10	120	30.000
	Repair and maintenance of Watches and Guage instruments	15	12	10	120	16.000
	TOTAL					221.000

0119

ELSSINBAILAWLIN V.T. CENTRE (A)

NO	WORKSHOP	TRAINING CAPACITY	LENGTH (m)	WIDTH (m)	AREA (m2)	TOTAL COST-L.E.
1	Auto-mechanic/ Auto-electrian	15	13	13	169	900.000
2	Turning and Machine tools	15	13	10	130	300.000
3	Wilding	15	13	8	104	40.000
4	Refrigration and Air conditioning	15	10	10	100	50.000
5	Electrical installation	15	10	8	80	45.000
6	Repair and maintenance of electronic sets (Radio & T.V)	15	13	26	104	35.000

0120

ELSSIBILKHIN V.T CENTRE (B)

NO	WORKSHOP	TRAINING CAPACITY	LENGTH (m)	WIDTH (m)	AREA (m)	TOTAL COST-L.E
	Mechanical carpentry	15			139	100.000
8	Motor Winding	15			139	75.000
	Total					1.545.000

0121

GASTRO-INTROLOGY

GIF-XQ20	OES GASTRO-FIBERSCOPE 9.8 OD , 2.8 CHANNEL
GIF-1T20	OES GASTRO-FIBERSCOPE 11.3 OD, 3.7 CHANNEL
NM-6L	INJECTOR SET
JF-20	OES DUODENOSCOPE 10.5 OD, 2.2 CHAN.
CLE-F10	LIGHT SOURCE 220V WITH FLASH
CLV-U20	LIGHT SOURCE 220V XENON
SC-35	CAMERA; BODY ONLY
A10-M1	CAMERA ADAPTOR
OSF-2	SIGMOIDOSCOPE 12.8 OD, 3.2 CHANNEL
CF-20HL	OES COLONOSCOPE 13.3 OD, 3.2 CHAN.

LAPAROSCOPE

A 5308	OPERATING TELESCOPE
A 5276	CANNULA
A 5224	10MM TROCAR
A 5242	BIOPSY FORCEPS
A 5244	HOOK SCISSORS
O 0120	ELECTRODE CABLE
A 3072	5MM LIGHT GUIDE CABLE

OLYMPUS PAEDIATRIC CYSTO-URETHROSCOPE

A 3725	0° TELESCOPE
A 3723	CYSTOSCOPE SHEATH 14FR.
A 3732	OPERATING INSERT W/DEFLECTOR MECHAN.
A 3762	FLEXIBLE BIOPSY FORCEPS
A 3071	LIGHT GUIDE CABLE

0122

SSD-680 ALOKA ECHO CAMERA COLOR DOPPLER ..
CONVEX SECTOR/LINEAR SCANNER complete set
WITH THE FOLLOWING STANDARD COMPONENTS.

* 1 x main unit
* 1 x viewing color monitor (12 inch)
* 1 x UST-959-9.5 (3.5MHZ) 160 deg. 160 mmR
      electronic convex sector probe
* accessories

OPTIONAL ACCESSORIES;

* UST-962-5   Trans~~vaginal~~ (5MHZ) esophageal probe
* UST-964P-5   OB/GYN/1VF Transvaginal (5MHZ)
* UST-5042-3.5 Electronic Line.- Probe for general abdomen
* UST-666   Transrectal Bl-Plane linear (7.5MHZ)
* UST-2262-2   CW spectral doppler 2MHZ
* PEU-680   ECG signal unit
* VY-150E   Color video printer

ALOKA ECHO CAMERA MODEL SSD-500
CONVEX SECTOR/LINEAR SCANNER
COMPLETE SET WITH FOLLOWING ST.
COMPONENTS.

* 1 x main unit
* 1 x MUST-934N-3.5 Convex sector probe (3.5MHZ)
* accessories

OPTIONAL ACCESSORIES;

* UST-5024N-3.5 Linear probe for general abdomen
* UST-945BP-5   OB/GYN/1VF (transvaginal) 5MHZ
* UST-657-5   Transrectal probe (5MHZ)
* SSZ-303   Video printer
* TBU-500   Track ball unit
* RMT-500   Mobile cart

0123

Urology dep.

1- C-arm : with two monitors
2- Coloured ultrasound echo cammera :
   - with abdomenal probes (3.5 & 5 MHZ) and puncture adaptors.
   - With rectal probes (5 & 7.5 MHZ) and puncture adaptors.
   - Duplex vascular probe (10 MHZ) for duplex scanning of penile vesseles.
3- Surgical urologic table.
4- Urologic endoscopic set (Olympus): including urethroscope, cystoscope, ureteroscope, nepnroscope, flexible uretero-renoscope, flexible nephroscope, OES xenon light source CLV-F 10, lithotron walz E1-12 and OTV.S medical T.V. system.
5- Surgical microscope.
6- Urodynamic system. (6 channels)

National Heart Institute

Imbaba — Cairo

Tel. : 3462042 — 3462043

معهد القلب القومى
بامبــابة

تليفون : ٣٤٦٢٠٤٢—٣٤٦٢٠٤٣

1 - Biplane cardiac catheterization laboratory

2 - Haemodynamic Recording machine for cardiac cath. lab.

3 - 2 oxymetry machines

4 - Ciné film processor

5 - 2 cine projectors

6 - 2 operating theatres for cardiac surgery

7 - 8 beds coronary care unit with central monitoring
   and all necessary equipment

8 - 12 bed surgical intensive care, 6 of them for children

9 - 3 mobile X-Ray units

10 - X-Ray machine for the hospital

11 - 6 Defibrillators for cath lab, surgery, i.c.u, c.c.u

12 - 2 Echo Doppler coloured machines

13 - treadmill exchange testing machine

14 - 15 icu ventilators

15 - 4 Anaesthesia Respirators

16 - teaching Auditorium equipment (audio visual aids), to transfer
   operations to 160 audients

7 - Dental clinic including dental unit, X-Ray unit

0125

ITEM DESCRIPTION

1   BED SIDE MONITOR (2 CHANNEL), CARDIOSCOPE FOR ECG HR BLOOD   12
    PRESSURE (NON INVASIVE)

2   ADDITIONAL MODULE TO BE CONNECTED FOR ABOVE MONITOR FOR   6
    RESPIRATION, ECG RECORDING, ARRITHMIA, BLOOD PRESSURE (INVASIVE)

3   RESPIRATOR, VOLUME ONE, SIMPLE TO BE USED FOR SHORT PERIOD   9

4   RESPIRATOR, VOLUME WITH ALL MODES IE PEEP, PAP, INV FOR LONG   3
    TERM PERIODS (MONTHS) ALSO WITH HUMIDIFIER AND FOR WEEINING

5   CRASH CART (EMERGENCY CART) WITH OXYGEN CYLINDERS,   3
    DEFIBILLATOR SYNCHRONIZED, CARDIOSCOPE COMPLETE WITH
    RECHARGABLE BATTERY PROVIDED WITH PORTABLE RESUSCITATION
    UNIT AND ALL NECESSARY INSTRUMENTS

6   PERFUSION UNIT, ELECTRONIC DRIPPER   6

7   PERFUSION UNIT, ELECTRONIC AUTHOMATIC SYRINE   6

8   ELECTROCARDIOGRAPH (3-CHANNEL) PAPER RECORDING   3

9   ELECTROENCEPHALOGRAPH (6-CHANNEL) COMPLETE WITH STANDARD   3
    ACCESSORY

10 CONSUMABLES FOR ALL ABOVE ITEMS
    (1) OJ-01 KERATIN CREAM, 2 BOXS
    (2) OP-61KE RECORDING PAPER, 2 BOXS

11 INTENSIVE CARE BED   12

12 BED SIDE CABINET   12

13 OVER BED TABLE WITH CHANGABLE HEIGHT   13

14 ANTI-BED SORE MATTRESS WITH ITS COMPRESSOR

15 REAL-TIME ECG ANALYSIS AND 24-HOUR FULL DISCLOSURE HOLDER
    SYSTEM WITH STANDARD ACCESSORIES, CONSISTING OF SCM-100
    MAIN UNIT AND KU-40 KEYBOARD
    2-CHANNEL, REAL-TIME ECG ANALYSIS RECORDER WITH STANDARD
    ACCESSORIES

16 FULLY COMPUTERRIZED STRESS-TEST SYSTEM WITH STANDARD
    ACCESSORIES, CONSISTING OF CI-140A INPUT BOX MAT-2100
    TREADMILL AND MAIN UNIT (ECG AMP/MONITOR/RECORDER AND TREADMILL
    CONTROLLER)

17 SPARE PARTS

0126

RADIOLOGY DEPARTMENT
UNIVERSITY HOSPITAL

ITEM DESCRIPTION

1   X-RAY SYSTEM FOR CASUALTY

2   MAMOGRAPHY UNIT

3   CT-SCANNER BASIC SYSTEM

4   X-RAY ANGIOGRAPHY SYSTEM FOR GENERAL PURPOSE WITH DSA

5   X-RAY SYSTEM FOR FLUOROSCOPY AND RADIOGRAPHY

6   X-RAY UNIVERSAL GYROSCOPE

7   MOBILE X-RAY UNIT

8   X-RAY SYSTEM

9   GAMMA CAMERA WITH BASIC COMPOSITION

10 ULTRASOUND

    (1) ULTRASOUND APPARATUS LINEAR/SECTOR/CONVEX

    (2) ULTRASOUND PHASED ARRAY SECTOR SCANNER WITH COLOR FLOW
        IMAGING FOR ECHOCARDIOGRAPHY AND ABDEMINAL

    (3) ULTRASOUND EQUIPMENT FOR MULTIPULE FUNCTION

11 SPARE PARTS

0127

ITEM DESCRIPTION	Q'TY
1 BLOOD GAS SYSTEM	1
2 NA/K/CL ANALYZER	1
3 CLINICAL CHEMISTRY ANALYZER	1
4 614 NA/K ANALYZER	1
5 634 CALCIUM PH ION ANALIZER	1
6, 480 PHLAMEPHETOMETER	1
7 GILFORD SYSTEM RESPONSE UV/VIS SPECTROPHOTOMETER	1
8 780 DENSITOMETER	1
9 DELTA 240 AUTOCAL PH METER	1
10 SPARE PARTS	

0128

Equipment and instruments for operating room
For Maxillofacial surgery.

	No.
(1) Electrically adjustable operating table	2
(2) Anesthesia apparatus with suitable monitor	1
(3) Suction apparatus	4
(4) Fibroptic lights .	2
(5) Cryosurgery apparatrus	2
(6) Diathermy	2
(7) Equipment for dental laser	1
(8) Dental unit with qutomatic dental chair	6
(9) Panoramic X-ray unit with cephalostat	1
(10) Antomatic X-ray developer	1
(11) Osteotomes and drilling equipment , micro air driven (complete air surgery system)	2
(12) Cardiac resusatation equipment	1
(13) Arthroscope for T.M.J.	1
(14) Ultrasound for ultrasonography	1
(15) Surgical hand instruments for oral and maxillofacial surgery .	(6 set)
(16) Sterilization equipment	

0129

━ ━ ━ OF THE V.T. CENTRE ━

1 ─ OBJECTIVES OF THE PROJECT FROM THE PERSPECTIVE OF NATIONAL
ECONOMY AND THE DEVELOPMENT POLICY.

1/1 The relationship of the project to the plan and its code
number.

The project is under the code number(001024)of the 2nd
five-year plan(87/88-91/92).

1/2 The impact of the project on the balance of payments.

V.T.Projects aim at converting unskilled labour to
skilled labour,so that the workers needed to carry out
the economic and social development plans may be available
in the different sectors. seemingly these projects may
appear to be service projects yielding no return could be
translated into figures,yet its output has a far-reaching
impact,either directly or indirectly,on the national
product and the balance of payments, because of the role
they play in increasing the products,needed to cover
export requirements and local consumption and so diminish
imports.

2 ─ SECTORAL ANALYSIS

2/1 Demand for the project products and services.

The outputs of the project are embodied in the technical
trained labour force needed for labour market,either:
-for new extensions or replacement projects
-as a result of updating existing projects
-to substitute the migrant labour
-for creating new opportunities for self employment
-to make use of graduates surplus in productive work
through transformational training

Trainees of the centres will be the following categories:
The drop-outs,school leavers and graduates surplus.

0130

2/3. The changing demand for the project serv?ces and products.

2/4. Demand forecast for the project ser?ces and products.

Vocational Training is characterized by flexibility in a way that facilitates the movement through skill levels, and the possibility of changing its plans and programmes so as to meet the changing training needs and cope with technological developments if necessary.

Existing circumstances necessitate the constant demand for training to meet the needs of the above mentioned categories. Moreover the supply will continue for the following reasons:

-The inability of the elementary education to absorb all the new entrants.

-The continuous phenomenon of the drop-outs in all stages of education.

-The imbalance between supply and demand corresponding to university and higher institutes graduates and the openings available.

within this concept, training is an important media for the rectification of the manpower struture for the interest of social and economic development.

3 - TECHNICAL AND CONSTITUTIONAL CONSIDERATIONS;.

3/1 Precise definition of the project:

The basic data of the project is attached here(annex I).

3/2 The constitutional problems likely to face tha implementation of the project. (Nil)

4 - SCHEDULED TIMETABLE FOR THE IMPLEMENTATION FOLLOW-UP INCLOSED HERE(annex II).

5 - THE CONSTITUTIONAL AND FINANCIAL STATUS AND THE EFFICIENCY OF PERFORMANCE OF THE STAFF IN CHARGE OF IMPLEMENTATION.

The ministry of Manpower and Training and its directorates

0131

will undertake the implementation of the project through
the competent _id [i.e.Housing direct =tus in matters
concerning building and construction of training centres). ,

6 - TOTAL COSTS OF THE PROJECT

6/1 Total costs.

6/2 Capital costs.

6/3 Costs in foreign currency.

6/4 costs in local currency.

(Enclosed here are the estimated costs of the project
in local currency(annex III).

7 - FINANCING

7/1 Sources of financing (The national budget).

7/2 Time-schedule for financing(annex III).

7/3 Conditions:

According to the regulations governing the national
budget concerning the finance of the five-year plan
projects.

7/4 Critical limits for foreign and local currency:

The item concerning the equipment is inadequate for
the purpose according to the established standards.

7/5 Components of local financing.

7/6 Components of foreign financing.

8 - FINANCIAL RETURN OF THE PROJECT

8/1 Monetary flow-chart.

8/2 Economic return of the project.

8/3 The existing monetary value of the project.

8/4 Ssensitivity analysis and its impact on financial return
of the project(taking into considerationthe productive
capacity , to what extent it is utilized and the equilibium
point of the project).

(The project has no monetary return as mentioned above).

0132

ELSSINELLAWLIN V.T. CENTRE (A)

SR NO	WORKSHOP	TRAINING CAPACITY	LENGTH (m)	WIDTH (m)	AREA (m2)	TOTAL COST-L
1	Auto-mechanic/Auto-electrian	15	13	13	169	900.00
2	Turning and machine tools	15	15	10	150	300.000
3	Wilding	15	15	8	104	40.000
4	Refrigration and Air conditioning	15	10	10	100	50.000
5	Electrical installation	15	10	8	80	45.000
6	Repair and maintenance of electronic sets (Radio & T.V)	15	15	26	104	55.000

0133

ELSSEBILAWIN V.T CENTRE (B)

NO	WORKSHOP	TRAINING CAPACITY	LENGTH (m)	WIDTH (m)	HEIGHT (m)	TOTAL COST-L.E
7	Mechanical carpentry	15			139	100.000
	Motor Winding	15			139	75.000
	Total					1.545.000

0134

GASTRO-INTROL

GIF-XQ20	OES GASTRO-FIBERSCOPE 9.8 OD , 2.8 CHANNEL
GIF-LT20	OES GASTRO-FIBERSCOPE 11.3 OD, 3.7 CHANNEL
NM-6L	INJECTOR SET
JF-20	OES DUODENOSCOPE 10.5 OD, 2.2 CHAN.
CLE-F10	LIGHT SOURCE 220V WITH FLASH
CLV-U20	LIGHT SOURCE 220V XENON
SC-35	CAMERA, BODY ONLY
A10-M1	CAMERA ADAPTOR
OSF-2	SIGMOIDOSCOPE 12.8 OD, 3.2 CHANNEL
CF-20HL	OES COLONOSCOPE 13.3 OD, 3.2 CHAN.

LAPAROSCOPE

A 5308	OPERATING TELESCOPE
A 5276	CANNULA
A 5224	10MM TROCAR
A 5242	BIOPSY FORCEPS
A 5244	HOOK SCISSORS
O 0120	ELECTRODE CABLE
A 3072	5MM LIGHT GUIDE CABLE

OLYMPUS PAEDIATRIC CYSTO-URETHROSCOPE

A 3725	0° TELESCOPE
A 3723	CYSTOSCOPE SHEATH 14FR.
A 3732	OPERATING INSERT W/DEFLECTOR MECHAN.
A 3762	FLEXIBLE BIOPSY FORCEPS
A 3071	LIGHT GUIDE CABLE

0135

SSD-680 ALOKA ECHO CAMERA COLOR DOPPLER ..
CONVEX SECTOR/LINEAR SCANNER complete set
WITH THE FOLLOWING STANDARD COMPONENTS.

* 1 x main unit
* 1 x viewing color monitor (12 inch)
* 1 x UST-959-9.5 (3.5MHZ) 160 deg. 160mmR
       electronic convex sector probe
* accessories

OPTIONAL ACCESSORIES;

* UST-962-5   Transvaginal (5MHZ) esophageal probe
* UST-964P-5   OB/GYN/1VF Transvaginal (5MHZ)
* UST-5042-3.5 Electronic Line.. Probe for general abdomen
* UST-666   Transrectal B1-Plane linear (7.5MHZ)
* UST-2262-2   CW spectral doppler 2MHZ
* PEU-680   ECG signal unit
* VY-150E   Color video printer

   ALOKA ECHO CAMERA MODEL SSD-500
   CONVEX SECTOR/LINEAR SCANNER
   COMPLETE SET WITH FOLLOWING ST.
   COMPONENTS.

   * 1 x main unit
   * 1 x MUST-934N-3.5 Convex sector probe (3.5MHZ)
   * accessories

   OPTIONAL ACCESSORIES;

   * UST-5024N-3.5 Linear probe for general abdomen
   * UST-945BP-5   OB/GYN/1VF (transvaginal) 5MHZ
   * UST-657-5   Transrectal probe (5MHZ)
   * SSZ-303   Video printer
   * TBU-500   Track ball unit
   * RMT-500   Mobile cart

0136

Urology dep.

1- C-arm : with two monitors
2- Coloured ultrasound echo cammera :
  - with abdomenal probes (3.5 & 5 MHZ) and puncture adaptors.
  - With rectal probes (5 & 7.5 MHZ) and puncture adaptors.
  - Duplex vascular probe (10 MHZ) for duplex scanning of penile vesseles.
3- Surgical urologic table.
4- Urologic endoscopic set (Olympus): including urethroscope, cystoscope, ureteroscope, nephroscope, flexible uretero-renoscope, flexible nephroscope, OES xenon light source CLV-F 10, lithotron walz E1-12 and OTV.S medical T.V. system.
5- Surgical microscope.
6- Urodynamic system. (6 channels)

0132

National Heart Institute

Imbaba — Cairo

Tel. : 3462042 — 3462043

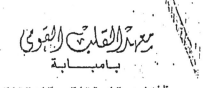

معهد القلب القومى

بامبابة

تليفون : ٣٤٦٢٠٤٢ — ٣٤٦٢٠٤٢

1- Biplane cardiac catheterization laboratory

2- Haemodynamic Recording machine for cardiac cath. lab.

3- 2 oxymetry machines

4- Ciné film processor

5- 2 cine projectors

6- 2 operating theatres for cardiac surgery

7- 8 beds coronary care unit with central monitoring and all necessary equipment

8- 12 bed surgical intensive care, 6 of them for children

9- 3 mobile X-Ray units

10- X-Ray machine for the hospital

11- 6 Defibrillators for cath lab, surgery, i.c.u, c.c.u

12- 2 Echo Doppler coloured machines

13- treadmill exercise testing machine

14- 15 icu ventilators

15- 4 Anaesthesia respirators

16- teaching Auditorium equipment (audio visual aids), to transfer operations to 160 audients

7- Dental clinic including dental unit, x-Ray unit

0138

ITEM DESCRIPTION

1 BED SIDE MONITOR (2 CHANNEL), CARDIOSCOPE FOR ECG HR BLOOD   12
   PRESSURE (NON INVASIVE)

2 ADDITIONAL MODULE TO BE CONNECTED FOR ABOVE MONITOR FOR   6
   RESPIRATION, ECG RECORDING, ARRITHMIA, BLOOD PRESSURE (INVASIVE)

3 RESPIRATOR, VOLUME ONE, SIMPLE TO BE USED FOR SHORT PERIOD   9

4 RESPIRATOR, VOLUME WITH ALL MODES IE PEEP, PAP, INV FOR LONG   3
   TERM PERIODS (MONTHS) ALSO WITH HUMIDIFIER AND FOR WEENING

5 CRASH CART (EMERGENCY CART) WITH OXYGEN CYLINDERS,   3
   DEFIBILLATOR SYNCHRONIZED, CARDIOSCOPE COMPLETE WITH
   RECHARGABLE BATTERY PROVIDED WITH PORTABLE RESUSCITATION
   UNIT AND ALL NECESSARY INSTRUMENTS

6 PERFUSION UNIT, ELECTRONIC DRIPPER   6

7 PERFUSION UNIT, ELECTRONIC AUTHOMATIC SYRINE   6

8 ELECTROCARDIOGRAPH (3-CHANNEL) PAPER RECORDING   3

9 ELECTROENCEPHALOGRAPH (6-CHANNEL) COMPLETE WITH STANDARD   3
   ACCESSORY

10 CONSUMABLES FOR ALL ABOVE ITEMS
   (1) OJ-01 KERATIN CREAM, 2 BOXS
   (2) OP-61KE RECORDING PAPER, 2 BOXS

11 INTENSIVE CARE BED   12

12 BED SIDE CABINET   12

13 OVER BED TABLE WITH CHANGABLE HEIGHT   12

14 ANTI-BED SORE MATTRESS WITH ITS COMPRESSOR

15 REAL-TIME ECG ANALYSIS AND 24-HOUR FULL DISCLOSURE HOLDER
   SYSTEM WITH STANDARD ACCESSORIES, CONSISTING OF SCM-700
   MAIN UNIT AND KU-40 KEYBOARD
   2-CHANNEL, REAL-TIME ECG ANALYSIS RECORDER WITH STANDARD
   ACCESSORIES

16 FULLY COMPUTERRIZED STRESS-TEST SYSTEM WITH STANDARD
   ACCESSORIES, CONSISTING OF CI-140A INPUT BOX MAT-2100
   TREADMILL AND MAIN UNIT (ECG AMP/MONITOR/RECORDER AND TREADMILL
   CONTROLLER)

17 SPARE PARTS   0130

ITEM DESCRIPTION

1 X-RAY SYSTEM FOR CASUALTY

2 MAMOGRAPHY UNIT

3 CT-SCANNER BASIC SYSTEM

4 X-RAY ANGIOGRAPHY SYSTEM FOR GENERAL PURPOSE WITH DSA

5 X-RAY SYSTEM FOR FLUOROSCOPY AND RADIOGRAPHY

6 X-RAY UNIVERSAL GYROSCOPE

7 MOBILE X-RAY UNIT

8 X-RAY SYSTEM

9 GAMMA CAMERA WITH BASIC COMPOSITION

10 ULTRASOUND

(1) ULTRASOUND APPARATUS LINEAR/SECTOR/CONVEX

(2) ULTRASOUND PHASED ARRAY SECTOR SCANNER WITH COLOR FLOW
IMAGING FOR ECHOCARDIOGRAPHY AND ABDEMINAL

(3) ULTRASOUND EQUIPMENT FOR MULTIPULE FUNCTION

11 SPARE PARTS

0140

ASHMON V.T. CENTRE

WORKSHOP	TRAINING CAPACITY	LENGTH (m)	WIDTH (m)	AREA (m-2)	TOTAL COST L.E
Auto-mechanic and Auto electrician	15	19,75	9,75	192,56	900.000
Mechanical Carpentry	15	20,00	9,75	195,00	100.000
Electrical installation and Motor winding	15	12,00	8,00	96,00	120,000
Refragration and Airconditoning	15	15,75	9,75	153,56	50.000
Repair and maintenance of T.V & Radio sets	15	12,25	9,75	119,43	55.000
TOTAL					1.255. 000

0141

DUMYAT V.T.G. CENTRE

WORKSHOP	TRAINING CAPACITY	LENGTH (m)	WIDTH (m)	AREA (m.2)	TOTAL COST L.
Heavy Diesel and Benzine engine	15	20	12	240	110.00
Refrigeration and Airconditioning	15	20	12	240	50.00
Welding	15	20	12	240	40.00
Smithing	15	20	12	240	25.00
Sheet metal work	15	20	12	240	15.00
Metal Casting	15	20	12	240	.00
Electrical installation and Motor Winding Shop	15	20	12	240	120.00
General Total					1,180.00

NO	WORKSHOPS	TRAINING CAPACITY	LENGTH (m)	WIDTH (m)	AREA (m²)	TOTAL COST L.E.
1	Repair and maintenance of Washers, gas stoves and heaters	15	15	12	180	15
2	Refrigeration and Air conditioning	15	15	12	180	50.000
3	Motor Winding	15	12	8	95	75.000
4	Repair and maintenance of T.V and Video Sets	15	12	10	120	35.000
5	Repair and maintenance of Radio and Recording Sets	15	12	10	120	30.000
6	Repair and maintenance of Watches and Guage instruments	15	12	10	120	16.000
	TOTAL					221.000

ITEM DESCRIPTION	Q.TY
1 BLOOD GAS SYSTEM	1
2 NA/K/CL ANALYZER	1
3 CLINICAL CHEMISTRY ANALYZER	1
4 614 NA/K ANALYZER	1
5 634 CALCIUM PH ION ANALIZER	1
6 480 PHLAMEPHETOMETER	1
7 GILFORD SYSTEM RESPONSE UV/VIS SPECTROPHOTOMETER	1
8 780 DENSITOMETER	1
9 DELTA 240 AUTOCAL PH METER	1
10 SPARE PARTS	

0144

Equipment and instruments for operating room
For Maxillofacial surgery.

	No.
(1) Electrically adjustable operating table	2
(2) Anesthesia apparatus with suitable monitor	1
(3) Suction apparatus	4
(4) Fibroptic lights .	2
(5) Cryosurgery apparatrus	2
(6) Diathermy	2
(7) Equipment for dental laser	1
(8) Dental unit with qutomatic dental chair	6
(9) Panoramie X-ray unit with cephalostat	1
(10) Antomatic X-ray developer	1
(11) Osteotomes and drilling equipment , micro air driven (complete air surgery system)	2
(12) Cardiac resusatation equipment	1
(13) Arthroscope for T.M.J.	1
(14) Ultrasound for ultrasonography	1
(15) Surgical hand instruments for oral and maxillofacial surgery .	(6 set)
(16) Sterilization equipment	

0145

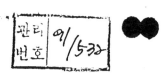

기 안 용 지

분류기호 문서번호	중동이20005-563	(전화 :　　)	시 행 상 특별취급	
보존기간	영구·준영구. 10.5.3.1.			

장　　관

예

수 신 처 보존기간	
시행일자	1991. 5.16.

보 조 기 관	국 장	전 결
	십의관	
	과 장	(서명)

협 조 기 관	

문 서 통 제

(도장) 1991. 6. 17

발 송 인

(도장) 1991. 5. 17

기안책임자	허 덕 행

경 유	
수 신	주카이로총영사
참 조	

발 신 명 의	

제 목	걸프사태관련 민수용 물자지원

대 : 주카(경)20615-152 (91.4.14)

1. 귀 주재국 경제협력성이 제출한 200만불상당의 직업훈련용

시설 및 600만불상당의 의료기기등 계 800만불상당의 걸프사태 관련

대 이집트 물자무상원조 추진을 위해 지원업무 대행업체인 (주)고려무역을

통해 조사한 지원검토서 및 의료기기 카타로그를 별첨과 같이 송부합니다.

2. 이집트측이 요청한 총81개의 의료기기 품목중 국내 공급이

가능한 품목은 32개품목이며 지원예산인 600만불에 맞추기 위해서는

품목선정및 수량결정이 요청됩니다　　　　/계　속...../

1505-25(2-1) 일(1)갑
85. 9. 9. 승인　　"내가아낀 종이 한장 늘어나는 다라살림

190mm×268mm 인쇄용지 2급 60g/㎡
가 40-41 1990. 2. 10.
0146

걸프사태 : 주변국 지원, 1990-92. 전12권 (V.3 이집트 I: 1990.8-91.6월)　153

3.   또한 직업훈련원용 기자재 공급을 위해서는 기존훈련원의

설비상태, 훈련생의 기술수준, 현지의 산업 기술수준을 파악한 후,

이집트측이 제시한 총13개 과정, 25개 직종중 5-10개 직종을 선택,

자재를 공급하여야 하며, 이를 위해 동 대행업체 관계자의 귀지 파견

및 조사활동이 필요할 것으로 사료되는 바, 동 파견에 대한 귀견을

보고바랍니다.

첨   부 : 1. (주)고려무역의 물자지원 검토의견서 1부.

       2. 국산 의료기기 카타로그 세트.   끝.

예   고 : 91.12.31.까지   검토필(1991.6. 20. 기)

1505-25(2-2) 일(1)을
85. 9. 9.승인   "내가아낀 종이 한장 늘어나는 나라살림"

190mm×268mm 인쇄용지 2급 60g/㎡
가 40-41 1990. 3. 15

이집트국 요청 물자 지원 검토

1991. 5. 16.

주 식 회 사 고 려 무 역 해 외 사 업 팀

0148

1. 검토경위

　가. 의료기기

　　1) 이집트국에서 요청한 의료기기는 현재 아국에서 대부분 독과점 형태로
　　생산되고 있으며, 그중에는 현재 아국에서도 수입해서 사용하고 있는
　　첨단 의료장비나 일본등지에서 생산하고 있는 고유 MODEL 들도 상당수
　　포함되어 있음.

　　2) 품목기준으로 볼때 이집트측 요청품목중 40% 정도가 국내 공급가능하고
　　나머지 60% 는 국내 공급이 불가능함.

　　3) 따라서, 이집트측 요청품목을 국내 공급가능 품목, 유사한 형태로 국내
　　공급이 가능한 품목 및 국내 공급이 불가한 품목으로 나누어 검토 하였음.

　나. 직업훈련원 장비

　　1) 직업훈련원 장비는 당사가 노동부 산하 전문기관인 한국산업인력 공단과의
　　협의를 통해 조사 하였음.

　　2) 이집트국에서 요청한 훈련 품목은 모두 32개 종목(일부 중복됨) 이나 각
　　종목의 세부 직종은 25개 직종이며, 이들 각 직종에 필요한 장비를 구분하여
　　조사 하였음.

　　3) 조사 장비는 표준 장비이며, 사용 목적 및 수혜국의 산업기술 수준에 따라
　　추후 조정이 필요함.

2. 검토내용

　가. 의료기기
　1) 공급 가능 품목

NO.	DESCRIPTION	단 가 (CIF BY SEA)	공 급 업 체
1	C-ARM WITH TWO MONITORS A) MODEL : EC-1001 HQ B) MODEL : EP-1002	 U$ 51,290.- U$ 41,230.-	이화 X-RAY

- 1 -

0149

2	SURGICAL UROLOGY TABLE	U$ 17,350.-	중외기계
	MODEL : CHS-KWON'S 87		
3	ELECTRICALLY ADJUSTABLE OPERATING TABLE	U$ 11,640.-	중외기계
	MODEL : CHS-1000		
4	SUCTION APPARATUS		중외기계
	A) MODEL : CHS-EV	U$ 1,170.-	
	B) MODEL : CHS-708	U$ 1,140.-	
5	INTENSIVE CARE BED	U$ 630.-	중외기계
	MODEL : CHS-E17-MF		
6	BED SIDE CABINET	U$ 160.-	중외기계
	MODEL : CHS-BSC		
7	OVER BED TABLE WITH CHANGABLE HEIGHT	U$ 240.-	중외기계
	MODEL : CHS-OBT		
8	SURGICAL INTENSIVE CARE BED AND THEM FOR CHILDREN	U$ 360.-	중외기계
	MODEL : CHS-E17-C		
9	X-RAY SYSTEM FOR FLUOROSCOPY AND RADIOGRAPHY		
	A) 500MA/150KVP RADIOGRAPHIC/FLUOROSCOPIC W/TV I.I SYSTEM	U$ 55,630.-	동아 X-RAY
	B) MODEL : HD500-2A (500MA/125KVP)	U$ 31,250.-	현대 X-RAY
	C) MODEL : HD500-2B (500MA/125KVP)	U$ 51,790.-	현대 X-RAY
10	MOBILE X-RAY UNIT		
	A) 100MA/100KVP RADIOGRAPHIC X-RAY SYSTEM MOBILE TYPE W/MANUAL DRIVE	U$ 7,420.-	동아 X-RAY
	B) MODEL : HD100M-1 (100MA/100KVP)	U$ 7,130.-	현대 X-RAY
	C) MODEL : HD100M-2 (100MA/100KVP)	U$ 11,100.-	현대 X-RAY
11	X-RAY SYSTEM (X-RAY SYSTEM FOR THE HOSPITAL)		
	A) 500MA/150KVP RADIOGRAPHIC X-RAY SYSTEM	U$ 19,370.-	동아 X-RAY
	B) MODEL : HD500-1 (500MA/125KVP)	U$ 19,500.-	현대 X-RAY

12	ULTRASOUND FOR ULTRASONOGRAPHY		메디슨
	A) MODEL : SONOACE-2000	U$ 28,730.-	
	B) MODEL : SONOACE-88	U$ 7,500.-	
	C) MODEL : SONOACE-4500 (WITHOUT MULTIFORMAT CAMERA)	U$ 30,470.-	
13	ULTRASOUND APPARATUS LINEAR/SECTOR/CONVEX (WITH SPARE PARTS)		메디슨
	A) MODEL : SONOACE-4500 (WITHOUT MULTIFORMAT CAMERA)	U$ 30,470.-	
	B) MODEL : SONOACE-4500D	U$ 55,310.-	
14	DENTAL UNIT WITH AUTOMATIC DENTAL CHAIR (WITH OPERATING STOOL, WITHOUT X-RAY)	U$ 6,400.-	신흥 INT'L
15	DENTAL CLINIC INCLUDING DENTAL UNIT, X-RAY UNIT (WITH OPERATING STOOL)	U$ 8,010.-	신흥 INT'L
16	ANESTHETIC APPARATUS WITH SUITABLE MONITOR		로얄메티칼
	A) MODEL : ROYAL 77	U$ 13,870.-	
	B) MODEL : ROYAL 88	U$ 16,990.-	
17	DIATHERMY	U$ 6,280.-	대화기기
	MODEL : SURGITOM 170-B		
18	AUTOMATIC X-RAY DEVELOPER		정원정밀
	A) MODEL : JUPIT-908	U$ 14,190.-	
	B) MODEL : JUPIT-120	U$ 6,050.-	
19	SURGICAL HAND INSTRUMENT FOR ORAL AND MAXILLOFACIAL SURGERY	U$79,990.-	솔고산업사 동룡의료기
	(100 BEDS, GENERAL/ORTHOPAEDIC & NEURO/ORAL SURGERY)		
20	ANTI-BED SORE MATRESS WITH ITS COMPRESSOR	U$ 530.-	동룡의료기
21	STERILIZATION EQUIPMENT	U$ 12,130.-	한신메디칼
	MODEL : HS-196E		
22	BED SIDE MONITOR (2 CHANNEL) CARDIOSCOPE FOR ECG HR BLOOD PRESSURE (NON-INVASIVE)		세인전자
	A) MODEL : SE-351 WITH YSI 401	U$ 2,420.-	
	B) MODEL : SE-351 WITH YSI 402	U$ 2,450.-	

23	X-RAY SYSTEM FOR CASUALTY MODEL : 300MA/125KVP X-RAY SYSTEM	U$ 14,630.-	동아 X-RAY
24	ECHO DOPPLER COLOURED MACHINE MODEL : ECHO-SOUNDER ES-103 MIC	U$ 660.-	한신메디칼
25	TEACHING AUDITORIUM EQUIPMENT (AUDIOVISUAL AIDS) TO TRANSFER OPERATIONS TO 160 AUDIANTS	U$ 97,200.-	청보음향

2) 유사한 형태로 공급이 가능한 품목

NO.	요 청 품 목	공 급 가 능 품 목	단 가	공급업체명
1-1	SSD-680 ALOKA CHO CAMERA COLOR DOPPLER CONVEX SECTOR LINEAR SCANNER COMPLETE SET WITH THE FOLLOWING STANDARD COMPONENTS . 1 X MAIN UNIT . 1 X VIEWING COLOR MONITOR (12 INCH) . 1 X UST-959-9.5 (3.5MHZ) 160 deg. 160mmR ELECTRONIC CONVEX SECTOR PROBE . ACCESSORIES OPTIONAL ACCESSORIES ──────────────── . UST-962-5 ESOPHAGEAL PROBE (5MHZ) . UST-964P-5 OB/GYN/1VF TRANSVAGINAL (5MHZ) . UST-5043-3.5 ELECTRONIC LINE 　- PROBE FOR GENERAL ABDOMEN . UST-666 TRANSRECTAL BI-PLANE LINEAR (7.5MHZ) . UST-2262-2 CW SPECTRAL DOPPLER 2MHZ . PEU-680 ECG SIGNAL UNIT . VY-150E COLOR VIDEO PRINTER	1-1 DIAGNOSTIC ULTRASOUND SCANNER 　MODEL : SONOACE-4500 . MAIN BODY WITH BUILT-IN TROLLEY . 3.5MHZ ELECTRONIC LINEAR PROBE . 3.5MHZ ELECTRONIC CONVEX PROBE . SECTOR PROBE . MULTIFORMAT CAMERA (MATRIX, 6 FRAME) . STANDARD ACCESSORIES	U$ 36,080.-	메디슨
1-2	COLORED ULTRASOUND ECHO CAMERA . WITH ABDOMENAL PROBES (3.5 & 5MHZ) AND PUNCTURE ADAPTORS	1-2 DIAGNOSTIC ULTRASOUND SCANNER 　MODEL : SONOACE-4500D . MAIN BODY WITH BUILT-IN TROLLEY . 3.5MHZ ELECTRONIC LINEAR PROBE . 3.5MHZ ELECTRONIC CONVEX PROBE . SECTOR PROBE . DOPPLER UNI (B/W) . TRANSVAGINAL PROBE (CONVEX TYPE) 6.5MHZ . BIOPSY ADAPTOR KIT FOR T/V . ECG UNIT . THERMAL PRINTER (SONY UP-850) . STANDARD ACCESSORIES	U$ 55,310.-	메디슨

- 4 -

0152

	. WITH RECTAL PROBES (5 & 7.5MHZ) AND PUNCTURE ADAPTORS . DUPLEX VASCULAR PROBES (10MHZ) FOR DUPLEX SCANNING OF PENILE VESSELES	2-1 DIAGNOSTIC ULTRASOUND SCANNER MODEL : SONOACE-2000 . MAIN BODY WITH BUILT-IN MONITOR . 3.5MHZ LINEAR PROBE . 3.5MHZ CONVEX PROBE . 6.5MHZ TRANSVAGINAL PROBE . BIOPSY ADAPTOR KIT . THERMAL PRINTER (SONY UP-850) . MOBILE CART . STANDARD ACCESSORIES	U$ 28.730.-	메디슨
1-3	ULTRA SOUND PHASED ARRAY SECTOR SCANNER WITH COLOR FLOW IMAGING FOR ECHOCARDIOGRAPHY AND ABDEMINAL			
1-4	ULTRASOUND EQUIPMENT FOR MULTIPLE FUNCTION			
2	ALOKA ECHO CAMERA MODEL SSD-500 CONVEX SECTOR/LINEAR SCANNER, COMPLETE SET WITH FOLLOWING ST. COMPONENTS . 1 X MAIN UNIT . 1 X MUST-934N-3.5 CONVEX SECTOR PROBE (3.5MHZ) . ACCESSORIES OPTIONAL ACCESSORIES ————————————	2-2 DIAGNOSTIC ULTRASOUND SCANNER MODEL : SONOACE-88 . MAINBODY WITH BUILT-IN MONITOR . 35MHZ LINEAR PROBE . EXTERNAL KEYBOARD . EXTERNAL MONITOR(9") . MOBILE CART . STANDARD ACCESSORIES	U$ 7,500.-	메디슨
	. UST-5024N-3.5 LINEAR PROBE FOR GENERAL ABDOMEN . UST-945BP-5 OB/GYN/1VF(TRANSVAGINAL) 5MHZ . UST-657-5 TRANSRECTAL PROBE (5MHZ) . SSZ-303 VIDEO PRINTER . TBU-500 TRACK BALL UNIT . RMT-500 MOBILE CART	3 PATIENT MONITOR WITH (MODEL : SE-485) PORTABLE RECORDER (MODEL : SE-132R) * OPTIONAL ACCESSORIES ———————————— A) PRESSURE TRANSDUCER (2EA) B) TEMPERATURE PROBE YSI 401 C) TEMPERATURE PROBE YSI 402	U$ 5,610.- U$ 1,410.- U$ 125.- U$ 160.-	세인전자
3	ADDITIONAL MODULE TO BE CONNECTED FOR ABOVE MONITOR (ECG MONITOR) FOR RESPIRATION, ECG RECORDING, ARRITHMIA, BLOOD PRESSURE (INVASIVE)	4 CARDIOSCOPE (TWO CHANNEL BED SIDE MONITOR) CS-502H WITH POTABLE ELECTROCARDIOGRAOPH EF-100	U$ 2,440.-	유진전자
4	ELECTROCARDIOGRAPH (3-CHANNEL) PAPER RECORDING			

- 5 -

0153

3) 국내 공급이 불가한 품목

NO.	품 목
1	GASTRO-INTROLOGY GIF-X020 OES GASTRO-FIBERSCOPE 9.8 OD, 2.8 CHANNEL GIF-IT20 OES GASTRO-FIBERSCOPE 11.3 OD, 3.7 CHANNEL NM-6L INJECTOR SET JF-2Q OES DUODENOSCOPE 10.5 OD, 2.2 CHANNEL CLE-F10 LIGHT SOURCE 220V WITH FLASH CLV-U20 LIGHT SOURCE 220V XENON SC-35 CAMERA, BODY ONLY A10-M1 CAMERA ADAPTOR OSF-2 SIGMOIDOSCOPE 12.8 OD, 3.2 CHANNEL CF-20HL OES COLONOSCOPE 13.3 OD, 3.2 CHANNEL
2	LAPAROSCOPE A 5308 OPERATING TELESCOPE A 5276 CANNULA A 5224 10MM TROCAR A 5242 BIOPSY FORCEPS A 5244 HOOK SCISSORS O 0120 ELECTRODE CABLE A 3072 5MM LIGHT GUIDE CABLE
3	OLYMPUS PAEDIATRIC CYSTO-URETHROSCOPE A 3725 0° TELESCOPE A 3723 CYSTOSCOPE SHEATH 14FR A 3732 OPERATING INSERT W/DEFLECTOR MECHAN A 3762 FLEXIBLE BIOPSY FORCEPS A 3071 LIGHT GUIDE CABLE
4	UROLOGIC ENDOSCOPIC SET (OLYMPUS) : INCLUDING URETHROSCOPE, CYSTOSCOPE, URETEROSCOPE, NEPAROSCOPE, FLEXIBLE URETERO-RENOSCOPE, FLEXIBLE NEPHROSCOPE, OES XENON LIGHT SOURCE CLV-F10, LITHOTRON WALZ EL-12 AND OTV.S MEDICAL T.V. SYSTEM
5	SURGICAL MICROSCOPE
6	URODYNAMIC SYSTEM (6 CHANNELS)
7	FIBROPTIC LIGHTS
8	CRYOSURGERY APPARATUS

9	EQUIPMENT FOR DENTAL LASER
10	PANORAMIC X-RAY UNIT WITH CEPHALOSTAT
11	OSTEOTOMES AND DRILLING EQUIPMENT MICRO AIR DRIVEN (COMPLETE AIR SURGERY SYSTEM)
12	CARDIAC RESUSCITATION EQUIPMENT
13	ARTHROSCOPE FOR T. M. J.
14	RESPIRATOR, VOLUME ONE, SIMPLE TO BE USED FOR SHORT PERIOD
15	RESPIRATOR, VOLUME WITH ALL MODES IE PEEP, PAP, IMV FOR LONG TERM PERIODS (MONTHS) ALSO WITH HUMIDIFIER AND FOR WEENING
16	CRASH CART (EMERGENCY CART) WITH OXYGEN CYLINDERS, DEFIBILLATOR SYNCHRONIZED. CARDIOSCOPE COMPLETE WITH RECHARGABLE BATTERY PROVIDEO WITH PORTABLE RESUSCITATION UNIT AND ALL NECESSARY INSTRUMENTS
17	PERFUSION UNIT. ELECTRONIC DRIPPER
18	PERFUSION UNIT. ELECTRONIC AUTHOMATIC SYRINE
19	ELECTROENCEPHALOGRAPH (6-CHANNEL) COMPLETE WITH STANDARD ACCESSORY
20	CONSUMABLES FOR ALL ABOVE ITEMS (1) OJ-01 KERATIN CREAM. 2 BOXS (2) OP-61KE RECORDING PAPER. 2 BOXS
21	REAL-TIME ECG ANALYSIS AND 24-HOUR FULL DISCLOSURE HOLDER SYSTEM WITH STANDARD ACCESSORIES, CONSISTING OF SCM-400 MAIN UNIT AND KU-40 KEYBOARD 2-CHANNEL, REAL-TIME ECG ANALYSIS RECORDER WITH STANDARD ACCESSORIES
22	FULLY COMPUTERRIZED STRESS-TEST SYSTEM WITH STANDARD ACCESSORIES. CONSISTING OF CI-140A INPUT BOX MAT-2100 TREADMILL AND MAIN UNIT (ECG AMP/MONITOR/RECORDER AND TREADMILL CONTROLLER)

23	SPARE PARTS
24	BLOOD GAS SYSTEM
25	NA/K/CL ANALYZER
26	CLINICAL CHEMISTRY ANALYZER
27	614 NA/K ANALYZER
28	634 CALCIUM PH 10N ANALIZER
29	480 PHLAMEPHETOMETER
30	GILFORD SYSTEM RESPONSE UV/VIS SPECTROPHOTOMETER
31	780 DENSITOMETER
32	DELTA 240 AUTOCAL PH METER
33	SPARE PARTS
34	MAMOGY PHY UNIT
35	CT-SCANNER BASIC SYSTEM
36	X-RAY ANGIOGRAPHY SYSTEM FOR GENERAL PURPOSE WITH DSA
37	X-RAY UNIVERSAL GYROSCOPE
38	GAMMA CAMERA WITH BASIC COMPOSITION
39	BIPLIRE CARDIAC CATH LABORATORY
40	HUMODYNAMIC RECORDING MACHINE FOR CARDIAC CATH LAB
41	OXYMETRY MACHINE

42	CINE FILM PROCESSOR
43	CINE PROJECTOR
44	OPERATING THEATRE FOR CARDIAC SURGERY
45	BEDS CORONARY CARE UNIT WITH CENTRAL MONITORING AND ALL NURSING EQUIPMENT
46	DEFIBRILLATORS FOR CATH LAB, SURGERY, I.C.U, C.C.K.
47	TREADMILL CARE TESTING MACHINE
48	ICU VENTILLATOR
49	ANESTHESIA RESPIRATOR

나. 직업 훈련원 설치 기기

1) 종목별 훈련 과정 (1년기준)

NO.	종 목	직 종	과 정
1	METAL CASTING (주 물)	주물조형 주물용해	일반조형, 특수조형 주강용해, 주철용해, 특수주조, 비철용해, 축로
2	SMITHING (단 조)	단 조	일반단조, 형단조
3	TURNING AND MACHINE TOOS (기계가공)	선 반 밀 링 연 삭 기어절삭 정밀기계	선 반 밀 링 연 삭 · 기어절삭

- 9 -

0157

4	SHEET METAL WORK (판급)	일반판급 타 출 공장판급	일반판급 자동차 판급
5	WELDING (용접)	용 접 전기용접 가스용접 특수용접	연강판 전기용접 파이프 전기용접 저항전기용접 가스용접 불활성아아크용접 논가스아아크용접 비철금속용접
6	REPAIR AND MAIN-TENANCE OF WATCHES AND GUAGE INSTRU-MENTS (시계수리)	공업계측제어	시계수리
7	AUTO-MECHANIC/AUTO-ELECTRICIAN (자동차정비)	자동차정비	자동차 샤시 , 자동차기관 자동차 , 전기장치 , 모우터 싸이클
8	HEAVY DIESEL AND BENZINE ENGINE (기관정비)	기 관 정 비	기 관 정 비
9	REFRIGERATION AND AIR CONDITIONING (냉 동)	냉 동 기 계	고압가스 냉동기계 공기조화
10	ELECTRICAL INSTALL-ATION AND MOTOR WINDING SHOP (전기 설비)	전 기 공 사 전 기 기 기	내선공사 , 외선공사 , 동력배선 회전기기 , 정지기기

11	REPAIR AND MAIN- TENANCE OF TV, VIDEO SET, RADIO, RECORDING SET (전기전자 , 　음향영상기 수리)	전 자 기 기 음향영상기기	전자기기 조립 음향영상기기
12	MECHANICAL CARPENTRY (기계목공)	건 축 목 공	건 축 목 공
13	REPAIR AND MAINTENANCE OF WASHERS, GAS STOVES AND HEATERS (열관리)	열 관 리	열 관 리

2) 직종별 필요시설 및 장비류

　　단 , 교실 , 실습장 , 공구실 , 재료실등은 제외 하였음 .

　　수량표시 없는 것은 1개 (혹은 1SET) 임 .

NO.	종 목	직 종	
1	주 물	주물조형	작업대(4) , 큐폴라 , 도가니로 , 혼련기 , 기중기 혼사기 , 주물청정기 , 샌드브랜더 , 원심주조기 조형기 , 공기압축기 , 코어건조로 , 탁상드릴머신 양두그라인더 , 셸조형기 , 오일버어너 , 햄머(15) 스탬프(15) , 삽(15) , 조형용공구류(15) 측정기류(2) , 주물체(7) , 토치램프(5) 주물상자(15)
		주물용해	작업대(4) , 아아크로 , 유도로 , 기중기 , 레들 저울 , 양두그라인더 , 햄머(15) , 스탬프(3) 삽(15) , 용해용공구류(3) , 온도계 , 오일버어너 산소취입장치 , 성분분석기

- 11 -　　　　　　　　　　　0159

2	단 조	단 조	공기해머, UPSETER, 단조프레스, 트리밍프레스 가열로, 오일탱크, 송풍기, 절단기, 기계톱, 공기압축기, 체인블록, 양두연삭기, 단조용공구(15), 앤빌, 금형, 금형고정용해머 광온도계, 측정기기, 작업대(2), 바이스(2)
3	선 반	선 반	작업대(5), 바이스(5), 선반(6), 터릿선반, 모방선반, 수평밀링머신, 만능밀링머신, 수직밀링머신, 세이퍼, 평면연삭기, 만능원통연삭기, 만능공구연삭기, 초경공구날-연삭기, 선삭공구 양두그라인더, 직립원통-드릴머신, 탁상드릴머신, 유압기계톱, 정밀정반 양두그라인더, 초경팁용접기
		밀 링	수평밀링기(2), 만능밀링기(2), 수직밀링기(5) 선반, 세이퍼, 슬로링머시인, 평면연삭기, 만능원통연삭기, 직립드릴기, 탁상드릴기, 기계톱, 만능공구연삭기, 바이스(5), 정반(3) 정반(래핑), 양두그라인더, 열처리로, 측정공구류(15), 작업공구류(15)
		연 삭	원통연삭기(3), 평면연삭기(중형)(2), 평면연삭기(대형), 만능연삭기(3), 내면연삭기 공구연삭기, 성형연삭기, 선반(2), 수직밀링(2) 수평밀링(2), 벤치평면연삭기, 열처리로(뜨임용) 열처리로(담금질용), 경도시험기, 바이트연삭기 직립드릴, 띠톱기계(수직형), 유압기계톱, 정밀정반, 바이스(5), 작업대(3), 소형정반(8) 탁상드릴(2), 측정기(15), 작업공구(15)

- 12 -

0160

		기어절삭	작업대(5), 바이스(5), 기어호핑머어신(3), 기어세이퍼(2), 베벨기어절삭기, 만능밀링머어신(3), 선반(3), 탁상드릴머신, 평면연삭기, 만능공구연삭기, 기어연삭기, 양두그라인더, 직립드릴머신, 유압기계톱, 경도시험기, 정밀정반, 열처리로(담금질용), 측정기류(15), 작업공구류(15), 만능원통연삭기
		정밀기계	CNC 밀링머신, 보통선반, 탁상선반(2), 밀링머신(2), 만능원통연삭기, 평면연삭기, 만능공구연삭기, 방전가공기, 만능조각기계(2) 콘터머신, 밴드소잉머신, 평면래핑머신, 원통래핑머신, 프레스기계, 탁상드릴링머신, 양두그라인더, 핸드그라인더, 고속그라인더, 작업대(2), 정반(2), 정밀정반, 핸드드릴, 베벨프로트랙터(2), 압축성형시험기, 사인바아 사인센터, 버니어캘리퍼스(8), 마이크로미터(3) 다이얼게이지(3), 다이얼테스트인디케이터(3) 하이트게이지(3), 블록게이지(3), V 블록(2), 마그네틱 베이스(3), 켈리퍼스(3), 스퀘어(5), 스트레이트에지(3), 공구현미경, 일반공구(8)
4	판 금	일반판금	작업대(8), 바이스(15), 제도용책상(15), 스테이크와 벤치플레이트, 정반(2), 직각전단기 동력전단기, 레버시어, 바홀더, 스립롤포밍기, 복스앤 팬브레이크, 코어니스브레이크, 동력프레스, 나사프레스 접용접기, 가스용접- 기세트(3), 전기용접기, 납땜용세트(3), 가스절단세트, 탁상드릴, 양두그라인더,

- 13 -

0161

			판금선반, 자동파이프절단기, 자동나사깎기-기계, 제관용가열로, 스웨이지블럭(2), 바이브로시어, 파이프성형기, 앤빌, 목대(3)
		자동차판금	용접봉건조로, 슬립로울러 포밍머신, 전단기 스폿용접기, 시임용접기, 가스용접기(5), 전기용접기(3), CO_2용접기, 가스절단기(3), 프레스브레이크, 납땜용 토치, 양두연삭기, 스웨지블럭, 전기가위, 탁상드릴머신, 공기압축기, 앤빌, 정반, 받침쇠 및 벤치 플레이트, 바이스(15), 작업대(8), 제도용책상(15), 앵글그라인더, 전기드릴, 판금가위(5), 자동차보디(2), 잭, 리프트, 임팩트렌치, 에어샌더, 포터블스폿용접기
5	용 접	용 접	작업대(8), 바이스(8), 드릴프레스, 기계톱, 탁상그라인더, 중력양두그라인더(2), 앤빌(4) 수동전단기, 앵글그라인더, 정밀정반, 평판, 가스용접작업대(5), 가스용접기세트(5), 가스절단기세트(3), 가스가열기세트(2), 직선가동가스절단기, 전기용접 작업대(5), 교류용접기(5), 직류용접기(2), 아아크에어가-우징세트, TIG 용접기, MIG/MAG 용접기, 유압프레스, 수압시험기, 용접봉건조로(3)
		전기용접	교류아아크용접기(10), 직류아아크용접기(3), 가스용접기세트(3), 아아크에어 가우징세트, 쇠톱기계, 세이퍼, 만능형강전단기, 유압식-동력전단기, 드릴프레스, 공구연삭기,

- 14 -

0162

			휴대용 전기연삭기(2), 수압시험기, 용접시편 굴곡 시험기, 용접봉건조로, 아아크 용접 작업대(15), 가스용접작업대(3), 작업대(8), 바이스(15), 앤빌(2), 유압식 동력프레스, 콤미네이션세트(2)
		가스용접	가스용접기셋트(8), 가스용접작업대(8), 작업대(8), 바이스(8), C-클램프(3), 쇠톱기계, 세이퍼, 만능형강전단기, 유압식동력프레스, 드릴프레스, 기계바이스, 공구연삭기, 휴대용- 전기연삭기, 디스크 그라인더
		특수용접	작업대(3), 바이스(8), 드릴프레스, 기계톱, 탁상그라인더, 강력양두그라인더(2), 앤빌(2), 수동전단기, 동력전단기, 정밀정반, 평판(제관용) 가스용접기(절단기포함)세트(5), 직전자동가스- 절단기, 파이프가스 절단기, 교류아아크 용접기(5), 직류아아크용접기, 아아크에어 가우징 TIG 용접기(3), MIG 용접기, CO_2용접기(3), 서브머지드용접기, 논가스용접기, 점용접기, 플라즈마 용접 및 절단기, 프레스, 수압시험기, 용접봉건조로, 초음파 탐상시험기, 자분탐상기, X-선 시험기
6	시계수리	시계수리	작업대(8), 보도측정기, 방수시험기, 유리압입기 초음파세척기, 회로시험기, 전기인두(3), 편중기, 진견기, 뒷뚜껑개페기, 바이스(8), 측정공구류, 일반시계공구류(8), 괘종시계(3) 탁상시계(3), 휴대시계(15), 트랜지스터 전자-

			시계(3), 수정시계(3)
7	자동차 정 비	자동차정비	가솔린기관(5), 디젤기관(3), 완성자동차(2), 공기압축기, 유압프레스, 드릴링머신, 양두- 연삭기, 충전기, 점화플러그 청소기, 바이스(3) V-블록, 정반, 아마추어시험기, 축전지시험기, 캠앵글시험기(RPM 테스터포함), 밸브스프링- 장력 시험기, 노즐압력 시험기(수동식), 가솔린기관 압축압력게이지, 디젤기관압축압력- 게이지, 베어링풀러, 진공게이지, 기관회전- 속도계, 버어니어 캘리퍼스(2), 외경마이크로- 미터, 내경마이크로미터, 텔레스코오핑 게이지, 다이얼게이지, 토오크렌치(2), 일반공구(5), 실린더보어게이지, 틈새게이지(5), 축전기- 비중계, 회로시험기, 토인게이지, 캠버 캐스터- 게이지, 터언테이블, 작업대 A (5), 작업대 B (5), 탭다이스, 밸브스프링잭, 피스톤 링 압착- 기(2), 캐리아지잭, 타이밍라이트, 변속기(8), 감속기(8), 차동기(8), 구리스펌프, 기어오일- 주입기, 전기드릴
8	기관정비	기관정비	일반공구류(8), 특수공구류(3), 절삭공구류(3), 측정공구류(3), 탁상드릴링머신, 핸드드릴(3), 선반, 세이퍼, 가스검출기, 경도시험기, 분사압력시험기, 기름분석기, 수처리분석기, 전기테스터(3), 가스용접기 세트(2), 전기용접- 기(2), 작업대(5), 디젤엔진(5), 발전기, 보일러, 축계장치, 조타장치, 갑판기계(전동- 유압식), 펌프류, 공기압축기, 냉동압축기,

- 16 -

0164

			지게차, 경운기, 가솔린엔진, 충전기, 밧데리, 콘트롤키트, 청정기, 휠타, 용접봉건조로, 파이프절단기, 파이프벤더기, 체인블록, 진동측정기, 양두그라인더
9	냉 동	냉동기계	2단압축냉동장치, 밀폐용 왕복동식 냉동장치-(R-22용), 소형프레온 냉동장치(2), 가스용접기-세트(3), 전기용접기(3), 용접작업대(3), 배관작업대(3), 왕복동 압축기(2), 로타리형-압축기(2), 스쿠류형 압축기(2), 진공펌프(2), 냉매용기(3), 메니포울드게이지(2), 냉매누설-검출기(2), 멀티데스터(3), 절연측정기, 내전압시험기, 크램프미터(2), 냉매차지실린더, 표면온도계, 배선기구(3), 배관공구(3), 탁상-드릴링미신, 탁상바이스(3), 일반공구(3), 기타측정기류, 질소압력조정기(2)
10	전기설비	전기공사	회로시험기(15), 단.삼상전력계(2), 휴대용-전압계(2), 휴대용전류계(2), 절연측정기(3), 회전속도계(3), 휴대용 역률계, 휴대용주파수계 접지저항계, 유도전압조정기, 주상변압기(3), 고압수배전반, 조도계, 고압검정기, 기동보상기 계기용변성기(3), 계기용변류기(3), 계기용영상-변류기(3), 목주, 철주, 오스타(8), 토오치램프-(8), 압착공구, 개인공구세트(15), 옥비배선용 목판작업대(15), 탁상드릴, 탁상그라인다, 마이크로미터(5), 탁상마이스(8)
		전기기기	작업대(9), 배선작업판(5), 2 챤넬 오실로-

			스코우프(1), RLC 브릿지, 절연시험기, 전동-발전기, 단상유도 전동기, 삼상유도전동기, 삼상변압기, 회로시험기(5), 전력계, 가변-AC/DC 전원공급기, 코일건조로, 만능권선기, 수동권선기(4), 탁상드릴머신, 양두그라인더, 아버프레스, 휴대용해머드릴, 단상변압기 조립-키트(5), 유도전동기 조립키트(5), 와이어-스트리퍼(5), 압착펜치(5), 전연지 전단기, 수동전단기, 회전속도계, 탁상바이스(10), 측정공구류(4종)(8)
11	전기전자 음향영상 기 수리	전자기기	직류 전원공급기(15), 싱크로스코프(8) 회로-시험기(15), 펄스발생기(2), 저주파 발진기(15) 고주파 발진기(8), FM 신호발생기, FM STEREO-신호발생기(2), 시그널커브 트레이셔, 휘이트-스톤브리지, 만능브리지, 레벨메터, Q-메터 S/N 노이즈메터, 왜율계, 트랜지스터 시험기(2) 저항 디케이드 박스(3), 용량 디케이드 박스(3) 감쇄기(3), 주파수계(2), 만능전자 실험세트, 시이퀸스제어 시험기, 논리회로시험장치(3), 절연저항계, 로직 IC 테스터, 녹화기, 표준신호-발생기, 와우-프로터메타, 메타교정기, 탁상드릴
		음향영상 기기	작업대(8), 오실로스코우프(8), FM 신호발생기-(2), FM STEREO 신호발생기(2), 직류전원 공급-기(15), 저주파 발진기(8), 고주파 발진기(8), 휘이스토운 브리지, 만능브리지, 주파수계, 논리회로 실험장치(3), 만능전자 실험세트, 표준신호발생기(2), 녹화기(2), 패턴신호발생기

- 18 -

0166

			칼라 TV (3), 흑백 TV (5), TV-FM 스위프-마커 발생기(2), 전축, 브레드보드(15), 트랜지스터 시험기, IC 로직 테스터, 펄스-발생기(2), 시그널 커브 트레이셔, 레벨메터, Q-메터, S/N 노이즈 메터, 와우플로터 메터, 감쇄기(2), 왜율계(2), 녹음기(5), 회로시험-기(15), 휴대용 전기드릴(2), 바이스, 일반공구(15)
12	기계목공	건축목공	둥근톱기계, 띠톱기계, 손밀이대패기계, 자동-대패기계, 각끌기계, 루터기계, 각도기톱기계, 목선반, 실톱기계, 디스크벨트사포기, 집진기계 우드밀링머어신, 만능벨트사포기, 초경만능공구-인끌연마기, 탁상드릴머신, 양두그라인더, 휴대용 전기톱, 휴대용 전기대패, 휴대용 전기-드릴, 휴대용 전기샌더, 휴대용 전기루터, 수동프레스, 레벨, 트란시트
13	열관리	열관리	증기보일러(부속품 포함), 용해로, 전기용접기-(2), 가스용접기(2), 유압벤더, 벤더(수동)(3), 핸드드릴, 버너(2), 방열기(2), 건조기, 증류기 농축기, 염색기, 팬코일유니트, 수질분석기, 가스분석기, 수압시험기, 파이프바이스(3), 오스타(수동)(3), 파이프머신, 표면온도계, 광고온계, 압력계, 열량계, 피토우관, 스테이레스 배관용 압착기

3. 결 론

가. 의료기기

1) 이집트국에서 요청한 품목은 상기 내용과 같이 공급이 가능한 품목이 32개이며, 공급이 불가한 품목이 49개 임. 따라서 의료기기 해당 예산인 U$ 6,000,000.- 에 맞추기 위해서는 국내 공급이 가능한 품목 중에서 수량 결정을 해야 할것으로 사료됨.

2) 그러나, 공급 가능 품목만의 수량을 늘려서 공급을 하게 되면, 사용자 측에서 적절한 품목 배분이 되지 않아 공급된 의료기기를 사용함에 있어 최대 효과를 얻기가 어렵다고 예측됨. 따라서 이집트국에서 요청한 품목 리스트에는 포함되어 있지 않으나 국내 공급이 가능한 기타 의료기기 를 추천하여 추가 선택 하도록 유도하는 것이 바람직 하다고 사료됨.

나. 직업 훈련원 장비

1) 직업 훈련원 설치를 위한 장비를 공급함에 있어서는 우선 아래 항목에 대해서 사전 조사가 이루어 져야함.

- 기존 훈련원 건물의 존재 유무 및 형태
- 예정 훈련생의 교육 정도 및 기술수준 파악
  (현지 교육수준의 정도에 따라 국내의 12개월 과정이 24개월 과정으로 변경 적용될 수 있음.)
- 수혜국에 적절한 훈련 직종 및 각 직종별 예산 배정
- 현지 기술수준으로 장비 설치의 가능 유무. 불가능 하다면 국내 기술자 파견 고려 해야함.
- 현지 교육지도 전문가의 양성 유무. 양성이 안되어 있는 경우에는 아국 산업 인력 관리 공단 산하 기관인 서울 국제 직업 훈련원의 외국인 기술교사 양성 과정 (3개월) 에 현지 희망자를 입교 시켜 과정을 이수토록 함.   (이수비용은 1인당 약 ₩ 6,000,000.-
  〈항공료 별도〉)

2) 상기 항목들의 정확하고 신속한 조사를 위해서는 필요한 모든 자료 (각종, 카다로그 및 기존의 아국 훈련원 설치 MODEL 및 운영 시스템)

- 20 -

를 준비하여 현지의 산업 기술 수준과 예정 훈련원생의 교육수준 및 운영 시스템 등을 직접 검토후 현지 관계자와의 협의를 통해 공여 물품을 결정하는 것이 사업 추진의 신속성 확보 측면에서 바람직하다고 사료됨.

0169

STUDY OF EGYPTIAN REQUESTED

MEDICAL ITEMS & V.T.C. PROJECT

1991. 5. 25.

KOREA TRADING INTERNATIONAL INC.

0170

1. INTRODUCTION

A. MEDICAL EQUIPMENT

1) DOMESTIC MARKETS OF THE MEDICAL EQUIPMENTS REQUESTED FROM EGYPT ARE ALMOST MONOPOLIZED OR BIPOLIZED.   WE ARE ALSO IMPORTING SOME OF THEM FROM OTHER COUNTRIES I.E. JAPAN, USA, ETC.

2) IT IS POSSIBLE FOR US TO SUPPLY 40% OF REQUESTED MEDICAL GOODS, BUT THE REST 60% OF THEM IS IMPOSSIBLE.

3) SO WE DEVIDE THE REQUESTED MEDICAL ITEMS INTO THREE PARTS I.E. ① THE ITEMS THAT ARE POSSIBLE FOR US TO SUPPLY (EXACTLY SAME AS REQUESTED) ② THE ITEMS THAT ARE POSSIBLE FOR US TO SUPPLY WITH THE SIMILAR FUNCTIONS ③ THE ITEMS THAT ARE IMPOSSIBLE FOR US TO SUPPLY.

B. VOCATIONAL TRAINING EQUIPMENT

1) WE HAVE SURVEYED VOCATIONAL TRAINING EQUIPMENTS THROUGH THE KOREA MANPOWER AGENCY WHICH IS ONE OF THE AFFILIATED ORGANIZATIONS OF THE KOREAN MINISTRY OF LABOUR.

2) THE NUMBER OF THE REQUESTED TRAINING PROGRAM IS 12 AND ITS CLASSIFIED TRAINING COURSES ARE 23.   WE INTRODUCE THE NECESSARY EQUIPMENTS AND TOOLS ACCORDING TO THE TRAINING COURSES.

3) TRAINING EQUIPMENTS AND TOOLS DESCRIBED BELOW HAVE STANDARD SPECIFICATIONS AND IT IS POSSIBLE TO CHANGE THEM ACCORDING TO THE PURPOSE OF THE TRAINING PROGRAM AND THE TECHNOLOGY LEVEL OF EGYPTIAN INDUSTRY.

2. THE SUBSTANCE OF SURVEY

A. MEDICAL GOODS

1) POSSIBLE TO SUPPLY (EXACTLY SAME AS REQUESTED)

NO.	DESCRIPTION	UNIT PRICE (CIF BY SEA)
1	C-ARM WITH TWO MONITORS A) MODEL : EC-1001 HQ B) MODEL : EP-1002	 U$ 51,290.- U$ 41,230.-

- 1 -

0171

2	SURGICAL UROLOGY TABLE	U$ 17,350.-
	MODEL : CHS-KWON'S 87	
3	ELECTRICALLY ADJUSTABLE OPERATING TABLE	U$ 11,640.-
	MODEL : CHS-1000	
4	SUCTION APPARATUS	
	A) MODEL : CHS-EV	U$ 1,170.-
	B) MODEL : CHS-708	U$ 1,140.-
5	INTENSIVE CARE BED	U$ 630.-
	MODEL : CHS-E17-MF	
6	BED SIDE CABINET	U$ 160.-
	MODEL : CHS-BSC	
7	OVER BED TABLE WITH CHANGABLE HEIGHT	U$ 240.-
	MODEL : CHS-OBT	
8	SURGICAL INTENSIVE CARE BED AND THEM FOR CHILDREN	U$ 360.-
	MODEL : CHS-E17-C	
9	X-RAY SYSTEM FOR FLUOROSCOPY AND RADIOGRAPHY	
	A) 500MA/150KVP RADIOGRAPHIC/FLUOROSCOPIC W/TV I.I SYSTEM	U$ 55,630.-
	B) MODEL : HD500-2A (500MA/125KVP)	U$ 31,250.-
	C) MODEL : HD500-2B (500MA/125KVP)	U$ 51,790.-
10	MOBILE X-RAY UNIT	
	A) 100MA/100KVP RADIOGRAPHIC X-RAY SYSTEM MOBILE TYPE W/MANUAL DRIVE	U$ 7,420.-
	B) MODEL : HD100M-1 (100MA/100KVP)	U$ 7,130.-
	C) MODEL : HD100M-2 (100MA/100KVP)	U$ 11,100.-
11	X-RAY SYSTEM (X-RAY SYSTEM FOR THE HOSPITAL)	
	A) 500MA/150KVP RADIOGRAPHIC X-RAY SYSTEM	U$ 19,370.-
	B) MODEL : HD500-1 (500MA/125KVP)	U$ 19,500.-

12	ULTRASOUND FOR ULTRASONOGRAPHY	
	A) MODEL : SONOACE-2000	U$ 28,730.-
	B) MODEL : SONOACE-88	U$ 7,500.-
	C) MODEL : SONOACE-4500 (WITHOUT MULTIFORMAT CAMERA)	U$ 30,470.-
13	ULTRASOUND APPARATUS LINEAR/SECTOR/CONVEX (WITH SPARE PARTS)	
	A) MODEL : SONOACE-4500 (WITHOUT MULTIFORMAT CAMERA)	U$ 30,470.-
	B) MODEL : SONOACE-4500D	U$ 55,310.-
14	DENTAL UNIT WITH AUTOMATIC DENTAL CHAIR (WITH OPERATING STOOL, WITHOUT X-RAY)	U$ 6,400.-
15	DENTAL CLINIC INCLUDING DENTAL UNIT, X-RAY UNIT (WITH OPERATING STOOL)	U$ 8,010.-
16	ANESTHETIC APPARATUS WITH SUITABLE MONITOR	
	A) MODEL : ROYAL 77	U$ 13,870.-
	B) MODEL : ROYAL 88	U$ 16,990.-
17	DIATHERMY	U$ 6,280.-
	MODEL : SURGITOM 170-B	
18	AUTOMATIC X-RAY DEVELOPER	
	A) MODEL : JUPIT-908	U$ 14,190.-
	B) MODEL : JUPIT-120	U$ 6,050.-
19	SURGICAL HAND INSTRUMENT FOR ORAL AND MAXILLOFACIAL SURGERY	U$79,990.-
	(100 BEDS, GENERAL/ORTHOPAEDIC & NEURO/ORAL SURGERY)	
20	ANTI-BED SORE MATRESS WITH ITS COMPRESSOR	U$ 530.-
21	STERILIZATION EQUIPMENT	U$ 12,130.-
	MODEL : HS-196E	
22	BED SIDE MONITOR (2 CHANNEL) CARDIOSCOPE FOR ECG HR BLOOD PRESSURE (NON-INVASIVE)	
	A) MODEL : SE-351 WITH YSI 401	U$ 2,420.-
	B) MODEL : SE-351 WITH YSI 402	U$ 2,450.-

- 3 -

0173

23	X-RAY SYSTEM FOR CASUALTY MODEL : 300MA/125KVP X-RAY SYSTEM	U$ 14,630.-
24	ECHO DOPPLER COLOURED MACHINE MODEL : ECHO-SOUNDER ES-103 MIC	U$ 660.-
25	TEACHING AUDITORIUM EQUIPMENT (AUDIOVISUAL AIDS) TO TRANSFER OPERATIONS TO 160 AUDIANTS	U$ 97,200.-

2) POSSIBLE TO SUPPLY WITH SIMILAR FUNCTIONS

NO.	REQUESTED MODEL	SIMILAR MODEL	UNIT PRICE (CIF BY SEA)

1-1
 	
1-2
	SSD-680 ALOKA CHO CAMERA COLOR DOPPLER CONVEX SECTOR LINEAR SCANNER COMPLETE SET WITH THE FOLLOWING STANDARD COMPONENTS
	
	. 1 X MAIN UNIT
	. 1 X VIEWING COLOR MONITOR (12 INCH)
	. 1 X UST-959-9.5 (3.5MHZ) 160 deg. 160mmR ELECTRONIC CONVEX SECTOR PROBE
	. ACCESSORIES
	
	OPTIONAL ACCESSORIES
	——————————
	. UST-962-5 ESOPHAGEAL PROBE (5MHZ)
	. UST-964P-5 OB/GYN/1VF TRANSVAGINAL (5MHZ)
	. UST-5043-3.5 ELECTRONIC LINE
	  - PROBE FOR GENERAL ABDOME
	. UST-666 TRANSRECTAL BI-PLANE LINEAR (7.5MHZ)
	. UST-2262-2 CW SPECTRAL DOPPLER 2MHZ
	. PEU-680 ECG SIGNAL UNIT
	. VY-150E COLOR VIDEO PRINTE
	
	COLORED ULTRASOUND ECHO CAMERA
	. WITH ABDOMENAL PROBES (3.5 & 5MHZ) AND PUNCTURE ADAPTORS
		1-1
		DIAGNOSTIC ULTRASOUND SCANNER
		  MODEL : SONOACE-4500
		. MAIN BODY WITH BUILT-IN TROLLEY
		. 3.5MHZ ELECTRONIC LINEAR PROBE
		. 3.5MHZ ELECTRONIC CONVEX PROBE
		. SECTOR PROBE
		. MULTIFORMAT CAMERA (MATRIX, 6 FRAME)
		. STANDARD ACCESSORIES
		
		1-2
		DIAGNOSTIC ULTRASOUND SCANNER
		  MODEL : SONOACE-4500D
		. MAIN BODY WITH BUILT-IN TROLLEY
		. 3.5MHZ ELECTRONIC LINEAR PROBE
		. 3.5MHZ ELECTRONIC CONVEX PROBE
		. SECTOR PROBE
		. DOPPLER UNI (B/W)
		. TRANSVAGINAL PROBE (CONVEX TYPE) 6.5MHZ
		. BIOPSY ADAPTOR KIT FOR T/V
		. ECG UNIT
		. THERMAL PRINTER (SONY UP-850)
		. STANDARD ACCESSORIES
			U$ 36,080.-
			
			U$ 55,310.-

- 4 -

0174

	. WITH RECTAL PROBES (5 & 7.5MHZ) AND PUNCTURE ADAPTORS . DUPLEX VASCULAR PROBES (10MHZ) FOR DUPLEX SCANNING OF PENILE VESSELES	2-1 DIAGNOSTIC ULTRASOUND SCANNER MODEL : SONOACE-2000 . MAIN BODY WITH BUILT-IN MONITOR . 3.5MHZ LINEAR PROBE . 3.5MHZ CONVEX PROBE . 6.5MHZ TRANSVAGINAL PROBE . BIOPSY ADAPTOR KIT . THERMAL PRINTER (SONY UP-850) . MOBILE CART . STANDARD ACCESSORIES	U$ 28.730.-
1-3	ULTRA SOUND PHASED ARRAY SECTOR SCANNER WITH COLOR FLOW IMAGING FOR ECHOCARDIOGRAPHY AND ABDEMINAL		
1-4	ULTRASOUND EQUIPMENT FOR MULTIPLE FUNCTION		
2	ALOKA ECHO CAMERA MODEL SSD-500 CONVEX SECTOR/LINEAR SCANNER, COMPLETE SET WITH FOLLOWING ST. COMPONENTS . 1 X MAIN UNIT . 1 X MUST-934N-3.5 CONVEX SECTOR PROBE (3.5MHZ) . ACCESSORIES OPTIONAL ACCESSORIES	2-2 DIAGNOSTIC ULTRASOUND SCANNER MODEL : SONOACE-88 . MAINBODY WITH BUILT-IN MONITOR . 35MHZ LINEAR PROBE . EXTERNAL KEYBOARD . EXTERNAL MONITOR(9") . MOBILE CART . STANDARD ACCESSORIES	U$ 7,500.-
	. UST-5024N-3.5 LINEAR PROBE FOR GENERAL ABDOMEN . UST-945BP-5 OB/GYN/1VF(TRANSVAGINAL) 5MHZ . UST-657-5 TRANSRECTAL PROBE (5MHZ) . SSZ-303 VIDEO PRINTER . TBU-500 TRACK BALL UNIT . RMT-500 MOBILE CART	3 PATIENT MONITOR WITH (MODEL : SE-485) PORTABLE RECORDER (MODEL : SE-132R) * OPTIONAL ACCESSORIES A) PRESSURE TRANSDUCER (2EA) B) TEMPERATURE PROBE YSI 401 C) TEMPERATURE PROBE YSI 402	U$ 5,610.- U$ 1,410.- U$ 125.- U$ 160.-
3	ADDITIONAL MODULE TO BE CONNECTED FOR ABOVE MONITOR (ECG MONITOR) FOR RESPIRATION, ECG RECORDING, ARRITHMIA, BLOOD PRESSURE (INVASIVE)	4 CARDIOSCOPE (TWO CHANNEL BED SIDE MONITOR) CS-502H WITH POTABLE ELECTROCARDIOGRAOPH EF-100	U$ 2,440.-
4	ELECTROCARDIOGRAPH (3-CHANNEL) PAPER RECORDING		

- 5 -

0175

3) IMPOSSIBLE TO SUPPLY

NO.	DESCRIPTION
1	GASTRO-INTROLOGY GIF-X020　OES GASTRO-FIBERSCOPE 9.8 OD, 2.8 CHANNEL GIF-IT20　OES GASTRO-FIBERSCOPE 11.3 OD, 3.7 CHANNEL NM-6L　INJECTOR SET JF-2Q　OES DUODENOSCOPE 10.5 OD, 2.2 CHANNEL CLE-F10　LIGHT SOURCE 220V WITH FLASH CLV-U20　LIGHT SOURCE 220V XENON SC-35　CAMERA, BODY ONLY A10-M1　CAMERA ADAPTOR OSF-2　SIGMOIDOSCOPE 12.8 OD, 3.2 CHANNEL CF-20HL　OES COLONOSCOPE 13.3 OD, 3.2 CHANNEL
2	LAPAROSCOPE A 5308　OPERATING TELESCOPE A 5276　CANNULA A 5224　10MM TROCAR A 5242　BIOPSY FORCEPS A 5244　HOOK SCISSORS O 0120　ELECTRODE CABLE A 3072　5MM LIGHT GUIDE CABLE
3	OLYMPUS PAEDIATRIC CYSTO-URETHROSCOPE A 3725　0° TELESCOPE A 3723　CYSTOSCOPE SHEATH 14FR A 3732　OPERATING INSERT W/DEFLECTOR MECHAN A 3762　FLEXIBLE BIOPSY FORCEPS A 3071　LIGHT GUIDE CABLE
4	UROLOGIC ENDOSCOPIC SET (OLYMPUS) : INCLUDING URETHROSCOPE, CYSTOSCOPE, URETEROSCOPE, NEPAROSCOPE, FLEXIBLE URETERO-RENOSCOPE, FLEXIBLE NEPHROSCOPE, OES XENON LIGHT SOURCE CLV-F10, LITHOTRON WALZ EL-12 AND OTV.S MEDICAL T.V. SYSTEM
5	SURGICAL MICROSCOPE
6	URODYNAMIC SYSTEM (6 CHANNELS)
7	FIBROPTIC LIGHTS
8	CRYOSURGERY APPARATUS

9	EQUIPMENT FOR DENTAL LASER
10	PANORAMIC X-RAY UNIT WITH CEPHALOSTAT
11	OSTEOTOMES AND DRILLING EQUIPMENT MICRO AIR DRIVEN (COMPLETE AIR SURGERY SYSTEM)
12	CARDIAC RESUSCITATION EQUIPMENT
13	ARTHROSCOPE FOR T. M. J.
14	RESPIRATOR, VOLUME ONE, SIMPLE TO BE USED FOR SHORT PERIOD
15	RESPIRATOR, VOLUME WITH ALL MODES IE PEEP, PAP, IMV FOR LONG TERM PERIODS (MONTHS) ALSO WITH HUMIDIFIER AND FOR WEEINING
16	CRASH CART (EMERGENCY CART) WITH OXYGEN CYLINDERS, DEFIBILLATOR SYNCHRONIZED. CARDIOSCOPE COMPLETE WITH RECHARGABLE BATTERY PROVIDEO WITH PORTABLE RESUSCITATION UNIT AND ALL NECESSARY INSTRUMENTS
17	PERFUSION UNIT. ELECTRONIC DRIPPER
18	PERFUSION UNIT. ELECTRONIC AUTHOMATIC SYRINE
19	ELECTROENCEPHALOGRAPH (6-CHANNEL) COMPLETE WITH STANDARD ACCESSORY
20	CONSUMABLES FOR ALL ABOVE ITEMS (1) OJ-01 KERATIN CREAM. 2 BOXS (2) OP-61KE RECORDING PAPER. 2 BOXS
21	REAL-TIME ECG ANALYSIS AND 24-HOUR FULL DISCLOSURE HOLDER SYSTEM WITH STANDARD ACCESSORIES, CONSISTING OF SCM-400 MAIN UNIT AND KU-40 KEYBOARD 2-CHANNEL, REAL-TIME ECG ANALYSIS RECORDER WITH STANDARD ACCESSORIES
22	FULLY COMPUTERRIZED STRESS-TEST SYSTEM WITH STANDARD ACCESSORIES. CONSISTING OF CI-140A INPUT BOX MAT-2100 TREADMILL AND MAIN UNIT (ECG AMP/MONITOR/RECORDER AND TREADMILL CONTROLLER)

- 7 -

23	SPARE PARTS
24	BLOOD GAS SYSTEM
25	NA/K/CL ANALYZER
26	CLINICAL CHEMISTRY ANALYZER
27	614 NA/K ANALYZER
28	634 CALCIUM PH ION ANALIZER
29	480 PHLAMEPHETOMETER
30	GILFORD SYSTEM RESPONSE UV/VIS SPECTROPHOTOMETER
31	780 DENSITOMETER
32	DELTA 240 AUTOCAL PH METER
33	SPARE PARTS
34	MAMOGY PHY UNIT
35	CT-SCANNER BASIC SYSTEM
36	X-RAY ANGIOGRAPHY SYSTEM FOR GENERAL PURPOSE WITH DSA
37	X-RAY UNIVERSAL GYROSCOPE
38	GAMMA CAMERA WITH BASIC COMPOSITION
39	BIPLIRE CARDIAC CATH LABORATORY
40	HUMODYNAMIC RECORDING MACHINE FOR CARDIAC CATH LAB
41	OXYMETRY MACHINE

42	CINE FILM PROCESSOR
43	CINE PROJECTOR
44	OPERATING THEATRE FOR CARDIAC SURGERY
45	BEDS CORONARY CARE UNIT WITH CENTRAL MONITORING AND ALL NURSING EQUIPMENT
46	DEFIBRILLATORS FOR CATH LAB, SURGERY, I.C.U, C.C.K.
47	TREADMILL CARE TESTING MACHINE
48	ICU VENTILLATOR
49	ANESTHESIA RESPIRATOR

B. EQUIPMENT FOR VOCATIONAL TRAINING CENTER

1) TRAINING PROGRAMS AND CLASSIFIED COURSES (FOR 1 YEAR COURSE)

NO.	REQUESTED PROGRAM	REGULAR COURSE	DETAILS
1	METAL CASTING	CAST MOULDING CAST DESOLUTION	GENERAL MOUDLING SPECIAL MOUDLING IRON-CASTING MOULDING
2	SMITHING	FORGING	GENERAL FORGING MOULD FORGING
3	TURNING AND MACHINE TOOLS	LATHE MILLING GEAR CUTTING PRECISION MACHINE	LATHE MILLING GEAR CUTTING PRECISION MACHINE

4	SHEET METAL WORK	GENERAL SHEET METAL WORK AUTO SHEET METAL WORK	GENERAL SHEET METAL WORK AUTO SHEET METAL WORK
5	WELDING	WELDING ELECTRIC WELDING GAS WELDING SPECIAL WELDING	 CO_2 ARC WELDING PIPE ELECTRIC WELDING RESISTANCE ELECTRIC WELDING GAS WELDING TIG ARC WELDING NON GAS ARC WELDING NONFERROUS METAL WEDLING
6	REPAIR AND MAINTENANCE OF WATCHES AND GAUGE INSTRUMENTS	WATCH REPAIR	MAINTENANCE OF WATCH
7	AUTO-MECHANIC/ AUTO-ELECTRICIAN	CAR MAINTENANCE	CAR CHASSIS, CAR ENGINE CAR-ELECTRIC APPARATUS MOTORCYCLE
8	HEAVY DIESEL AND BENZINE ENGINE	ENGINE REPAIR AND MAINTENANCE	ENGINE REPAIR AND MAINTENANCE
9	REFRIGERATION AND AIR-CONDITIONING	REFRIGERATING MACHINE	HIGH-PRESSURE GAS REFRIGERATING AIR CONDITIONING
10	ELECTRIC INSTALLATION AND MOTOR WINDING SHIP	ELECTRIC INSTALLATION	INTERIOR WIRING CONTRUCTION WORK OUTSIDE WIRING CONTRUCTION WORK

		ELECTRIC INSTRUMENT	POWER WIRING ROTARY APPARATUS STATIONARY APPARATUS
11	REPAIR AND MAIN- TENANCE OF TV, VIDEO SET, RADIO, RECORDING SET	ELECTRONIC APPARATUS AUDIO-VIDEO APPARATUS	ELECTRONIC APPARATUS ASSEMBLING AUDIO-VIDEO APPARATUS
12	MECHANICAL CARPENTRY	CONSTRUCTION CARPENTRY	CONSTRUCTION CARPENTRY
13	REPAIR AND MAINTE- NANCE OF WASHERS, GAS STOVES AND HEATERS	HEAT CONTROL	HEAT CONTROL

2) COURSE EQUIPMENT

- EXCLUDING EACH CLASS ROOM, PRACTICE ROOM, TOOLS ROOM, MATERIAL ROOM.

- NUMBER OF MACHINE WITHOUT SIDE NUMBER IS 1 PC OR 1 SET

NO.	STANDARD PROGRAM	REGULAR COURSE	EQUIPMENTS (MACHINE & TOOLS)
1	CASTING	CAST MOULDING	WORKING TABLE(4), CUPOLA, CRUCIBLE FURNACE, SMELTING MIXER, CRANE, SAND MIXER, CAST PURIFIER, SAND BLENDER, CENTRIFUGAL CASTING MACHINE, MOULDING MACHINE, AIR-COMPRESSOR, CORE OVEN, TABLE DRILL MACHINE, DUPLEX GRINDER, SHELL MOULDING MACHINE, OIL BURNER, HAMMER(15), STAMP(15) MOULDING TOOLS SET(15), GAUGE SET(2), CAST SCREEN (7), TORCH LAMP(5), CAST BOX(15), SPADE(15)
		CAST DESOLUTION	WORKING TABLE(4) ARC FURNACE, INDUCTION FURNACE, CRANE, LADLE, WEIGHING APPARATUS, DUPLEX GRINDER,

			HAMMER(15), STAMP(3), SPADE(15), MELTING TOOLS(3) THERMOMETER, OIL BURNER, OXYGEN PROVIDING APPARATUS, COMPONENT ANALYSIS MACHINE
2	FORGING	FORGING	AIR HAMMER, UPSETER, FORGING PRESS, TRIMMING PRESS, HEATING FURNACE, OIL TANK, BLOWER, CUT DRILL, SAWING MACHINE, AIR-COMPRESSOR, CHAIN BLOCK, DUPLEX GRINDER, FORGING TOOLS SET(15), ANVIL, MOULD, MOULD HAMMER, OPTICAL PYROMETER, GAUGE APPARATUS(2) WORKING TABLE(2), VICE(2)
3	MACHINE WORK	LATHE	WORKING TABLE(5), VICE(5), LATHE(6), CAPSTAN LATHE, PROFILING LATHE, HORIZONTAL MILLING MACHINE, UNIVERSAL MILLING MACHINE, VERTICAL MILLING MACHINE, SHAPER, SURFACE GRINDING MACHINE, UNIVERSAL-CYLINDRIC GRINDER, UNIVERSAL TOOL GRINDER, SINTERED CARBIDE BLADE GRINDER, LATHE TURNING TOOL, DUPLEX-GRINDER, VERTICAL CYLINDRIC DRILL MACHINE, TABLE-DRILL MACHINE, OIL PRESSURE SAWING MACHINE, PRECISION SURFACE PLATE, CABRIDE TIP WELDING-MACHINE
		MILLING	HORIZONTAL MILLING MACHINE(2), UNIVERSAL MILLING-MACHINE(2), VERTICAL MILLING MACHINE(5), LATHE, SHAPER, SLOTTING MACHINE, SURFACE GRINDER, UNIVERSAL-CYLINDRIC GRINDER, VERTICAL DRILLING MACHINE, TABLE DRILLING MACHINE, SAWING MACHINE, UNIVERSAL-TOOL GRINDER, VICE(5), SURFACE PLATE(3), SURFACE PLATE(LAPPING), DUPLEX GRINDER, HEAT-TREATMENT FURNACE, GAUGING TOOLS SET(15), WORKING-TOOLS SET(15)

		GEAR CUTTING	WORKING TABLE(5), VICE(5), GEAR HOBBING MACHINE(3), GEAR SHAPER(2), BEVEL GEAR CUTTING MACHINE, UNIVERSAL MILLING MACHINE(3), LATHE(3), TABLE-DRILLING MACHINE, SURFACE GRINDER, UNIVERSAL-CYLINDRIC GRINDER, UNIVERSAL TOOLS GRINDER, GEAR-GRINDER, DUPLEX GRINDER, VERTICAL DRILL MACHINE, OIL PRESSURE SAWING MACHINE, HARDNESS TESTER, PRECISION LATHE, HEAT TREATMENT FURNACE(FOR-QUENCHING), GAUGING APPARATUS SET(15), WORKING-TOOLS SET(15)
		PRECISION MACHINE	CNC MILLING MACHINE, LATHE, TABLE LATHE(2), MILLING-MACHINE(2), UNIVERSAL CYLINDRIC GRINDER, SURFACE-GRINDER, UNIVERSAL TOOL GRINDER, ELECTRIC SPARK-MACHINE, UNIVERSAL CARVING MACHINE(2), CONTOUR-MACHINE, BAND SAWING MACHINE, SURFACE LAPPING-MACHINE, CYLINDRIC LAPPING MACHINE, PRESS MACHINE, TABLE DRILLING MACHINE, DUPLEX GRINDER, HAND-GRINDER, HIGH SPEED GRINDER, WORKING TABLE(2), SURFACE PLATE(2), PRECISION SURFACE, HAND DRILL, BEVEL PROTRACTOR(2), COMPRESSING MOULDING TESTER, SINE BAR, SINE CENTER, VERNIER CALIPERS(8), MICROMETER(3), DIAL GAUGE(3), DIAL TEST INDICATOR (3), VERNIER HIGHT GAUGE(3), BLOCK GAUGE(3), V-BLOCK(2), MAGNETIC BASE(3), CALIPERS(3), SQUARE(5) STRAIGHT EDGE(3), TOOL MAKER'S MICROSCOPE, GENERAL-TOOLS SET(8)

4	SHEET METAL WORK	GENERAL SHEET METAL WORK	WORKING TABLE(8), VICE(15), DRAWING TABLE(15) STAKE & BENCH PLATE, SURFACE PLATE(2), RIGHT ANGLE-SHEARING MACHINE, POWER SHEARING MACHINE, LEVER, SHEAR BAR HOLDER, SLIP ROLL FOAMING MACHINE, BOX-AND FAN BRAKE, CORELESS BRAKE, POWER PRESS, SCREW-PRESS, SPOT WELDER, GAS WELDING MACHINE SET(3), ELECTRIC WELDING MACHINE, SOLDERING APPARATUS(3) GAS CUTTING MACHINE, TABLE DRILLING MACHINE, DUPLEX-GRINDER, SHEET METAL LATHE, AUTOMATIC PIPE CUTTER, AUTOMATIC SCREW CUTTING MACHINE, HEATING FURNACE-FOR BOILER MAKING, SWAGE BLOCK(2), VIBROSHEAR, PIPE MOULDING MACHINE, ANVIL, WOODEN STAND(3)
		AUTO SHEET METAL WORK	WELDING ROD OVEN, SLIP ROLLER FOAMING MACHINE, SHEARING MACHINE, SPOT WELDER, SEAM WELDING MACHINE, GAS WELDING MACHINE(5), ELECTRIC WELDING MACHINE(3), CO_2 WELDING MACHINE, GAS CUTTING MACHINE(3), PRESS-BRAKE, TORCH FOR SOLDERING, DUPLEX GRINDER, SWAGE-BLOCK, ELECTRIC SCISSORS, TABLE DRILLING MACHINE, AIR-COMPRESSOR, ANVIL, SURFACE PLATE, VICE(15), WORKING TABLE(8), DRAWING TABLE(15), ANGLE GRINDER, ELECTRIC DRILL, SHEET METAL WORKING SCISSORS(5), AUTO-VEHICLE BODY, JACK, LIFT, IMPACT WRENCH, AIR SANDER, PORTABLE SPOT WELDER
5	WELDING	WELDING	WORKING TABLE(8), VICE(8), DRILL PRESS, SAWING-MACHINE, TABLE GRINDER, GRAVITY DUPLEX GRINDER(2), ANVIL(4), MANUAL SHEARING MACHINE, ANGLE GRINDER, PRECISION SURFACE PLATE, PLATE, WORKING TABLE FOR -

			GAS WELDING(5), GAS WELDING MACHINE SET(5), GAS-CUTTING MACHINE SET(3), GAS HEATING SET(2), STRAIGHT OPERATION GAS CUTTING MACHINE, WORKING-TABLE FOR ELECTRIC WELDING(5), AC WELDING MACHINE (5), DC WELDING MACHINE(2), ARC AIR GOUGING SET, TIG WELDING MACHINE, MIG/MAG WELDER, OIL PRESSURE-PRESS, HYDRAULIC PRESSURE TESTER, WELDING ROD-OVEN(3)
		ELECTRIC WELDING	AC ARC WELDING MACHINE(10), DC ARC WELDING MACHINE (3), GAS WELDING MACHINE SET(3), ARC AIR GOUGING-SET, STEEL SAWING MACHINE, SHAPER, UNIVERSAL SHAPE-STEEL SHEARING MACHINE, OIL PRESSURE POWER SHEARING-MACHINE, DRILL PRESS, TOOL GRINDER, PORTABLE-ELECTRIC GRINDER(2), HYDRAULIC PRESSURE TESTER, WELDING TEST PIECE FLEXION TESTER, WELDING ROD-OVEN, WORKING TABLE FOR ARC WELDING(15), GAS-WELDING TABLE(3), WORKING TABLE(8), VICE(15), ANVIL(2), OIL PRESSURE POWER PRESS, COMBINATION SET (2)
		GAS WELDING	GAS WELDING MACHINE SET(8), GAS WELDING TABLE(8) WORKING TABLE(8), VICE(8), C-CLAMP(3), STEEL SAWING-MACHINE, SHAPER, UNIVERSAL SHAPE STEEL SHEARING-MACHINE, OIL PRESSURE POWER PRESS, DRILL PRESS, MACHINE VICE, TOOL GRINDER, PORTABLE ELECTRIC-GRINGER, DISK GRINDER
		SPECIAL WELDING	WORKING TABLE(3), VICE(8), DRILL PRESS, SAWING-

- 15 -

0185

			MACHINE, TABLE GRINDER, STRONG DUPLEX GRINDER(2), ANVIL(2), MANUAL SHEARING MACHINE, POWER SHEARING-MACHINE, PRECISION SURFACE PLATE, PLATE(FOR BOILER-MAKING), GAS WELDING MACHINE(WITH CUTTING MACHINE)-SET(5), STRAIGHT LINE AUTOMATIC GAS CUTTING MACHINE, PIPE GAS CUTTING MACHINE, AC ARC WELDING MACHINE(5), DC ARC WELDING MACHINE, ARC AIR GOUGING SET, TIG-WELDING MACHINE(3), MIG WELDING MACHINE, CO2-WELDING MACHINE(3), SUBMERGED WELDING MACHINE, NON GAS WELDING MACHINE, SPOT WELDING MACHINE, PLASMA WELDING AND CUTTING MACHINE, PRESS, HYDRAULIC TESTER, WELDING ROD OVEN, ULTRASONIC-FLAW DETECTING TESTER, X-RAY TESTER
6	WATCH REPAIR	WATCH REPAIR	WORKING TABLE(8), WATER RESISTANCE TESTER, GLASS-INDENTING MACHINE, ULTRASONIC CLEANER, CIRCUIT-TESTER, ELECTRIC SOLDERING IRON, CASE OPENER, VICE(8), GAUGING TOOLS, GENERAL WATCH REPAIR TOOLS-SET(8), CLOCK(3), TABLE CLOCK(3), WRIST WATCH(15), TRANSISTER ELECTRONIC WATCH(3), CRYSTAL QUARTZ-WATCH(3)
7	CAR MAINTE-NANCE	CAR MAINTE-NANCE	GASOLINE ENGINE(5), DIESEL ENGINE(3), FINISHED CAR (2), AIR COMPRESSOR, OIL PRESSURE PRESS, DRILLING-MACHINE, DUPLEX GRINDER, ELECTRIC DRILL, BATTERY-CHARGER, IGNITION PLUG CLEANER, VICE(3), V-BLOCK, SURFACE PLATE, AMATEUR TESTER, BATTERY TESTER, CAM ANGLE TESTER (RPM TESTER INCLUDED), VALVE-

			SPRING TENSION TESTER, NOZZLE PRESSURE TESTER-(MANUAL), GOSOLINE ENGINE PRESSURE GAUGE, DIESEL-ENGINE PRESSURE GAUGE, BEARING PULLER, VACUUM GAUGE, ENGINE RPM METER, VERNIER CALIPUS(2), FULL DIAMETER-MICROMETER, MINOR DIAMETER MICROMETER, TELESCOPING-GAUGE, DIAL GAUGE, TORQUE WRENCH, GENERAL TOOLS(5), CYLINDER GAUGE , THICKNESS GAUGE(5), BATTERY-GRAVIMETER, CIRCUIT TESTER, TOE-IN GAUGE, CAMBER-CASTER GAUGE, TURNTABLE, WORK BENCH A (5), WORK-BENCH B (5), TAP DIES, VALVE SPRING JACK, PISTON-RING PRESSER(2), CARRIAGE JACK, TIMING LIGHT, TRANSMISSION GEAR BOX(8), REDUCTION GEAR(8), DIFFERENTIAL GEAR(8), GREASE PUMP, GEAR OIL-POURING MACHINE
8	ENGINE MAINTE-NANCE	ENGINE REPAIR & MAINTENANCE	GENERAL TOOLS(8), SPECIAL TOOLS(3), CUTTING TOOLS(3) MEASURING TOOLS(3), BENCH DRILL, RATCHET DRILL(3), LATHE, SHAPER, GAS DETECTOR, HARDNESS TESTER, INJECTION PRESSURE TESTER, OIL ANALYZER, WATER-TREATMENT ANALYZER, ELECTRIC TESTER(3), GAS-WELDING SET(2), ELECTRIC WELDER(2), WORK BENCH(5), DIESEL ENGINE(5), GENERATOR, BOILER, SHAFTING-DEVICE, STEERING APPARATUS, DECK MACHINE(MOTORING-HYDRODYNAMIC DRIVE), PUMP, AIR COMPRESSOR, REFRIGERATION COMPRESSOR, FORK LIFT, TILLER, GASOLINE ENGINE, BATTERY CHARGER, BATTERY, CONTROL-KIT, PURIFYING MACHINE, FILTER, WELDING ROD DRYING-FURNACE, PIPE CUTTING MACHINE, PIPE BENDING-

- 17 -

0187

194 걸프 사태 주변국 지원 2: 이집트

			MACHINE, CHAIN BLOCK, VIBRATION MEASURING MACHINE, DUPLEX GRINDER
9	REFRIGERA- TION	REFRIGERATING MACHINE	TWO-STEPPED REFRIGERATING DEVICE, CLOSED RECIPROCA- TING REFRIGERATING DEVICE(FOR R-22), SMALL SIZE- FREON REFRIGERATING DEVICE(2), GAS WELDING SET(3), ELECTRIC WELDER(3), WELDING WORK BENCH(3), PIPING- WORK BENCH(3), RECIPROCATING COMPRESSOR(2), ROTARY- TYPE COMPRESSOR(2), SCREW TYPE COMPRESSOR(2), VACUUM PUMP(2), REFRIGERANT CONTAINER(3), MANIFOLD- GAUGE(2), REFRIGERANT LEAKAGE DETECTOR(2), MULTI- TESTER(3), INSULATION TESTER, VOLTAGE RESISTING- TESTER, CLAMP METER(2), REFRIGERANT CHARGE WIRING- APPARATUS(3), PIPING TOOLS(3), GENERAL TOOLS(3), MEASURING TOOLS, NITROGEN PRESSURE REGULATOR(2), BENCH DRILL, BENCH VICE(3)
10	ELECTRIC INSTALLA- TION	ELECTRIC INSTALLATION	CIRCUIT TESTER(15), SINGLE/THREE-PHASE WATTMETER(2), PORTABLE VOLTMETER(2), PORTABLE AMMETER(2), INSULATION TESTER(3), TACHOMETER(3), PORTABLE- MOMENT METER, PORTABLE FREQUENCY METER, EARTH- RESISTANCE METER, INOUCTION VOLTAGE CONTROLLER, TRANSFORMER(3), HIGH VOLTAGE ELECTRIC CONSOLE UNIT, ILLUMINOMETER, HIGH VOLTAGE CHECKING MACHINE, INSTRUMENT CURRENT TRANSFORMER(3), INSTRUMENT- REFLECTION CURRENT TRANSFORMER(3), OSTER(8), TORCH- LAMP(8), PRESS TOOLS, PERSONAL TOOLS SET(15), BENCH DRILL, BENCH GRINDER, MICROMETER(5), BENCH- VICE(8)

		ELECTRIC INSTRUMENT	WORK BENCH(9), WIRING WORKING BOARD(5), 2-CHANNEL-OSCILLOSCOPE, RLC BRIDGE, INSULATION TESTER, ELECTRIC MOTOR GENERATOR, SINGLE-PHASE INDUCTION-MOTOR, THREE-PHASE INDUCTION MOTOR, THREE-PHASE-TRANSFORMER, CIRCUIT TESTER(5), WATTMETER, ADJUSTABLE AC/DC ELECTRIC SOURCE PROVIDER, COIL-DRYING FURNACE, UNIVERSAL WINDING MACHINE, MANUAL-WINDING MACHINE(4), BENCH DRILL, DUPLEX GRINDER, ARBOUR PRESS, PORTABLE HAMMER DRILL, SINGLE-PHASE-TRANSFORMER ASSEMBLY KIT(5), INDUCTION MOTOR-ASSEMBLY KIT(5), WIRE STRIPPER(5), INSULATING-PAPER SHEARING MACHINE, MANUAL SHEARING MACHINE, TACHOMETER, BENCH VICE(10), MEASURING TOOLS(8),
11	ELECTRIC/ELECTRONIC AUDIO OR VISUAL DEVICE REPAIR	ELECTRONIC APPARATUS	DC ELECTRIC SOURCE PROVIDER(15), SYNCHROSCOPE(8), CIRCUIT TESTER(15), PULSE PRODUCER(2), HIGH-FREQUENCY GENERATOR(15), LOW FREQUENCY GENERATOR(8) FM SIGNAL PRODUCER, FM STEREO SINGAL PRODUCER(2), SIGNAL CURVE TRACER, WHEATSTONE BRIDGE, UNIVERSAL-BRIDGE, LEVEL METER, Q-METER, S/N NOISE METER, TRANSISTOR TESTER(2), DAMPING MACHINE(3), FREQUENCY-METER(2), UNIVERSAL SEQUENCE CONTROL TESTER, LOGIC CIRCUIT TESTER(3), INSULATION RESISTANCE-METER, LOGIC IC TESTER, STANDARD SIGNAL PRODUCER, METER STRAIGHTENING MACHINE, BENCH DRILL
		AUDIO-VIDEO APPARATUS	WORK BENCH(8), OSCILLOSCOPE(8), FM SIGNAL PRODUCER (2), FM STEREO SIGNAL PRODUCER(2), AC ELECTRIC-SOURCE PROVIDER(15), LOW FREQUENCY GENERATOR(8), HIGH FREQUENCY GENERATOR(8), WHEATSTONE BRIDGE,

			UNIVERSAL BRIDGE, FREQUENCY METER, LOGIC CIRCUIT-TESTER(3), UNIVERSAL ELECTRONIC TESTING SET, STANDARD SIGNAL PRODUCER(2), IMAGE RECORDING MACHINE (2), PATTERN SIGNAL PRODUCER, COLOR TV(3), B/W TV (5), TV-FM SWEEP MARKER PRODUCER(2), AUDIO SYSTEM, TRANSISTOR TESTER, IC LOGIC TESTER, PULSE PRODUCER (2), SIGNAL CURVE TRACER, LEVEL METER, Q-METER, S/N NOISE METER, SOUND RECORDER(5), CIRCUIT TESTER (15), PORTABLE ELECTRIC DRILL(2), VICE, GENERAL-TOOLS(15)
12	MACHINE CARPENTRY	CONSTRUCTION CARPENTRY	CIRCULAR SAWING MACHINE, BAND SAWING MACHINE, HAND PLANER, AUTOMATIC PLANER, MITER SAW, WOOD LATHE, SCROLL SAW, ROUTER, DISC AND BELT SANDER, DUST-COLLECTOR, WOOD MILLING MACHINE, UNIVERSAL BELT-SANDER MACHINE, UNIVERSAL CARBIDE TOOL GRINDER, BENCH DRILLING MACHINE, DUPLEX GRINDER, PORTABLE-ELECTRIC SAW, PORTABLE ELECTRIC PLANER, PORTABLE-ELECTRIC DRILL, PORTABLE ELECTRIC SANDER, PORTABLE-ELECTRIC ROUTER, MANUAL PRESS, LEVEL, TRANSIT
13	HEAT CONTROL	HEAT CONTROL	STEAM BOILER, DISSOLUTION FURNACE, ELECTRIC WELDER (2), GAS WELDER(2), HYDRAULIC BENDER, MANUAL BENDER (3), HAND DRILL, BURNER(2), RADIATOR(2), DRYER, DISTILLER, ENRICHMENT MACHINE, DYEING MACHINE, FAN COIL UNIT, WATER ANALYZER, GAS ANALYZER, WATER PRESSURE TESTER, PIPE VICE(3), MANUAL OSTER(3) PIPE MACHINE, SURFACE THERMOMETER, OPTICAL-PYROMETER, PRESSURE GAUGE, CALORIMETER, PITOT TUBE, STAINLESS PIPING PRESSER

3. CONCLUSION

    A. MEDICAL EQUIPMENT

       1) AS YOU CAN SEE ABOVE DESCRIPTIONS, AMONG THE REQUESTED ITEMS FROM EGYPT, THERE ARE 32 ITEMS THAT ARE POSSIBLE FOR US TO SUPPLY AND 49 ITEMS IMPOSSIBLE FROM KOREA.

          THEREFORE, IT IS NECESSARY TO ADJUST THE REQUEST QUANTITIES OF EACH ITEM AT EGYPTIAN SIDE IN ORDER TO MAKE THE MEET THE BUDGET FOR MEDICAL EQUIPMENTS OF U$ 6,000,000.-

       2) BUT, IN CASE OF ONLY INCREASEMENT OF THE QUANTIY OF THE POSSIBLE 32 ITEMS, WE ARE AFRAID IT MIGHT CAUSE UNSUITABLE DISTRIBUTION OF MEDICAL EQUIPMENTS AND THEN END-USERS (HOSPITAL, ETC) COULD NOT GET THE PROPER EFFICIENEY IN USING THE DONATED GOODS FROM KOREA. SO, WE SUGGEST THAT IT IS DESIRABLE EGYPTIAN GORERNMENT SELECT OTHER MEDICAL EQUIPMENTS WHICH CAN BE SUPPLIED FROM KOREA EVEN THOUGH THEY ARE NOT INCLUDED IN THE REQUESTED ITEMS FROM EGYPT.

    B. EQUIPMENT FOR VOCATIONAL TRINING CENTER (V.T.C)

       1) FOLLOWING POINTS SHOULD BE CHECKED BEFORE THE DONATION OF EQUIPMENT FOR V.T.C.

          . EDUCATION LEVEL OF STUDENTS

          . OVER-ALL TECHNOLOGY LEVEL OF EGYPTIAN INDUSTRY (ACCORDING TO THE LEVEL, NECESSARY TRAINING TERM FOR EACH COURSE IS FLEXIBLE)

          . WHAT KINDS OF COURSES IS SUITABLE FOR EGYPTIAN INDUSTRY

          . EACH BUDGET FOR EACH COURSE

          . POSSIBILITY OF INSTALLATION OF THE DONATED MACHINES FOR THEMSELVES (EGYPTIAN V.T.C)

       2) TO SURVEY THE PRESENT SITUATION OF EGYPTION INDUSTRY AND TO CHECK OUT ABOVE MENTIONED POINTS, WE HAVE A PLAN TO DISPATCH 2 EXPERTS TO EGYPT WITH THE NECESSARY INFORMATIONS (CATALOGUES OF V.T.C. EQUIPMENTS, OPERATING SYSTEMS AND CARRICULUMS OF KOREA V.T.C.)

- 21 -

0191

C. AS A CONCULSION, TO SET UP THE BEST DONATION LISTS OF MEDICAL AND V.C.T.

EQUIPMENTS, IT IS BETTER FOR US TO CHECK AND STUDY THE WHOLE SITUATION OF

MEDICAL CIRCLES AND INDUSTRY OF EGYPT.   OF COURSE, DISCUSSING WITH

THE EGYPTION COUNTERPARTS OF THIS PROJECT IN THE SPOT IS DESIRABLE, AND WE

BELIEVE THIS COULD ACCELERATE CARRING-OUT OF THIS DONATION PROJECT.

0192

원 본

외 무 부

종 별 :

번 호 : CAW-0677   일 시 : 91 0603 0920

수 신 : 장관(중동이,경이)

발 신 : 주 카이로 총영사

제 목 : 걸프사태관련 민수용 물자지원

대:(1) 중동이 20005-563,(2) 경이 20624-1196

1.   본직은 금 91.6.2 OMAYMA ABDUL AZIZ 국제협력성 차관보를
방문(송웅엽영사배석) 대호 EDCF 차관, 의료기기및 직원훈련원시설 무상원조건 관련
협의한바, 동요지 아래 보고함.

가. EDCF LOAN

(1) 본직은 주재국의 특별요청을 고려, 아국정부는 동차관조건을 완화, 이율을 3.5
퍼센트에서 2.5 퍼센트로 인하하고 지불기간을 20 년에서 25 년으로 연장했음을
통보함.

(2) 동차관보는 동차관조건 완화에 대해 사의를 표하고, 금후 아국이 제공하게될
추가 EDCF 차관에 대해서도 동일조건이 적용될것인가를 문의한데대해, 본직은
아국정부로서는 현재로서 추가차관을 제공하는 사정에 있지않음을 설명하고,그러나
만일 주재국정부가 추가요청을 하면 본국정부에 보고하겠다고 말함.

나. 의료기기

주재국측은 대호 송부한 의료기기 품목중에서 주재국이 필요로 하는 품목및수량을
선정, 당관에 통보하기로 약속하였음.

나. 직원훈련원 시설

(1) 본직이 동시설 제공관련, 아측 조사단파견이 바람직 하다는 의사를 전달한바,
동차관보는 원칙적인 동의를 표명하고, 그러나 주재국 관계부처와 협의,최종입장을
당관에 통보해 주기로 약속했음.

(2) 동차관보는 또한 조사단 파견의경우, 구성인원수 및 당지체류기간을
알려줄것을 요청한바, 조속 회시바람.

(3) 당관으로서는 대표단구성을 3-4 명, 방문기간을 1 주일정도가 적당할 것으로

중아국   차관   2차보   경제국

PAGE 1   91.06.03   16:03
                                            외신 2과 통제관 BW

0193

사료됨.

2. 대호, 별첨중 직업훈련원 시설내용이 국문으로 되어있는바, 동 영문명칭을
차파편 지급 송부바람. 끝.

(총영사 박동순-국장)

예고:91.12.31. 일반

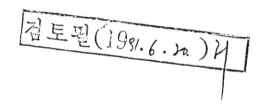

외 무 부

MINISTRY OF FOREIGN AFFAIRS
REPUBLIC OF KOREA

발신일자
Date ....6. t.....
번호
No. ....

수신인 성명 최 민 해
To : Name
      주소 주세네이로운 한국
      Add. 대사관

전화번호 (어ㄱㄱㄹ)ㅡ44t/
Tel No.

팩스 번호 (어ㄷㄹㄹㄹㄹ)ㅡ44**ㅂ
Fax No. 또 //ㄱ ㅇ

발신인 陰 ㅎ 진차
From :

본 메세지는 표지 포함 총 /3 페이지 입니다.
수신상태 불량시는 Fax(822) 739-5986 또는 739-5990 로 연락바랍니다.
The number of pages including this cover is ....
If any part of this message is received poorly, please call
Fax(822) 739-5986 or 739-5990.

0195

전 언 통 신 문

중동이 2000/ ― 25056

수신 : 수신처참조

발신 : 외무부장관

제목 : 이집트 사절단을 위한 자료

1. 이집트 사절단은 91.5.30-6.8간의 방한기간중 아국의 걸프사태 관련 지원물자에 대한 선정을 할 예정입니다.

2. 상기 관련 별첨 이집트측의 요청자료를 참조, 귀사제작 자동차중 12인승 및 25인승 버스의 이집트 포오트사이드항까지의 CIF수출 가격(부대조건 포함)및 기타 자료를 지급 담부 (연락처 : 중동2과)에 명 91.6.4(화) 17:00한 송부하여 주시기 바랍니다.

3. 기타 동 품목의 카타로그 및 기술적 제원에 관한 자료는 동사절단 이 투숙할 예정인 울산 다이아몬드 호텔 (전화 : 32-7171)에 91.6.5(수) 17:00한 필착토록 송부하여 주시기 바랍니다.

첨 부 : 이집트 사절단 요청사항 1부.

수신처 : 기아자동차 사장(참조 : 수출 3과 FAX : 784-0746)

아시아자동차사장(참조 : 수출 1과, FAX : 785-1485)

현대자동차 사장(현대종합상사 자동차부 FAX : 746-1080,

1068), (주) 대우 사장(특수물자 1과 FAX : 778-1085)

외 무 부 장 관

중동아프리카국장 전결

0196

~~0195~~

LIST OF MATERIAL FOR DELEGATION

1) 12 SEATERS: 200 UNITS, 25 SEATERS: 100 UNITS (MINI & MICRO BUSES
   COLOR OF THE BUSES WILL BE DETERMINED IN THE CONTRACT)

2) OFFER SHOWS BASIC PRICE (CIF PORT SAID) AND PRICES OF OPTIONS
   (AIR-CONDITIONER AND TINTED GLASS)

3) OFFER INCLUDES 2% OF CONTRACT VALUE FOR WARRANTY SPARE PARTS FOR
   INITIAL RUNNING. (TO BE DELIVERED WITH THE FIRST SHIPMENT)

4) OFFER INCLUDE COST OF TRAINING 3 ENGINEERING OFFICERS FOR 2 WEEKS IN
   KOREA FOR MAINTENANCE AND REPAIR: ROUNG-TRIP AIRFARE AND LOCAL LODGING
   AND TRAINING FEE TO BE INCLUDED.

5) RECOMMENDED SPARE PARTS LIST TOGETHER WITH PRICE TO BE USED FOR 3 YEARS
   UPTO THE DEPOT LEVEL/OVERHAUL.

6) LIST OF S.S.T.(SPECIAL SERVICE TOOLS) UPTO OVERHAUL LEVEL AND ITS PRICE
   LIST.

7) FULL LIST AND CATALOGUES OF SPARE PARTS AND THEIR PRICE LIST (MICRO
   FICHES WALL DRAWINGS)

8) 5 COPIES OF SERVICE MANUAL (AFTER SIGNING THE CONTRACT) FOR EACH MINI
   & MICRO BUS.

9) 3 SETS OF CUT-AWAY SECTION OF MAIN AGGREGATES (ENGINE, GEAR BOX, REAR
   AXLE AND DIFFERENTIAL) IN THE FORM OF SLIDE FOR TRAINING BUYER'S
   MECHANICS/OR WALL DRAWINGS FOR BOTH BUSES TYPE.

10) MODEL YEAR MUST BE NOT OLDER THAN 1991.

11) TO BE GUPRANTED AGAINST EPIDEMIC DEFECTS.

12) THE BUYER RESERVES THE RIGHT TO AUGMENT THE QUANTITY BY UPTO 100% AT
   THE SAME TERMS AND CONDITIONS AFTER THE FIRST CONTRACT. (ONE YEAR
   AFTER THE FIRST SHIPMENT)

0197

Asia MOTORS

Asia Motors Co., Inc

15 YOIDO-DONG, YOUNGDEUNGPO-GU, SEOUL, KOREA. C. P. O. BOX: 1191 FAX: (02) 785-1455
TELEX: ASIAMCO K24847 CABLE: "ASIAMOTORS" SEOUL TEL: (02) 785-1484, 784-0047

PROFORMA INVOICE

DATE : JUNE 4, 1991
REF.NO.: 91-E-06- 2/3

MESSRS.
    MINISTRY OF FOREIGN AFFAIRS.

GENTLEMEN :

IN REPLY TO YOUR INQUIRY OF AM815 COMBI, AM715 TOPIC(LHD, STANDARD SPECS.),

WE HAVE THE PLEASURE OF OFFERING YOU THE FOLLOWING ON THE TERMS AND CONDITIONS

SET FORTH HEREUNDER,

PRICE   : C.I.F. ALEXANDRIA, EGYPT IN U.S.DOLLARS.

SHIPMENT   : WITHIN 3(THREE)MONTHS AFTER YOUR FIRM ORDER.

PAYMENT   : BY T/T OR CASH 100% IN FAVOR OF US.

DESTINATION : ALEXANDRIA, EGYPT.

PACKING   : BARE.

VALIDITY   : BY THE END OF AUGUST, 1991.

REMARKS   : NOTE I.

YOURS FAITHFULLY,

서울特別市 永登浦區 汝矣島洞 15
亞細亞自動車工業株式會社
代表理事 趙 來 奭

ITEM NO.	DESCRIPTIONS	QUANTITY	UNIT PRICE	AMOUNT
1.	AM815 COMBI BUS, 24+1 SEATS, STANDARD ROOF. - F.O.B PRICE : U$15,500.- - OCEAN FREIGHT : U$2,071.- - INSURANCE PREMIUM: U$73.-	100 UNITS	@$17,644.-	U$1,764,400.-
2.	AM715 TOPIC BUS, 15 SEATS "STD". - F.O.B. PRICE : U$9,555.- - OCEAN FREIGHT : U$1,126.- - INSURANCE PREMIUM: U$44.-	200 UNITS	@$10,725.-	U$2,145,000.-
3.	AM715 TOPIC BUS, 15 SEATS "S-DLX". - F.O.B. PRICE : U$10,355.- - OCEAN FREIGHT : U$1,126.- - INSURANCE PREMIUM: U$48.-	200 UNITS	@$11,529.-	U$2,305,800.-
4.	AM715 TOPIC BUS, 12C S-DLX. - F.O.B PRICE : U$9,995.- - OCEAN FREIGHT : U$1,126.- - INSURANCE PREMIUM : U$46.-	200 UNITS	@$11,167.-	U$2,233,400.-
5.	AM715 TOPIC 6V VAN. - F.O.B. PRICE : U$8,665.- - OCEAN FREIGHT : U$1,126.- - INSURANCE PREMIUM: U$41.-	200 UNITS	@$ 9,832.-	U$1,966,400.-
6.	AM715 TOPIC 3V VAN. - F.O.B. PRICE : U$8,570.- - OCEAN FREIGHT : U$1,126.- - INSURANCE PREMIUM: U$40.-	200 UNITS	@$ 9,736.-	U$1,947,200.-

AS FOR DETAIL SPEC AND OPTION, PLS REFER TO THE ATTACHED.

0198

Asia MOTORS

Asia Motors Co., Inc

15 YOIDO-DONG, YOUNGDEUNGPO-GU, SEOUL, KOREA. C. P. O. BOX: 1191 FAX: (02) 755-1485
TELEX: ASIAMCO K24647 CABLE: "ASIAMOTORS" SEOUL TEL: (02) 785-1484, 784-6047

NOTE I.
----

1. THIS QUOTATION IS BASED ON OUR STANDARD SPECIFICATIONS AND VALID ONLY
   FOR EGYPT.

2. MANUFACTURER'S INSPECTION BEFORE SHIPMENT IS TO BE FINAL. IF ANY
   ADDITIONAL INSPECTION IS REQUIRED, SUCH CHARGE SHALL BE BORNE BY THE
   BUYER.

3. OTHER TERMS AND CONDITIONS NOT STIPULATED HEREIN SHALL BE DISCUSSED
   LATER ON AND SUBJECT TO OUR FINAL WRITTEN CONFIRMATION.

4. PARTIAL SHIPMENT AND TRANSSHIPMENT SHOULD BE ALLOWED.

5. WE, ASIA MOTORS CO.,INC., WILL COVER THE EXPENSES SUCH AS TRAINING COST,
   ROUND TRIP AIRFARE, LODGING AND TRAINING FEES FOR 3(THREE) ENGINEERS
   FOR 14 DAYS ON THE CONDITION THAT YOUR ORDER VOLUME REACHES OVER 100(ONE
   HUNDRED) UNITS TOTALLY.

- E. & O. E. -

0199

ASIA MOTORS

Asia Motors Co., Inc

15 YOIDO-DONG, YOUNGDEUNGPO-GU, SEOUL, KOREA. C. P. O. BOX: 1191 FAX: (02) 705-1405
TELEX: ASIAMCO K24647 CABLE: "ASIAMOTORS" SEOUL TEL: (02) 785-1404, 784-6047

======================================
A C C E S S O R I E S   F O R   A M 8 1 5
======================================

STANDARD ACCESSORIES	OPTIONAL ACCESSORIES	
	ACCESSORIES	EXTRA COST (US$)
. HEATER (ONLY FOR DRIVER)	. HIGH ROOF	10
. TUBED TYRE : 6.50-16-10PR	. WHEEL CAPS	70
(BIAS)	. TUBED TYRE	
. MAIN DOOR : FOLDING DOOR	- 7.00-16-10PR (BIAS)	35
(MANUAL)	- 7.00-16-10PR (RADIAL)	290
. SIDE GLASS : SLIDING CLEAR	- 7.00-16-12PR (RADIAL)	375
GLASS		
. RR. VIEW MIRROR : CONVEX	. AIR-CON	1,885
(MANUAL)	. AIR-CON DUCT	
. LINOLEUM COVERED FLOOR MAT	- STANDARD ROOF	215
. LEATHER TYPE SUN VISOR	- HIGH ROOF	235
. VINYL COVERED TOP CEILING	. MAIN DOOR	
. VINYL COVERED SEAT	- FOLDING DOOR (AUTO)	255
(FIXED TYPE)	- GLIDING DOOR (MANUAL)	135
. RADIO & CASSTEET(ETR TYPE)	- GLIDING DOOR (AUTO)	790
. TILT STEERING	. SIDE GLASS	
. INT. WIPER	- SLIDING COLOR GLASS	20
. FRT. STAB BAR	- FIXED CLEAR GLASS	-
. ROOM MIRROR	- FIXED COLOR GLASS	20
. CIGAR LIGHTER	. LUCKSTRONG COVERED FLOOR MAT	115
. CURTAIN RAIL	. CURTAIN TYPE SUN VISOR	15
. MICROPHONE	. VENTILATOR (2EA)	590
	. SEAT (STD:VINYL, DLX:CLOTH)	
	- 25SEATS DLX	35
	- 20SEATS STD	- 155(MINUS)
	- 20SEATS DLX	- 140(MINUS)
	- 17SEATS STD (RECLINE)	495
	- 17SEATS DLX (RECLINE)	525
	- 20SEATS STD (RECLINE)	925
	- 20SEATS DLX (RECLINE)	965
	- 12SEATS STD (RECLINE)	- 65(MINUS)
	- 12SEATS DLX (RECLINE)	- 50(MINUS)
	. REAR WIPER & WASHER	45
	. REAR UNDER VIEW MIRROR	5
	. FOG LAMPS	10
	. SEAT BELT	
	- 3 POINTS	20/EA
	- 2 POINTS	5/EA
	. HEATER ASS'Y	195
	. REFRIGERATOR	460
	(ONLY FOR 12 SEATERS)	
	. POWER STEERING	645
	. PRE-HEATER	790
	. TACHOGRAPH	425
	. ROOF RACK	3,615

0200

15 YOIDO-DONG, YOUNGDEUNGPO-GU, SEOUL, KOREA. C. P. O. BOX: 1191 FAX: (02) 785-1450
TELEX: ASIAMCO K24647 CABLE: "ASIAMOTORS" SEOUL TEL: (02) 785-1484, 784-8047

Asia Motors Co., Inc

OPTIONAL ACCESSORIES FOR TOPIC
++++++++++++++++++++++++++++++++++

ACCESSORIES		PRICE(U$)	
AIR- CON		1,165.-	
COLOR GLASS	15C-12C	220.-	
	6V VAN	130.-	
	3V VAN	105.-	
METALLIC COLOR		115.-	
POWER STEERING		390.-	
TOTAL			

0201

ASIA MOTORS

Asia Motors Co., Inc

15 YOIDO-DONG, YOUNGDEUNGPO-GU, SEOUL, KOREA. C. P. O. BOX: 1191 FAX: (02) 785-1456
TELEX: ASIAMCO K24647 CABLE: "ASIAMOTORS" SEOUL TEL: (02) 785-1484, 784-6047

ACCESSORIES FOR AM715 TOPIC

⊠⊠: STD ACCESSORIES
⊠⊠: OPTIONAL ACCESSORIES

ACCESSORIES		COACH			VAN	
		12 S-DLX	15 S-DLX	15 STD	3V VAN	6V VAN
STEERING	E.A.S.C & TILT	⊠⊠	⊠⊠			
	NON-TILT			⊠⊠	⊠⊠	⊠⊠
SEAT(MATERIAL)	VINYL			⊠⊠	⊠⊠	⊠⊠
	CLOTH	⊠⊠	⊠⊠			
PASSENGER SEAT (TYPE)	REVOLVING SEAT & FULL RECLINE	⊠⊠				
	RECLINE		⊠⊠	⊠⊠		
	ARM REST	⊠⊠				
FENDER MOLDING		⊠⊠	⊠⊠	⊠⊠		
SIDE DECORATION TAPE		⊠⊠	⊠⊠			
CURTAIN RAIL		⊠⊠	⊠⊠	⊠⊠		
RR. UNDER VIEW MIRROR		⊠⊠	⊠⊠			
MAGAZINE BAG		⊠⊠	⊠⊠			
BACK DOOR WIPER & WASHER		⊠⊠	⊠⊠			
DOOR ARM REST(POWER WINDOW)		⊠⊠	⊠⊠			
ARM REST(CENTER & RR.)		⊠⊠	⊠⊠	⊠⊠		
ROOM MIRROR	DAY & NIGHT TYPE	⊠⊠	⊠⊠	⊠⊠		
	FIXED TYPE				⊠⊠	⊠⊠
RR. VIEW MIRROR	CALIFORNIA TYPE	⊠⊠	⊠⊠	⊠⊠	⊠⊠	⊠⊠
ASSIST HANDLE	FIXED TYPE	⊠⊠	⊠⊠	⊠⊠	⊠⊠	⊠⊠
DRIP RAIN MOLDING		⊠⊠	⊠⊠			
ASH TRAY		7 EA	7 EA	7 EA	1 EA	1 EA
COLOR(EXTERIOR)	1 TONE			⊠⊠	⊠⊠	⊠⊠
	2 TONE	⊠⊠	⊠⊠			

0202

ASIA MOTORS

Asia Motors Co., Inc

15 YOIDO-DONG, YOUNGDEUNGPO-GU, SEOUL, KOREA. C. P. O. BOX: 1191 FAX: (02) 785-1488
TELEX: ASIAMCO K24847 CABLE: "ASIAMOTORS" SEOUL TEL: (02) 785-1484, 784-8047

ACCESSORIES		COACH			VAN	
		12 S-DLX	15 S-DLX	15 STD	3V VAN	6V VAN
HEATER ASSY		2 EA	2 EA	2 EA	1 EA	1 EA
B/DOOR GLASS DEFOGER & TIMER		☒	☒			
FLOORMAT	PVC			☒	☒	☒
	CARPET	☒	☒			
TOP CEILING	CLOTH	☒	☒			
	VINYL			☒		
	WIRE LISTING				☒	☒
PILLAR COVER TRIM		☒	☒	☒		
SIDE TRIM	VINYL	☒	☒	☒		
	HARD BOARD+VINYL				☒	☒
FRONT DOOR TRIM	VINYL+CLOTH	☒	☒			
	HARD BOARD+VINYL			☒	☒	☒
POWER WINDOW		☒	☒			
POWER DOOR LOCK		☒	☒			
DIGITAL CLOCK		☒	☒			
ROOM LAMP		A TYPE	A TYPE	A TYPE	B TYPE	B TYPE
FOG LAMP		☒	☒			
KEY S/W WARNING		☒	☒			
STEREO	ETR 25W+8SPEAKER	☒	☒			
	MTR 7W +8SPEAKER			☒		
	MTR 7W +2SPEAKER				☒	☒
DOOR OPEN WARNING BUZZER (TIMER & OSCILATOR)		☒	☒			
METER SET	METER PANEL	A TYPE	A TYPE	B.TYPE	B TYPE	B TYPE
	TACHOMETER	☒	☒			
	WARNING LAMP	☒	☒	☒	☒	☒
		☒	☒	☒		

0203

Asia motors
Asia Motors Co., Inc

15 YOIDO-DONG, YOUNGDEUNGPO-GU, SEOUL, KOREA. C. P. O. BOX: 1191 FAX: (02) 785-1485
TELEX: ASIAMCO K24647 CABLE: "ASIAMOTORS" SEOUL TEL: (02) 785-1484, 784-6047

SPECIFICATION	COACH			VAN	
	12 S-DLX	15 S-DLX	15 STD	3V VAN	6V VAN
STANDARD SPECIFICATION FOR ALL MODEL	SS ENG WITH T/M FAN(DIESEL 2,702CC) FRAME(BOX TYPE) WISHBONE TYPE FRONT SUSPENSION FRONT DISC/RR DRUM BRAKE VACCUME SERVO HYDRALIC L.S.G. VALVE SEAT BELT WARNING LAMP DOOR OPEN WARNING LAMP CONSOLE BOX HALOGEN HEAD LAMP SIDE PROTECTION MOLDING SWING TYPE BACK DOOR MANUAL SLIDING MAIN DOOR STEEL WHEEL DISC				
OPTIONAL ACCESSORIES	AIR-CON				

	COLOR-GLASS .12S-DLX, 15S-DLX, 15 STD
	          .6V VAN
	          .3V VAN				

	AUTO SLIDING MAIN DOOR				
	H/LAMP AUTO CUT				
	AL WHEEL DISC				
	METALLIC COLOR				
	FR. SUN ROOF				
	POWER STEERING				

0204

HYUNDAI
CORPORATION

TEL:746-1114
TLX:K23175 HDCORP
CABLE:HDSANGSA SEOUL
FAX:741-2341, 2345

140-2, KYE-DONG, CHONGRO-KU, SEOUL, KOREA K.P.O.BOX 672, C.P.O.BOX 8943, SEOUL, KOREA

THE HEAD OF THE EGYPTIAN   DATE : JUNE 4, 1991
MILITARY DELEGATION   REF :

DEAR SIR,

REFERENCE IS MADE TO YOUR REQUIREMENTS FOR THE PURCHASE OF BUSES AND SPARE
PARTS UNDER THE KOREAN GRANT IN THE TOTAL VALUE OF US$ 7 MILLION.

THE MOFA HAS SUDDENLY ANNOUNCED YESTERDAY THE PUT ON OF THE DUE DATE ONE DAY
SUCH THAT OFFERS TO BE SUBMITTED TO MOFA NO LATER THAN 17:00 HOURS ON JUNE 4,
THEREBY LEAVING US NO TIME TO PREPARE OUR ELABORATE OFFER, REQUIRED MATERIAL,
TECHNICAL SPECS, OR RECOMMENDED SPARE PARTS PRICES COVERING THREE YEARS WHICH
WE WILL TRY TO PRESENT THEM ALL TO YOU TOMORROW(JUNE 5) IN ULSAN.

WE ENCLOSE HEREWITH IN SEALED ENVELOPE IN ACCORDANCE WITH YOUR REQUIREMENTS
OUR OFFER. AS CAN BE SEEN TOTAL VALUE OF THE BUSES, INCLUDING 2% WARRANTY
SPARE PARTS AND COST OF TRAINING, IS US$ 4,555,700, LEAVING THE REMAINDER
(US$ 2,444,300) TO COVER 3 YEARS SPARE PARTS OPTIONAL ITEMS, TOOLS AND THE
OTHER REQUIREMENTS.

YOURS FAITHFULLY

Y.S. KOH
GENERAL MANAGER
AUTOMOBILE DEPT. II
HYUNDAI CORPORATION

0205

HYUNDAI CORPORATION

HEAD OFFICE   P. O. BOX: K. P. O. 672, C. P. O. 8943   TELEX:K24119 HOSANGSA
140-2, KYE-DONG, CHONGRO-KU   SEOUL, KOREA   CABLE:HOSANGSA SEOUL
SEOUL KOREA   TEL:741-4141~70

OFFER

Messrs.   No. J2-91060402   Date: JUN 4, 1991

EGYPTIAN MILITARY DELEGATION   Our Ref. No.

                                                        Your Ref. No.

GENTLEMEN : WE ARE PLEASED TO MAKE AN OFFER UNDER THE FOLLOWING TERMS AND CONDITIONS.

COMMODITY : HYUNDAI GRACE(12 SEATERS)
            (SPECIFICATIONS AND DESCRIPTIONS AS SHOWN ON THE ATTACHED SHEET)

QUANTITY : 200 UNITS

AMOUNT(TOTAL) :   U$2,211,200.00(CIF ALEXANDRIA OR PORT SAID,EGYPT)

PAYMENT : CASH AGAINST DELIVERY

SHIPMENT : WITHIN 3 MONTHS FROM CONTRACT DATE BY CAR-CARRIER, PARTIAL SHIPMENT
          AND TRANSHIPMENT ALLOWED RESPECTIVELY.

PACKING :   UNBOXED

SHIPPING PORT : KOREAN PORT

DISCHARGING PORT : ALEXANDRIA OR PORT SAID(AVAILABLE PORT FOR CAR-CARRIER CALLING)

INSPECTION :   MAKER'S INSPECTION TO BE FINAL

COUNTRY OF ORIGIN :   REPUBLIC OF KOREA

VALIDITY : JUN. 30. 1991

WARRANTY : SUBJECT TO THE WARRANTY COVERAGE CONDITIONS OF HYUNDAI MOTOR COMPANY
          IN THE TERRITORY WHERE VEHICLES BELONG TO.

REMARKS : (1) 2% OF CONTRACT VALUE FOR WARRANTY SPARE PARTS FOR INITIAL RUNNING
             INCLUDED.

         (2) OFFER INCLUDE COST OF TRANING 3 ENGINEERING OFFICERS FOR 2 WEEKS
             IN KOREA FOR MAINTENANCE AND REPAIR : ROUND TRIP AIRFARE AND LOCAL
             LODGING AND TRAINING FEE INCLUDED.

AGREED AND ACCEPTED BY :   YOURS FAITHFULLY,

                                       HYUNDAI CORPORATION

                                       Y. S. KOH
                                       GENERAL MANAGER
                                       AUTOMOBILE DEPT.   0206

ITEM NO.	DESCRIPTION & SPECIFICATION	Q'TY	PRICE	
			UNIT	TOTAL
	HYUNDAI GRACE(12 SEATERS), LEFT HANDLE			
	A) BASIC PRICE	200 UNITS	$10,021.00	$2,004,200.00
	FOB KOREA	200 UNITS	$10,021.00	$2,004,200.00
	FRT FOR	200 UNITS	$1,000.00	$200,000.00
	INS FOR	200 UNITS	$35.00	$7,000.00
	CIF ALEXANDRIA OR PORT SAID,EGYPT	200 UNITS	$11,056.00	$2,211,200.00
	B) PRICE OF OPTIONAL ITEMS			
	A/CON		$1,195.00	
	TINTED GLASS		$206.00	
	POWER STEERING		$402.00	

⁕ OPTIONAL ITEMS ARE EXCLUDED FROM BASIC PRICE.

HYUNDAI CORPORATION

Y. S. KOH
GENERAL MANAGER
AUTOMOBILE DEPT.

SPECIAL INSTRUCTIONS, IF ANY :

E. & O. E.

0207

HY ─ AI CORPORATION

HEAD OFFICE
140-2, KYE-DONG, CHONGRO-KU
SEOUL KOREA

P. O. BOX: K. P. O. 672, C. P. O. 8943
SEOUL KOREA

TELEX:K24119 HOSANGSA
CABLE:HOSANGSA SEOUL
TEL:741-4141~70

OFFER

Messrs.

No. J2-91060401

Date: JUN. 4, 1991
Our Ref. No.
Your Ref. No.

EGYPTIAN MILITARY DELEGATION

GENTLEMEN : WE ARE PLEASED TO MAKE AN OFFER UNDER THE FOLLOWING TERMS AND CONDITIONS.

COMMODITY : HYUNDAI CHORUS (25 SEATERS)
(SPECIFICATIONS AND DESCRIPTIONS AS SHOWN ON THE ATTACHED SHEET)

QUANTITY : 100 UNITS

AMOUNT (TOTAL) :   US$2,344,500.00 (CIF ALEXANDRIA OR PORT SAID, EGYPT)

PAYMENT : CASH AGAINST DELIVERY

SHIPMENT :   WITHIN 3 MONTHS FROM CONTRACT DATE BY CAR-CARRIER, PARTIAL SHIPMENT
AND TRANSHIPMENT ALLOWED RESPECTIVELY.

PACKING :   UNBOXED

SHIPPING PORT : KOREAN PORT

DISCHARGING PORT : ALEXANDRIA OR PORT SAID (AVAILABLE PORT FOR CAR-CARRIER CALLING)

INSPECTION :   MAKER'S INSPECTION TO BE FINAL

COUNTRY OF ORIGIN :   REPUBLIC OF KOREA

VALIDITY : JUN. 30. 1991

WARRANTY : SUBJECT TO THE WARRANTY COVERAGE CONDITIONS OF HYUNDAI MOTOR COMPANY
IN THE TERRITORY WHERE VEHICLES BELONG TO.

REMARKS : (1) 2% OF CONTRACT VALUE FOR WARRANTY SPARE PARTS FOR INITIAL RUNNING
INCLUDED.

(2) OFFER INCLUDE COST OF TRANING 3 ENGINEERING OFFICERS FOR 2 WEEKS
IN KOREA FOR MAINTENANCE AND REPAIR : ROUND TRIP AIRFARE AND LOCAL
LODGING AND TRAINING FEE INCLUDED.

AGREED AND ACCEPTED BY :

YOURS FAITHFULLY,

HYUNDAI CORPORATION

Y. S. KOH
GENERAL MANAGER
AUTOMOBILE DEPT.

0208

ITEM NO.	DESCRIPTION & SPECIFICATION	Q'TY	PRICE	
			UNIT	TOTAL
	HYUNDAI CHORUS(25 SEATERS), LEFT HANDLE			

	A) BASIC PRICE	100 UNITS	$21,215.00	$2,121,500.00

	FOB KOREA	100 UNITS	$21,215.00	$2,121,500.00
	FRT FOR	100 UNITS	$2,160.00	$216,000.00
	INS FOR	100 UNITS	$70.00	$7,000.00

	CIF ALEXANDRIA OR PORT SAID,EGYPT	100 UNITS	$23,445.00	$2,344,500.00

	B) PRICE OF OPTIONAL ITEMS			
	A/CON		$2,070.00	
	TINTED GLASS		$216.00	

	※ OPTIONAL ITEMS ARE EXCLUDED FROM BASIC PRICE.			

HYUNDAI CORPORATION.

Y. S. KOH
GENERAL MANAGER
AUTOMOBILE DEPT.

SPECIAL INSTRUCTIONS, IF ANY :

E. & O. E.

0209

1. 자동차 현지 공급후 WARRANTY, AFTERSALES SERVICE, 부품공급에 對한 SERVICE
    계약체결 및 이행문제로 현대자동차 수출창구인 현대종합상사 이외의 他
    종합상사 수출이행 사례없음.

2. 現代綜合商事는 카이로 현지에 지사를 운용하고 있는 관계로 상기 1)항
    SERVICE 제공 원할히 수행

3. 現代綜合商事가 제시한 가격은 현대자동차 가격과 동일함.
    지역별 수출가격은 정책적으로 상이하므로 비교가 안됨.
    (각 국가별 별도품의로 가격결정)

0210

	90. 3月	91. 6月
GRACE	U$10,459 [U$11,655 - U$1195] (AIR CON)	U$10,021
CHORUS	U$23,272 [U$25,342 - U$2070] (AIR CON)	U$21,215

26011

분류기호 문서번호	중동이 20005-		기 안 용 지 (720-3869)		시 행 상 특별취급	
보존기간	영구.준영구 10. 5. 3. 1		장 관			
수 신 처 보존기간						
시행일자	1991. 6. 10.		예			
보 조 기 관	국 장	전결	협 조 기 관		문 서 통 제	
	심의관					
	과 장					
기안책임자		허 덕 행			발 송 인	
경 유			발 신 명 의		1991. 6. 11	
수 신	(주) 고려무역 사장					
참 조						
제 목	걸프사태 관련 이집트에 대한 무상원조 추진					

1. 걸프사태 관련 이집트에 지원예정인 700만불 상당의 무상

원조 추진과 관련 이집트는 '91.5.30-6.8간 군수사절단을 파견, 지원

대상품목을 선정하였습니다.

2. 동 사절단은 지원대상 품목에 대한 기술적 조사를 실시한후

지원요청서를 제출한바, 동 사업추진은 귀사와 체결한 대행계약과는

별도로 이집트측이 선정한 공급업체와 직접계약을 체결할 예정이니

양지하시기 바랍니다.   끝.

와 동물
공급처은 수원국이 직접 선정 하였으므로

0212

長 官 報 告 事 項

題 目 : 이집트 軍需使節團 訪韓

> Motagally 空軍少將을 團長으로한 4명의 이집트 軍需使節團이 5.30-6.8간 我國을 방문하였는바, 訪韓結果를 다음과 같이 報告합니다.

1. 訪韓結果

○ 금번 이집트 軍需使節團은 我國이 걸프事態 관련 이집트에 支援키로한 700만불 상당의 軍需物資에 대한 品目 選定을 기본임무로 하고 訪韓했는바, 國內自動車 업계를 視察하고 技術的 資料를 검토한후 현대자동차가 생산하는 미니버스 420대 를 支援받기로 決定하고 6.7 중동아프리카국장앞 要請書翰을 제출했음.

○ 창원 防衛産業工團 視察時에는 장갑차, 전차 및 탄약등 國産防産物資의 성능과 제원에 대해 상세히 문의하고 輸出, 合作生産 문제에 대해서도 협의하는등 양국간 防産分野協力에 대해서도 많은 관심을 表明하였음.

2. 評價 및 展望

○ 금번 軍需使節團 派韓은 무바락 大統領이 걍영훈 特使를 접견하고 駐韓 이집트 總領事館의 91.7월중 개설방침을 說明한데 이어 總領事任命 , 관련 豫算 確保등 具體的 措置를 취하고 있는 일련의 변화와 함께, 이집트가 我國과의 關係改善을 위해 努力하고 있는 實例로서 評價됨.

0213

o 또한 상금 未修交 狀態에 있는 <u>양국의 高位 國防關係 人士들이 接觸</u> 하고
協力 및 交流문제에 대해 협의한 것은 73년 전쟁시 支援한바 있는 북한
에 대한 특별고려 문제가 한.이집트 양국간 諸般關係 增進에 대한 더이상
큰 障碍物이 될수 없다는 것을 의미하며, 양국이 南南協力 次元에서 關係
强化를 모색할 수 있는 諸般基盤이 造成되었으므로 駐韓 이집트 總領事館
開設後 修交도 조만간에 이루어질 것으로 전망됨.   끝.

0214

June 7,1991

H.E. Ambassador Hae-Soon Lee
Director General,Middle East and
Affrican Affairs Bureau
Ministry of Foreign Affairs
Republic of Korea

Dear Sir,

On the scope of mutual cooperation between the Arab Republic of
Egypt(A.R.E.) and the Republic of Korea,A.R.E. has accepted with
great appreciation the US$ 7,000,000 grant which was recently ex-
tended by the Government of the Republic of Korea to the A.R.E.
Ministry of Defense(MOD) for the purchase of some defense items.

Several meetings and discussions at different levels have taken
place between the representatives of both countries.Also,a visit
by A.R.E. MOD delegation took place during the first week of June,
1991,which culminated with more and better understanding of the
Korean industrial capabilities that open new eras of fruitful
prospects of cooperation between The Republic of Korea and The
Arab Republic of Egypt.

AS a result of these activities,studying,visiting of several Korean
industrial facilities,and after taking into account the require-
ments of A.R.E. MOD , tropical climatic and road conditions,tech-
nical evaluation,commonality of used equipment, and other factors
and parameters considered by the A.R.E. MOD experts,A.R.E. MOD
delegation is herewith pleased to submit this letter to Ministry
of Foreign Affairs of The Republic of Korea kindly asking it to
take the necessary actions to use the US$ 7,000,000 grant to buy
on behalf of A.R.E. MOD from Hyundai Corporation the buses,spare
parts and other services mentioned in the enclosure.

. . . . . .

0215

A.R.E. MOD delegation hereby expresses its gratitude to all the
Korean representatives who gave us warm reception and provided
an extraordinary kindness and hospitality and exhibited exquisit
cooperative spirit.

Sincerely yours

Maj.Gen.Dr.Eng.H.Abdel Motagally
Head of A.R.E. MOD Delegation.

A.R.E. MOD BUSES PURCHASE REQUIREMENTS

A.R.E. MOD buses purchase requirements under the Korean Government grant of US$ 7,000,000 are as follows:

1. Hyundai Grace 12(12 seater)buses

1.1. Three hundred HD Grace 12 buses,1991 model,sand(desert)
     colour,standard type: US$ 3,316,800

1.2. Twinty HD Grace 12 buses,any colour,equipped with A/CON,
     Power Steering and Tinted Glass: US$ 257,180

1.3. Ten sets of special service tools(S.S.T) for HD Grace 12:
     US$ 8,584.

1.4. 2% warranty spare parts to be delivered with the first
     shipment to A.R.E. MOD: Free of charge as indicated in
     Hyundai Corporation offer.

1.5. Training of three Egyptian MOD engineers in Korea for two
     weeks on the maintenance and repair of the said buses up
     to overhaul level(round trip air fair,lodging and train-
     ing courses will be provided by Hyundai Corporation as
     indicated in its offer).

1.6. Delivery of spare parts for the said buses in the amount
     of US$ 589,310- will be specified and requested by A.R.E.
     MOD within one month from contract effective date between
     The Government of the Republic of Korea and Hyundai Corp.

1.7. Five copies of srvice and maintenance manuals up to over-
     haul level in addition to three sets of cut-away sections
     of the said bus main aggregates(engine,gear box,rear axle
     and differentials,etc).

1.8. Other requirements from Hyundai Corporation will be as
     indicated in its offer.

. . . .

0217

2. Hyundai Chorus 25(25 seater) buses

2.1. Ninety HD Chorus 25 buses,1991 model,sand(desert) colour,standard type: US$ 2,110,050.

2.2. Ten HD Chorus 25 buses,any colour,equipped with A/CON, Power Steering and Tinted glass: US$ 257,310.

2.3 Five sets of S.S.T. for HD Chorus 25: US$ 2,545.

2.4. Same as in 1.4 hereinbefore.

2.5. Same as in 1.5 hereinbefore.

2.6. Same as in 1.6 hereinbefore,except the value of this item is: US$ 458,221.

2.7. Same as in 1.7 hereinbefore.

2.8. Same as in 1.8 hereinbefore.

****

0218

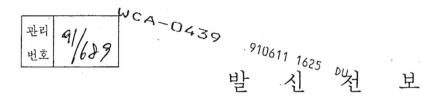

관리 번호 91/689

WCA-0439

910611 1625

발 신 전 보

번   호 : WCA-0439   910611 1625   종별 :

수   신 : 주 카이로   //대사// 총영사

발   신 : 장 관   (중동이)

제   목 : 걸프사태 관련 민수용 물자지원

대 : CAW-0677 ('91.6.3)

연 : 중동이 20005-563 ('91.5.16)

민수용 물자공급을 위한 본부계획을 하기통보함.

1. 의료기기 (6백만불)

    ○ 아측이 제공한 공급가능 품목별 가격 리스트를 참조, 이집트측이
       필요한 품목 및 수량을 선정하면 이를 토대로 지원함.

2. 직업훈련원 (2백만불)

    ○ 공여자금 규모에 비추어 지원대상 직종수를 축소 조정함이 필요함.

    ○ 이집트측이 당초 제시한 25개 직종에서 5-7개 직종을 선택하여
       제시하면 약 2-3주간 국내 공급사정을 조사한후 가격리스트등
       관련자료를 준비하여 3-4명의 현지 조사단을 파견함.

    ○ 동 조사단 구성 및 방문기간등 상세는 추후 통보할 예정인바
       우선 이집트측이 훈련직종을 축소 선택토록 조치바람.

                                        (중동아국장 이 해 순)

예고 : 91.12.31. 일반

검토필 (1991.6.30.)

보안통제 36

앙고재	91년 6월 11일	능 2 과	기안자 성명		과장	심의관	국장		차관	장관	
			최명행		36		전결				

외신과통제

0219

주식회사 고려무역

해 외 제91-44호   737-0860   1991. 6. 14.

수 신 : 외무부 장관

참 조 : 중동아프리카 국장／ 중동 2과장

제 목 : 걸프사태 관련 이집트에 대한 무상원조 추진

1. 귀 중동이 20005-26011 호에 관한 회신 입니다.

2. 이집트의 군수사절단이 방한하여 직접 선정한 700만불 상당의 무상
원조 추진 사업에 관하여, 당사에서는 귀부의 결정 사항을 충분히 이해 하였음을
알려 드립니다.   끝.

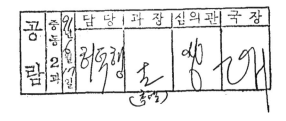

주 식 회 사 고 려 무 역 사 장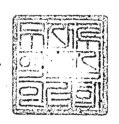

0220

분류기호 문서번호	중동이20005-	기 안 용 지 (720-2327)	시 행 상 특별취급	
보존기간	영구.준영구 10. 5. 3. 1	차 관		장 관
수 신 처 보존기간		전결		
시행일자	1991. 6.17.			
보조 기관	국 장 심의관 과 장	협 조 기 관	기획관리실장 미 주 국 장 총 무 과 장 기획운영담당관	문 서 통 제
기안책임자	허 덕 행			발 송 인
경 유 수 신 참 조	건 의	발신명의		
제 목	걸프만 사태 관련 이집트에 대한 군수물자지원(700만불)			

1. 이집트에 지원키로한 700만불 상당의 군수물자 공여와

관련, 이집트 정부는 '91.5.30-6.8간 군수사절단을 파한, 국내 자동차

업계를 시찰케한후 가격 및 기술적 제원에 대한 검토를 하고 직접 공급

품목, 공급업체 및 공급조건을 결정한후 별첨(3)과 같이 중동아프리카

국장앞 요청서를 통해 현대자동차 미니버스 420대 및 관련부품의 지원을

요청하였습니다.

2. 걸프사태관련 물자무상원조추진을 위해 (주)고려무역과 수출

대행계약을 체결한바 있으나, 상기와같이 이집트정부가 자동차 전문가로

구성된 군수사절단을 파견, 아래와 같이 공급대상품목으로 현대자동차의

/계속.../

0221

미니버스 380대, 소나타 승용차 50대(사절단 귀국후 추가변경 신청)

및 관련부품을 신청하였으므로 동대행계약과는 별도로 (주)현대측과

별첨(1) 및 (2)와 같이 직접계약을 체결코자 하오니 재가하여 주시기

바랍니다.

    3. 이집트 군수사절단의 방한기간중 공급업체 선정과 관련,

업체간 과당경쟁을 방지하고 각업체에 공정한 참여기회를 주기위해

별첨 (4)와 같이 이집트측이 요청한 가격등 공급조건에 대한 자료를

91.6.3 각업체에 통보하고 91.6.4 각업체로 부터 공급조건에 대한

자료를 동시에 접수받아 사절단측에 제공한 바 있으므로 첨언합니다.

        -    다   음   -

    가. 계약금액 : $7,000,000

    나. 계약내용

품목명	수 량	단 가(CIF)	금 액
HD Grace(12인승)	260	11,056	2,874,560
HD Grace(12인승, 옵션포함)	20	12,859	257,180
12인승용 특별공구 (S.S.T)	10	858.4	8,584
HD Chorus(25인승)	90	23,445	2,110,050

/계속.../

HD Chorus(25인승, 옵션포함)	10	25,731	257,310
25인승용 특별공구 (S.S.T)	5	509	2,545
HD Sonata(2,000cc)	50	8,844.8	442,240
12,25인승 버스 및 승용차 부품	발주계약후 이집트측 별도신청예정 1,047,531		

합 계 : 7,000,000

ㅇ 기 타 부대조건

- (주)현대측 비용으로 각차종별로 3명의 이집트 정비공

   에 대한 방한초청, 2주간 정비교육 실시(현대측 공급

   조건에 기제시)

- 차량가격 2%에 해당되는 필수부품 무상공급(현대측

   공급 조건에 기제시)

- 기타 정비공 교육용 기자재 무상공급(현대측 공급조건에

   기제시)

- 기타 정비공 교육용 기자재 무상공급(현대측 공급조건에

   기제시)

첨 부 : 1. (주)현대와 체결예정인 수출대행 계약서 각2부.

   2. 수출계약서 및 서약서 각2부.

   3. 이집트 군수사절단의 군수물자 지원요청서 1부.

   4. 자동차업계의 공급조건 제시

   5. 기타관련 보고서 및 공문.   끝.

0223

계   약   서

(갑) 대한민국   외 무 부 장 관
(을) 주식회사   현 대 종 합 상 사
                  대 표 이 사

상기 (갑) (을) 양 당사자간에 걸프만 사태에 따른 무상원조 물자
조달에 관한 계약을 다음과 같이 체결한다.

제 1 조 : 수출 대행업체 지정

(갑)은 걸프만 사태에 따른 무상원조 물자의 수출대행 업체로
(을)을 지정한다.

제 2 조 : 건별계약시의 (갑)의 수임계약자는 중동 2과장이며 (을)은 대표
이사이다.

제 3 조 : 대금결재

(갑)의 (을)에 대한 대금결제는 CAD (CASH AGAINST DOCUMENT)방식
으로서 후불결제로 한다.

단, (을)이 구체증빙서류를 첨부하여 물품대금 선지급을 신청할때
에는 불가피한 경우에 한하여 선지급 할수있다.

제 4 조 : 물품발송

(갑)은 건별계약서상에 명시된 선적기일을 준수하며, 이의 미
준수시 지체일수 1일당 대금의 1.5/1,000에 해당하는 금액을 (을)
로부터 지체상금으로 징수하며, 부득이한 사유로 적기 선적이 불가
할 경우(을)은 (갑)에게 동 사유서를 제출하고 (갑)은 지체상금
면제 여부를 결정한다.

0224

제 5 조 : 사후정산

1. (을)은 대금결제후 선임 및 보험료등 제반비용을 정산하여(갑)
   에게 건별 보고토록 하며, 환불 및 추가입금 요청등 최종 정산은
   대금결제일로 부터 3개월 이내로 한다.

2. 최종 정산보고시 (을)은 (갑)에게 세금계산서 및 입금표 사본등
   정산내역에 대한 근거자료를 제출한다.

제 6 조 : 1. 품질검사는 (을)의 책임하에 시행하며, 불량품 발생시 서비스
   및 교체등 제반경비는 (을)이 부담한다.

2. 품질보증기간은 품목별로 (갑)(을) 양 당사자간에 상호협의
   하여 건별계약서상에 명시한다.

제 7 조 : CLAIM 해결

1. (을)은 원조물품 공급과 관련하여 수령인 및 현지공관을 통하여
   제기되는 모든 CLAIM에 대하여 (을)의 비용부담과 책임하에
   성실히 해결한다.

2. CLAIM의 원인이 된 하자의 책임발생이 사용 및 관리상의 부주의
   에 따른 경우에는 (갑)과 협의하여 해결방안을 강구한다.

제 8 조 : 사후관리

(을)은 원조물품중 사후관리가 필요한 물품에 대하여 (을)의 비용과
책임하에 아프터써비스 계획을 수립 성실히 시행한다.

제 9 조 : 견본발송

(갑)의 요청시 (을)은 (을)의 비용부담하에 견본을 현지 공관에
발송한다.

0225

제 10조 : 보안사항

1. (을)은 동 사업관련 직원에 대한 인적사항을 (갑)에게 제출하여야 한다.

2. (을)은 동 사업의 내용에 대하여 업무상 목적 이외에는 일체 공개하지 않도록 하며, 제반서류 및 유지장부에 대하여 필요한 보안조치를 취한다.

제 11조 : 계약이행 보증사항

(을)이 본 계약상 또는 계약에 따라 체결되는 개별 구매계약상의 채무를 이행하지 아니함으로써 발생하는 모든 손해에 대하여(을)은 전적으로 책임을 지며, 이를 위하여 (을)은 발행일 및 액면 공란의 은행도 백지어음을 (갑)에게 제출하고 (갑)에게 그 백지 보충권을 수여한다.

제 12조 : 기타사항

이상의 제조항에서 명시되지 않은 사항은 정부 예산회계법, 예산 회계법률시행령 및 계약사무처리규칙에 따른다.

제 13조 : 계약기간

1. 본 계약의 유효기간은 서명일로 부터 1년간으로 한다.

2. 계약기간 도중이라도 사정의 변경, 정책의 변화 또는 (을)의 귀책사유등으로 인하여 (을)에게 더이상 대행업무를 위탁하는 것이 곤란하다고 (갑)이 인정하는 경우 (갑)은 언제든지 계약을 해지할수 있으며, (갑)의 해지통고에 따라 본 계약은 그 효력을 상실한다.

제 14조 : 이 계약으로 부터 또는 이 계약과 관련하여 또는 이 계약의 불 이행 으로 말미암아 당사자간에 발생하는 모든 분쟁은 먼저 당사자간의 협의에 의하여 해결하고 그 합의가 이루어지지 아니할 때에는 (갑) 의 소재지를 관할하는 법원의 소송에 따라 해결한다.

0226

본 계약을 후일에 증하기 위하여 본 계약서 2부를 작성하여 각자
서명날인한 후 각 1부씩 보관한다.

                                    1991. 6. 30

                    (갑)   대한민국   외 무 부 장 관

                          수   임   계   약   관

                          총무과장   유   태

                    (을)   주식회사   현대종합상사

                          대표이사   박   세

輸 出 契 約 書

"甲"　外　　務　　部

　　　　중동 2과장　정 진 호

"乙"　株式會社　현대종합상사

　　　　代表理事　박　세　용

　　　上記 "甲" "乙" 兩者間에 다음과 같이 輸出契約을 締結한다.

第 1 條 ：　輸出物品의 表示 (別添)

第 2 條 ：　"甲"은 上記 第1條의 物品을 1991.9.30.까지 울산 港
　　　　　　에서 이집트 행 船舶에 船籍하여야 한다.
　　　　　　但, 불가피한 事由로 船籍이 遲延될 境遇에는 外務部長官과 "乙"
　　　　　　間에 締結된 輸出代行業體 指定 契約書 第4條 規定에 依하여 "乙"
　　　　　　은 "甲"에게 船籍 遲延事由書를 提出하고 "甲"은 同 遲滯償金
　　　　　　免除 與否를 決定한다.

第 3 條 ：　"乙"은 船籍完了後 7日 以內에 "甲"이 船籍物品 通關에 必要한
　　　　　　諸般 船籍書類를 "甲" 또는 "甲"의 代理人에게 提出 또는 現地
　　　　　　公館에 送付하여야 한다.

0228

第 4 條 : 上記 船籍物品의 品質保證期間은 船籍後 1年間으로 하며,

　　　　　이 期間中 正常的인 使用에도 不拘하고 製造不良이나 材質 또는

　　　　　조립상의 하자가 발생할 境遇 "乙"의 責任下에 解決한다.

本 契約에 明示되지않은 事由에 대하여는 걸프만 事態 供與品 輸出 代行

契約書에 따른다.

　　　　　　　　　　　　　　　　　　　　　　　1991.　6.　30.

"甲"　外　　　務　　　部　　　　　　"乙"　株式會社 현대종합상사

　　　中東 2 課長 정　진　호　　　　　　代理理事 박　세　용

0229

輸 出 物 品

(단위 : 미불)

물 품	수 량	단가(CIF Alexandria or Port Saod)	금 액
HD Grace 12인승	260	11,056	2,874,560
HD Grace 12인승 (에어콘, 착색유리, 파워스티링 옵션포함)	20	12,859	257,180
12인승용 특별수리공구 (S.S.T)	10	858.4	8,584
HD Chorus 25인승	90	23,445	2,110,050
HD Chorus 25인승 (에어콘, 착색유리, 파워스티링 옵션포함)	10	25,731	257,310
25인승용 특별수리 공구(S.S.T)	5	509	2,545
HD Sonata 2,000cc	50	8,844.8	442,240
12,25 인승 버스 및 승용차부품		발주계약후 이집트측 신청에 따라 공급	1,047,531

합 계 : 7,000,000

ㅇ 공급부대조건

- (주) 현대측 비용으로 각 차종별 3명의 이집트 정비공에 대한 방한 초청, 2주간 정비교육 실시

- 차량가격 2%에 해당되는 필수부품 무상공급

- 기타 별첨 이집트측 요청서에 제시된 공급자 부담사항

0230

誓 約 書

受 信 : 外務部長官

題 目 : 걸프만 事態에 따른 供與用 物品供給

        弊社는 貴部가 主管하는 表題 事業이 緊急支援 및 秘密維持를
요하는 國家的 事業임을 認識하고, 今般 이집트 國에 供與하는 物品을
供與契約 締結함에 있어 아래 事項을 遵守할 것을 誓約하는 바입니다.

1. 物品供與 契約時 品質 價格面에서 一般 輸出契約과 最小限 同等한 또는
    보다 有利한 條件을 適用한다.

2. 締結된 契約은 誠實하고 協助的인 姿勢로 履行한다.

3. 同 契約 內容은 業務上 目的 以外에는 公開하지 않는다.

1991年 6月 30日

會 社 名 : (주) 현대종합상사

代 表 者 : 박 세 용

0231

A.R.E. MOD BUSES PURCHASE REQUIREMENTS

A.R.E. MOD buses purchase requirements under the Korean Government grant of US$ 7,000,000 are as follows:

1. Hyundai Grace 12(12 seater)buses

1.1. Three hundred HD Grace 12 buses,1991 model,sand(desert) colour,standard type: US$ 3,316,800

1.2. Twinty HD Grace 12 buses,any colour,equipped with A/CON, Power Steering and Tinted Glass: US$ 257,180

1.3. Ten sets of special service tools(S.S.T) for HD Grace 12: US$ 8,584.

1.4. 2% warranty spare parts to be delivered with the first shipment to A.R.E. MOD: Free of charge as indicated in Hyundai Corporation offer.

1.5. Training of three Egyptian MOD engineers in Korea for two weeks on the maintenance and repair of the said buses up to overhaul level(round trip air fair,lodging and training courses will be provided by Hyundai Corporation as indicated in its offer).

1.6. Delivery of spare parts for the said buses in the amount of US$ 589,310- will be specified and requested by A.R.E. MOD within one month from contract effective date between The Government of the Republic of Korea and Hyundai Corp.

1.7. Five copies of srvice and maintenance manuals up to overhaul level in addition to three sets of cut-away sections of the said bus main aggregates(engine,gear box,rear axle and differentials,etc).

1.8. Other requirements from Hyundai Corporation will be as indicated in its offer.

....

0232

2. Hyundai Chorus 25(25 seater) buses

2.1. Ninety HD Chorus 25 buses,1991 model,sand(desert) colour,standard type: US$ 2,110,050.

2.2. Ten HD Chorus 25 buses,any colour,equipped with A/CON, Power Steering and Tinted glass: US$ 257,310.

2.3 Five sets of S.S.T. for HD Chorus 25: US$ 2,545.

2.4. Same as in 1.4 hereinbefore.

2.5. Same as in 1.5 hereinbefore.

2.6. Same as in 1.6 hereinbefore,except the value of this item is: US$ 458,221.

2.7. Same as in 1.7 hereinbefore.

2.8. Same as in 1.8 hereinbefore.

****

SONATA 2.0 GLS   GRACE

- BASIC   9,493
- OPTION   800 (A/CON : 720 AUDIO 80)
- OCEAN FREIGHT   1,000
- INS   40
------------------------   ⓔ12,859 × 20 = 257,180
CIF PORT SAID   U$ 11,333   ⓔ11,056 × 20 = 221,120

ⓔ11,333 × 50 = 566,650   478,300

  566,650－478,300 = 88,350(○11,056×8＝88,448)

  GRACE 48台 감소 (320台 － 48台 = 272台)

SONATA 50台,   GRACE 272台

0234

現代綜合商事株式會社

現商自2 : 第 91-06-O44號   1991.   06.   27.

受　　信 : 중동아프리카국장

参　　照 : 중동 2과장

題　　目 : 이집트 무상원조의 件

     1.　我國의 對 이집트 무상원조 물자로 현대자동차 미니버스 및 관련 부품 공여 추진에 대한 지원에 감사드립니다.

     2.　귀부 공문 중동이 20005-28533(1991年 6月 22日字)으로 요청하신 12인승 미니버스 320台中 40台를 취소하고 대신 SONATA 2000CC 50台 및 부품을 공급 하는것은 전체구매 금액 700만불에 비추어 경비가 초과되지만 폐사에서 수용하기로 결정하였음을 통보합니다.

有　　添 : SONATA 2000CC 50台 가격표   - 끝 -

전 자 · 자 동 차 사 업 본 부

이　사　이　강　일

0235

SONATA 2000CC 가격

1. **차 종** : SONATA 2.0 GLS

   (WITHOUT AIRCON)

2. **가 격** : USD 8,845/UNIT

   (CIF PORT SAID)

3. **선 적** : 계약후 3개월

4. **기 타** : GRACE 280台 및 CHORUS 100台와 함께 계약 조건임.

0236

ATTN : 외무부 중동2과
허 덕행 서기관

1. 현대종합상사(주) 자체흡수時 손실금액

구 분	SONATA	GRACE
차 종	2.0 GLS(AIRCON 미부착)	12 SEATER (WITHOUT OPTION)
대당가격 (CIF PORT SAID)	U$ 10,613.-	U$ 11,056.-
SPARE PARTS	별도	상기 대당가격에 포함됨
TOTAL 수량 및 TOTAL 가격	50台 × U$10,613 = U$ 530,650 (A)	40台 × U$11,056 = U$ 442,240 (B)
흡수 불가피 손실	U$ 88,410(A-B) + SONATA 用 S/PARTS 가격	

※ (註) : SONATA用 S/PARTS는 GRACE 및 CHORUS S/PARTS 가격으로 배정된 U$ 1,047,531.-에서 공급.

2. SYRIA 비자 발급

1) 신   청 : 당사경우 SYRIA 현지 AGENT가 수속.
2) 비자신청시 필요사항 : · 본인 여권 DETAIL
                           · 부모 이름

0237

외 무 부

원 본

종 별 :

번 호 : CAW-0735

일 시 : 91 0620 1620

수 신 : 장관(중동이)

발 신 : 주 카이로 총영사

제 목 : 대주재국 군수물자 지원

대:중동이 20005-1509(91.6.8)

1. 대호 이집트 군사사절단장이었던 HAFEZ ABDEL MOTAGALLI 소장은 91.6.20. 본직에게 아래 요지를 통보해옴.

가. 동군사절단은 귀국후 TANTAWI 국방장관에게 방한결과를 구두 및 서면으로 보고했는바

나. 동국자방장관은 방한결과에 매우 만족하고 있으며, 금후 아국과의 군사분야 협력이 증대되기를 희망하고 있으며

다. 또한 동 장관은 HAFEZ 장군에게 한국측과 협의, 국방부의 주요 간부급 장성들이 현재 사용하고 있는 승용차를 모두 한국산으로 대체키 위하여, 동사절단 방한시 결정한 12 인승 미니버스 320 대중 40 대를 취소(따라서 12 인승은 280대가됨) 하고 대신 소나타 (2000CC) 50 대 및 부품(소나타 총 가격의 20 퍼센트) 으로 대체하도록 지시했음

2. 동장군은 상기 국방장관 지시에 따라 본직을 접촉, 상기 미니버스의 승용차 로의 대체가 실현되도록 협조를 요청해온바, 본직은 일단 당지 현대지사 대표와 접촉, 상기 사실을 통보하고 주재국측 요청이 실현되도록 협조요청했음.

3. 연이나 주재국측이 제시한 미니버스 40 대 가격은 소나타 50 대 가격에 다소 부족할 것으로 사료되는바, 주재국측은 주재국 군부에 의한 현대자동차의 대량 사용으로 인한 현대자동차의 대주재국 시장침부 및 선전 효과등을 고려할때 현대측이 이를 긍정적으로 받아들여 줄것을 강력히 요청하고 있는바, 정부차원 에서도 현대측과 협조, 주재국측 요청사항이 받아들여 지도록 선처 건의함. 끝.

(총영사 박동순-국장)

예고:91.12.31. 일반

검토필(1991.6.20.)

중아국	차관	1차보	2차보	외정실	분석관	청와대	안기부

PAGE 1

一般豫算檢討意見書

199 _1_ . _6_ . _21_ .   <u>중동2</u> 課

事 業 名	걸프사태관련 이집트 군수물자지원		
支辨科目	細 項	目	金 額
	_121_	_341_	$9,000,000.-

檢 討 意 見	
主 務 者	장무활동, 해외경상이관 이원액에서 집행
擔 當 官	"
調 整 官	"

검토의견

○ 중동 2과장이 외무부걸프사태 무상원조
  물자계약관으로 임명되었으므로 본건
  계약은 중동 2과장 명의로 함이 타당함.

○ 물품 단가등이 포함된 구체적인 수출
  계약서가 아닌 수출대행업체지정을
  주 내용으로 하는 계약체결은 총무과장
  명의로 하여도 문제점 없을 것으로 보임.

총무과 경리계
0239

28533

분류기호 문서번호	중동이 20005-	기 안 용 지 (720-2327)	시 행 상 특별취급	
보존기간	영구.준영구 10. 5. 3. 1	장 관		
수 신 처 보존기간				
시행일자	1991. 6.22.	예		

보조기관	국 장	전 결	협조기관		문 서 통 제
	심의관				
	과 장				발 송 인
기안책임자		허 덕 행			
경 유			발신명의		발송 1991. 6. 22
수 신		현대종합상사 사장 (주소: 서울시 종로구 계동 140-2 현대중합상사 주식회사)			
참 조					
제 목		이집트에 대한 무상원조 추진			

1. 91.5.30 - 6.8간 방한한 이집트 군수사절단은 아국의

대 이집트 무상원조 물자로 현대자동차 미니버스 420대(12인승 320대

및 25인승 100대)와 관련부품 공여를 요청하였습니다.

2. 이집트측은 동 요청을 일부 변경하여 12인승 320대에서

40대를 취소하고 대신 소나타 2000cc 50대 및 부품 (소나타 가격의

20%)공급을 요청한바 전체구매가 700만불에 비추어 경비가 초과

되더라도 시장 개척 및 선전효과등 부대효과를 감안, 가능한 이집트측

요청이 수용될 수 있도록 적극 검토하신후 결과를 지급 회신하여

이에 대해서는 주카이로 총영사의 각별한 건의가 있었음을

주시기 바랍니다. 끝. 첨기합니다.

0240

	분류번호	보존기간

발 신 전 보

번   호 : WCA-0473   910628 1627 CV   종별 :

수   신 : 주 카이로   //대//싸// 총영사

발   신 : 장 관   (중동이)

제   목 : 군수물자지원

대 : CAW-0735

1. 대호 지원품목 교체요청과 관련, 현대측과 교섭한바 이집트측 희망대로 옵션없는 12인승버스 40대 대신 소나타 2,000cc 승용차 50대를 지원키로 합의했음. 동 승용차지원에 따라 현대측은 통상공급 가격기준 약 9만불이 초과되어 당초 난색을 표명했으나 본부가 양국관계 개선차원에서 특별배려토록 강력히 요청함에 따라 수락키로 한 것인바 참고바람.

2. 동 합의에 따라 하기 공급계약을 6.30자 체결코자 추진중에 있으며, 동 지원물자의 선적기일은 9.30임을 참고바람. (차체도색등 상세는 리지 현대지사와 협의바람)

물 품	소 량	금 액 (단위:미불)
Grace 12인승 (비옵션)	260	2,874,560
동 12인승 (에어콘등 옵션포함)	20	257,180
12인승용 특별수리공구(S.S.T)	10	8,584
Chorus 25인승 (비옵션)	90	2,110,050
동 25인승(에어콘등 옵션포함)	10	257,310
25인승 특별수리공구(S.S.T)	5	2,545
Sonata 승용차 (2,000cc)	50	442,240
12인승, 25인승 버스 및 승용차부품	발주계약후 이집트측 신청에 따라 공급	1,047,531

검토필(1991.6.30.)

합계 : 7,000,000

(중동아국장 이 해 순)

보 안	호
통 제	

예고 : 91.12.31. 일반

앙고재	91년 6월 28일	중동 2과	기안자 성명 허미령		과 장 호	심의관 dp	국 장		차 관	장 관

외신과통제

0241

정 리 보 존 문 서 목 록					
기록물종류	일반공문서철	등록번호	2020110077	등록일자	2020-11-18
분류번호	721.1	국가코드	XF	보존기간	영구
명 칭	걸프사태: 주변국 지원, 1990-92. 전12권				
생 산 과	중동2과/북미1과	생산년도	1990~1992	담당그룹	
권 차 명	V.4 이집트 II: 1991.7-9월				
내용목차					

0001

관리 번호	91-754

분류번호	보존기간

발 신 전 보

번 호 : WCA-0482   910701 1850 CO 종별 :

수 신 : 주 카이로   //대사! 총영사

발 신 : 장 관   (중동이)

제 목 : 군수물자지원

연 : WCA - 0473

　　1.　연호 통보한 바와같이 현대측과 6.30자 공급 계약(7백만불)을
채결한바 주재국에 통보바람.

　　2.　동 차량은 기증효과를 감안, 9월말경 일괄 선적하여 11월 중순경
귀지도착시 기증식을 갖고 전달코자 하는바 무품도 함께 선적될 수 있도록 품목별
소요리스트를 조속 제출토록 조치바람.

　　　　　　　　　　　　　　　　　　　　(중동아국장 이 해 순)

예 고 : 91.12.31.까지

경토필(1991. 6. 30.

보 안 통 제	

앙 고 재	91 년 7 월 2 일	과	기안자 성명 허역행	과 장	심의관	국 장	차 관	장 관	
									외신과통제

0002

관리 번호	91/179

외 무 부

종 별 :

번 호 : CAW-0778

일 시 : 91 0706 1730

수 신 : 장관(중동이)

발 신 : 주 카이로 총영사

제 목 : 군수물자지원

대:1)WCA-0473(91.6.28)

2)WCA-0482(91.7.1)

1. 당관은 대호내용(품목별금액, 소나타 추가에 따른 변동상황, 계약체결 및 당지 물품도착 예정일등)을 주재국 국방부 관계당국에 봉보했으며, 품목별 부품 리스트의 조기제출을 요청중임.

2. 주재국 국방당국자는 현대측이 어려움에도 불구하고 주재국측 요청을 받아드린데 대해 현대측에 사의를 전해달라고 요청했음.

3. 동당국은 또한 소나타 50 대에 모두 에어컨을 설치해 줄것과 동설치비 36000 불은 대호(1)2 항, 부품경비 1,047,531 불 중에서 공제해 줄것을 요청해 온바, 현대측에 전달, 조치바람. 끝.

(총영사 박동순-국장)

예고:91.12.31. 일반

중아국

PAGE 1

91.07.06   23:42
외신 2과 통제관 FM

0003

걸프사태 : 주변국 지원, 1990-92. 전12권 (V.4 이집트 II: 1991.7-9월)   251

원　본

외　무　부

종　별 :

번　호 : CAW-0804

일　시 : 91 0715 0900

수　신 : 장관(중동이)

발　신 : 주 카이로 총영사

제　목 : 걸프사태관련 민수용 물자지원

대:WCA-0439

연:CAW-0677

대호, 민수물자 지원(8 백만불)관련 주재국 국제협력성과 협의한 내용 아래보고함.

1. 의료기기(6 백만불)

가. 주재국측은 아측이 제공한 공급가능 의료기기 품목을 검토한바, 동품목중에서 선택가능한 의료기기의 총금액은 140 만불내지 200 만불정도밖에 되지 않는다고 하며, 동잔액(460-400 만불)으로 아국산 소방차 또는 앰뷸란스를 구입하기를 희망하고 있는바, 구체적인 사항은 현재 협의중임.

나. 구체적인 의료기기 품목, 수량및 금액과 소방차및 앰브란스 명세에 관해서는 협의가 끝나는대로 추보위계임.

2. 직업훈련원(2 백만불)

주재국은 대호 직종 제한선택관련, 하기 7 개 직종을 당관에 봉보해 오면서아국 조사단의 조기 방문을 요청한바 동조사단의 방문시기, 구성등 조속 회시바람.

-CAR, EQUIPMENT ELECTRICIAN, TECHNICIAN (ZBENZINE, DIESEL)

-ELECTRIC INSTALLATION AND ELECTRIC MOTORS WINDING

-REPAIR, MAINTENANCE OF ELECTRONIC SETS(RADIO-TELEVISIONRECORDERS-VIDEO)

-REFRIGERATION AND AIR-CONDITIONING

HOME APPLIANCES(GAS, ELECTRIC)

-WORKSHOPS MACHINES

-WELDING. 끝.

(총영사 박동순-국장)

예고:91.12.31. 일반

중아국　　차관　　2차보　　경제국

| 관리
번호 | 91840 |

	분류번호	보존기간

발 신 전 보

WCA-0528   910727 1304   FO

번　　호 :　_____　종별 : _____

수　　신 :　주　카이로　　/대사/ 총영사

발　　신 :　장　관　　　(중동이)

제　　목 :　민수용 물자지원

　　　　대 : CAW - 0804

　　　　연 : WCA - 0439

　　1. 대호 주재국측이 제시한 7개 직종의 직업훈련원용 기자재 공급을 위한
기초 자료준비에 약 1개월 가량이 소요되며 또한 8월말 9월초순경 외빈 방한등
본부 사정상 조사단 파견은 9월 중순경 추진코저함.

　　2. 동 조사단 구성, 파견 일정등 상세는 추후통보 위계임.

　　　　　　　　　　　　　　　　　　　　(중동아국장 이 해 순)

예　고 : 91.12.31.까지

		보 안 통 제	초

앙 고 재	91년 7월 29일 중동2과	기안자 성명 허대행		과 장 초 여	심의관 전결	국 장	차 관	장 관 79시	외신과통제

0005

분류기호 문서번호	중동이20005- 35145		기안용지 (720-3869)		시 행 상 특별취급	
보존기간	영구.준영구 10. 5. 3. 1		장 관			
수 신 처 보존기간						
시행일자	1991. 7. 30.					
보조기관	국 장	전 결	협조기관		문 서 통 제	
	심의관	아				
	과 장	호				
기안책임자	허 덕 행				발 송 인	
경 유			발신명의			
수 신	수신처참조					
참 조						
제 목	이집트 국방부의 미니버스 구매					

　　　　1. '91.7.28. 이집트 국방부는 동부예산으로 12인승 및

25인승 버스를 각기 100대 및 500대 구입계획임을 주 카이로

총영사관을 통해 알려오면서 6개월간 유효한 가격오퍼를 요청해온바

별첨 조건을 참조, 동 버스 공급 오퍼를 8.2.(금) ~~까지~~한 당부

(중동2과)에 제출하여 주시기 바랍니다.

　　　　2. 동 오퍼는 ~~3~~ 파우치편으로 이집트측에 전달할

예정인바, 영문으로 작성하여 주시기 바랍니다.

　　　　　　　　　　　　　　　　　　/ 계 속.../

0006

첨 부 : 공급조건 리스트 1부. 끝.

수신처 : 기아자동차사장 (참조 : 수출3과 FAX : 784-0746)

아시아자동차사장 (참조 : 수출1과 FAX : 785-1485)

현대자동차사장 (참조 : 자동차부 FAX : 746-1080)

0007

대 한 민 국
외 무 부

중동이 20005- 3445   (720-3869)   1991. 7. 30.

수 신 : 수신처참조

제 목 : 이집트 국방부의 미니버스 구매

    1. '91.7.28. 이집트 국방부는 동부예산으로 12인승 및 25인승 버스를 각기 100대 및 500대 구입계획임을 주 카이로 총영사관을 통해 알려오면서 6개월간 유효한 가격오퍼를 요청해온바 별첨 조건을 참조, 동 버스 공급 오퍼를 8.2.(금)한 당부(중동2과)에 제출하여 주시기 바랍니다.

    2. 동 오퍼는 파우치편으로 이집트측에 전달할 예정인바, 영문으로 작성하여 주시기 바랍니다.

첨 부 : 공급조건 리스트 1부. 끝.

수신처 : 기아자동차사장 (참조 : 수출3과 FAX : 784-0746)

        아시아자동차사장 (참조 : 수출1과 FAX : 785-1485)

        현대자동차사장 (참조 : 자동차부 FAX : 746-1080)

외 무 부 장

중동아프리카국장 전결

0008

대 한 민 국 무 부

중동이20005-ㄹ5445   (720-3869)   1991. 7. 30.

수 신 : 수신처참조

제 목 : 이집트 국방부의 미니버스 구매

     1. '91.7.28. 이집트 국방부는 동부예산으로 12인승 및
25인승 버스를 각기 100대 및 500대 구입계획임을 주 카이로
총영사관을 통해 알려오면서 6개월간 유효한 가격오퍼를 요청해온바
별첨 조건을 참조, 동 버스 공급 오퍼를 8.2.(금)한 당부(중동2과)에
제출하여 주시기 바랍니다.

     2. 동 오퍼는 파우치편으로 이집트측에 전달할 예정인바,
영문으로 작성하여 주시기 바랍니다.

첨   부 : 공급조건 리스트 1부.   끝.

수신처 : 기아자동차사장 (참조 : 수출3과 FAX : 784-0746)

      아시아자동차사장 (참조 : 수출1과 FAX : 785-1485)

      현대자동차사장 (참조 : 자동차부 FAX : 746-1080)

외 무 부 장

중동아프리카국장 전결

0009

대 한 민 국
외 무 부

중동이 20005-35145   (720-3869)   1991. 7. 30.

수 신 : 수신처참조

제 목 : 이집트 국방부의 미니버스 구매

    1. '91.7.28. 이집트 국방부는 동부예산으로 12인승 및
25인승 버스를 각기 100대 및 500대 구입계획임을 주 카이로
총영사관을 통해 알려오면서 6개월간 유효한 가격오퍼를 요청해온바
별첨 조건을 참조, 동 버스 공급 오퍼를 8.2.(금)한 당부(중동2과)에
제출하여 주시기 바랍니다.

    2. 동 오퍼는 파우치편으로 이집트측에 전달할 예정인바,
영문으로 작성하여 주시기 바랍니다.

첨   부 : 공급조건 리스트 1부.   끝.

수신처 : 기아자동차사장 (참조 : 수출3과 FAX : 784-0746)

        아시아자동차사장 (참조 : 수출1과 FAX : 785-1485)

        현대자동차사장 (참조 : 자동차부 FAX : 746-1080)

외   무   부   장

중동아프리카국장   전결

0010

공급조건 LIST

1) 12 SEATERS, 25 SEATERS

2) OFFER SHOWS BASIC PRICE (CIF PORT SAID) AND PRICES OF OPTIONS
   (AIR-CONDITIONER AND TINTED GLASS, OTHER OPTIONS)

3) OFFER INCLUDES 2% OF CONTRACT VALUE FOR WARRANTY SPARE PARTS FOR
   INITIAL RUNNING

4) OFFER INCLUDE COST OF TRAINING 3 ENGINEERING OFFICERS FOR 2 WEEKS IN
   KOREA FOR MAINTENANCE AND REPAIR : ROUND-TRIP AIRFARE AND LOCAL LODGING
   AND TRAINING FEE TO BE INCLUDED

5) RECOMMENDED SPARE PARTS LIST TOGETHER WITH PRICE TO BE USED FOR 3 YEARS
   UPTO THE DEPOT LEVEL/OVERHAUL

6) LIST OF S.S.T (SPECIAL SERVICE TOOLS) UPTO OVERHAUL LEVEL AND ITS PRICE LIST

7) FULL LIST AND CATALOGUES OF SPARE PARTS AND THEIR PRICE LIST
   (MICRO FICHES)

8) 5 COPIES OF SERVICE MANUAL (AFFER SIGNING THE CONTRACT)

9) 3 SETS OF CUT-AWAY SECTION OF MAIN AGGREGATES (ENGINE, GEAR BOX,REARAXLE
   AND DEFFERENTIAL) IN THE FORM OF SLIDE FOR TRAINING BUYER'S MECHANICS.

10) MODEL YEAR MUST BE NOT OLDER THAN 1991

11) TO BE GUARANTEED FROM EPIDEMIC DEFECTS

12) THE BUYER RESERVES THE RIGHT TO AUGMENT THE QUANTITY BY UPTO 100% AT
    THE SAME TERMS AND CONDITIONS AFTER THE FIRST CONTRACT

13) SEALED ENVELOPE TO BE SUBMITTED

14) OFFERS SHOULD BE VALID FOR 6 MONTH AT LEAST.END

0011

現代綜合商事株式會社

現商自2 : 第 91-07- 199 號   1991. 07. 31
受　　信 : 외무부
參　　照 : 중동2과/정 진호 課長
題　　目 : 이집트向 무상원조 차량에 대한 부품

　　　　　1. 평소 지원에 감사드립니다.

　　　　　2. 수제건 차량 부품공급에 대한 91년 7월 10일 귀부에서의 실무회의와
관련, 부품 LIST를 유첨 합니다. 부품에 대한 가격, 납기는 다음과 같습니다.

- 다　　　　　음 -

1) 가격 및 납기 :

구　　　　분		가격 (단위:USD)		납　　　기
		FOB	CIF	
소나타 OPTION ITEM	AIR CON 50개	-	36,000	완성차에 취부되어 선적
	특별수리 공구 (S.S.T.)	14,260	15,000	완성차에 동시 선적
부　품	✳ GRACE 12인승용	470,683	522,610	부품에 대한 공급계약 체결 후 6개월 이내
	✳ CHORUS 25인승용	355,104	394,422	상　　　　동
	SONATA用 2% WARRANTY 부품	9,492	10,475	완성차에 동시 선적
	✳ 부품	62,144	69,024	부품에 대한 공급계약 체결 후 6개월 이내
합　　　계			1,047,531	

2) 부품 LIST :

구　　분	종　　　류	ORDER NO.
2% WARRANTY 부품	SONATA用	DO3MAXGAI
✳ 부품	GRACE 12인승용	DO3MAZIGAC
	CHORUS 25인승용	DO3AAZIGCC
	SONATA用	DO3MAXIGBI

3) 요청사항 :
1. 부품에 대한 선적은 공급계약 체결 후 6개월 이내 가능하나, 부품의 특성 및 보관기간(통상
　부품보관 기간은 2년) 감안, 장기보관시 부품의 변질이 예상되는 COLOR 품목, TRIM/SEAT 품목,
　고무제품 및 기타 이집트內 도로, 기후, 사용조건等을 종합고려 장기보관 및 관리가 부적합한
　부품에 대해서는 순차적 선적/납품이 바람직합니다.
2. 따라서 유첨 부품 LIST (✳ 표시분)上 품목에 대한 이집트측으로 부터의 품목별 선적/납기확정이
　요청됩니다.

※ 有 添 : 부품 LIST ---------- 2부   - 끝 -

　　　　　　　　　　　　　　　　　　　현 대 종 합 상 사 주 식 회 사
　　　　　　　　　　　　　　　　　　　대 표 이 사 박 세 용　　　0012

KIG 기아자동차

본사 : 서울시 영등포구 여의도동 15 ㈜ 150-706 여의 ○○○합 560 전화 : (02) 788-1114 FAX : 785-0257
소하리공장 전화 : 02 801-3114, FAX : 802-7198 아산만공장 : 전화 : (0339) 58-5100, FAX : 58-5100 (구내 3110)

기수출2(3)제 ○○○ 호   1991. 7. 31

수　　신 : 외부부장관

참　　조 : 중동2과

제　　목 : 이집트 미니버스 가격 OFFER 건

　　1. 귀부 공문 중동아20005-35445에 관한 건입니다.

　　2. 당사는 현재 EGYPT 국가에 대하여 거래가 없음을 알려드리며 당사가 EGYPT 국가도 당사 제품 수출시 당사의 해외 기술 제휴선인 MAZDA로 부터 수출 CONSENT를 획득하여야 하기 때문에 현재로서는 KIA가 DIRECT로 수출하기가 어려운 형편임을 알려드립니다.
다만 수출자가 국내 종합상사를 경유하여 수출시에는 수출이 가능함을 통보드리며, 본 건과 관련하여 당사와 현 거래관계가 있는 고려무역을 통하여 수출이 이루어질 수 있도록 적의 조치하여 주시기 바랍니다.　끝.

기아자동차 주식회사
대표이사 이　범

시본배부처 : 고려무역

관리 번호	9/ 745			

분류기호 문서번호	중동이20005- 1927	기 안 용 지 (720-3869)	시 행 상 특별취급	
보존기간	영구.준영구 10. 5. 3. 1	장 관		
수 신 처 보존기간				
시행일자	1991. 8. 2.	게		

보조 기관	국 장	전 결	협 조 기 관		문 서 통 제
	심의관	0건			
	과 장	상현			
기안책임자	허 덕 행			발 송 인

경 유		발신명의	
수 신	주 카이로 총영사		
참 조			
제 목	이집트 국방부의 미니버스 구입		

대 : CAW - 0849

이집트 국방부측에서 대호 요청한 자료를 별첨 송부합니다.

첨 부 : 1. (주) 아세아 자동차의 견적 및 관련자료.

2. (주) 현대 종합상사의 견적 및 관련자료.

예 고 : 91.12.31.까지

0014

FIRE FIGHTING TRUCKS AND AMBULANCE

I. FIRE FIGHTING TRUCKS
   1. MAKE   : HYUNDAI
   2. TYPE   : CHEMICAL
   3. QUANTITY   : 14 EACH
   4. VALUE   : US$ 2,193,268 CIF ALEX OR PORT SAID,
                   INCLUSIVE OF 2% WARRANTY SPARE PARTS
                   FOR INITIAL RUNNING.
   5. VALUE OF SPARE PARTS FOR THREE YEARS (18% OF TRUCKS
      VALUE) : US$ 438,654
   6. TOTAL VALUE : US$ 2,631,922

II. AMBULANCE
   1. MAKE   : HYUNDAI
   2. TYPE   : GRACE
   3. QUANTITY   : 103 EACH
   4. VALUE   : US$ 1,632,138 CIF ALEX OR PORT SAID,
                   INCLUSIVE OF 2% WARRANTY SPARE PARTS
                   FOR INITIAL RUNNING.
   5. VALUE OF SPARE PARTS FOR THREE YEARS (18% OF AMBULANCE
      VALUE) : US$ 326,428
   6. TOTAL VALUE : US$ 1,958,566

III. SPECIAL SERVICE TOOLS
   VALUE : US$ 16,943 CIF ALEX OR PORT SAID

GRAND TOTAL : US$ 4,607,431
(14 EA FIRE FIGHTING TRUCKS + 103 EA AMBULANCE UNITS 2% WARRANTY +
SPARE PARTS + 18% SPARE PARTS FOR 3 YEARS + SPECIAL SERVICE
TOOLS + TRAINING OF THREE ENGINEERS IN KOREA FOR 2 WEEKS)

0015

HYUNDAI CORPORATION

P.O.BOX K.P.O. 672, C.P.O. 8943
SEOUL KOREA

HEAD OFFICE
140-2, KYE-DONG, CHONGRO-KU
SEOUL KOREA

TELEX : K23175 HDCORP
CABLE : HDSANGSA SEOUL
TEL : 746-1019

O F F E R
=====

NO. J2-9107011

MESSRS.

DATE : JULY 01, 1991
OUR REF NO.: J2-070101
YOUR REF. NO.

GENTLEMEN
WE ARE PLEASED TO MAKE AN OFFER UNDER THE FOLLOWING TERMS AND CONDITIONS.

COMMODITY	: HYUNDAI AMBULANCE
QUANTITY	: 103 UNITS
AMOUNT(TOTAL)	: USD 1,632,138.-(CIF ALEXANDRIA OR PORT SAID, EGYPT)
PAYMENT	: CASH AGAINST DELIVERY
SHIPMENT	: WITHIN 4 MONTHS FROM CONTRACT DATE BY CAR-CARRIER;- PARTIAL SHIPMENT AND TRANSHIPMENT ALLOWED RESPECTIVELY.
PACKING	: UNBOXED
SHIPPING PORT	: KOREAN PORT
DISCHARGING PORT	: ALEXANDRIA OR PORT SAID(AVAILABLE PORT FOR CAR-CARRIER CALLING)
INSPECTION	: MAKER'S INSPECTION TO BE FINAL
ORIGIN	: REPUBLIC OF KOREA
VALIDITY	: JULY 31, 1991
WARRANTY	: SUBJECT TO THE WARRANTY COVERAGE CONDITIONS OF HYUNDAI MOTOR COMPANY IN THE TERRITORY WHERE VEHICLES BELONG TO.
REMARKS	: 1) OFFER INCLUDE COST OF TRAINING 3 ENGINEERING OFFICERS FOR 2 WEEKS IN KOREA FOR MAINTENANCE AND REPAIR.
	2) 2% OF CONTRACT VALUE FOR WARRANTY SPARE PARTS FOR INITIAL RUNNING AND 18% OF CONTRACT VALUE FOR RECOMMENDED SPARE PARTS FOR 3 YEARS IS USD 326,428 SEPERATED FROM ABOVE PRICE.

0016

```
=============================================================================
   DESCRIPTION                    Q'TY      U/PRICE       AMOUNT
   -------------------------------------------------------------------------

   HYUNDAI AMBULANCE, LEFT HANDLE

   A. BASIC PRICE                 103 UNITS  U$ 14,798.- U$ 1,524,194.-
   -------------------------------------------------------------------------

     FOB KOREA                    103 UNITS  U$ 14,798.- U$ 1,524,194.-
     OCEAN FREIGHT                103 UNITS  U$  1,000.- U$   103,000.-
     INSURANCE                    103 UNTIS  U$     48.- U$     4,944.-
   -------------------------------------------------------------------------

     CIF ALEXANDRIA OR PORT SAID, EGYPT 103 UNITS  U$ 15,846.- U$ 1,632,138.-
```

///

VERY TRULY YOURS,
HYUNDAI CORPORATION

Y. S. KOH, GENERAL MANAGER
AUTOMOBILE DEPT. II

0017

HYUNDAI CORPORATION

P.O.BOX K.P.O. 672, C.P.O. 8943
SEOUL KOREA

HEAD OFFICE
140-2, KYE-DONG, CHONGRO-KU
SEOUL KOREA

TELEX : K23175 HDCORP
CABLE : HDSANGSA SEOUL
TEL   : 746-1019

OFFER
= = = =
NO. J2-9107012

MESSRS.

DATE : JULY 01, 1991
OUR REF NO.: J2-070102
YOUR REF. NO.

GENTLEMEN

WE ARE PLEASED TO MAKE AN OFFER UNDER THE FOLLOWING TERMS AND CONDITIONS.

COMMODITY   : HYUNDAI LIGHT CHEMICAL FIRE FIGHTING TRUCK
QUANTITY   : 14 UNITS
AMOUNT(TOTAL)   : USD 2,193,268.-(CIF ALEXANDRIA OR PORT SAID, EGYPT)
PAYMENT   : CASH AGAINST DELIVERY
SHIPMENT   : WITHIN 6 MONTHS FROM CONTRACT DATE BY CAR-CARRIER, PARTIAL
                      SHIPMENT AND TRANSHIPMENT ALLOWED RESPECTIVELY.
PACKING   : UNBOXED
SHIPPING PORT   : KOREAN PORT
DISCHARGING PORT   : ALEXANDRIA OR PORT SAID(AVAILABLE PORT FOR CAR-CARRIER
                      CALLING)
INSPECTION   : MAKER'S INSPECTION TO BE FINAL
ORIGIN   : REPUBLIC OF KOREA
VALIDITY   : JULY 31, 1991
WARRANTY   : SUBJECT TO THE WARRANTY COVERAGE CONDITIONS OF HYUNDAI
                      MOTOR COMPANY IN THE TERRITORY WHERE VEHICLES BELONG TO.
REMARKS   : 1) OFFER INCLUDE COST OF TRAINING 3 ENGINEERING OFFICERS
                         FOR 2 WEEKS IN KOREA FOR MAINTENANCE AND REPAIR.
                      2) 2% OF CONTRACT VALUE FOR WARRANTY SPARE PARTS FOR
                         INITIAL RUNNING AND 18% OF CONTRACT VALUE FOR
                         RECOMMENDED SPARE PARTS FOR 3 YEARS IS USD 438,654
                         SEPERATED FROM ABOVE PRICE.

0018

DESCRIPTION	Q'TY	U/PRICE	AMOUNT

HYUNDAI LIGHT CHEMICAL FIRE FIGHTING TRUCK

A. BASIC PRICE	14 UNITS	U$ 150,192.-	U$ 2,102,688.-
FOB KOREA	14 UNITS	U$ 150,192.-	U$ 2,102,688.-
OCEAN FREIGHT	14 UNITS	U$ 6,000.-	U$ 84,000.-
INSURANCE	14 UNTIS	U$ 470.-	U$ 6,580.-
CIF ALEXANDRIA OR PORT SAID, EGYPT	14 UNITS	U$ 156,662.-	U$ 2,193,268.-

//

VERY TRULY YOURS,
HYUNDAI CORPORATION

Y. S. KOH, GENERAL MANAGER
AUTOMOBILE DEPT. II

0019

COLOR CHART
================

MODEL	Q'TY	COLOR	SAMPLE
GRACE	260	DESERT SAND	
CHORUS	100		
GRACE (WITH OPTION)	20	MARCH BLUE	
SONATA	50	BLACK	

0020

0021

8/10

SPECIFICATIONS

VEHICLE : HYUNDAI LIGHT CHEMICAL FIRE FIGHTING TRUCK

DIMENSIONS (mm)		
OVERALL LENGTH		8,280 APPROX
OVERALL WIDTH		2,480 APPROX
OVERALL HEIGHT		3,220 APPROX
TREAD FRONT		2,040
REAR		1,850
WHEEL BASE		5,700
GROUND CLARANCE		255
CREW		3 IN CAB + 3 IN AUX. CAB
PERFORMANCE		
MAX.SPEED Km/h		108.8
MAX.GRADEABILITY(tan θ)%		23.7
MIN.TURNING RADIUS(m)		7.85
ENGINE		
MODEL		D6BK
TYPE		4CYCLE,WATER COOLED DIRECT INJECTION DIESEL ENGINE
NO.OF CYLINDER		8IN LINE
PISTON DISPLACEMENT		7,545cc
MAX.OUTPUT		100ps/2,900rpm(JIS)
MAX.TORQUE		53Kg.m/1,400rpm(JIS)
TRANSMISSION	TYPE	5 FORWAD AND 1 REVERSE
	CONTROL	FLOOR SHIFT,MECHANICAL REMOTE CONTROL
AXLE REAR	TYPE	FULL FLOATING TYPE
	RATIO	5.571(HYPOID GEAR)
AXLE FRONT	TYPE	REVERSE ELLIOT ''I'' BEAM

0022

TIRE RADIAL	FRONT REAR	SINGLE 11.00 X 20-14PR DOUBLE 11.00 X 20-14PR
STEERING SYSTEM		BALL-NUT TYPE
BRAKE	ACTUATION PARKING	AIR OVER HYDRAULIC INTERNAL EXPANDING TYPE ON PROPELLER SHAFT
SUSPENSION SPRING	TYPE	SEMI-ELLIPTIC,LAMINATED LEAF SPRING WITH SHACKLE LINK
RADIATOR		CORRUGATED FIN TYPE WITH PRESSURE CAP AND SURGE TANK
FUEL TANK	CAPACITY	200 LITER
ELECTRICAL SYSTEM		24 VOLT,REGULATED CONTROL
BATTERY		12VOLT X 2,150AH AT 20HR RATE
PTO	TYPE	CLUTCH SUSPENDED FULL POWER PTO
WATER PUMP	TYPE CAPACITY	2 STAGE BALANCE TURBINE PUMP ABOVE 2,00L/MIN AT 8.5Kg/Cm2 ABOVE 1,400L/MIN AT 14Kg/Cm2
VACUUM PUMP	TYPE CAPACITY	ECCENTRIC ROTATED VANE PUMP AUTO STOP 660mmHg/30SEC.
WATER TANK	CAPACITY STRUCTURE	3,500L~4,000L STEEL WELDED TANK
LIQUID FOAM TANK	CAPACITY STRUCTURE	400L~600L STAINLESS STEEL WELDED TANK

NOTE : WE RESERVE THE RIGHT TO CHANGE DESIGN AND SPECIFICATION WITHOUT PRIOR NOTICE. (8/91)

0023

(Revised)

National Heart Institute — The List of Medical Equipment

Serial No.	Item No.	Description	Price CIF for one unit	Quantity	Total	Spare Parts	Total including Spare Parts
1	8	SURGICAL INTENSIVE CARE BED AND THEM FOR CHILDREN MODEL : CHS-E17-C	US 368.-	12	4,320	~432	4,320 / 4,752
2	10	MOBILE X RAY UNIT C) MODEL : HD100M-2 (100MA/100KVP)	US 11,100.-	2 / 3 (7)	33,300 / 22,200	3,330 / 2,220	36,630 / 24,420
3	15	DENTAL CLINIC INCLUDING DENTAL UNIT X-RAY UNIT (WITH OPERATING STOOL)	US 8,010.-	2 / 3	24,060 / 16,020	1,510 / 1,800	25,840 / 16,820
4	91	ANESTHETIC APPARATUS WITH SUITABLE MONITOR B) MODEL : ROYAL 88	US 15,998.-	4	67,960	3,398	71,358
	19	Surgical Hand Instrument (for Both General / Orthopedic & Neuro / oral Surgery)	US 81,562	1	81,562	—	81,562
5	22	BED SIDE MONITOR (2 CHANNEL) CARDIOSCOPE FOR ECG HR BLOOD PRESSURE (NON-INVASIVE) A) MODEL : SE-351 WITH YSI 401	US 2,428.-	20	48,400	2,420	50,820
6	24	ECHO DOPPLER COLOURED MACHINE MODEL : ECHO-SOUNDER ES-103 MIC	US 668.-	4	2,640	132	2,772
7	25	TEACHING AUDITORIUM EQUIPMENT (AUDIOVISUAL AIDS) TO TRANSFER OPERATIONS TO 160 AUDIANTS	US 97,200.-	1	97,200	4,860	102,060
					258,740 / 262,212	14,262 / 10,190	273,002

0024

Serial No.	ITEM No.	Description	Price CIF for one unit	Quantity	Total	Spare Parts	Total including Spare Parts
1	3	ELECTRICALLY ADJUSTABLE OPERATING TABLE	US$ 11,640.-	2	23,280	1,124	24,404
2	5	INTENSIVE CARE BED MODEL : CHS 1000	US$ 630.-	22	13,860	1,172	13,860
3	6	BED SIDE CABINET MODEL : CHS-E17-MF	US$ 168.-	15	2,400	1,220	2,400
4	7	OVER BED TABLE WITH CHANGABLE HEIGHT MODEL : CHS BSC	US$ 240.-	17	4,080	480	4,080
5	14	DENTAL UNIT WITH AUTOMATIC DENTAL CHAIR (WITH OPERATING STOOL, WITHOUT X-RAY) MODEL : CHS-OBT	US$ 6,408.-	30	192,000	9,600	201,600
6	15	DENTAL CLINIC INCLUDING DENTAL UNIT X-RAY UNIT (WITH OPERATING STOOL)	US$ 8,818.-	10	80,100	4,005	84,105
7	16	ANESTHETIC APPARATUS WITH SUITABLE MONITOR B) MODEL : ROYAL 83	US$ 16,998.-	2	33,980	1,699	35,679
8	17	DIATHERMY MODEL : SURGITOM 170 B	US$ 6,280.-	2	12,560	628	13,188

Faculty of Dentistry
Cairo University

The List of Medical Equipment

Serial No.	ITEM No.	Description	Price CIF for one unit	Quantity	Total	Spare Parts	Total including Spare Parts
9	18	AUTOMATIC X-RAY DEVELOPER A) MODEL : JUPIT-908	U$ 14,190.-	2	28,380	2,838	31,218
10	19	SURGICAL HAND INSTRUMENT FOR ORAL AND MAXILLOFACIAL SURGERY (100 BEDS, GENERAL/ORTHOPAEDIC & NEURO/ORAL SURGERY)	U$ 81,562.-	1	81,562	(4,078)	81,562 85,640
					467,312 472,202	24,784 19,894	492,096

Azhar University

The List of Medical Equipment

Serial No.	ITEM No.	Description	Price CIF for one unit	Quantity	Total	Spare Parts	Total including Spare Parts
1	3	ELECTRICALLY ADJUSTABLE OPERATING TABLE MODEL : CHS-1000	U$ 11,640.-	10	116,400	5,820	122,220
2	4	SUCTION APPARATUS A) MODEL : CHS-EV	U$ 1,170.-	10	11,700	-,585	12,285
3	5	INTENSIVE CARE BED MODEL : CHS-E17-MF	U$ 630.-	10	6,300	-,315	6,300 / 6,615
4	6	BED SIDE CABINET MODEL : CHS-BSC	U$ 160.-	10	1,600	-,000	1,600 / 1,600
5	7	OVER BED TABLE WITH CHANGABLE HEIGHT MODEL : CHS-OBT	U$ 240.-	10	2,400	-,120	2,400 / 2,520
6	8	SURGICAL INTENSIVE CARE BED AND THEM FOR CHILDREN MODEL : CHS-E17-C	U$ 360.-	10	3,600	-,360	3,600 / 3,960
7	13	ULTRASOUND APPARATUS LINEAR/SECTOR/CONVEX (WITH SPARE PARTS) B) MODEL : SONOACE-4500D	U$ 55,310.-	1	55,310	5,531	60,841

0028

Serial No.	ITEM No.	Description	Price CIF for one unit	Quantity	Total	Spare Parts	Total including Spare Parts
8	16	ANESTHETIC APPARATUS WITH SUITABLE MONITOR B) MODEL : ROYAL 88	US 16,990.-	10	169,900	8,495	178,395
9	17	DIATHERMY MODEL : SURGITOM 170-B	US 6,280.-	3	18,840	-,942	19,782
10	22	BED SIDE MONITOR (2 CHANNEL) CARDIOSCOPE FOR ECG HR BLOOD PRESSURE (NON-INVASIVE) A) MODEL : SE-351 WITH YSI 401	US 2,420.-	10	24,200	1,210	25,410

11	1-1 Similar	DIAGNOSTIC ULTRASOUND SCANNER
		MODEL : SONOACE-4500
		. MAIN BODY WITH
		  BUILT-IN TROLLEY
		. 3.5MHZ ELECTRONIC
		  LINEAR PROBE
		. 3.5MHZ ELECTRONIC
		  COMNEX PROBE
		. SECTOR PROBE
		. MULTIFORMAT CAMERA
		  (MATRIX, 6 FRAME)
		. STANDARD ACCESSORIES
			US 36,080.-	1	36,080	2,242
						2,699
						4,804
							88,322
							48,050
							37,884

Azhar University   The List of Medical Equipment

Serial No.	ITEM No.	Description	Price CIF for one unit	Quantity	Total	Spare Parts	Total including Spare Parts
12	2-2	2.2 DIAGNOSTIC ULTRASOUND SCANNER MODEL : SONOACE-88 . MAINBODY WITH BUILT-IN MONITOR . 3.5MHZ LINEAR PROBE . EXTERNAL KEYBOARD . EXTERNAL MONITOR(9") . MOBILE CART . STANDARD ACCESSORIES	U$ 7,500.-	2	15,000.	-,750	15,750
13	3	3 PATIENT MONITOR WITH (MODEL : SE-485) PORTABLE RECORDER (MODEL : SE-132R) ≠ OPTIONAL ACCESSORIES	U$ 5,610.-	2	11,220	-,561	11,781
		A) PRESSURE TRANSDUCER (2EA)	U$ 1,410.-	1	1,410	—	1,410
		B) TEMPERATURE PROBE YSI 401	U$ 125.-	1	-,125	—	-,125
		C) TEMPERATURE PROBE YSI 402	U$ 160.-	1	-,160	—	-,160

0029

Tanta University The List of Medical Equipment

Serial No.	ITEM No.	Description	Price CIF for one unit	Quantity	Total	Spare Parts	Total including Spare Parts
1	1	C-ARM WITH TWO MONITORS A) MODEL : EC-1001 HQ	U$ 51,290.-	1	51,290	2,565	53,855
2	2	SURGICAL UROLOGY TABLE MODEL : CHS-KWON'S 87	U$ 17,350.-	1	17,350	-,867	18,217
3	10	MOBILE X-RAY UNIT C) MODEL : HD100M-2 (100MA/100KVP)	U$ 11,100.	1	11,100	1,110	12,210
4	13	ULTRASOUND APPARATUS LINEAR-SECTOR-CONVEX (WITH SPARE PARTS) B) MODEL : SONOACE-4500D	U$ 55,310.-	1	55,310	5,531	60,841
5	16	ANESTHETIC APPARATUS WITH SUITABLE MONITOR B) MODEL : ROYAL 88	U$ 16,990.-	1	16,990	-,850	17,840
6	17	DIATHERMY MODEL : SURGITOM 170-B	U$ 6,200.-	to 11	68,080 / 62,820	3,160 / 3,110	92,248 / 65,540
7	18	AUTOMATIC X-RAY DEVELOPER A) MODEL : JUPIT-988	U$ 14,190.-	2	28,380 / 14,190	1,419	29,799 / 15,609

Tanta University   The List of Medical Equipment

Serial No.	ITEM No.	Description	Price CIF for one unit	Quantity	Total	Spare Parts	Total including Spare Parts
	19.	Surgical Hand Instrument	U$ 81,562	1	81,562	—	81,562
8	24	ECHO DOPPLER COLOURED MACHINE	U$ 668.-	4	2,640.	-,132	2,772
		MODEL : ECHO SOUNDER ES-103 MIC					
9	25	TEACHING AUDITORIUM EQUIPMENT (AUDIOVISUAL AIDS) TO TRANSFER OPERATIONS TO 160 AUDIENCE	U$ 97,200.	1	97,200	4,060	102,060
					U$ 333,702	U$ 15,642	U$ 349,344

349, 344

Benha University   The List of Medical Equipment

Serial No.	ITEM No.	Description	Price CIF for one unit	Quantity	Total	Spare Parts	Total including Spare Parts
1	4	SUCTION APPARATUS A) MODEL : CHS-EV	U$ 1,170.--	10	11,700	1,505	42,205
2	5	INTENSIVE CARE BED MODEL : CHS-E17-MF	U$ 630.--	10	6,300	1,515	6,649
3	6	BED SIDE CABINET MODEL : CHS-BSC	U$ 160.-	10	1,600	1,060	4,609
4	7	OVER BED TABLE WITH CHANGABLE HEIGHT MODEL : CHS-OBT	U$ 240.-	10	2,400	1,120	2,520
5	8	SURGICAL INTENSIVE CARE BED AND THEM FOR CHILDREN MODEL : CHS-E17-C	U$ 360.--	10	3,600	1,360	3,960
6	9	X-RAY SYSTEM FOR FLUOROSCOPY AND RADIOGRAPHY A) 500MA/150KVP RADIOGRAPHIC/FLUOROSCOPIC W/TV I.I SYSTEM	U$ 55,630.	1	55,630	2,896	58,412
7	10	MOBILE X-RAY UNIT C) MODEL : HD100M-2 (100MA/100KVP)	U$ 11,100.	1	11,100	1,110.	12,210

Benha University　　　　The List of Medical Equipment

Serial No.	ITEM No.	Description	Price CIF for one unit	Quantity	Total	Spare Parts	Total including Spare Parts
8	13	ULTRASOUND APPARATUS LINEAR/SECTOR/CONVEX (WITH SPARE PARTS) B) MODEL : SONOACE-4500D	US 55,318.-	1	55,310	5,531	60,841
9	16	ANESTHETIC APPARATUS WITH SUITABLE MONITOR B) MODEL : ROYAL 88	US 16,998.-	5	84,950	4,248	89,198
10	17	DIATHERMY MODEL : SURGITOM 170-B	US 6,288.-	5	31,400	1,570	32,970
11	18	AUTOMATIC X-RAY DEVELOPER A) MODEL : JUPIT 988	US 14,190.-	1	14,190	1,419	15,609
12	20	ANTI-BED SORE MATRESS WITH ITS COMPRESSOR	US 538.-	5	2,690 (4,590)	4,079	2,690 (1,669)
13	22	BED SIDE MONITOR (2 CHANNEL) CARDIOSCOPE FOR ECC HR BLOOD PRESSURE (NON-INVASIVE) A) MODEL : SE-351 WITH YSI-401	US 2,428.-	10	24,200	1,210	25,410
14	23	X-RAY SYSTEM FOR CASUALTY MODEL : 388MA/125KVP X-RAY SYSTEM	US 14,638.-	1	14,630	1,357 (4,463)	15,887 (46,093)

0033

Benha University

The List of Medical Equipment

Serial No.	ITEM No.	Description	Price CIF for one unit	Quantity	Total	Spare Parts	Total including Spare Parts
15	1-1	DIAGNOSTIC ULTRASOUND SCANNER MODEL : SONOACE-450B . MAIN BODY WITH BUILT-IN TROLLEY . 3.5MHZ ELECTRONIC LINEAR PROBE . 3.5MHZ ELECTRONIC CONVEX PROBE . SECTOR PROBE . MULTIFORMAT CAMERA (MATRIX, 6 FRAME) . STANDARD ACCESSORIES	US 36,080.-	1	36,080	2,242 4,804	38,322 97,884
16	2-2	DIAGNOSTIC ULTRASOUND SCANNER MODEL : SONOACE-88 . MAINBODY WITH BUILT-IN MONITOR . 35MHZ LINEAR PROBE . EXTERNAL KEYBOARD . EXTERNAL MONITOR(9") . MOBILE CART . STANDARD ACCESSORIES	US 7,500.-	1	7,500	-,374	7,874

A. LATHE

NO	ITEM	CIF ALEXANDRIA (BY SEA)	RECOMMENDED Q'TY (FOR 15 STUDENTS)	
1	PLAIN VICE	U$ 59.12	15	886.80
2	LATHE	10,502.83	15	157,542.45
3	HORIZONTAL MILLING MACHINE	19,260.79	3	57,782.37
4	UNIVERSAL MILLING MACHINE	22,231.34	3	66.694.0
5	VERTICAL MILLING MACHINE	19,177.33	3	57,531.9
6	PRECISION SURFACE GRINDING MACHINE (L)	29,020.76	2	58.041.5
7	UNIVERSAL CYLINDRIC GRINDING MACHINE	28,728.66	1	
8	UNIVERSAL TOOL & CUTTER GRINDER MACHINE	8,858.55	1	
9	PRECISION SURFACE GRINDING MACHINE (S)	15,099.69	1	
10	CARBIDE TOOL GRINDER	688.50	1	
11	BENCH TYPE DRILLING MACHINE	729.85	3	2189.5
12	HYDRAULIC POWER HACK SAW MACHINE	7,867.76	1	
13	PRECISION SURFACE PLATE	706.78	5	3533.90
14	BITE WELDING MACHINE	4,254.77	1	

#46P. 700 53

0035

F. WELDING

NO	ITEM	CIF ALEXANDRIA (BY SEA)	RECOMMENDED Q'TY (FOR 15 STUDENTS)	
1	PLAIN VICE	U$ 59.12	15	886 80
2	BENCH TYPE DRILLING MACHINE	729.85	3	2189 55
3	HYDRAULIC POWER HACK SAW MACHINE	7,867.76	1	
4	BENCH GRINDER	150.18	3	450 54
5	ELECTRIC DISK GRINDER	135.84	5	679 20
6	PRECISION SURFACE PLATE	706.78	3	2120 34
7	GAS WELDING MACHINE SET	250.23	5	1251 15
8	GAS CUTTING TORCH SET	250.23	5	1251 15
9	HEATING TORCH SET	312.40	5	1562 00
10	AC ARC WELDER	462.59	5	2312 95
11	DC GUAGING & WELDING MACHINE	3,275.07	1	
12	AIR SPOT WELDING MACHINE	3,804.48	1	
13	TIG WELDING MACHINE	2,874.29	1	
14	MIG WELDER (1)	4,519.52	1	
15	HIGH-SPEED UNIVERSAL HYDRAULIC PRESS	25,658.64	1	
16	ELECTRIC WATER PRESSURE TESTER	5,107.24	2	10,714 48
17	DRYING OVEN	3,614.17	2	7228 34

$78,146 26

0036

I. ELECTRONICS MAINTENANCE

ITEM	CIF ALEXANDRIA	RECOMMENDED QUANTITY(15 PERSONS)	
BASIC			
Q METER	1,651.26	2	us$ 3.702.52
DECADE CAPACITOR	337.98	30	10.139.40
DECADE INDUCTOR	385.97	30	11.579.10
DECADE RESISTOR	399.87	30	11.996.10
ATTENUATOR	331.79	5	1.658.95
PLC TRAINER KIT	7,473.02	5	37.365.10
SCR TRAINER	2,513.47	8	20.107.76
OSCILLOSCOPE	598.63	15	8.979.45
DIGITAL MULTIMETER	290.99	15	4364.85
GALVANOMETER	140.40	5	702.00
AC AMMETER	84.49	15	1.267.35
AC VOLTMETER	84.49	15	,,
DC AMMETER	84.49	15	,,
DC VOLTMETER	84.49	15	,,
DOUBLE BRIDGE	843.57	5	4.217.85
KOHLAUSCH BRIDGE	843.57	5	4.217.85
MEGGER	210.72	5	1.053.60
DC POWER SUPPLY	333.29	15	4.999.35
LOGIC TESTER	290.40	15	4.356.00
ELECTRONIC CIRCUIT TRAINER	2,346.28	15	35.194.20
HIGH VOLT METER	1,927.51	5	9.637.55
WHEATSTONE BRIDGE	606.61	5	3.033.05
DIGITAL LCR METER	1,310.31	5	6.551.55

0037

ITEM	CIF ALEXANDRIA	RECOMMENDED QUANTITY(15 PERSONS)	
LOGIC CIRCUIT TRAINER	780.08	15	US$ 11,701.20
IC TESTER	1,239.67	5	6,198.35
OP AMP TRAINER	993.79	15	14,906.85
BREAD BOARD	331.52	15	4,972.80
X-Y PLOTTER	624.66	5	3,123.30
MICRO PROCESS TRAINING KIT	1,246.86	15	18,702.90
SERVO TRAINER	2,073.55	15	31,103.25
VARIABLE AC/DC POWER SUPPLY	387.74	5	1,938.70
A/D CONVERT	330.86	15	4,962.90
D/A CONVERT	330.86	15	''
POWER FACTOR	211.31	5	1,056.55
WATTMETER	211.31	5	''
DC POWER SUPPLY TRAINER	913.48	15	13,702.20
			US$ 306,914.08
COMMUNICATION			
AM RECEIVER	2,000.17	15	30,002.55
AM TRANSMITTER	2,070.19	15	31,052.85
ELECTRONIC COMMUNI-CATION TRAINER	9,509.60	5	47,548.00
FM TRANSMITTER TRAINER	1,413.98	5	7,069.10
MICROWAVEW TRAINER	8,707.08	5	43,635.40
			US$ 159,308.20

0038

ITEM	CIF ALEXANDRIA	RECOMMENDED QUANTITY(15 PERSONS)	
AUDIO & VIDEO			
RF SIGNAL GENERATOR	5,506.52	15	US 82.597.⁸⁰
FM STEREO SIGNAL GENERATOR	2,342.23	15	35,133.⁴⁵
AC LEVEL METER	208.22	15	3,123.¹⁰
PULSE GENERATOR	1,129.81	15	16,947.¹⁵
DISTORTION METER	1,131.07	15	16,916.⁰⁵
FREQUENCY COUNTER	579.67	15	8,695.⁰⁵
TV TRAINER	3,321.35	5	16,606.⁷⁵
PATTERN GENERATOR	689.60	5	3,448.⁰⁰
EP ROM PROGREMMER	1,046.71	5	5,233.⁵⁵
EP ROM ERASER	276.19	5	1,380.⁹⁵
AUDIO GENERATOR	497.18	15	7,457.⁷⁰
			US 197,597.⁷⁵

999,947.⁷²

④

J. ELECTRIC INSTALLATION

ITEM	CIF ALEXANDRIA		RECOMMENDED QUANTITY(15 PERSONS)	
BASIC				
STROBOSCOPE	1405.42		5	US$ 7.027.10
SCR TRAINER	2513.47		15	37.702.05
SLIDE RESISTOR	141.35		15	2.120.25
DECADE CAPACITOR	337.98		15	5.069.70
DECADE INDUCTOR	385.97		15	5.789.55
DECADE RESISTOR	399.87		15	5.998.05
WHEATSTONE BRIDGE	606.61		5	3.033.05
KELVINBRIDGE	843.57		5	4.217.85
EARTH TESTER	210.72		5	1.053.60
MEGGER	210.72		5	〃
GALVANOMETER	140.40		5	702.00
VARIABLE AC/DC SUPPLY	387.74	+ 1163.22	~~5~~ 8	3.101.92
GROWLER	608.36		2	1.216.72
				US$ 76.822.92
INSTALLATION				
HIGH VOLT METER	1927.51		5	9.637.55
X-Y PLOTTER	624.66		5	3.123.30
INDUCTION VOLTAGE REGULATOR	2516.88		2	5.033.76
OIL INSULATION TESTER	1417.09		2	2.834.18
AUTOMATIC VOLTAGE REGULATOR	2559.82	+ 7679.46	~~2~~ 5	12.799.10
AC LEVEL METER	208.22		15	3.123.30
DIGITAL MULTMETER	290.99		15	4.364.85

0040

ITEM	CIF ALEXANDRIA	RECOMMENDED QUANTITY(15 PERSONS)	
CVCF POWER SUPPLY	937.70	15	*us 14.065.¹²*
ELECTRONIC LOAD	1,240.34	5	*6.201.⁹⁰*
2CH OSCILLOSCOPE	598.63	15	*8.979.⁴⁵*
DIGITAL LCR METER	1,310.31	15	*19.654.⁶⁵*
AC AMMETER	84.49	15	*1.267.³⁵*
AC VOLTMETER	84.49	15	*"*
DC AMMETER	84.49	15	*"*
DC VOLTMETER	84.49	15	*"*
POWER FACTOR	211.31	5	*1.056.⁵⁵*
WATTMETER	211.31	5	*"*
FREQUENCY COUNTER	579.67	15	*8.195.⁰⁵*
THERMOMETER	211.43	5	*1.057.¹⁵*
COIL WINDING MACHINE	210.99	2	*421.⁹⁸*
PUNTURE TESTER	608.36	2	*1.216.⁷²*
			us 100.911.⁴⁸

9 APPLIED PART

ITEM	CIF ALEXANDRIA	RECOMMENDED QUANTITY(15 PERSONS)	
PNEUMATIC HYDRAULIC SYSTEM	15,351.15	5	*76.755.⁹⁵*
ATTENUATOR	331.79	15	*4.976.⁸⁵*
DISTORTION METER	1,131.07	15	*16.966.⁰⁵*
SET FOR PLOTTING CHARACTERISTICS OF ELECTRICAL MACHINERY	12,900.66	2	*25.801.³²*
SERVO TRAINER	2,073.55	15	*31.103.²⁵*
MODULE EXPERIMENTAL SYSTEM	2,346.28	15	*35.194.²⁰*
PLC TRAINER	7,473.02 *+ 7.473.⁰²*	~~5~~6	*44.838.¹²*
			us 228.162.⁹²

0041

⑥

ITEM	CIF ALEXANDRIA	RECOMMENDED QUANTITY(15 PERSONS)	
9 **ELECTRONICS**			
AUDIO GENERATOR	497.18	15	us$ 7.457.⁹⁰
DC POWER SUPPLY TRAINER	913.48	15	us$ 13.702.²⁰
D/A INVERTER	331.68	5	1.658.⁴⁰
DC POWER SUPPLY	333.29	15	4.999.³⁵
BREAD BOARD	331.52	15	4.972.⁸⁰
RF SIGNAL GENERATOR	5,506.52	15	12.597.⁸⁰
LOGIC DEMON SYSTEM	3,330.88	15	49.963.²⁰
D/A CONVERTER	330.86	15	4.962.⁹⁰
A/D CONVERTER	330.86	15	4.962.⁹⁰
			us$ 175.277.⁴⁵

0042

	분류번호	보존기간

발 신 전 보

번   호 : WCA-0589   910828 1725 FG 종별 : <u>지급</u>

수   신 : 주 카이로   <del>대사</del> 총영사
                    (중동이)

발   신 : 장 관

제   목 : 군수물자 지원

　　　　대 이집트 군수물자 (차량) 지원 관련 현대측은 수신처 지정을 요청하여
왔는 바(8.30.선적예정) 지급 확인 보고바람.   끝.

　　　　　　　　　　　　　　　　　　　　　(중동아국장 이 해 순)

예   고 : 1991.12.31.일반

	보 안 통 제	초

앙 고 재	91년 8월 28일	중동아 과	기안자 성명 김철호	과 장 초	국 장 전결	차 관	장 관 91	외신과통제

0043

現代綜合商事株式會社

現商自2 : 第 91-09-023 號   1991. 09. 04
受　信 : 외무부장관
參　照 : 중동2과장
題　目 : 입금 요청

1. 貴部의 평소 협조에 감사드립니다.

2. 아래 경제원조용 차량에 대하여 입금 요청하오니 선처바랍니다.

- 아　　래 -

　　1) 국가　　　　 : EGYPT

　　2) 차종및 수량 : GRACE　 280台
　　　　　　　　　　 SONATA　 42台
　　　　　　　　　　 CHOURS　 42台

　　　　　　　　　　 計　 364台

　　3) 선적일　　　 : 1991. 9. 1
　　　 도착 예정일 : 1991. 10. 1
　　　 선　명　　　 : MAERSK SEA

　　4) 금액　　　　 : U$ 4,436,308.07

　　5) 당사구좌번호: 한국외환은행 계동지점
　　　　　　　　　　 A/C NO. 117-11-00105-2

유　첨 : 선적서류 ORIGINAL 4 SETS

서울특별시 종로구 계동 140의 2번지
現代綜合商事株式會社
代表理事 朴 世 勇

0044

┌──────────┐
│ 관리 │ 91 │
│ 번호 │/106│
└──────────┘

외 무 부

종   별 :

번   호 : CAW-0944   일   시 : 91 0905 0945

수   신 : 장관(중동이)

발   신 : 주 카이로 총영사

제   목 : 군수물자 지원

대:WCA-0589

대이집트 지원 군수물자(차량)의 B/L 상의 수취인 및 기재사항은 아래와 같음.

-수취인: ARMAMENT AUTHORITY

MINISTRY OF DEFENCE OF ARAB REPUBLIC OF EGYPT, CAIRO, EGYPT

-기재사항: . 자동차의 종류

. 샤시번호

. 엔진번호

. 동차량이 기증임을 표시.끝.

(총영사 박동순-국장)

예고:91.12.31. 일반

중아국

분류기호 문서번호	중동이20005- 기안	기 안 용 지 (720-3869)	시 행 상 특별취급	
보존기간	영구.준영구 10. 5. 3. 1	장 관		
수 신 처 보존기간				
시행일자	1991. 9. 6.			

<table>
<tr><td rowspan="3">보
조
기
관</td><td>국 장</td><td>전 결</td><td rowspan="3">협
조
기
관</td><td></td><td colspan="2">문 서 통 제</td></tr>
<tr><td>심의관</td><td></td><td></td><td colspan="2">1991.9.07</td></tr>
<tr><td>과 장</td><td></td><td></td><td colspan="2"></td></tr>
<tr><td colspan="3">기안책임자 김 철 호</td><td></td><td colspan="2">발 송 인</td></tr>
<tr><td>경 유</td><td colspan="2" rowspan="3"></td><td rowspan="3">발
신
명
의</td><td></td><td colspan="2" rowspan="3">발 송
1991.9.01
외무부</td></tr>
<tr><td>수 신</td><td>주 카이로 총영사</td></tr>
<tr><td>참 조</td></tr>
<tr><td>제 목</td><td colspan="2">선적서류 송부</td><td></td><td></td></tr>
</table>

91.9.1자 선적된 차량 선적서류를 별첨과 같이 송부합니다.

첨   부 : 선적서류 2부.   끝.

0046

現代綜合商事株式會社

現商自2 : 第 91-09-*09*號　　　　　　　　　　1991.　09.　06
受　　信 : 외무부 중동2과장
參　　照 : 김 철호
題　　目 : 이집트向 부품공급

    1. 귀 부처의 평소 협조와 지원에 감사드립니다.

    2. 당사는 아래와 같이 EGYPT向 부품을 선적코자 하오며 공급계약은 하기 사항에 대한 검토후 구체안을 작성하여 체결코저 하오니 협조하여 주시기 바랍니다.

— 아　　　　　　래 —

    가) WARRANTY 부품 및 S.S.T. LIST : 9月 20日경 선적 예정이며 선적 일정
                                                     확정후 통보 하겠음.

    나) A/S 부품 : 전체금액의 30~40%는 1차로 11月中에 선적하고 잔여분은
                        매월 적정량 선적하여 계약후 1년내 선적 완료 예정임.

    다) 기　　타 : 부품은 귀부처에 旣 제출한 LIST를 근거로하여 공급
                   코저하며 이집트측의 특별 요청이 있을 경우에는 계약금액
                   한도에서 품목 및 수량을 조정코저 함. 끝.

現　代　綜　合　商　事　株　式　會　社
自　　　動　　　車　　　部
理　事　李　　康　　壹

0047

對 EGYPT 無償供與 準備現況

1991. 9. 20

A. 희망품목 조정 과정

 1991. 2   수혜국으로부터 자동차류(AMBULANCE, TRUCK ETC.)

            군장비류(군복, 화생방 보호장비 외) 등의 지원 요청을 받고

            CATALOGUE 및 가격 통보

 1991. 5   수혜국으로부터 의료기기 및 직업 훈련원 장비 품목 리스트

            접수하여 당사 검토 의견서(국문·영문) 제출.

 1991. 8   당사 자료 검토후 수혜국으로부터 의료기기중 일부 국산 가능한

            품목과 직업 훈련원 장비중 일부 공과(工科)에 필요한 장비

            요청을 받음.

 1991. 9   현지 조사단 파견을 위한 자료 준비중임.

B. 자료준비 현황

 1. 의료기기

    수혜국이 요청한 품목중에서 국산 제품으로 공급이 가능한 품목과 동일

    하지는 않지만 거의 유사한 형태로 공급 가능한 국산 의료기기를 중심으로

    CATALOGUE 및 가격을 준비중임. 품목은 별첨서류 참조.

 2. 직업 훈련원 장비

    - 수혜국의 최종 희망 TRAINING COURSE.

      · CAR EQUIPMENT ELECTRICIAN, TECHNICIAN(BENZINE, DIESEL):자동차 정비

      · ELECTRIC INSTALLATION AND ELECTRIC MOTOR WINDING:전기기기,전기공사

      · REPAIR MAINTENANCE OF ELECTRIC SETS(RADIO,TV,RECORDERS,VIDEO):전자수리

      · REFRIGERATION AND AIR-CONDITIONING : 냉동기계

3-1

0048

· WORK SHOP MACHINES : 공작기계(선반,밀링, 연삭 외)

· WELDING (용접)

- 당사가 준비중인 TRAINING COURSE.

· 자동차 정비에 필요한 장비는 현재 아국도 전체 장비의 70-80%를 수입해서
   사용하고 있는 실정이기 때문에 무상지원에 부적합 하며,

· 냉동기계 부문은 국내 직업 훈련원에 교육 과정이 개설되어 있지 않고
   사설학원에서 교육중이며 시설 장비가 제대로 공급되지 않고 있는 실정임.

· 따라서, 당사에서는 전기,전자 수리 및 공작기계, 용접등을 중심으로
   자료를 준비중임. 품목은 별첨서류 참조.

C. 구체적인 교육 과정

1. 전기 · 전자 수리(ELECTRICITY & ELECTRONICS MAINTENANCE)

· BASIC ELECTRONICS & ELECTRICITY

· COMMUNICATION ── COMMUNICATION TRAINER
                  ── TELE COMMUNICATION
                  ── DIGITAL COMMUNICATION

· SERVO TRAINER

· PLC TRAINER

· ANALOGUE TRAINER

· DIGITAL TRAINER

2. 공작기계 (WORKSHOP MACHINE)

· LATHE

· MILLING

· GRINDING

· PRECISION MACHINE

· GEAR CUTTING

3-2

3. 용접 (WELDING)

· WELDING

· ELECTRIC WELDING

· SPECIAL WELDING

별 첨 : 의료기기 품목 LIST

직업훈련원 장비 LIST

(주) 고 려 무 역 해 외 사 업 팀

3-3

0050

직 업 훈 련 원 장 비

0051

A. LATHE

NO	ITEM	CIF ALEXANDRIA (BY SEA)	RECOMMENDED Q'TY (FOR 15 STUDENTS)
1	PLAIN VICE	U$ 59.12	15
2	LATHE	10,502.83	15
3	HORIZONTAL MILLING MACHINE	19,260.79	3
4	UNIVERSAL MILLING MACHINE	22,231.34	3
5	VERTICAL MILLING MACHINE	19,177.33	3
6	PRECISION SURFACE GRINDING MACHINE (L)	29,020.76	2
7	UNIVERSAL CYLINDRIC GRINDING MACHINE	28,728.66	1
8	UNIVERSAL TOOL & CUTTER GRINDER MACHINE	8,858.55	1
9	PRECISION SURFACE GRINDING MACHINE (S)	15,099.69	1
10	CARBIDE TOOL GRINDER	688.50	1
11	BENCH TYPE DRILLING MACHINE	729.85	3
12	HYDRAULIC POWER HACK SAW MACHINE	7,867.76	1
13	PRECISION SURFACE PLATE	706.78	5
14	BITE WELDING MACHINE	4,254.77	1

0052

B. MILLING

NO	ITEM	CIF ALEXANDRIA (BY SEA)	RECOMMENDED Q'TY (FOR 15 STUDENTS)
1	HORIZONTAL MILLING MACHINE	U$ 19,260.79	5
2	UNIVERSAL MILLING MACHINE	22,231.34	5
3	VERTICAL MILLING MACHINE	19,177.33	5
4	LATHE	10,502.83	3
5	PRECISION SURFACE GRINDING MACHINE (M)	17,883.71	1
6	UNIVERSAL CYLINDERICAL GRINDING MACHINE	28,728.66	1
7	UP-RIGHT DRILLING & TAPPING MACHINE	7,174.20	1
8	BENCH TYPE DRILLING MACHINE	729.85	3
9	HYDRAULIC POWER HACK SAW MACHINE	7,867.76	1
10	UNIVERSAL TOOL & CUTTER GRINDER MACHINE	8,858.55	1
11	PLAIN VICE	59.12	15
12	BENCH GRINDER	150.18	3
13	SURFACE PLATE	289.33	5
14	PRECISION GRANITE SURFACE PLATE	706.78	3

0053

C. GRINDING

NO	ITEM	CIF ALEXANDRIA (BY SEA)	RECOMMENDED Q'TY (FOR 15 STUDENTS)
1	UNIVERSAL CYLINDRICAL GRINDING MACHINE	U$ 28,728.66	3
2	PRECISION SURFACE GRINDING MACHINE(L)	29,020.76	3
3	PRECISION SURFACE GRINDING MACHINE (M)	17,883.71	2
4	PRECISION SURFACE GRINDING MACHINE (S)	15,099.69	2
5	UNIVERSAL TOOL & CUTTER GRINDER MACHINE	8,858.55	1
6	LATHE	10,502.83	2
7	VERTICAL MILLING MACHINE	19,177.33	1
8	HORIZONTAL MILLING MACHINE	19,260.79	1
9	UP-RIGHT DRILLING & TAPPING MACHINE	7,174.20	1
10	CUT-OFF BAND SAWING MACHINE	23,239.87	1
11	HYDRAULIC POWER HACK SAW MACHINE	7,867.76	1
12	PRECISION SURFACE PLATE	706.78	3
13	PLAIN VICE	59.12	5
14	SURFACE PLATE	289.33	5
15	BENCH TYPE DRILLING MACHINE	729.85	2

0054

D. PRECISION MACHINE

NO	ITEM	CIF ALEXANDRIA (BY SEA)	RECOMMENDED Q'TY (FOR 15 STUDENTS)
1	LATHE	U$ 10,502.83	5
2	UNIVERSAL MILLING MACHINE	22,231.34	3
3	UNIVERSAL CYLINDRICAL GRINDING MACHINE	28,728.66	1
4	PRECISION SURFACE GRINDING MACHINE (L)	29,020.76	3
5	PRECISION SURFACE GRINDER MACHINE (M)	17,883.71	2
6	UNIVERSAL TOOL & CUTTER GRINDER MACHINE	8,858.55	1
7	ELECTRIC DISCHARGE MACHINE	33,001.53	1
8	CUT-OFF BAND SAWING MACHINE	23,239.87	1
9	HIGH-SPEED UNIVERSAL HYDRAULIC PRESS	25,658.64	1
10	BENCH TYPE DRILLING MACHINE	729.85	5
11	BENCH GRINDER	150.18	3
12	ELECTRIC DISK GRINDER	135.84	5
13	SURFACE PLATE	289.33	5
14	PRECISION SURFACE PLATE	706.78	2

0055

E. GEAR CUTTING

NO	ITEM	CIF ALEXANDRIA (BY SEA)	RECOMMENDED Q'TY (FOR 15 STUDENTS)
1	PLAIN VICE	U$ 59.12	15
2	AUTO CYCLE GEAR HOPPING MACHINE	34,470.62	3
3	UNIVERSAL MILLING MACHINE	22,231.34	3
4	LATHE	10,502.83	3
5	BENCH TYPE DRILLING MACHINE	729.85	3
6	PRECISION SURFACE GRINDING MACHINE(S)	15,099.69	1
7	UNIVERSAL TOOL & CUTTER GRINDER MACHINE	8,858.55	1
8	BENCH GRINDER	150.18	3
9	UP-RIGHT DRILLING & TAPPING MACHINE	7,174.20	1
10	HYDRAULIC POWER HACK SAW MACHINE	7,867.76	1
11	PRECISION SURFACE PLATE	706.78	5
12	UNIVERSAL CYLINDRICAL GRINDING MACHINE	28,728.66	1

0056

F. WELDING

NO	ITEM	CIF ALEXANDRIA (BY SEA)	RECOMMENDED Q'TY (FOR 15 STUDENTS)
1	PLAIN VICE	U$ 59.12	15
2	BENCH TYPE DRILLING MACHINE	729.85	3
3	HYDRAULIC POWER HACK SAW MACHINE	7,867.76	1
4	BENCH GRINDER	150.18	3
5	ELECTRIC DISK GRINDER	135.84	5
6	PRECISION SURFACE PLATE	706.78	3
7	GAS WELDING MACHINE SET	250.23	5
8	GAS CUTTING TORCH SET	250.23	5
9	HEATING TORCH SET	312.40	5
10	AC ARC WELDER	462.59	5
11	DC GUAGING & WELDING MACHINE	3,275.07	1
12	AIR SPOT WELDING MACHINE	3,804.48	1
13	TIG WELDING MACHINE	2,874.29	1
14	MIG WELDER (1)	4,519.52	1
15	HIGH-SPEED UNIVERSAL HYDRAULIC PRESS	25,658.64	1
16	ELECTRIC WATER PRESSURE TESTER	5,107.24	2
17	DRYING OVEN	3,614.17	2

0057

G. ELECTRIC WELDING

NO	ITEM	CIF ALEXANDRIA (BY SEA)	RECOMMENDED Q'TY (FOR 15 STUDENTS)
1	AC ARC WELDER	U$ 462.59	15
2	DC GUAGING & WELDING MACHINE	3,275.07	1
3	GAS WELDING MACHINE SET	250.23	5
4	AIR-SPOT WELDING MACHINE	3,804.48	1
5	HYDRAULIC POWER HACK SAW MACHINE	7,867.76	1
6	HYDRAULIC SHEARING MACHINE	21,464.39	1
7	BENCH TYPE DRILLING MACHINE	729.85	5
8	TOOL GRINDER	1,471.44	3
9	ELECTRIC DISK GRINDER	135.84	5
10	ELECTRIC WATER PRESSURE TESTER	5,107.24	2
11	WELDERS BENDING TESTER	9,061.12	1
12	DRYING OVEN	3,614.17	2
13	PLAIN VICE	59.12	15
14	HIGH-SPEED UNIVERSAL HYDRAULIC PRESS	25,658.64	1

0058

H. SPECIAL WELDING

NO	ITEM	CIF ALEXANDRIA (BY SEA)	RECOMMENDED Q'TY (FOR 15 STUDENTS)
1	PLAIN VICE	U$ 59.12	15
2	BENCH TYPE DRILING MACHINE	729.85	3
3	HYDRAULIC POWER HACK SAW MACHINE	7,867.76	1
4	BENCH GRINDER	150.18	3
5	HYDRAULIC SHEARING MACHINE	21,464.39	1
6	PRECISION SURFACE PLATE MACHINE	706.78	3
7	GAS WELDING MACHINE SET	250.23	5
8	AC ARC WELDER	462.59	3
9	DC GUAGING & WELDING MACHINE	3,275.07	2
10	TIG WELDING MACHINE	2,874.29	2
11	CO2 ARC WELDING MACHINE	2,874.29	2
12	MIG WELDER (1)	4,519.52	2
13	AIR SPOT WELDING MACINE	3,804.48	2
14	WELDERS BENDING TESTER	9,061.12	1
15	ELECTRIC WATER PRESSURE TESTER	5;107.24	2
16	DRYING OVEN	3,614.17	2

0059

의 료 기 기

0060

1) 공급 가능 품목

NO.	DESCRIPTION	C. I. F ALEXANDRIA
1	C-ARM WITH TWO MONITORS	
	A) MODEL : EC-1001 HQ	U$ 51,290.-
	B) MODEL : EP-1002	U$ 41,230.-
2	SURGICAL UROLOGY TABLE	U$ 17,350.-
	MODEL : CHS-KWON'S 87	
3	ELECTRICALLY ADJUSTABLE OPERATING TABLE	U$ 11,640.-
	MODEL : CHS-1000	
4	SUCTION APPARATUS	
	A) MODEL : CHS-EV	U$ 1,170.-
	B) MODEL : CHS-708	U$ 1,140.-
5	INTENSIVE CARE BED	U$ 630.-
	MODEL : CHS-E17-MF	
6	BED SIDE CABINET	U$ 160.-
	MODEL : CHS-BSC	
7	OVER BED TABLE WITH CHANGABLE HEIGHT	U$ 240.-
	MODEL : CHS-OBT	
8	SURGICAL INTENSIVE CARE BED AND THEM FOR CHILDREN	U$ 360.-
	MODEL : CHS-E17-C	
9	X-RAY SYSTEM FOR FLUOROSCOPY AND RADIOGRAPHY	
	A) 500MA/150KVP RADIOGRAPHIC/FLUOROSCOPIC W/TV I.I SYSTEM	U$ 55,630.-

- 1 -

0061

NO.	DESCRIPTION	C. I. F ALEXANDRIA
	B) MODEL : HD500-2A (500MA/125KVP)	U$ 31,250.-
	C) MODEL : HD500-2B (500MA/125KVP)	U$ 51,790.-
10	MOBILE X-RAY UNIT	
	A) 100MA/100KVP RADIOGRAPHIC X-RAY SYSTEM MOBILE TYPE W/MANUAL DRIVE	U$ 7,420.-
	B) MODEL : HD100M-1 (100MA/100KVP)	U$ 7,130.-
	C) MODEL : HD100M-2 (100MA/100KVP)	U$ 11,100.-
11	X-RAY SYSTEM (X-RAY SYSTEM FOR THE HOSPITAL)	
	A) 500MA/150KVP RADIOGRAPHIC X-RAY SYSTEM	U$ 19,370.-
	B) MODEL : HD500-1 (500MA/125KVP)	U$ 19,500.-
12	ULTRASOUND FOR ULTRASONOGRAPHY	
	A) MODEL : SONOACE-2000	U$ 28,730.-
	B) MODEL : SONOACE-88	U$ 7,500.-
	C) MODEL : SONOACE-4500 (WITHOUT MULTIFORMAT CAMERA)	U$ 30,470.-
13	ULTRASOUND APPARATUS LINEAR/SECTOR/CONVEX (WITH SPARE PARTS)	
	A) MODEL : SONOACE-4500 (WITHOUT MULTIFORMAT CAMERA)	U$ 30,470.-
	B) MODEL : SONOACE-4500D	U$ 55,310.-
14	DENTAL UNIT WITH AUTOMATIC DENTAL CHAIR (WITH OPERATING STOOL, WITHOUT X-RAY)	U$ 6,400.-
15	DENTAL CLINIC INCLUDING DENTAL UNIT X-RAY UNIT (WITH OPERATING STOOL)	U$ 8,010.-
16	ANESTHETIC APPARATUS WITH SUITABLE MONITOR	
	A) MODEL : ROYAL 77	U$ 13,870.-
	B) MODEL : ROYAL 88	U$ 16,990.-

- 2 -

0062

NO.	DESCRIPTION	C. I. F ALEXANDRIA
17	DIATHERMY	U$ 6,280.-
	MODEL : SURGITOM 170-B	
18	AUTOMATIC X-RAY DEVELOPER	
	A) MODEL : JUPIT-908	U$ 14,190.-
	B) MODEL : JUPIT-120	U$ 6,050.-
19	SURGICAL HAND INSTRUMENT FOR ORAL AND MAXILLOFACIAL SURGERY	U$79,990.-
	(100 BEDS, GENERAL/ORTHOPAEDIC & NEURO/ORAL SURGERY)	
20	ANTI-BED SORE MATRESS WITH ITS COMPRESSOR	U$ 530.-
21	STERILIZATION EQUIPMENT	U$ 12,130.-
	MODEL : HS-196E	
22	BED SIDE MONITOR (2 CHANNEL) CARDIOSCOPE FOR ECG HR BLOOD PRESSURE (NON-INVASIVE)	
	A) MODEL : SE-351 WITH YSI 401	U$ 2,420.-
	B) MODEL : SE-351 WITH YSI 402	U$ 2,450.-
23	X-RAY SYSTEM FOR CASUALTY	U$ 14,630.-
	MODEL : 300MA/125KVP X-RAY SYSTEM	
24	ECHO DOPPLER COLOURED MACHINE	U$ 660.-
	MODEL : ECHO-SOUNDER ES-103 MIC	
25	TEACHING AUDITORIUM EQUIPMENT (AUDIOVISUAL AIDS) TO TRANSFER OPERATIONS TO 160 AUDIANTS	U$ 97,200.-

- 3 -

0063

2) 유사한 형태로 공급이 가능한 품목

NO.	REQUIRED ITEM	SIMILAR ITEM	C. I. F ALEXANDRIA

1-1	SSD-680 ALOKA CHO CAMERA COLOR DOPPLER CONVEX SECTOR LINEAR SCANNER COMPLETE SET WITH THE FOLLOWING STANDARD COMPONENTS
	
	. 1 X MAIN UNIT
	. 1 X VIEWING COLOR MONITOR (12 INCH)
	. 1 X UST-959-9.5 (3.5MHZ) 160 deg. 160mmR ELECTRONIC CONVEX SECTOR PROBE
	. ACCESSORIES
	
	OPTIONAL ACCESSORIES
	―――――――――――
	. UST-962-5 ESOPHAGEAL PROBE (5HZ)
	. UST-964P-5 OB/GYN/1VF TRANSVAGINAL (5MHZ)
	. UST-5043-3.5 ELECTRONIC LINE
	  - PROBE FOR GENERAL ABDOMEN
	. UST-666 TRANSRECTAL BI-PLANE LINEAR (7.5MHZ)
	. UST-2262-2 CW SPECTRAL DOPPLER 2MHZ
	. PEU-680 ECG SIGNAL UNIT
	. VY-150E COLOR VIDEO PRINTER
		1-1 DIAGNOSTIC ULTRASOUND SCANNER
		  MODEL : SONOACE-4500
		. MAIN BODY WITH BUILT-IN TROLLEY
		. 3.5MHZ ELECTRONIC LINEAR PROBE
		. 3.5MHZ ELECTRONIC COMNEX PROBE
		. SECTOR PROBE
		. MULTIFORMAT CAMERA (MATRIX, 6 FRAME)
		. STANDARD ACCESSORIES
			U$ 36,080.-

1-2	COLORED ULTRASOUND ECHO CAMERA
	. WITH ABDOMENAL PROBES (3.5 & 5MHZ) AND PUNCTURE ADAPTORS
	
	. WITH RECTAL PROBES (5 & 7.5MHZ) AND PUNCTURE ADAPTORS
	. DUPLEX VASCULAR PROBES (10MHZ) FOR DUPLEX SCANNING OF PENILE VESSELES
		1-2 DIAGNOSTIC ULTRASOUND SCANNER
		  MODEL : SONOACE-4500D
		. MAIN BODY WITH BUILT-IN TROLLEY
		. 3.5MHZ ELECTRONIC LINEAR PROBE
		. 3.5MHZ ELECTRONIC CONVEX PROBE
		. SECTOR PROBE
		. DOPPLER UNI (B/W)
		. TRANSVAGINAL PROBE (CONVEX TYPE) 6.5MHZ
		. BIOPSY ADAPTOR KIT FOR T/V
		. ECG UNIT
		. THERMAL PRINTER (SONY UP-850)
		. STANDARD ACCESSORIES
		
		DIAGNOSTIC ULTRASOUND SCANNER
		  MODEL : SONOACE-2000
		. MAIN BODY WITH BUILT-IN MONITOR
		. 3.5MHZ LINEAR PROBE
			U$ 55,310.-
			
			U$ 28,730.-

- 4 -

NO.	REQUIRED ITEM	SIMILAR ITEM	C. I. F ALEXANDRIA
1-3	ULTRA SOUND PHASED ARRAY SECTOR SCANNER WITH COLOR FLOW IMAGING FOR ECHOCARDIOGRAPHY AND ABDEMINAL	. 3.5MHZ CONVEX PROBE . 6.5MHZ TRANSVAGINAL PROBE . BIÓPSY ADAPTOR KIT . THERMAL PRINTER (SONY UP-850) . MOBILE CART	
1-4	ULTRASOUND EQUIPMENT FOR MULTIPLE FUNCTION	. STANDARD ACCESSORIES	
2	ALOKA ECHO CAMERA MODEL SSD-500 CONVEX SECTOR/LINEAR SCANNER, COMPLETE SET WITH FOLLOWING ST. COMPONENTS . 1 X MAIN UNIT . 1 X MUST-934N-3.5 CONVEX SECTOR PROBE (3.5MHZ) . ACCESSORIES OPTIONAL ACCESSORIES	2-2 DIAGNOSTIC ULTRASOUND SCANNER MODEL : SONOACE-88 . MAINBODY WITH BUILT-IN MONITOR . 35MHZ LINEAR PROBE . EXTERNAL KEYBOARD . EXTERNAL MONITOR(9") . MOBILE CART . STANDARD ACCESSORIES	U$ 7,500.-
	. UST-5024N-3.5 LINEAR PROBE FOR GENERAL ABDOMEN . UST-945BP-5 OB/GYN/1VF(TRANSVAGINAL) 5MHZ . UST-657-5 TRANSRECTAL PROBE (5MHZ) . SSZ-303 VIDEO PRINTER . TBU-500 TRACK BALL UNIT . RMT-500 MOBILE CART	3 PATIENT MONITOR WITH (MODEL : SE-485) PORTABLE RECORDER (MODEL : SE-132R) * OPTIONAL ACCESSORIES A) PRESSURE TRANSDUCER (2EA) B) TEMPERATURE PROBE YSI 401 C) TEMPERATURE PROBE YSI 402	U$ 5,610.- U$ 1,410.- U$ 125.- U$ 160.-
3	ADDITIONAL MODULE TO BE CONNECTED FOR ABOVE MONITOR (ECG MONITOR) FOR RESPIRATION, ECG RECORDING, ARRITHMIA, BLOOD PRESSURE (INVASIVE)	4 CARDIOSCOPE (TWO CHANNEL BED SIDE MONITOR) CS-502H WITH POTABLE ELECTROCARDIOGRAOPH EF-100	U$ 2,440.-
4	ELECTROCARDIOGRAPH (3-CHANNEL) PAPER RECORDING		

- 5 -

OTHER MEDICAL EQUIPMENTS

KOTEA TRADING INT'L INC.

0066

NO	ITEM	CIF ALEXANDRIA
1	ULTRA VIOLET RAY AUTO-STERILIGER	
	a. H-3000 B	392.70
	b. H-5000 A	434.52
	c. H-8000 C	498.45
2	STEAM STERILIZER AUTO-CLAVE	
	a. HS 12 X	1,757.30
	b. HS 132 X	2,121
	c. HS 9090 X	3,111.67
	d. HS 85 EX	8,762.34
	e. HS 196 EX	11,453.01
	f. HS 250 EX	32,434.48
	g. HS 1636 X	21,754.16
	h. HS 350 S	40,918.07
3	VACUUM EXTRACTOR	
	H-500 X	1,090.78
4	CENTRIFUGE	
	HC-16	684.15
	HC-16 D	1,199.81
	HHC-24	1,464.63
5	CAST CUTTER	
	HHC-114	572.65
6	BLOOD BANK REFRIGERATOR	
	HRB-60X	4,132.75
	HRB-95X	4,147.92
	HRB-200X	13,615.73
	HFP-315	13,619.41

Q067

I. ELECTRONICS MAINTENANCE

ITEM	CIF ALEXANDRIA	RECOMMENDED QUANTITY(15 PERSONS)
BASIC		
Q METER	1,651.26	2
DECADE CAPACITOR	337.98	30
DECADE INDUCTOR	385.97	30
DECADE RESISTOR	399.87	30
ATTENUATOR	331.79	5
PLC TRAINER KIT	7,473.02	5
SCR TRAINER	2,513.47	8
OSCILLOSCOPE	598.63	15
DIGITAL MULTIMETER	290.99	15
GALVANOMETER	140.40	5
AC AMMETER	84.49	15
AC VOLTMETER	84.49	15
DC AMMETER	84.49	15
DC VOLTMETER	84.49	15
DOUBLE BRIDGE	843.57	5
KOHLAUSCH BRIDGE	843.57	5
MEGGER	210.72	5
DC POWER SUPPLY	333.29	15
LOGIC TESTER	290.40	15
ELECTRONIC CIRCUIT TRAINER	2,346.28	15
HIGH VOLT METER	1,927.51	5
WHEATSTONE BRIDGE	606.61	5
DIGITAL LCR METER	1,310.31	5

0068

ITEM	CIF ALEXANDRIA	RECOMMENDED QUANTITY(15 PERSONS)
LOGIC CIRCUIT TRAINER	780.08	15
IC TESTER	1,239.67	5
OP AMP TRAINER	993.79	15
BREAD BOARD	331.52	15
X-Y PLOTTER	624.66	5
MICRO PROCESS TRAINING KIT	1,246.86	15
SERVO TRAINER	2,073.55	15
VARIABLE AC/DC POWER SUPPLY	387.74	5
A/D CONVERT	330.86	15
D/A CONVERT	330.86	15
POWER FACTOR	211.31	5
WATTMETER	211.31	5
DC POWER SUPPLY TRAINER	913.48	15

COMMUNICATION

ITEM	CIF ALEXANDRIA	RECOMMENDED QUANTITY(15 PERSONS)
AM RECEIVER	2,000.17	15
AM TRANSMITTER	2,070.19	15
ELECTRONIC COMMUNI- CATION TRAINER	9,509.60	5
FM TRANSMITTER TRAINER	1,413.98	5
MICROWAVEW TRAINER	8,707.08	5

0069

ITEM	CIF ALEXANDRIA	RECOMMENDED QUANTITY(15 PERSONS)
AUDIO & VIDEO		
RF SIGNAL GENERATOR	5,506.52	15
FM STEREO SIGNAL GENERATOR	2,342.23	15
AC LEVEL METER	208.22	15
PULSE GENERATOR	1,129.81	15
DISTORTION METER	1,131.07	15
FREQUENCY COUNTER	579.67	15
TV TRAINER	3,321.35	5
PATTERN GENERATOR	689.60	5
EP ROM PROGREMMER	1,046.71	5
EP ROM ERASER	276.19	5
AUDIO GENERATOR	497.18	15

0070

J. ELECTRIC INSTALLATION

ITEM	CIF ALEXANDRIA	RECOMMENDED QUANTITY(15 PERSONS)
BASIC		
STROBOSCOPE	1405.42	5
SCR TRAINER	2513.47	15
SLIDE RESISTOR	141.35	15
DECADE CAPACITOR	337.98	15
DECADE INDUCTOR	385.97	15
DECADE RESISTOR	399.87	15
WHEATSTONE BRIDGE	606.61	5
KELVINBRIDGE	843.57	5
EARTH TESTER	210.72	5
MEGGER	210.72	5
GALVANOMETER	140.40	5
VARIABLE AC/DC SUPPLY	387.74	5
GROWLER	608.36	2
INSTALLATION		
HIGH VOLT METER	1927.51	5
X-Y PLOTTER	624.66	5
INDUCTION VOLTAGE REGULATOR	2516.88	2
OIL INSULATION TESTER	1417.09	2
AUTOMATIC VOLTAGE REGULATOR	2559.82	2
AC LEVEL METER	208.22	15
DIGITAL MULTMETER	290.99	15

0071

ITEM	CIF ALEXANDRIA	RECOMMENDED QUANTITY(15 PERSONS)
CVCF POWER SUPPLY	937.70	15
ELECTRONIC LOAD	1,240.34	5
2CH OSCILLOSCOPE	598.63	15
DIGITAL LCR METER	1,310.31	15
AC AMMETER	84.49	15
AC VOLTMETER	84.49	15
DC AMMETER	84.49	15
DC VOLTMETER	84.49	15
POWER FACTOR	211.31	5
WATTMETER	211.31	5
FREQUENCY COUNTER	579.67	15
THERMOMETER	211.43	5
COIL WINDING MACHINE	210.99	2
PUNTURE TESTER	608.36	2

APPLIED PART

ITEM	CIF ALEXANDRIA	RECOMMENDED QUANTITY
PNEUMATIC HYDRAULIC SYSTEM	15,351.15	5
ATTENUATOR	331.79	15
DISTORTION METER	1,131.07	15
SET FOR PLOTTING CHARACTERISTICS OF ELECTRICAL MACHINERY	12,900.66	2
SERVO TRAINER	2,073.55	15
MODULE EXPERIMENTAL SYSTEM	2,346.28	15
PLC TRAINER	7,473.02	5

0072

ITEM	CIF ALEXANDRIA	RECOMMENDED QUANTITY(15 PERSONS)
ELECTRONICS		
AUDIO GENERATOR	497.18	15
DC POWER SUPPLY TRAINER	913.48	15
D/A INVERTER	331.68	5
DC POWER SUPPLY	333.29	15
BREAD BOARD	331.52	15
RF SIGNAL GENERATOR	5,506.52	15
LOGIC DEMON SYSTEM	3,330.88	15
D/A CONVERTER	330.86	15
A/D CONVERTER	330.86	15

0073

FULL SPECIFICATION FOR X-RAY EQUIPMENT & ULTRASOUND SCANNER

KOREA TRADING INT'L INC

0074

1. C-ARM WITH TWO MONITORS

A) C-ARM X-RAY SYSTEM WITH

IMAGE MEMORY UNIT,

MODEL : EC-1001HQ

1. X-RAY GENERATOR, 100MA/125KVP
2. X-RAY TUBE, ROTATING ANODE;
   300,000H.U, FOCAL SPOT;
   SMALL-0.3MM/1LARGE-1.0MM
3. CONTROL CONSOLE WITH C-ARM UNIT,
4. IMAGE INTENSIFIER, 6"
5. TV CAMERA, VIDICON TUBE
6. TV MONITOR, 14"/2-UNITS
7. IMAGE MEMORY UNIT, 4-IMAGES
8. SUBTRACTION ANGIO FUNCTION
9. CONTRAST ENHANCEMENT,
10. FLUORO BOOST FUNCTION, 20MA
11. MOTORIZED COLLIMATOR,
12. AUTO MA/KVP CONTROLS,
13. WITH STANDARD ACCESSORIES,

B) C-ARM X-RAY SYSTEM WITH

IMAGE MEMORY UNIT,

MODEL : EP-1002

1. X-RAY GENERATOR, 20MA/100KVP
2. X-RAY TUBE, STATIONAL ANODE;
   40,000H.U, FOCAL SPOT;
   SMALL-0.6MM/LARGE-1.6MM
3. CONTROL CONSOLE WITH C-ARM UNIT,
4. IMAGE INTENSIFIER, 6"
5. TV CAMERA, VIDICON TUBE
6. TV MONITOR, 14"/2-UNITS
7. IMAGE MEMORY UNIT,2-IMAGES
8. CONTRAST ENHANCEMENT,
9. MOTORIZED COLLIMATOR,
10. AUTO MA/KVP CONTROLS,
11. WITH STANDARD ACCESSORIES,

- 1 -

0075

9. X-RAY SYSTEM FOR FLUOROSCOPY AND RADIOGRAPHY.

A) 500MA/150KVP RADIOGRAPHIC/FLUOROSCOPIC WITH TV

1.1 SYSTEM

1)	DXG-550	500MA/150KVP SINGLE-PHASE X-RAY GENERATOR,
2)	DRX-3103HD	ROTATING ANODE TUBE UNIT 1.0x2.0MM, 300,000 HU, OR EUREKA TUBE AVAILABLE,
3)	DRX03224HD	ROTATING ANODE TUBE UNIT 0.6x1.2MM, 300,000HU, OR EUREKA TUBE AVAILABLE,
4)	BLD-150R	MANUAL DRIVEN COLLIMATOR,
5)	BLD-150F	MOTOR DRIVEN COLLIMATOR,
6)	DMT-80M	90° /15° TILTING TABLE WITH MANUAL DRIVEN SPOT FILM DEVICE,
7)	E575G-P1	6" IMAGE INTENSIFIER WITH TV CAMERA
8)	12M 300B	12" X-RAY TV MONITOR,
9)	MC-14	TV MONITOR CART
10)	SFC-21	FLOOR/CEILING TUBE STAND WITH ELECTRO-MAGNETIC LOCK SYSTEM,
11)	HVC-6	HIGH VOLTAGE CABLES, 6M LONG PAIR WITH TERMINALS,
12)	HVC-8	HIGH VOLTAGE CABLES, 8M LONG PAIR WITH TERMINALS,

B) MODEL : HD500-2A (500MA/125KVP)

DIAGNOSTIC X-RAY UNIT, 500MA/125KVP FOR RADIOGRAPHY AND FLUOROSCOPY WITH TILTING TABLE 90° /15°

1) CONTROL UNIT
2) HIGH TENSION GENERATOR-SINGLE PHASE FULL WAVE SILICON RECTIFIER
3) X-RAY TUBE UNIT
   OVER TUBE FOR RADIOGRAPHY 1.0x2.0MM, 150,000HU
   UNDER TUBE FOR FLUOROSCOPY 1.0x2.0MM, 150,000HU
4) FLOOR TO CEILING X-RAY TUBE SUPPORT UNIT.
5) HIGH TENSION CABLES-5Mx2PCS
6) COLLIMATOR-MANUAL
7) R/F TILTING TABLE 90° VERTICAL 15° TRENDELENBERG MOTOR DRIVEN SPOT FILM DEVICE(MODEL HDT-5)
8) STANDARD ACCESSORIES
   a. COMPRESSION BAND
   b. SHOULDER REST
   c. FOOT SWITCH
   d. FOOT REST
   e. IDENTIFICATION PRINTER
   f. DARKROOM LALMP
   g. CASSETTE HOLDER-WALL TYPE

0076

C) MODEL : HD 500-2B (500MA/125KVP)

    SAME AS HD 500-2A AND ADDITIONAL ACCS AS FOLLOW.

    · X-RAY TV SYSTEM

        a. 6" IMAGE INTENSIFIER (MAKER : THOMSON)
        b. TV CAMERA
        c. 12" MONITOR
        d. TROLLEY.

10. MOBILE X-RAY UNIT

A) 100MA/100KVP RADIOGRAPHIC X-RAY SYSTEM MOBILE TYPE

    WITH MANUAL DRIVE

    1) DXG-105   100MA/100KVP SINGLE-PHASE X-RAY GENERATOR
                     WITH MOBILE CART AND TUBE STAND
    2) XTH-100   STATIONERY ANODE TUBE UNIT 2.0x4.2MM
                     80,000HU.
    3) BLD-3   COLLIMATOR
    4) HVC-2.5   HIGH VOLTAGE CABLES, 2.5M LONG PAIR WITH TERMINALS.

B) MODEL : HD 100M-1 (100MA/100KVP)

    DIAGNOSTIC X-RAY UNIT, 100MA/100KVP STATIONARY TUBE WITH FIXED TABLE
    MOBILE TYPE

    1) CONTROL UNIT
    2) HIGH TENSION GENERATOR-SINGLE PHASE FULL WAVE
       SILICON RECTIFIED.
    3) X-RAY TUBE UNIT, STATIONARY ANDOE TUBE, 4.3 x 4,3MM
    4) TUBE SUPPORT UNIT
    5) HIGH TENSION CABLES-5M x 1PC
    6) COLLIMATOR-MANUAL
    7) FIXED TABLE WITH BUILT-IN CASSETTE CASE.   ·

C) DIAGNOSTIC X-RAY UNIT, 100MA/100KVP ROTATING TUBE WITH BUCKY TABLE

    MOBILE TYPE

    1) CONTROL UNIT
    2) HIGH TENSION GENERATOR-SINGLE PHASE FULL WAVE
       SILICON RECTIFIED.
    3) X-RAY TUBE UNIT, STATIONARY ANDOE TUBE, 4.3 x 4,3MM
    4) TUBE SUPPORT UNIT
    5) HIGH TENSION CABLES-5M x 1PC
    6) COLLIMATOR-MANUAL
    7) BUCKY TABLE-HORIZONTAL FOUR-WAY FLOATING TOP BUCKY

11) X-RAY SYSTEM (X-RAY SYSTEM FOR THE HOSPITAL)

A) 500MA/150KVP RADIOGRAPHY X-RAY SYSETM

    1) DXG-550   500MA/150KVP SINGLE-PHASE X-RAY GENERATOR
    2) DRX-3103HD   ROTATING ANODE TUBE UNIT 1.0-2.0MM, 300,000HU, OR
                      EUREKA TUBE AVAILABLE.
    3) BLD-150R   COLLIMATOR.

B) MODEL : HD 500-1 (500MA/125KVP)

    DIAGNOSTIC X-RAY UNIT, 500MA/125KVP WITH BUCKY TABLE.

    1) CONTROL UNIT
    2) HIGH TENSION GENERATOR-SINGLE PHASE FULL WAVE SILICON RECTIFIER.
    3) X-RAY TUBE UNIT-ROTATING ANODE TUBE, 1.0x2.0MM 150,000HU
    4) FLOOR TO CEILING X-RAY TUBE SUPPORT UNIT
    5) HIGH TENSION CABLES-5Mx2PCS
    6) COLLIMATOR-MANUAL
    7) BUCKY TABLE-HORIZONTAL FOUR-WAY FLOATING TOP BUCKY (MODEL : HDBT-1)
    8) STANDARD ACC.
        a. IDENTIFICATION UNIT
        b. DARKROOM LAMP
        c. CASSETTE HOLDER-WALL TYPE

12. ULTRASONIC FOR ULTRASONOGRAPHY

A) MODEL : SONOACE-2000

    - MAINBODY WITH BUILT-IN MONITOR
    - 3.5 MHZ LINEAR PROBE
    - 3.5 MHZ CONVEX PROBE
    - 6.5 MHZ TRANSVAGINAL PROBE
    - BIOSY ADAPTOR KIT
    - THERMAL PRINTER (SONY UP-850)
    - MOBILE CART.
    - STANDARD ACC.

B) MODEL : SONOACE-88

    - MAINBODY WITH BUILT-IN MONITOR
    - 3.5 MHZ LINEAR PROBE
    - EXTERNAL KEYBOARD
    - EXTERNAL MONITOR(9")
    - MOBILE CART
    - STANDARD ACC.

- 4 -

0078

C) MODEL : SONOACE-4500
   - MAINBODY WITH BUILT-IN TROLLEY
   - 3.5 MHZ LINEAR PROBE
   - 3.5 MHZ ELECTRONIC CONVEX PROBE
   - SECTOR PROBE
   - STANDARD ACC.

13. ULTRASOUND APPARATUS LINEAR/SECTOR/CONVEX

A) MODEL : SONOACE-4500

- MAINBODY WITH BUILT-IN MONITOR
- 3.5 MHZ LINEAR PROBE
- 3.5 MHZ CONVEX PROBE
- 6.5 MHZ TRANSVAGINAL PROBE
- BIOSY ADAPTOR KIT
- THERMAL PRINTER 9SONY UP-850)
- MOBILE CART.
- STANDARD ACC.

B) MODEL : SONOACE-4500D

- MAINBODY WITH BUILT-IN TROLLEY
- 3.5 MHZ ELECTRONIC LINEAR PROBE
- 3.5 MHZ ELECTRONIC CONVEX PROBE
- SECTOR PROBE
- DOPPLER UNIT(B/W)
- TRANSVAGINAL PROBE (CONVEX TYPE) 6.5MHZ
- BIOPSY ADAPTOR KIT FOR T/V
- ECG UNIT
- THERMAL PRINTER (SONY UP-850)
- STANDARD ACC.

- 5 -

0079

14. DENTAL UNIT WITH AUTOMATIC DENTAL CHAIR

(WITH OPERATING STOOL, W/O X-RAY)

· DENTAL CHAIR WITH

1. NSK BALL BEARING PANA AIR II H.P(2)
2. TN-203 MICROMETER H.P W/ST & CA
3. OPERATING RIGHT (CL80)
4. AIR VACUUM SYRINGE
5. SALIVER EJECTOR (AIR-VENTURI TYPE)
6. PERIAPICAL FILM VIEWER W/O TIMER
7. 3-WAY SYRINGE(2)
8. SPITTON UNIT W/AUTOMATIC CUP FILLER
9. OPERATING STOOL

15. DENTAL CLINIC INCLUDING DENTAL UNIT X-RAY UNIT

(WITH OPERATING STOOL)

SAME AS ABOVE AND

· DENTAL X-RAY "MAX-GLS"

23. X-RAY SYSTEM FOR CASUALTY (MODEL : 300MA/125KVP X-RAY SYSTEM)

1. DXG-325R   300MA/125KVP SINGLE-PHASE X-RAY GONERATOR
2. DRX-1403B   ROTATING ANODE TUBE UNIT 1.0x2.0MM, 140,000HU
3. BLD-125R   COLLIMATOR
4. KOB   FOUR-WAY FLOATING TOP TABLE WITH BUCKY
5. SFC-21   FLOOR/CEILING TUBE STAND WITH ELECTROMAGNETIC
                   LOCK SYSTEM.

6. HVC-5   HIGH VOLTAGE CABLES, 5M LONG PAIR WITH TERMINALS.

- 6 -

0080

SURGICAL HAND INSTRUMENT (FOR 100 BEDS)

(GENERAL/ORTHOPAEDIC & NEURO/ORAL SURGERY)

KOREA TRADING INT'L INC.

0081

A) GENERAL SURGERY INSTRUMENT

NO	ITEM	Q'TY	NO	ITEM	Q'TY
1	DRESSING FORCEPS	100S	26	MAYO-HEGER HOLDER	30
2	DRESSING FORCEPS	80 M	27	T/C HEGER HOLDER	10 S
3	DRESSING FORCEPS	40 L	28	T/C HEGER HOLDER	10 M
4	TISSUE FORCEPS	40 S	29	T/C HEGER HOLDER	50 L
5	TISSUE FORCEPS	40 M	30	MOSQUITO FORCEPS	120ST
6	ADESON FORCEPS	40	31	MOSQUITO FORCEPS	120CU
7	ADESON TISSUE FORCEPS	60	32	KELLY FORCEPS	80 ST
8	BAYONET FORCEPS	20	33	KELLY FORCEPS	80 CU
9	WILDE EAR FORCEPS	10	34	ROCHESTER PEAN FORCEPS	60 S
10	SURGICAL SCISSORS	100	35	ROCHESTER PEAN FORCEPS	50 M
11	MAYO SCISSORS	40 S	36	ROCHESTER PEAN FORCEPS	40 L
12	MAYO SCISSORS	40 L	37	ROCHESTER TISSUE FORCEPS	20
13	SIMS UTERINE SCISSORS	40	38	PENNINGTON FORCEPS	10
14	MAYO UTERINE SCISSORS	20	39	ALLISS TISSUE FORCEPS	20 S
15	EYE SCISSORS	50ST	40	ALLISS TISSUE FORCEPS	20 M
16	EYE SCISSORS	50CU	41	ALLISS TISSUE FORCEPS	20 L
17	TONOTOMY SCISSORS	20ST	42	BABCOCK TISSUE FORCEPS	20 L
18	TONOTOMY SCISSORS	20CU	43	BABCOCK TISSUE FORCEPS	20 M
19	METZEN BAUM SCISSORS	30ST	44	BABCOCK TISSUE FORCEPS	20 S
20	METZEN BAUM SCISSORS	30CU	45	KOCHER INTESTINAL FORCEPS	2 ST
21	DOYEN SCISSORS	10ST	46	KOCHER INTESTINAL FORCEPS	2 CU
22	BANDAGE SCISSORS	20 S	47	KOCHER INTESTINAL FORCEPS	2 ST
23	BANDAGE SCISSORS	30 L	48	DOYEN INTESTINAL FORCEPS	2 CU
24	HALSEY NEEDLE HOLDER	30	49	BANBRIDGE FORCEPS	2 ST
25	COLLIER NEEDLE HOLDER	30	50	BANBRIDGE FORCEPS	2 CU

0082

NO	ITEM	Q'TY		NO	ITEM	Q'TY
51	PLYORUS CLAMP	1	S	76	ANOSCOPE HIRSCHMAN	1
52	PLYORUS CLAMP	1	M	77	ANOSCOPE MATHIEU	1
53	PLYORUS CLAMP	1	L	78	TOWEL CLAMPE	20 S
54	US ARMY RETRACTOR	3 SET		79	TOWEL CLAMPE	20 M
55	RICHARDSON PETRACTOR	3 SET		80	SPONGE HOLDING FORCEPS	20 L
56	LANGENBECK RETRACTOR	1	S	81	GALL BLADDER TROCARS	2
57	LANGENBECK RETRACTOR	1	M	82	YANKAUER SUCTION TUBE	5
58	LANGENBECK RETRACTOR	1	L	83	DOO'S SUCTION TUBE	5
59	DEAVER RETRACTOR	2 SET		84	MOUTH GAG	1
60	VOLKMAN RETRACTOR	1 SET		85	TRACHEAL TUBES 1-9	27
61	VOLKMAN RETRACTOR	1 SET		86	GALL STONE FORCEPS	1
62	FINGER RAKE RETRACTOR	4 EA		87	BAKES	1 SET
63	SENN RETRACTOR	2 EA		88	GALL DUCT FORCEPS	1 SET
64	SKIN HOOK RETRACTOR	2 EA		89	KIDNEY STONE FORCEPS	1 SET
65	ABDOMINAL RETRACTOR	3 EA		90	CIRCUMCISION CLAMPS	2 SET
66	COLLIN RETRACTOR	3 EA				
67	WEITLANER SELF RETAINING RETRACTOR	3 EA				
68	BECKMAN SELF RETAINING RETRACTOR	2 EA				
69	GELPI RETRACTOR	3 EA				
70	ADSON RETRACTOR	3 EA				
71	CUSHING DURN HOOK	7 EA				
72	KNIFE HANDLE #3	50				
73	KNIFE HANDLE #4	40				
74	KNIFE HANDLE #7	20				
75	RECTAL SPECULA ANOSCOPE SIMS	1				

0083

B) ORTHOPAEDIC & NEURO SURGERY INSTRUMENT

NO	ITEM	Q'TY	NO	ITEM	Q'TY
1	WIRE STRTURE SCISSORS	2	26	RUSKIN BONE SPLITTING FORCEPS (DOUBLE)	1
2	ISRAEL RETRACTOR	4	27	BONE CUTTING FORCEPS	2
3	VELKMAN RAKE RETRACTOR	3	28	SMITH-PITERSON GOUGET(SET)	5
4	SENN RETRACTOR BLANT PRONGS	4	29	ELEVATOR	2
5	SENN RETRACTOR SHARP PRONGS	4	30	PERISOSTEAL ELEVATOR	2
6	DAVIS RETRACTOR	2	31	BENNETT TIBIA RETRACTOR	2
7	CUSHING VEIN RETRACTOR	2	32	CAST SPREADER	1
8	WEITLANER RETRACTOR (3X4)	2	33	PLASTER SHEAR "STILLE"	1
9	BEUKMAN SELF RETRACTOR	2	34	BON FILE	1
10	GELPI RETRACTOR	2	35	BON SAW	1
11	SACHS DURA HOOK	2	36	STEINMANN PIN HOLDER(S)	3
12	BONE HOOK	2	37	STEINMANN PIN HOLDER(M)	3
13	LOUMAN BONE CLAMP (S)	2	38	STEINMANN PIN HOLDER(L)	3
14	LOUMAN BONE CLAMP (M)	2	39	KIRSCHNER WIRE TRACTOR(S)	2
15	LOUMAN BONE CLAMP (L)	2	40	KIRSCHNER WIRE TRACTOR(M)	2
16	LANE BONE HOLDING FORCEPS(S)	2	41	KIRSCHNER WIRE TRACTOR(L)	2
17	LANE BONE HOLDING FORCEPS(M)	2	42	GONIO METER	1
18	LANE BONE HOLDING FORCEPS(L)	2	43	WIRE CUTTING PLIERS	1
19	LEWIN BONE HOLDING FORCEP	2	44	MALLCTS	1
20	STILLE-LURE RONGEUR (ST) (DOUBLE ACTION)	1	45	TONIQUTE SET	1
21	STILLE-LURE RONGEUR (CU) (DOUBLE ACTION)	1	46	WIRE SAW	10
22	STILLE-LURE RONGEUR (1) (ANGALAR)	1	47	WIRE SAW HANDLE	2
23	ECHLIN DUCKBILL RONGEUR	2	48	BENDER POIR	1
24	RUSKIN RONGEUR	1	49	BON CURRTLE	3
25	LISTON BONE CUTTING FORCEPS (ST)	1	50	KERRSON PUNCH FORCEPS(2MM)	1

0084

NO	ITEM	Q'TY	NO	ITEM	Q'TY
51	KERRSON PUNCH FORCEPS(3MM)	1	70	CRUTCH FIELD SKELETAL TONG TRACTION	1
52	KERRSON PUNCH FORCEPS(4MM)	1	71	LAMINECTOMY RETRACTOR	1
53	PITUITARY RONGEUR(UP)	1	72	TAYLOR RETRACTOR	1
54	PITUITARY RONGEUR(DOWN)	1	73	SKULL PUNCH	1
55	PITUITARY RONGEUR(ST)	1	74	BRAIN SPOON (S)	1
56	HAND DRILL	1	75	BRAIN SPOON (M)	1
57	RALK HAND DRILL	1	76	BRAIN SPOON (L)	1
58	HUDSON DRILL WITH 5BURRS(SET)	1	77	MASTOID RETRACTOR	1
59	DERMATOME SET (SET)	1	78	METAL SUCTION TIP	1
60	DEPTH GAUGE	1			
61	TAP (SCREW)	3			
62	SCREWS DRIVER	4			
63	SMITH-PERTERSON OSTEOTOME(ST)	5			
64	SMITH-PERTERSON OSTEOTOME(CU)	5			
65	VASCULAR SET				
	1. BULDOG CLAMP	4			
	2. SATINSKY	6			
66	RUSH PINNINGE SET				
	1. REAMER	3			
	2. COMPACTOR	3			
	3. RUSHPINS(SET)	3			
67	KUENTSCHER NAILLING SET				
	1. REUMER	5			
	2. COMPECTER	1			
	3. GUIDE WIRE	2			
	4. KUENTSCHER NAILS(SET)	5			
68	KIRSCHNER WIRE SET				
	1. DRILL	1			
	2. WIRE(DZ)	60			
	3. STEIMAN PIN(DZ)	10			
69	SCREW AND PLATE SET				
	1. SCREWS	60			
	2. PLATES(NARROW)	15			
	3. PLATES(BROAD)	25			
	4. DRILL BIT	10			
	5. GUIDE	1			

0085

C) ORAL SURGERY INSTRUMENT

NO	ITEM	Q'TY	NO	ITEM	Q'TY
1	EXTRACTING FORCEPS NO 1, 15, 53L, 53R NO 17, 65, 150, 151, 222 NO 210, 151S, 150S	12EA	17	CALIPER	1 EA
2	ELEVATOR NO 301, 34S, 73,74 NO 4, 5	6 EA	18	SPATULA(PLASTER)	3 EA
			19	SPATULA(CEMENT)	3 EA
			20	BON RONGEUR(MINI)	1 EA
3	ROST PICKER NO 1, 2, 3	3 EA	21	BON FILE (NO 21)	1 EA
4	PERIC ELEVATOR NO 9, 23 (TIGIVER KNIFE 15-16 DEAN SCISSOR) NO 9, 1, 2 NO 200, 202	2 EA 1 EA 5 EA	22	BON CURETTE NO 10, 11, 12 NO 85, 5R, 5L	6 EA
			23	GY CURETTE 1/2 3/4 5/6 7/8 9/10 11/12 13/14 17/18	8 EA
5	NEEDLE HOLDER NO S. M. L	3 EA	24	EXPLORER (NO 23)	20EA
			25	PINCETTE (ROFE)	20 EA
6	HEMESTATE NO 1, 2, 3, 4	4 EA	26	MIRROR (YH)	20 SET
7	AMOLGAM PLUGGER NO 0/1 2/4 MID	3 EA	27	EXPLORER (NO 5)	20 EA
			28	ROOT PLUGGER (NO 8,9)	2 EA
8	AMALGAM CARVER NO 1/2, 3, 1	3 EA	29	SPREADER NO 40,60,80	3 EA
9	CLEOID NO 89/92 3/6 MID	3 EA	30	SCALER NO 15/30 1, 2, 3 NO 3H/4H 6/7	6 EA
10	ANALYAR CARRIER NO S. M. L	3 EA	31	EXCARATOR NO 31L, 32L, 33L NO 61/62 63/64 65/66	6 EA
11	BURNISHER NO 27/29 26/27S MID S NO 3, 2	6 EA	32	GIGIVER PACKER (P.S)	1 EA
12	PLASTIC FILLING NO 2, 3, 1	3 EA	33	ENDO PLIER (MI)	1 EA
13	MOUTH GAG (C.A)	2 EA	34	ARTICU FORCEP	1 EA
14	RUBBER FORCEPS	1 EA	35	CROWN SWCISSOR (S.C)	2 EA
15	RUBBER PUNCH	1 EA	36	WAX CARVER	3 EA
16	PLIER (S.C)	2 EA	37	FORCEP TWISTER	1 EA

0086

NO	ITEM	Q'TY
38	TISSUE FORCEP(M)	1 EA
39	BONE CHISEL (S.M.L)	3 EA
40	SYRINGE (I.S)	3 EA
41	CROWN REMOVER	1SET
42	RETAINER	2 EA
43	BROCH HONDER	10EA
44	IMPRESSION TRAY S. M. S	3SET
45	STAINLESS CUP	30EA
46	MIXING SLAVE	2 EA
47	RUBBER SYRINGE	1 EA
48	FILM HANGER	3 EA
49	BUR STAND	3 EA
50	STOPPING CARRIER	1 EA
51	WIRE CUTTER	1 EA
52	CUTTER CAN	5 EA
53	C. P. O BOTTLE	3SET

0087

관리
번호 91/846

외 무 부

종 별 :

번 호 : CAW-0975　　　　　　　　　　일 시 : 91 0910 1820

수 신 : 장관(중이,경이)

발 신 : 주 카이로 총영사

제 목 : 대주재국 경협추진 상황보고 및 건의

연:CAW-0727(91.6.18)

CAW-0804(91.7.15)

대:WCA-0439

1. 걸프사태관련, 아국의 대이집트 경협 약속분의 추진현황을 아래 보고함.

(이미 합의한 군수물자 지원분 제외)

가. EDCF 차관(15 백만불)

1) 연호 보고와 같이 주재국 공업성은 동차관으로 폴리에터 직물공장 건설을 위해 사용키로 결정하고 제 1 단계 공사(약 8 백만불)을 위한 국제입찰을 지난 8 월말 실시(아국에서는 선경이 참여)했으나, 개찰결과 선경이 제시한 금액이 일본상사 가격보다 약 20 퍼센트 높은것으로 나타났으며, 또한 직물기계의 기술적인 평가에 있어서도 일본기계보다 열세인 것으로 나타났음.

2) 선경측이 현재 발주당국자와 가격 인하 및 기계의 기술문제 극복등 문제를 협의중인바, 동 결과 추보 예정임.

나. 민수물자: 8 백만불

1) 주재국 국제협력부는 상기 8 백만불을 아래 내역에 따라 사용할 것을 제의해 옴과 동시에 본직과 국제협력장관간에 동민수물자지원 합의서에 서명할 것을 제의해왔음.

가) 소방차, 순찰차 및 앰블런스: 3 백만불

나) 의료기기: 2 백만불

다) 직업훈련기기: 2 백만불

라) 기술학교 전문직업훈련기기: 1 백만불

2) 국제협력부는 또한 상기 1)항 물자지원관련, 이미 당지 현대(주) 지사와 상당히

중아국　　2차보　　경제국　　분석관

교섭이 진행되고 있음을 알려오면서, 지원물자의 금후 원할한 아프터서비스 및 부품조달을 위해 상기 1)항 물품 전부를 현대측에서 동협력부 및 관련부처와 협의, 조달해 줄것을 요청해옴.

    2. 건의

    가. 상기 1 항 나 1)의 물자지원을 내용으로 하는 합의각서 (1990 년도 무상원조 제공 합의각서 내용과 동일) 를 본직과 국제협력부장관간에 서명코자 하니 승인바라며

    나. 동지원 물자의 금후의 부품조달 및 아프터서비스 제공등 관점에서 현대(주)가 일괄하여 동물자 조달 임무를 수행할 수 있도록 건의하니 검토, 회시바람.

    다. 현대는 92 년초에 포니 엑셀을 당지에서 조립 생산예정으로 있으며, 또한 주재국 대군부지원(7 백만불)미니버스 및 소나타 조달등 이유로 주재국 정부 고위층은 민수물자 지원도 현대측이 일관 조달하는 것이 금후 부품 및 효율적인 아프터써비스 제공뿐 아니라 업무의 효율측면에서도 유리함을 강조, 상기 민수물자의 조달 임무를 현대측이 담당해 줄것을 강력히 요망하고 있음을 첨언함. 끝.

    (총영사 박동순-국장)

    예고:91.12.31. 까지

PAGE 2

0089

분류기호 문서번호	중동이 20005- ///	협조문용지 ( )	결 재	심의관: ⟨서명⟩ <table><tr><td>담 당</td><td>과 장</td><td>국 장</td></tr><tr><td>⟨서명⟩</td><td colspan="2">⟨서명⟩ (서명)</td></tr></table>
시행일자	1991. 9.11.			
수 신	총무과장(외환계장)	발 신		중동아프리카국장
제 목	걸프사태 지원 경비지불			

별첨과 같이 재가를 득한 걸프사태관련 대이집트 지원

차량 430대 및 부품중, 1차분 364대 (Grace 280대, Sonata 42대,

Chorus 42대)가 91.9.1 선적되었는바, 동경비 지불을 아래와 같이

요청하오니 조치하여 주시기 바랍니다.

- 아   래 -

1. 지불액 : U$4,436,308.07/00

2. 지불처 : (주) 현대종합상사

   ㅇ 지불은행 : 한국외환은행 계동지점

   ㅇ 구좌번호 : 117 - 11 - 00105 - 2

3. 지출근거 : 걸프사태관련 대이집트 지원물자 (차량, 91.

   6.30 계약체결분) 중 1차분을 선적기일까지 선적함에

   따른 경비지불

/계속.../

0090

4. 예산항목 : 정무활동, 해외경상이전, 걸프사태 주변

피해국 지원

첩　　부 : 1. 재가 공문 사본 1부.

2. 계약서 사본 1부.

3. (주) 현대종합상사 청구서 1부.

4. 선적서류 사본 1부.　끝.

0091

現代綜合商事株式會社

現商自2 : 第 91-07- *199* 號   1991. 07. 31
受　　信 : 외무부
參　　照 : 중동2과 / 정 진호 課長
題　　目 : 이집트向 무상원조 차량에 대한 부품

　　　　1.　평소 지원에 감사드립니다.

　　　　2.　수제건 차량 부품공급에 대한 91년 7월 10일 귀부에서의 실무회의와
관련, 부품 LIST를 유첨 합니다. 부품에 대한 가격, 납기는 다음과 같습니다.

- 다　　　　　　음 -

1) 가격 및 납기 :

구　　　　분		가격 (단위:USD)		납　　　　기
		FOB	CIF	
소나타 OPTION ITEM	AIR CON 50개	-	36,000	완성차에 취부되어 선적
	특별수리 공구 (S.S.T.)	14,260	15,000	완성차에 동시 선적
부　품	* GRACE　12인승용	470,683	522,610	부품에 대한 공급계약 체결 후 6개월 이내
	* CHORUS 25인승용	355,104	394,422	상　　　동
SONATA用	2% WARRANTY 부품	9,492	10,475	완성차에 동시 선적
	* 부품	62,144	69,024	부품에 대한 공급계약 체결 후 6개월 이내
합　　　　계			1,047,531	

2) 부품 LIST :

구　　분	종　　류	ORDER NO.
2% WARRANTY 부품	SONATA用	DO3MAXGAI
* 부　　품	GRACE　12인승용	DO3MAZIGAC
	CHORUS 25인승용	DO3AAZIGCC
	SONATA用	DO3MAXIGBI

3) 요청사항 :
1. 부품에 대한 선적은 공급계약 체결 후 6개월 이내 가능하나, 부품의 특성 및 보관기간(통상
　부품보관 기간은 2년) 감안, 장기보관시 부품의 변질이 예상되는 COLOR 품목, TRIM/SEAT 품목,
　고무제품 및 기타 이집트內 도로, 기후, 사용조건等을 종합고려 장기보관 및 관리가 부적합한
　부품에 대해서는 순차적 선적/납품이 바람직합니다.
2. 따라서 유첨 부품 LIST (* 표시분)上 품목에 대한 이집트측으로 부터의 품목별 선적/납기확정이
　요청됩니다.
※ 有　添 : 부품 LIST ----------- 2부 (별송예정)　　　　　- 끝 -

현 대 종 합 상 사 주 식 회 사
대 표 이 사 박 세 용

0092

HYUNDAI
CORPORATION

TEL:746-1114
TLX:K23175 HDCORP
CABLE:HDSANGSA SEOUL
FAX:741-2341, 2345

140-2, KYE-DONG, CHONGRO-KU, SEOUL, KOREA K.P.O.BOX 672, C.P.O.BOX 8943, SEOUL, KOREA

Ministry of Defence(M.O.D.)   July 31, 1991
The Arab Republic of Egypt   Our Ref No : J2-0731

Subject : List & Price of spare parts for mini bus and passenger cars to be
           supplied under USD 7 Million grant extended to M.O.D. by Korean
           Gov't

Dear sirs,
   We would like to thank you for your decision for Hyundai mini-bus and
passenger cars, and would like to take this opportunity to renew our
determination to render our best services to your esteemed Ministry.
   We are enclosing herewith each two(2) sets of the List & Price of spare
parts for mini-bus and passenger cars below :

Model	SPARE PARTS ORDER NO	Q'TY	PRICE (IN US DOLLAR)	
			FOB	CIF
Hyundai Grace (12 seater)	DO3AAZIGAC	1 LOT	470,683	522,610
Hyundai Chorus (25 seater)	DO3AAZIGCC	1 LOT	355,104	394,422
Hyundai Sonata (passenger car)	DO3MAXIGBI	1 LOT	62,144	69,024
TOTAL		3 LOTS	887,931	986,056

   We are able to effect shipment of above spare parts within six(6) months
from the date of your confirmation for delivery.
   Accordingly, you are kindly requested to review the List & Price of spare
parts attatched here to and confirm your requirement for time of shipment.
Should there be any item which you want us effect shipment later than six(6)
months, then, you are kindly requested to specify the item and its time for
shipment.
   Since the total q'ty of the said mini-bus and passenger cars, together with
warranty spare parts and S.S.T., are scheduled to be shipped not later than
Sep. 30, 1991, we would appreciate it if you would advise us of your
requirement for time of shipment of spare parts, if possible, within Aug 20,
1991 at latest.
   Assuring you of our best services all the time.

                                        Sincerely yours,
                                        Hyundai Corporation

                                        Y.S. Koh, General Manager
                                        Automobile Dept. II

※ Attached : as above

C.C. : Mr. Jung Jin-ho
       Director
       Middle east Div. II
       Ministry of Foreign Affairs
       The Republic of Korea

0093

HYUNDAI
CORPORATION

TEL:745-1114
TLX:K23175 HDCORP
CABLE:HDSANGSA SEOUL
FAX:741-2341, 2345

140-2, KYE-DONG, CHONGRO-KU, SEOUL, KOREA K.P.O.BOX 672, C.P.O.BOX 8943, SEOUL, KOREA

Ministry of Defence(M.O.D.)   July 31, 1991
The Arab Republic of Egypt   Our Ref No : J2-0731

Subject :   List & Price of spare parts for mini bus and passenger cars to be
             supplied under USD 7 Million grant extended to M.O.D. by Korean
             Gov't

Dear sirs,
   We would like to thank you for your decision for Hyundai mini-bus and
passenger cars, and would like to take this opportunity to renew our
determination to render our best services to your esteemed Ministry.
   We are enclosing herewith each two(2) sets of the List & Price of spare
parts for mini-bus and passenger cars below :

Model	SPARE PARTS ORDER NO	Q'TY	PRICE (IN US DOLLAR)	
			FOB	CIF
Hyundai Grace (12 seater)	DO3AAZIGAC	1 LOT	470,683	522,610
Hyundai Chorus (25 seater)	DO3AAZIGCC	1 LOT	355,104	394,422
Hyundai Sonata (passenger car)	DO3MAXIGBI	1 LOT	62,144	69,024
TOTAL		3 LOTS	887,931	986,056

   We are able to effect shipment of above spare parts within six(6) months
from the date of your confirmation for delivery.
   Accordingly, you are kindly requested to review the List & Price of spare
parts attatched here to and confirm your requirement for time of shipment.
Should there be any item which you want us effect shipment later than six(6)
months, then, you are kindly requested to specify the item and its time for
shipment.
   Since the total q'ty of the said mini-bus and passenger cars, together with
warranty spare parts and S.S.T., are scheduled to be shipped not later than
Sep. 30, 1991, we would appreciate it if you would advise us of your
requirement for time of shipment of spare parts, if possible, within Aug 20,
1991 at latest.
   Assuring you of our best services all the time.

                                  Sincerely yours,
                                  Hyundai Corporation

                                  Y.S. Koh, General Manager
                                  Automobile Dept. II

※ Attached : as above

C.C. : Mr. Jung Jin-ho
        Director
        Middle east Div. II
        Ministry of Foreign Affairs
        The Republic of Korea

0094

(GRACE)

LINE	PART NUNBER TO BE SUPPLIED	PART NAME	Q'TY	UNIT PRICE	AMOUNT
0001	09110 44002	JACK-OIL	280	28.75	8050.00
0002	09111 43010	HANDLE SET	280	0.94	263.20
0003	09129 45000	TOOL BAG	280	0.94	263.20
0004	09131 44000	WRENCH-WHEEL	280	1.76	492.80
0005	09135 11200	SPANNER(10X12	280	1.06	296.80
0006	09136 11200	SPANNER(14X17	280	1.53	428.40
0007	09145 11200	PILER	280	1.93	540.40
0008	09146 11110	DRIVER(+,-)	280	1.40	392.00
0009	09148 43001	BOLT-WING(8X3	280	0.50	140.00
0010	09161 43001	BAND-RUBBER	280	0.21	58.80
0011	TT662 (X)MB	PAINT(4I TYPE	5	9.15	45.75
0012	TT662 (X)GRAY-H	PAINT(4I TYPE	20	9.15	183.00
0013	17511 12000	GASKET	100	0.06	6.00
0014	21140 42000	VALVE-CHECK	50	2.84	142.00
0015	21150 42000	JET ASSY 'A'-	30	1.62	48.60
0016	21160 42000	JET ASSY 'B'-	30	1.62	48.60
0017	21252 42000	BEARING-REAR	30	1.33	39.90
0018	21321 42041	OIL SEAL	30	8.59	257.70
0019	21442 42000	OIL SEPARATOR	30	0.62	18.60
0020	21444 42000	GASKET-OIL SE	30	0.61	18.30
0021	20100 42200	ENGINE-ASSY	20	2425.12	48502.40
0022	20100 42290	ENG ASSY(A/C.	2	2425.12	4850.24
0023	21811 43001	INSULATOR-ENG	50	7.67	383.50
0024	21812 43001	INSULATOR-ENG	50	7.82	391.00
0025	21813 43001	INSULATOR-ENG	50	6.14	307.00
0026	21817 43001	CUSHION-RUBBE	50	0.20	10.00
0027	21818 43001	CUSHION-RUBBE	50	0.17	8.50
0028	22100 42000	CYL HEAD SUB	30	206.65	6199.50
0029	22144 21010	OIL SEAL-CAM	30	0.83	24.90
0030	22151 42000	FTG ASSY-WATE	20	1.41	28.20
0031	22155 42000	GASKET-WATER	30	0.16	4.80
0032	22311 42000	GASKET-CYLIND	30	12.81	384.30
0033	22321 32000	BOLT-CYL HEAD	50	0.56	28.00
0034	22433 11000	OIL SEAL	30	0.08	2.40
0035	22441 42000	GASKET-ROCKER	30	1.62	48.60
0036	22442 42000	PACKING-SEMI	30	0.17	5.10
0037	26510 11502	CAP-OIL FILTE	30	1.17	35.10
0038	26713 42100	HOSE-BREATHER	50	0.44	22.00
0039	14303 08180	PIN-DOWEL(8X1	50	0.09	4.50
0040	23100 42000	CRANK SHAFT A	20	241.43	4828.60
0041	23129 42000	DAMPER-PULLEY	20	24.59	491.80
0042	23151 42000	SHAFT-O/P GEA	10	5.56	55.60
0043	23200 42000	FLYWHEEL ASSY	15	69.49	1042.35
0044	23221 42010	BEARING-BALL	15	2.34	35.10
0045	25211 42000	BOLT-CRANK PU	50	1.72	86.00
0046	23342 420002	SHAFT-COUNTER	10	24.32	243.20
0047	23343 420002	SHAFT-COUNTER	10	24.32	243.20
0048	23344 42000	GEAR-BAL SHF	10	9.46	94.60
0049	23345 42000	GEAR-BALANCER	10	7.61	76.10
0050	23352 42000	SPRACKET-CRK	10	6.61	66.10
0051	23353 42000	SPRACKET-COUN	10	4.22	42.20
0052	23356 42020K	BELT-TIMING '	300	6.35	1905.00
0053	23357 42020K	TENSIONER ASS	30	8.72	261.60
0054	23358 42000	GASKET	30	0.08	2.40
0055	23040 42000	RING SET-PIST	80	50.56	4044.80

0095

(GRACE)

LINE	PART NUMBER TO BE SUPPLIED	PART NAME	Q'TY	UNIT PRICE	AMOUNT
0056	23060 42000	BEARING SET-C	80	8.54	683.20
0057	23141 42000	KEY	80	0.30	24.00
0058	23410 42000	PISTON & PIN	80	16.57	1325.60
0059	23510 42000	CONN ROD ASSY	80	31.83	2546.40
0060	22211 42010	VALVE-INLET	40	2.95	118.00
0061	22212 42010	VALVE-EXHAUST	40	3.58	143.20
0062	22221 42000	SPRING-VALVE	100	0.85	85.00
0063	22222 21000	RETAINER-VLV	100	0.51	51.00
0064	22223 32004	LOCK-VALVE SP	100	0.38	38.00
0065	22224 11000	SEAL-VALVE ST	300	0.38	114.00
0066	22225 11001	SEAT-VALVE SP	100	0.07	7.00
0067	24100 42000	CAM SHAFT ASS	20	34.91	698.20
0068	24211 42000	SPRACKET-CAM	20	7.08	141.60
0069	24315 421002	BELT-TIMING	300	27.95	8385.00
0070	24423 42000	SPRACKET-CRK	20	4.59	91.80
0071	24511 42000	SHAFT-ROCKER	20	25.21	504.20
0072	24529 42000	ROCKER ARM-EX	20	2.79	55.80
0073	24531 42000	ROCKER ARM-IN	20	2.79	55.80
0074	24532 21004	ADJ SCREW-ROC	30	0.62	18.60
0075	24542 21000	SPRING-ROCKER	40	0.08	3.20
0076	24551 42000	SPRACKET-INJ	20	8.51	170.20
0077	25100 42000	PUMP ASSY-WAT	30	38.60	1158.00
0078	25124 42000	GASKET-WATER	50	0.35	17.50
0079	25213 42100	V BELT-WATER	500	3.42	1710.00
0080	25221 42000	PULLEY-WATER	20	1.84	36.80
0081	25221 42050	PULLEY-WATER	5	1.84	9.20
0082	25237 42010	CLUTCH-FAN	40	44.57	1782.80
0083	25237 42050	CLUTCH-FAN	5	44.57	222.85
0084	25261 42100	FAN-COOLING	50	6.73	336.50
0085	25300 43600	RADIATOR ASSY	100	103.43	10343.00
0086	25340 44000	CAP ASSY-RAD	100	2.65	265.00
0087	25390 43002	SHROUD ASSY	20	5.17	103.40
0088	25411 43000	HOSE-RADIATOR	50	1.57	78.50
0089	25413 43001	HOSE-RAD OUTL	50	2.10	105.00
0090	25413 43010	HOSE-RAD OUT(	10	2.10	21.00
0091	25125 42100	FTG-WATER INL	30	1.11	33.30
0092	25126 42000	GASKET-W/INLE	50	0.16	8.00
0093	25510 42010	THERMOSTAT	300	5.45	1635.00
0094	94650 41000	GAUGE UNIT-WA	300	6.41	1923.00
0095	26100 42000	PUMP ASSY-OIL	30	15.51	465.30
0096	26250 42100	SCREEN ASSY-O	30	2.53	75.90
0097	26259 32000	GASKET-OIL SC	50	0.12	6.00
0098	26300 42000	FILTER ASSY-O	2000	8.10	16200.00
0099	26321 42110	BRKT ASSY-OIL	30	16.69	500.70
0100	26326 42000	GASKET	100	0.42	42.00
0101	20910 42A00	GASKET SET-EN	300	34.19	10257.00
0102	94750 11110	SW-OIL PRESSU	40	2.67	106.80
0103	D2640 043950	OIL COOLER AS	30	80.78	2423.40
0104	26440 43004	HOSE ASSY-FEE	30	15.09	452.70
0105	26450 43004	HOSE ASSY-RET	30	13.08	392.40
0106	28100 43003	AIR CLEANER A	20	25.63	512.60
0107	28130 44000	ELEMENT ASSY-	2000	5.70	11400.00
0108	28311 42100	MANIFOLD-INL	10	45.72	457.20
0109	28520 42000	GASKET-INNLET	80	2.04	163.20

0096

(GRACE)

LINE	PART NUNBER TO BE SUPPLIED	PART NAME	Q'TY	UNIT PRICE	AMOUNT
0110	26465 44000	GASKET	40	0.14	5.60
0111	28710 43003	PIPE ASSY-EXH	30	10.59	317.70
0112	28720 43015	MUFFLER	30	35.43	1062.90
0113	31010 21011	CAP ASSY-FUEL	100	2.92	292.00
0114	31100 43000	F/TANK ASSY	20	64.44	1288.80
0115	17911 06059	HOSE-FUEL	30	0.70	21.00
0116	17911 06065	HOSE-FUEL	30	0.77	23.10
0117	17911 08026	HOSE-FUEL(8X3	30	0.80	24.00
0118	17911 08028	HOSE-FUEL(8X3	30	0.86	25.80
0119	17917 05020	HOSE	30	0.10	3.00
0120	17918 06000	HOSE	30	0.64	19.20
0121	31135 36100	2 WAY VALVE	50	3.17	158.50
0122	31970 44101	FILTER ASSY-F	50	18.70	935.00
0123	31973 44000	CARTRIDGE-FUE	1500	11.41	17115.00
0124	33133 42102	HARNESS-WRG(6	20	3.75	75.00
0125	33133 42252	HARNESS-WRG(6	20	3.75	75.00
0126	31411 42100	PIPE-INJ NO.1	20	4.76	95.20
0127	31412 42100	PIPE-INJ NO.2	20	4.76	95.20
0128	31413 42100	PIPE-INJ NO.3	20	4.76	95.20
0129	31414 42100	PIPE-INJ.NO.4	20	4.76	95.20
0130	31515 42000	HOSE-FUEL	30	0.36	10.80
0131	31542 42000	GASKET-FUEL R	30	0.15	4.50
0132	33800 42020	NOZZLE & HOLD	300	32.91	9873.00
0133	33813 42000	GASKET-HOLDER	50	0.20	10.00
0134	33814 42000	GASKET-NOZZLE	50	0.10	5.00
0135	32740 43001	CABLE-THROTTL	10	7.48	74.80
0136	32970 43100	CABLE ASSY-EN	10	6.55	65.50
0137	93820 73012	SW ASSY-STOP	20	2.51	50.20
0138	33100 42222	PUMP ASSY-INJ	10	547.13	5471.30
0139	33100 42272	PUMP ASSY-INJ	2	547.13	1094.26
0140	36100 42010	STARTER ASSY(	150	155.11	23266.50
0141	36710 42000	GLOW-PLUG	10	8.94	89.40
0142	36860 42011	RELAY ASSY	50	4.91	245.50
0143	39160 42010	CONTROL UNIT-	30	21.43	642.90
0144	39510 42002	RESISTOR WITH	50	1.48	74.00
0145	37210 43005	CABLE-BATT(+)	30	10.26	307.80
0146	37220 43000	CABLE-BATT(-)	30	6.42	192.60
0147	37300 42112	ALTERNATOR AS	150	160.11	24016.50
0148	37300 42202	ALTERNATOR AS	10	160.11	1601.10
0149	41100 44011	DISC ASSY-CLU	200	36.87	7374.00
0150	41300 44020	COVER-CLUTCH	10	22.00	220.00
0151	41421 43000	BEARING-CLUTC	20	16.93	338.60
0152	41422 11000	CLIP-RETURN	50	0.06	3.00
0153	41700 44010	CYLINDER ASSY	30	9.85	295.50
0154	41600 43013	MASTER CYLIND	30	14.67	440.10
0155	41553 43001	OIL CHAMBER-C	50	5.01	250.50
0156	41810 43000	HOSE-RSVR OIL	30	0.70	21.00
0157	43000 43130	T/M ASSY(17/5	15	987.66	14814.90
0158	86610 43030WF	BUMPER ASSY-F	40	39.05	1562.00
0159	86660 43000MB	BUMPER ASSY-R	5	14.39	71.95
0160	86660 43000WF	BUMPER ASSY-R	25	14.39	359.75
0161	93860 44003	SW ASSY-BACK	50	3.16	158.00
0162	13141 16001	NUT-SLOTTED(1	50	0.25	12.50
0163	14300 04301	PIN-SPLIT(4X3	50	0.03	1.50

0097

(GRACE)

LINE	PART NUMBER TO BE SUPPLIED	PART NAME	Q'TY	UNIT PRICE	AMOUNT
0164	16011 10000	BALL-STEEL(5/	50	0.11	5.50
0165	D8122 043004	LATCH ASSY-RR	50	5.88	294.00
0166	43122 44000	BOLT ASSY	100	0.04	4.00
0167	43211 43100	PINION ASSY-M	15	59.61	894.15
0168	43217 21020	SPACER-T=2.02	10	0.52	5.20
0169	43217 21050	SPACER-T=2.05	10	0.52	5.20
0170	43217 21080	SPACER-T=2.08	10	0.52	5.20
0171	43217 21110	SPACER-T=2.11	10	0.52	5.20
0172	43217 21140	SPACER-T=2.14	10	0.52	5.20
0173	43217 21170	SPACER-T=2.17	10	0.52	5.20
0174	43217 21200	SPACER-T=2.20	10	0.52	5.20
0175	43217 21230	SPACER-T=2.23	10	0.52	5.20
0176	43217 21260	SPACER-T=2.26	10	0.52	5.20
0177	43217 21290	SPACER-T=2.29	10	0.52	5.20
0178	43217 21320	SPACER-T=2.32	10	0.52	5.20
0179	43217 21350	SPACER-T=2.35	10	0.52	5.20
0180	43217 21380	SPACER-T=2.38	10	0.52	5.20
0181	43217 21410	SPACER-T=2.41	10	0.52	5.20
0182	43217 21440	SPACER-T=2.44	10	0.52	5.20
0183	43217 21470	SPACER-T=2.47	10	0.52	5.20
0184	43217 21500	SPACER-T=2.50	10	0.52	5.20
0185	43217 21530	SPACER-T=2.53	10	0.52	5.20
0186	43217 21560	SPACER-T=2.56	10	0.52	5.20
0187	43217 21590	SPACER-T=2.59	10	0.52	5.20
0188	43217 21620	SPACER-T=2.62	10	0.52	5.20
0189	43217 21650	SPACER-T=2.65	10	0.52	5.20
0190	43217 21680	SPACER-T=2.68	10	0.52	5.20
0191	43217 21840	SPACER-T=1.84	10	0.52	5.20
0192	43217 21870	SPACER-T=1.87	10	0.52	5.20
0193	43217 21900	SPACER-T=1.90	10	0.52	5.20
0194	43217 21930	SPACER-T=1.93	10	0.52	5.20
0195	43217 21960	SPACER-T=1.96	10	0.52	5.20
0196	20910 42B00	GASKET SET-EN	100	17.80	1780.00
0197	43221 44000	BEARING-BALL	20	10.55	211.00
0198	43222 44000	BEARING-RADIA	20	3.57	71.40
0199	43231 11300	RING-SNAP(T=2	10	0.60	6.00
0200	43231 11350	RING-SNAP(T=2	10	0.40	4.00
0201	43231 11400	RING-SNAP(T=2	10	0.40	4.00
0202	43231 11450	RING-SNAP(T=2	10	0.40	4.00
0203	43231 11500	RING-SNAP(T=2	10	1.48	14.80
0204	43241 11110	RING-SNAP(T=1	10	0.44	4.40
0205	43241 11200	RING-SNAP(T=1	10	0.44	4.40
0206	43241 11290	RING-SNAP(T=1	10	0.44	4.40
0207	43241 11380	RING-SNAP(T=1	10	0.44	4.40
0208	43241 11840	RING-SNAP(T=0	10	0.77	7.70
0209	43241 11930	RING-SNAP(T=0	10	0.44	4.40
0210	43245 43100	GEAR ASSY-REV	20	24.84	496.80
0211	43251 43100	SHAFT-MAIN	20	43.71	874.20
0212	98614 43001	NOZZLE	200	0.52	104.00
0213	43253 11400	BEARING-NEEDL	20	1.90	38.00
0214	43260 33000	GEAR ASSY-3RD	20	12.90	258.00
0215	43270 33000	GEAR ASSY-2ND	20	14.05	281.00
0216	43275 44000	BEARING-NEEDL	20	2.04	40.80
0217	43281 43100	GEAR ASSY-1ST	20	16.97	339.40

(GRACE)

LINE	PART NUNBER TO BE SUPPLIED	PART NAME	Q'TY	UNIT PRICE	AMOUNT
0218	43282 33010	BEARING-NEEDL	20	1.92	38.40
0219	43286 43100	BEARING-DOUBL	20	13.58	271.60
0220	43287 33000	NUT-LOCKING	50	1.17	58.50
0221	43289 44000	SPACER	10	1.31	13.10
0222	43290 43100	GEAR ASSY-OVE	20	17.48	349.60
0223	43296 33000	SPACER-BEARIN	10	0.10	1.00
0224	43297 33000	SPACER	10	2.64	26.40
0225	43351 33000	HUB SYN-3RD &	20	7.10	142.00
0226	43352 33000	SPRING-SYN 1S	10	8.68	86.80
0227	43353 43100	HUB-SYN O/T R	20	20.27	405.40
0228	43361 11150	RING-SNAP(T=2	10	0.37	3.70
0229	43371 11000	SPRG-SYNC(3RD	10	0.27	2.70
0230	43372 11001	KEY-SYNC(3RD	100	0.27	27.00
0231	43372 33001	KEY-SYN 1ST &	100	0.32	32.00
0232	43372 43101	KEY-SYN O/T &	100	0.32	32.00
0233	43373 33001	SLEEVE-SYN 1S	20	10.78	215.60
0234	43374 11001	RING-SYNC(O/T	10	8.52	85.20
0235	43374 33001	SLEEVE-SYN 1S	20	8.60	172.00
0236	43375 44000	SLEEVE-SYN O/	20	10.33	206.60
0237	43376 33001	SLEEVE-SYN 3R	20	10.78	215.60
0238	43377 33002	RING-SYN 2ND	10	8.96	89.60
0239	43378 33001	SPRING-SYN 1S	10	0.24	2.40
0240	43411 43100	GEAR-C/S CLUS	20	50.66	1013.20
0241	43414 43100	GEAR-C/S O/T	20	19.88	397.60
0242	86511 43000	EMBLEM "GRACE	300	1.16	348.00
0243	43442 44000	SPACER	10	1.16	11.60
0244	43445 43100	NUT-BEARING L	40	2.71	108.40
0245	43446 44000	SPACER	10	1.00	10.00
0246	43511 44000	SHAFT-REV IDL	20	11.29	225.80
0247	43512 44000	GEAR-REV IDLE	20	13.12	262.40
0248	43522 44000	BEARING-NEEDL	20	1.67	33.40
0249	43524 44000	WASHER-THRUST	20	0.58	11.60
0250	43620 43110	SLEEVE ASSY-S	20	4.28	85.60
0251	43711 43100DT	KNOB-GEAR SHI	30	1.03	30.90
0252	49100 43204	P/SHAFT ASSY	20	94.10	1882.00
0253	49140 43000	U/JOINT ASSY-	100	14.11	1411.00
0254	51703 44000	BEARING ASSY-	30	3.54	106.20
0255	51701 44000	BEARING ASSY-	30	3.65	109.50
0256	51750 44001	HUB ASSY-FRT	30	15.81	474.30
0257	51770 44000	HUB ASSY-FRT	30	15.81	474.30
0258	58129 43100	DISC-14"	30	16.57	497.10
0259	52761 44000	DRUM(10)	10	19.86	198.60
0260	52910 44001	WHEEL ASSY(5J	20	26.14	522.80
0261	52980 43000	NUT ASY-HUB R	100	0.26	26.00
0262	54100 43000	TORSION BAR A	10	20.60	206.00
0263	54101 43000	TORSION BAR A	10	20.60	206.00
0264	54121 43000	COVER-DUST	50	0.23	11.50
0265	54270 43001	ARM ASSY-ANCH	10	6.75	67.50
0266	54273 43000	NUT-SPECTIAL	100	0.15	15.00
0267	54280 43000	ARM ASSY-ANCH	10	5.79	57.90
0268	54281 43000	ARM ASSYOANCH	10	5.79	57.90
0269	54289 43000	SEAT-A	50	1.15	57.50
0270	54300 43003	S/ABS-FRT	30	16.23	486.90
0271	54311 44000	BUSHING-RUBBE	30	0.15	4.50

0099

(GRACE)

LINE	PART NUNBER TO BE SUPPLIED	PART NAME	Q'TY	UNIT PRICE	AMOUNT
0272	54312 44000	WASHER	30	0.10	3.00
0273	54313 44000	WASHER-CENT	30	0.09	2.70
0274	54710 43000	BAR-STABILIZE	10	22.86	228.60
0275	54711 43000	BUSHING-STABI	20	0.47	9.40
0276	54713 43000	CLAMP-STABLIZ	20	0.14	.2.80
0277	54716 44000	BUSH-RUBBER	20	0.09	1.80
0278	54717 44000	CUP-JOINT A	30	0.06	1.80
0279	54718 44000	CUIP-JOINT B	30	0.06	1.80
0280	54719 43000	BOLT	30	0.34	10.20
0281	54721 43000	COLLAR	30	0.35	10.50
0282	54750 43000	BAR-STRUT	20	3.51	70.20
0283	54751 43001	BUSHING-STRUT	30	0.47	14.10
0284	54753 43000	WASHER	20	0.29	5.80
0285	54210 43006	C/MBR ASSY-FR	10	42.52	425.20
0286	54410 43002	COMPL-UPR ARM	10	57.63	576.30
0287	54411 43001	ARM ASSY-UPR	10	12.47	124.70
0288	54417 43001	BALL JOINT-UP	30	11.52	345.60
0289	54430 43002	COMPL-UPR ARM	10	57.63	576.30
0290	54449 43000	BUSHING	30	3.63	108.90
0291	54453 43000	BUSHING	30	2.13	63.90
0292	54457 43001	BALL JOINT-UP	50	11.52	576.00
0293	54475 43001	ARM ASSY-UPR	10	12.47	124.70
0294	54510 43005	ARM COMPL-LWR	10	24.51	245.10
0295	54532 43002	SHAFT ASSY	10	1.43	14.30
0296	54540 43005	ARM COMPL-LWR	10	24.51	245.10
0297	54544 43000	PLATE-ADJUSTE	30	0.35	10.50
0298	54560 43000	STOPPER-BUMPE	30	1.40	42.00
0299	54562 43001	STOPPER-REBOU	30	0.94	28.20
0300	56716 43001	SPINDLE-FRT L	10	53.52	535.20
0301	56736 43001	SPINDLE-FRT R	10	53.52	535.20
0302	55100 43011	SPRING ASSY-R	10	47.71	477.10
0303	55229 44002	NUT-LARGE-T=8	30	0.17	5.10
0304	55230 43001	SEAT- U BOLT	30	3.28	98.40
0305	25392 88001	WASHER-EYE	30	0.14	4.20
0306	55240 43000	BOLT	30	0.44	13.20
0307	55250 44002	SHACKLE ASSY	30	2.03	60.90
0308	55225 43010	U BOLT-L=157	30	1.49	44.70
0309	55255 44000	PLATE-SHACKLE	30	0.47	14.10
0310	55256 44000	BUSHING-RUBBE	30	0.26	7.80
0311	55257 44000	BUSHING-RUBBE	30	0.26	7.80
0312	55260 43003	STOPPER-BUMPE	30	2.14	64.20
0313	55271 43010	CLAMP	50	0.99	49.50
0314	55272 43000	PAD-SPRG LWR	100	0.88	88.00
0315	55273 43000	PAD-SPRG UPR	100	0.88	88.00
0316	55300 43003	S/ABS-RR	30	13.50	405.00
0317	D8731 643000	MLDG-RR PNL R	50	10.01	500.50
0318	56100 43000DT	WHEEL COMPL-S	30	22.40	672.00
0319	56300 43011	COLUMN SHAFT-	10	107.30	1073.00
0320	56400 43001	GEAR ASSY-BEV	10	100.53	1005.30
0321	56850 43002	SHAFT ASSY-I/	10	44.09	440.90
0322	56500 43002	GEAR & LINKAG	10	134.37	1343.70
0323	57700 43002	GEAR & LINKAG	10	297.48	2974.80
0324	57181 43000	V BELT(A-735)	200	1.75	350.00
0325	57100 43001	PUMP ASSY-OIL	10	93.72	937.20

0100

(GRACE)

LINE	PART NUNBER TO BE SUPPLIED	PART NAME	Q'TY	UNIT PRICE	AMOUNT
0326	86512 43001	EMBLEM "HYUND	100	1.57	157.00
0327	57520 43001	HOSE ASSY-PRE	30	39.96	1198.80
0328	D8266 043000	HDL ASSY-DR O	50	2.72	136.00
0329	58110 44002	BRAKE ASSY-FR	50	51.81	2590.50
0330	58140 44000	PAD & SPRING	1000	17.81	17810.00
0331	58210 44002	BRAKE ASSY-FR	50	51.81	2590.50
0332	58642 43002	HOSE-VACUUM	30	0.52	15.60
0333	58600 43003	BOOSTER & MAS	10	141.42	1414.20
0334	58641 43001	HOSE-VACUUM	30	0.25	7.50
0335	58644 43102	HOSE-VACUUM	30	1.34	40.20
0336	58811 43001	HOSE-BRAKE	30	4.25	127.50
0337	58812 43001	HOSE-BRAKE	30	4.82	144.60
0338	58814 43000	HOSE-BRAKE	30	4.07	122.10
0339	58914 44000	CONNECTOR	50	2.29	114.50
0340	59151 43001	HOSE-OIL	30	0.66	19.80
0341	59153 43001	HOSE-OIL	30	0.66	19.80
0342	59410 43001	L.C.R VALVE	10	57.24	572.40
0343	59710 43106DT	LEVER ASSY-P/	30	7.83	234.90
0344	D8265 043000	HDL ASSY-DR I	50	2.72	136.00
0345	59911 43002	CABLE ASSY-P/	30	5.29	158.70
0346	59911 43200	CABLE ASSY-PA	20	6.21	124.20
0347	59912 43201	CABLE-PARKING	20	7.45	149.00
0348	62100 43030	FRAME ASSY-FR	5	266.11	1330.55
0349	66100 43020	FRT COMPLETE	5	73.75	368.75
0350	66130 43020	HSG ASSY-H/LA	50	8.98	449.00
0351	66140 43020	HSG ASSY-H/LA	50	8.98	449.00
0352	70610 43010	FRT DR ASSY-L	20	69.16	1383.20
0353	70620 43010	FRT DR ASSY-R	20	69.16	1383.20
0354	70010 43000	FRT PLR ASSY-	10	53.94	539.40
0355	70020 43000	FRT PLR ASSY-	10	53.94	539.40
0356	70810 43000	TAIL GATE ASS	10	108.69	1086.90
0357	81110 43007	LATCH ASSY-FR	30	7.18	215.40
0358	D8112 043013	LATCH ASSY-FR	30	7.18	215.40
0359	D8261 043000DT	HDL ASSY-DR	30	1.02	30.60
0360	21321 42011	OIL SEAL	100	1.49	149.00
0361	D8262 043000DT	HDL ASSY-DR	30	1.02	30.60
0362	21411 42000	GASKET-FRT CA	50	0.47	23.50
0363	D8131 043003	LATCH ASSY-T/	30	6.26	187.80
0364	D8136 043000	LINK ASSY-T/G	30	1.49	44.70
0365	83950 43010	GAS SPRING-TA	20	15.45	309.00
0366	83960 43010	GAS SPRING-TA	20	15.45	309.00
0367	78710 43001	DR ASSY-FUEL	20	1.67	33.40
0368	81450 43000	HANDLE-FUEL T	20	0.88	17.60
0369	D8146 043000	CABLE	20	2.06	41.20
0370	D8190 143005	KEY SET	50	22.59	1129.50
0371	D8240 543017	REG ASSY-FRT	20	8.02	160.40
0372	D8240 643017	REG ASSY-FRT	20	8.02	160.40
0373	82630 43000DT	HANDLE ASSY-F	30	0.78	23.40
0374	21412 42000	GASKET-FRT CA	30	0.78	23.40
0375	86110 43001	GLASS-W/SHIEL	200	76.30	15260.00
0376	86110 43012	GLASS-W/SHIEL	10	76.30	763.00
0377	86120 43000	W/STRIP-W/SHI	250	10.73	2682.50
0378	86361 43000	GLASS-RR DR (	30	8.92	267.60
0379	86361 43020	GLASS-R/DR WD	30	12.99	389.70

(GRACE)

LINE	PART NUNBER TO BE SUPPLIED	PART NAME	Q'TY	UNIT PRICE	AMOUNT
0380	86362 43000	GLASS-RR DR (	30	8.92	267.60
0381	86362 43020	GLASS-R/DR WD	30	12.99	389.70
0382	86371 43020	GLASS-QTR FRT	20	11.29	225.80
0383	86371 43030	GLASS-QTR WDW	20	15.68	313.60
0384	86372 43020	GLASS-QTR RR	30	11.26	337.80
0385	86372 43030	GLASS-QTR WDW	20	15.68	313.60
0386	86373 43020	GLASS-QTR FRT	20	10.76	215.20
0387	86373 43030	GLASS-QTR WDW	20	12.61	252.20
0388	86374 43020	GLASS-QTR RR	20	11.26	225.20
0389	86374 43030	GLASS-QTR WDW	20	15.68	313.60
0390	87110 43011	MIRROR-O/SIDE	30	21.55	646.50
0391	87120 43012	MIRROR-O/SIDE	30	23.63	708.90
0392	87121 43010	MIRROR ASSY-U	30	7.00	210.00
0393	87130 43012	MIRROR ASSY-R	30	9.65	289.50
0394	91831 11000	FUSE-12V 10A	400	0.10	40.00
0395	91832 11000	FUSE-12V 15A	400	0.08	32.00
0396	91835 21100	FUSE-10A	300	0.14	42.00
0397	91836 21100	FUSE-15A	300	0.14	42.00
0398	91837 21100	FUSE 20A-FUSE	300	0.08	24.00
0399	91880 43002	FUSIBLE LINK	100	0.67	67.00
0400	91880 43101	FUSIBLE LINK	100	0.79	79.00
0401	91110 43215	WIRING ASSY-F	3	148.53	445.59
0402	D9111 043532	WIRING ASSY-F	3	173.89	521.67
0403	91210 43005	WIRING ASSY-E	3	6.32	18.96
0404	91560 43005	WIRING ASSY-F	3	10.25	30.75
0405	91560 43105	WIRING ASSY-F	3	13.41	40.23
0406	91340 43205	WIRING ASSY-I	3	16.92	50.76
0407	91340 43524	WIRING ASSY-I	3	22.04	66.12
0408	91420 43703	WIRING ASSY-R	3	19.27	57.81
0409	91420 43802	WIRING ASSY-R	3	23.52	70.56
0410	86610 43030MB	BUMPER ASSY-F	50	39.05	1952.50
0411	91610 43322	WIRING ASSY-G	3	9.50	28.50
0412	91670 43001	WIRING ASSY-A	3	9.66	28.98
0413	91680 43002	WIRING ASSY-A	3	10.66	31.98
0414	91530 43203	WIRING ASSY-R	3	6.40	19.20
0415	91530 43304	WIRING ASSY-R	3	8.84	26.52
0416	18647 55009	BULB 12V 55W-	200	4.43	886.00
0417	18647 61566	BULB 12V 60/5	200	4.24	848.00
0418	92105 43002	HEAD LAMP-INR	80	17.35	1388.00
0419	92106 43002	HEAD LAMP-INR	80	17.35	1388.00
0420	92107 43002	HEAD LAMP-OTR	80	17.35	1388.00
0421	92108 43002	HEAD LAMP-OTR	80	17.35	1388.00
0422	18642 05003	BULB 12V 5W-F	200	0.24	48.00
0423	18642 21008	BULB 12V 21W-	200	0.25	50.00
0424	18643 05009	BULB 12V 5W-T	200	0.21	42.00
0425	92301 43001	LAMP ASSY-FRT	80	4.01	320.80
0426	92302 43001	LAMP ASSY-FRT	80	4.01	320.80
0427	92350 43003	LAMP ASSY-T/S	80	14.42	1153.60
0428	92360 43003	LAMP ASSY-T/S	80	14.42	1153.60
0429	18642 10003	BULB 12V 10W-	200	0.24	48.00
0430	18644 21058	BULB 12V 21/5	200	0.28	56.00
0431	92410 43003	LAMP ASSY-RR	80	10.34	827.20
0432	92420 43003	LAMP ASSY-RR	80	10.34	827.20
0433	92560 43000	LAMP ASSY-LIC	80	1.90	152.00

0102

(GRACE)

LINE	PART NUNBER TO BE SUPPLIED	PART NAME	Q'TY	UNIT PRICE	AMOUNT
0434	18645 05029	BULB 12V 5W-S	200	0.24	48.00
0435	92630 43000DT	LAMP ASSY-STE	20	1.37	27.40
0436	21360 42000	COVER ASSY-T/	30	2.29	68.70
0437	92801 43010AL	LAMP ASSY-ROO	30	1.96	58.80
0438	92801 43000AR	LAMP ASSY-ROO	30	2.08	62.40
0439	92801 43000FD	LAMP ASSY-ROO	30	1.96	58.80
0440	93300 43150	SW ASSY-M/FUN	200	27.21	5442.00
0441	93370 43000	SW ASSY-HAZAR	30	3.27	98.10
0442	93560 21001	SW ASSY-DOOR	40	0.80	32.00
0443	93561 21002	CAP-DR SW	40	0.23	9.20
0444	93580 43000	SW-RR DEFFOR	30	2.97	89.10
0445	93591 43200	SW ASSY-CONTA	30	0.95	28.50
0446	93592 43200	SW ASSY-CONTA	30	2.14	64.20
0447	93620 43001	SW ASSY-RR WI	30	1.68	50.40
0448	93650 43000	SW ASSY-RR HT	30	3.54	106.20
0449	93670 43000	SW-DR LOCK	30	2.04	61.20
0450	93735 43000	SW ASSY-ROOM	30	1.64	49.20
0451	93981 43001	COVER-HOLE	30	0.12	3.60
0452	95110 43000	PLUG-CIGAR LI	30	2.42	72.60
0453	95116 43001	PROTECTOR-CIG	30	7.14	214.20
0454	21362 42000	GASKET-T/BELT	50	2.84	142.00
0455	93690 43001ED	SW-P/WDW MAIN	30	6.91	207.30
0456	21510 42100	PAN ASSY-OIL	30	11.74	352.20
0457	93690 43051ED	SW-P/WDW SUB	30	3.97	119.10
0458	93915 43100	KNOB-RHEOSTA	30	0.08	2.40
0459	95116 43101	PROTECTOR-CIG	30	7.14	214.20
0460	93330 43101	RHEOSTAT ASSY	30	5.45	163.50
0461	94100 43102	CLUSTER ASSY-	15	116.67	1750.05
0462	94100 43202	CLUSTER ASSY-	5	116.67	583.35
0463	94310 43003	CABLE ASSY-SP	30	4.90	147.00
0464	95220 21000	RELAY-POWER	80	2.97	237.60
0465	95220 21050	RELAY ASSY-PO	80	2.97	237.60
0466	95430 14000	TIMER-RR HEAT	30	10.77	323.10
0467	95550 21002	UNIT-FLASHER	30	3.35	100.50
0468	95840 43001	TIMER-KEY LAM	30	7.54	226.20
0469	96620 43000	HORN-HIGH PIT	100	7.50	750.00
0470	96820 21001	BELL ASSY-CHI	50	4.85	242.50
0471	96130 43102	RADIO & CASSE	30	194.12	5823.60
0472	96210 43004	ANTENNA-PILLA	30	3.67	110.10
0473	96311 43002	SPEAKER ASSY-	30	4.91	147.30
0474	96312 43002	SPEAKER ASSY-	30	4.91	147.30
0475	96321 43002	SPEAKER ASSY	30	8.50	255.00
0476	97600 43001	A/CON KIT ASS	5	1288.63	6443.15
0477	97652 43000	V BELT-AIR CO	100	3.62	362.00
0478	98110 43001	WIPER MOTOR &	30	30.35	910.50
0479	98310 43001	ARM BLADE ASS	50	4.83	241.50
0480	98310 43011	ARM-LH	50	4.83	241.50
0481	98330 43002	BLADE ASSY-FR	2000	2.98	5960.00
0482	98610 43000	TANK & MOTOR	30	7.43	222.90
0483	87480 43010	MOULDING-FRT	50	8.84	442.00
0484	87490 43010	MOULDING-FRT	50	8.84	442.00
0485	87479 43002	MOULDING-RR B	50	7.75	387.50
0486	87511 43001	MUD GUARD-FRT	50	2.13	106.50
0487	87512 43001	MUD GUARD-FRT	50	2.13	106.50

0103

(GRACE)

LINE	PART NUNBER TO BE SUPPLIED	PART NAME	Q'TY	UNIT PRICE	AMOUNT
0488	87561 43000	MUD GUARD-RR	50	1.96	98.00
0489	87562 43000	MUD GUARD-RR	50	1.96	98.00
0490	87514 43000	BOLT	50	0.17	8.50
0491	86630 43002	STAY-FRT BUMP	50	3.90	195.00
0492	86640 43002	STAY-FRT BUMP	50	3.90	195.00
0493	86620 43002	BACK BEAM-FRT	30	12.95	388.50
0494	21512 21000	PLUG-OIL DRAI	50	0.48	24.00
0495	21513 21000	GASKET-OIL DR	50	0.08	4.00
0496	D8731 343000	MLDG-SIDE PNL	50	16.38	819.00
0497	23414 42000	RING-SNAP	50	0.11	5.50
0498	17511 12000	GASKET	100	0.06	6.00
0499	26611 32500	ROD ASSY-OIL	50	0.82	41.00
0500	43361 11290	RING-SNAP(T=2	10	0.50	5.00
0501	43361 11360	RING-SNAP(T=2	10	0.50	5.00
0502	43361 11220	RING-SNAP(T=2	10	0.37	3.70
0503	52820 43000	OIL SEAL	100	1.02	102.00
0504	53000 43000	CARR-DIFF ASS	15	304.82	4572.30
0505	52701 43000	BEARING-WHEEL	30	6.08	182.40
0506	58300 44001	DRUM BRAKE AS	100	64.56	6456.00
0507	53352 43000	OIL SEAL	100	1.41	141.00
0508	58400 44000	DRUM BRAKE AS	100	64.56	6456.00
0509	58340 44000	SHOE & LINING	500	12.34	6170.00
0510	58350 44000	SHOE LINING-L	500	12.34	6170.00
0511	D8731 443000	MLDG-SIDE P/E	50	2.01	100.50
0512	D8731 543000	MLDG-DLIDG DR	50	7.21	360.50
0513	51757 44000	BOLT-HUB LH	100	0.34	34.00
0514	51755 44001	BOLT-HUB RH	50	0.34	17.00
0515	50100 43015	REAR AXLE ASS	15	521.54	7823.10
0516	98302 21101	BLADE ASSY	500	2.73	1365.00
0517	98811 43000	ARM ASSY	50	4.61	230.50
0518	98710 43001	MOTOR ASSY-RR	30	28.76	862.80
0519	98910 43000	TANK ASSY-RR	30	9.64	289.20
0520	D8731 143000	MLDG-FRT DR L	50	7.82	391.00
0521	D8731 243000	MLDG-FRT DR R	50	7.77	388.32

TOTAL 470,683.00

(FOB KOREAN PORT)

0104

(CHORUS)

LINE	PART NUNBER TO BE SUPPLIED	PART NAME	Q'TY	UNIT PRICE	AMOUNT
0001	09110 45000	JACK-OIL	100	26.47	2647.00
0002	09112 45001	HANDLE-NUT WR	100	4.13	413.00
0003	09125 46000	HANDLE-CRANKI	100	2.46	246.00
0004	09129 45000	TOOL BAG	100	0.94	94.00
0005	09131 45000	WRENCH-WHEEL	100	10.95	1095.00
0006	09133 45000	SPANNER SET	100	4.33	433.00
0007	09145 11200	PILER	100	1.93	193.00
0008	09146 11110	DRIVER(+,-)	100	1.40	140.00
0009	09161 51010	WRENCH-ADJUST	100	5.77	577.00
0010	09180 46001	TOOL BOX ASSY	100	19.28	1928.00
0011	20910 41A00	GASKET KIT-EN	50	30.76	1538.00
0012	20100 41500	ENGINE ASSY(-	7	3576.76	25037.32
0013	20100 41510	ENGINE ASSY(+	2	3576.76	7153.52
0014	21100 41010	CRANK CASE AS	5	560.36	2801.80
0015	21125 41000	PLATE-FRT	40	16.39	655.60
0016	21126 41000	GASKET-PLATE	40	2.27	90.80
0017	21127 41010	OIL SEAL-RR	40	3.85	154.00
0018	21131 41000	SLEEVE-CYL	120	16.86	2023.20
0019	21181 41000	BUSHING-CAM S	40	9.09	363.60
0020	21182 41000	BUSHING-CAM S	40	5.83	233.20
0021	96620 45000	HORN ASSY-HIG	50	7.78	389.00
0022	21184 41000	BUSHING-CAM S	40	5.83	233.20
0023	ME999 384	BEARING SET-M	40	12.31	492.40
0024	21431 41003	PLATE ASSY-RR	20	38.55	771.00
0025	21510 41010	PAN ASSY-OIL	20	20.93	418.60
0026	21512 21000	PLUG-OIL DRAI	100	0.48	48.00
0027	21513 21000	GASKET-OIL DR	80	0.11	8.80
0028	21811 46002	INSULATOR-ENG	40	6.65	266.00
0029	21813 45000	INSULATOR-ENG	40	1.93	77.20
0030	21815 46001	STOPPER	40	3.04	121.60
0031	22100 41000	HEAD ASSY-CYL	20	333.83	6676.60
0032	22311 41000	GASKET-CYLIND	40	15.56	622.40
0033	22321 41000	BOLT-CYL HEAD	100	1.40	140.00
0034	22321 83000	BOLT-CYL HEAD	50	3.30	165.00
0035	22445 41000	GASKET-ROCKER	40	1.13	45.20
0036	22447 41000	RUBBER-ISOLAT	40	0.20	8.00
0037	26510 11502	CAP-OIL FILTE	100	1.17	117.00
0038	23127 41000	GEAR-CRANK SH	40	10.87	434.80
0039	23100 41000	CRANK SHAFT A	10	316.69	3166.90
0040	23124 41530	PULLEY-CRANK	20	50.18	1003.60
0041	23200 41000	FLYWHEEL ASSY	10	84.95	849.50
0042	23221 41010	BEARING-BALL	30	2.75	82.50
0043	23411 41000	PISTON-STD	80	22.44	1795.20
0044	23412 41000	PIN-PISTON	80	4.87	389.60
0045	23414 41000	RING-SNAP	80	0.85	68.00
0046	23040 42000	RING SET-PIST	24	68.20	1636.80
0047	23510 41000	ROD ASSY-CONN	40	39.74	1589.60
0048	24213 41000	GEAR-CAM SHAF	20	20.08	401.60
0049	24610 41020	GEAR ASSY-IDL	20	20.80	416.00
0050	24620 41020K	GEAR ASSY-IDL	20	12.00	240.00
0051	24711 41010	CASE ASSY-TIM	20	113.50	2270.00
0052	24716 41000	GASKET-TIMING	50	3.08	154.00
0053	24717 41000	OIL SEAL-FRT(	50	1.41	70.50
0054	22211 41000	VALVE-INLET	80	2.18	174.40
0055	22212 41000	VALVE-EXHAUST	80	3.31	264.80

LINE	PART NUNBER TO BE SUPPLIED	PART NAME	Q'TY	UNIT PRICE	AMOUNT
0056	22213 41000	PIN SPRING	80	0.10	8.00
0057	22221 41000	SPRING-VALVE	120	1.37	164.40
0058	22222 93000	RETAINER-UPPE	120	0.60	72.00
0059	22223 93000K	VALVE-COTTER	120	0.41	49.20
0060	22224 93010	SEAL-VALVE ST	400	0.60	240.00
0061	22225 93000	RETAINER-LOWE	120	0.41	49.20
0062	22226 93000	CAP-VALVE	120	0.28	33.60
0063	22230 93000	SPRING-VALVE	120	0.58	69.60
0064	24110 41000	CAM SHAFT ASS	10	115.25	1152.50
0065	24121 41000	PLATE-THRUST	30	5.68	170.40
0066	24131 41000	PUSH ROD	80	1.90	152.00
0067	24135 41000	TAPPET	80	3.24	259.20
0068	24510 41000	ROCKER ASSY	80	5.58	446.40
0069	24517 41001	BRKT-ROCKER S	80	4.14	331.20
0070	24530 41010	SHAFT ASSY-RO	30	13.67	410.10
0071	24541 41000	SPRING-ROCKER	120	0.85	102.00
0072	17105 10000	O-RING(100)	100	0.45	45.00
0073	25100 41510	WATER PUMP AS	20	47.78	955.60
0074	25212 41510	V BELT-WATER	400	1.89	756.00
0075	25221 41510	PULLEY-WATER	20	18.91	378.20
0076	25239 41000	COUPLING-AUTO	20	56.34	1126.80
0077	25243 41000	PLATE-COUPLIN	30	1.62	48.60
0078	25261 41000	FAN-COOLING	50	6.07	303.50
0079	D2530 046950	RADIATOR & SH	40	122.97	4918.80
0080	25340 45000	CAP ASSY-RAD	100	2.43	243.00
0081	D2536 046950	TANK ASSY-RES	40	3.01	120.40
0082	D2539 745200	SHROUD ASSY-R	10	10.11	101.10
0083	25412 46001	HOSE-RAD UPR	50	1.93	96.50
0084	25413 46001	HOSE-RAD LOWE	50	1.87	93.50
0085	17100 22100	O-RING	100	0.15	15.00
0086	25420 41500	CASE ASSY-THE	20	16.22	324.40
0087	25425 41011	COVER-THERMOS	20	6.09	121.80
0088	25426 41000	GASKET	30	0.40	12.00
0089	25427 41000	GASKET-THERMO	30	0.42	12.60
0090	25438 41000	GASKET-WATER	50	0.27	13.50
0091	25510 41010	THERMOSTAT	100	3.23	323.00
0092	94650 41000	GAUGE UNIT-WA	100	6.41	641.00
0093	21724 41000	GASKET-OIL ST	50	0.26	13.00
0094	26100 410102	PUMP ASSY-OIL	30	152.82	4584.60
0095	26250 41000	STRAINER-OIL	20	3.32	66.40
0096	26316 41000	ELEMENT-OIL F	1500	4.90	7350.00
0097	26410 41010	COOLER ASSY-O	10	138.81	1388.10
0098	94610 73000	SW ASSY-OIL P	100	3.96	396.00
0099	26611 41010	GAUGE-OIL LEV	100	0.89	89.00
0100	26711 41010K	HOSE-BREATHER	50	5.44	272.00
0101	17512 10000	GASKET(10)	50	0.14	7.00
0102	26836 41500	HOSE-FLEXBLE	50	7.75	387.50
0103	26841 41510	HOSE-OIL RETU	50	0.85	42.50
0104	28100 45003	A/CLNR ASSY	10	17.84	178.40
0105	28130 45000	ELEMENT-AIR C	1500	5.93	8895.00
0106	28161 45000	HOSE-A/CLEANE	30	5.27	158.10
0107	28161 46001	HOSE	30	5.45	163.50
0108	28162 46000	HOSE	30	3.22	96.60
0109	28163 46000	HOSE	30	4.80	144.00

0106

(CHORUS)

LINE	PART NUNBER TO BE SUPPLIED	PART NAME	Q'TY	UNIT PRICE	AMOUNT
0110	28164 46000	HOSE-A/CLEANE	30	5.03	150.90
0111	28165 46000	HOSE-A/CLEANE	30	4.74	142.20
0112	28311 41000	MANIFOLD-INLE	10	46.48	464.80
0113	28315 41000	GASKET-INLET	50	0.34	17.00
0114	28511 41000	MANIFOLD-EXHA	10	26.15	261.50
0115	28513 41000	GASKET-EXHAUS	50	0.87	43.50
0116	28627 45000	GASKET-EXHAUS	100	0.44	44.00
0117	28650 46000	MUFFLER ASSY	30	26.55	796.50
0118	28710 45010	PIPE ASSY-EXH	20	8.17	163.40
0119	28750 46003	PIPE ASSY-TAI	20	13.92	278.40
0120	31010 21011	CAP ASSY-FUEL	100	2.92	292.00
0121	31110 46002	TANK ASSY-FUE	20	76.83	1536.60
0122	94430 45002	SENDER ASSY-F	20	7.39	147.80
0123	D3192 046950	W/SEPARATOR A	100	6.65	665.00
0124	33800 41050	NOZZLE & HOLD	200	46.50	9300.00
0125	17911 06013	HOSE-FUEL	80	0.30	24.00
0126	17911 06061	HOSE-FUEL	80	0.69	55.20
0127	31515 41000	HOSE-FUEL FEE	50	9.36	468.00
0128	31940 41000	FILTER ASSY-F	50	7.97	398.50
0129	31941 72000	GASKET(14)	500	0.47	235.00
0130	31945 41000	ELEMENT-FUEL	1000	2.79	2790.00
0131	31946 83000	GASKET(8)	500	0.16	80.00
0132	32740 45002	CABLE-THROTTL	30	6.04	181.20
0133	32770 45201	CABLE-ACCEL C	30	4.48	134.40
0134	32780 45003	CABLE-ENG CON	30	4.47	134.10
0135	93820 73012	SW ASSY-STOP	50	2.51	125.50
0136	17105 13500	O-RING(135)	100	0.52	52.00
0137	33100 41030	PUMP ASSY-INJ	8	981.44	7851.52
0138	33100 41551	PUMP ASSY-INJ	2	981.44	1962.88
0139	36100 41010	STARTER ASSY(	80	149.82	11985.60
0140	36710 41110	AIR HEATER AS	30	41.96	1258.80
0141	36716 41000	GASKET-AIR HE	100	1.06	106.00
0142	36716 41100	GASKET-AIR HE	60	0.63	37.80
0143	37210 46002	CABLE-BATT(+)	30	13.24	397.20
0144	37220 45002	CABLE-BATT(-)	30	2.83	84.90
0145	37230 45004	CABLE-BATT CO	30	2.82	84.60
0146	37300 41511	ALTERNATOR AS	90	250.66	22559.40
0147	41100 45010	DISC ASSY-CLU	200	29.41	5882.00
0148	41300 45000	COVER ASSY-CL	20	40.10	802.00
0149	41414 45000	SPRING-RETURN	20	1.62	32.40
0150	41420 45001	BEARING-CLUTC	30	24.86	745.80
0151	41450 45001	ARM-CLUTCH RE	20	16.22	324.40
0152	41700 45010	CYLINDER-POWE	20	49.53	990.60
0153	91836 21100	FUSE-15A	200	0.14	28.00
0154	41600 44104	CYLINDER-CLUT	40	13.93	557.20
0155	41830 45000	HOSE-BRAKE	50	3.54	177.00
0156	17100 28000	O-RING(28)	50	0.23	11.50
0157	43021 45000	FLANGE-COMPAN	20	24.84	496.80
0158	43033 45000	O-RING	50	1.07	53.50
0159	36860 72010	RELAY-HEATER	50	17.54	877.00
0160	43220 45000	PINION ASSY-D	20	95.38	1907.60
0161	43225 45000	BEARING-BALL	20	31.40	628.00
0162	43226 45000	RING-SNAP	50	0.88	44.00
0163	43227 45000	BEARING-PILOT	20	9.54	190.80

0107

(CHORUS)

LINE	PART NUMBER TO BE SUPPLIED	PART NAME	Q'TY	UNIT PRICE	AMOUNT
0164	43231 45000	MAIN SHAFT	20	115.25	2305.00
0165	43232 45000	BEARING-BALL	20	27.82	556.40
0166	43234 45000	RING-SNAP	60	0.98	58.80
0167	43237 45000	PIPE-DISTANCE	20	7.99	159.80
0168	43240 45000	GEAR ASSY-MAI	20	69.55	1391.00
0169	43245 45000	WASHER-1ST GE	20	1.38	27.60
0170	43250 46000	GEAR ASSY-MAI	20	69.55	1391.00
0171	43255 45000	BEARING-NEEDL	20	7.16	143.20
0172	43258 45000	WASHER-2ND GE	20	2.77	55.40
0173	43260 45000	GEAR ASSY-MAI	20	69.55	1391.00
0174	43265 45000	BEARING-NEEDL	20	10.73	214.60
0175	43280 45000	GEAR ASSY-MAI	20	46.30	926.00
0176	43284 45000	RING-SNAP	20	0.36	7.20
0177	43290 45000	GEAR ASSY-M/S	20	41.33	826.60
0178	43295 45000	BEARING-NEEDL	20	7.95	159.00
0179	43361 45000	SLEEVE-SYNC	20	22.86	457.20
0180	43362 45000	RING-SYNC	20	19.88	397.60
0181	43374 45000	HUB-SYNC	20	20.67	413.40
0182	43376 45000	HUB-4TH & O/D	20	19.88	397.60
0183	43382 45000	SLEEVE-SYNC	20	23.85	477.00
0184	43383 45000	RING-4TH & O/	20	14.90	298.00
0185	43384 45000	KEY-SHIFTING	100	1.31	131.00
0186	43385 45000	SPRING-SHIFTI	40	0.89	35.60
0187	43386 45000	SPRING-4TH &	40	0.50	20.00
0188	43410 46000	GEAR-C/SHAFT	20	189.16	3783.20
0189	43425 45000	BEARING-BALL	20	15.70	314.00
0190	43426 45000	BEARING-BALL	20	14.90	298.00
0191	86110 45000	GLASS-FRT	50	103.38	5169.00
0192	43521 45000	SHAFT-REV IDL	20	12.87	257.40
0193	43522 45000	PIECE-REV SHA	20	1.32	26.40
0194	X9613 046003	AM/FM RADIO &	10	153.71	1537.10
0195	43510 45000	GEAR ASSY-REV	20	36.48	729.60
0196	47151 69000	BOLT-FLANGE(-	30	0.27	8.10
0197	D4300 046950	TRANSMISSON A	5	1177.70	5888.50
0198	43531 45010	GEAR-SPEEDMET	20	9.13	182.60
0199	43157 45000	COVER ASSY-RR	20	54.36	1087.20
0200	43155 45000	OIL SEAL	20	3.48	69.60
0201	43532 45000	WORM-SPEEDOME	20	19.75	395.00
0202	43534 45000	BUSHING-SPEED	20	10.64	212.80
0203	43533 45000	OIL SEAL	20	1.40	28.00
0204	43663 45000	FORK-GEAR SHI	20	18.75	375.00
0205	43665 45000	FORK-4TH & O/	20	28.85	577.00
0206	96320 46001BF	SPEAKER ASSY	100	7.08	708.00
0207	93830 45000	SWITCH-BACK U	50	18.89	944.50
0208	43460 46000	GEAR SHIFT AS	20	131.74	2634.80
0209	97110 46001	VENTILATOR AS	5	405.36	2026.80
0210	43711 73001DT	KNOB-CHANGE L	50	2.52	126.00
0211	49140 45000	U/JOINT ASSY	50	35.77	1788.50
0212	49100 45012	P/SHAFT ASSY-	10	100.73	1007.30
0213	49200 45010	PROPELLER SHA	10	188.01	1880.10
0214	49710 45000	SUPPORT ASSY	50	38.92	1946.00
0215	50110 46001	HSG & DIFF AS	5	929.65	4648.25
0216	53000 46001	CARRIER ASSY-	5	834.39	4171.95
0217	53210 45000	GEAR SET	5	238.45	1192.25

0108

(.CHORUS)

LINE	PART NUNBER TO BE SUPPLIED	PART NAME	Q'TY	UNIT PRICE	AMOUNT
0218	53510 45A00	GEAR SET-DIFF	10	59.27	592.70
0219	51701 45000	BEARING ASSY-	40	7.38	295.20
0220	51830 45000	OIL SEAL-FRT	100	0.87	87.00
0221	53522 11100	BEARING ASSY-	60	7.69	461.40
0222	52703 45000	BRG-HUB OTR	40	8.32	332.80
0223	52810 45000	OIL SEAL	100	1.38	138.00
0224	52820 45000	OIL SEAL-RR H	100	1.47	147.00
0225	52910 45001	WHEEL ASSY	50	50.90	2545.00
0226	52983 45000	NUT-WHEEL INN	200	1.57	314.00
0227	52984 45000	NUT-WHEEL INN	200	1.57	314.00
0228	52985 45000	NUT-WHEEL OUT	200	0.81	162.00
0229	52986 45000	NUT-WHEEL OUT	200	0.81	162.00
0230	54100 46004	SPRING ASSY-F	10	77.83	778.30
0231	54146 45000	BUSHING-RUBBE	50	0.51	25.50
0232	54225 45000	U-BOLT(L=112)	40	1.46	58.40
0233	54225 46011	U-BOLT(L=130)	40	1.90	76.00
0234	54229 45000	NUT-U BOLT(14	100	0.07	7.00
0235	54230 45000	SHACKLE ASSY-	20	6.05	121.00
0236	54300 46001	S/ABS ASSY-FR	50	12.87	643.50
0237	54311 44000	BUSHING-RUBBE	60	0.15	9.00
0238	55311 45001	BUSHING-RUBBE	60	0.14	8.40
0239	54771 46001	BAR-STABLIZER	10	69.72	697.20
0240	54772 46000	BUSHING-STABI	50	0.66	33.00
0241	55100 46002	SPRING ASSY-R	13	114.73	1491.49
0242	94320 46000	CABLE ASSY-SP	30	5.03	150.90
0243	55225 46020	U BOLT-RR	40	3.21	128.40
0244	55230 46000	SHACKLE-RR SP	20	4.38	87.60
0245	55270 46001	BUMPER STOPPE	50	3.50	175.00
0246	55300 46002	S/ABS ASSY-RR	50	13.50	675.00
0247	55770 46000	BAR-STABLIZER	10	33.44	334.40
0248	55788 46000	BUSHING-RR ST	50	1.35	67.50
0249	86110 45010	GLASS-FRT	10	103.38	1033.80
0250	56010 45000DT	WHEEL ASSY-ST	20	20.73	414.60
0251	56300 45002	COLUMN & SHAF	10	107.30	1073.00
0252	56500 45000	GEAR ASSY-STE	10	175.66	1756.60
0253	56710 45000	SPINDLE & ARM	10	85.12	851.20
0254	56717 45000	BUSHING-KING	60	3.24	194.40
0255	56730 45000	SPINDLE & ARM	10	85.12	851.20
0256	56630 45000	ARM ASSY-PITM	20	10.20	204.00
0257	56810 45000	DRAG LINK ASS	20	28.39	567.80
0258	56870 45000	TIE ROD ASSY	20	40.08	801.60
0259	56880 45000	END ASSY-TIE	40	14.31	572.40
0260	25212 41310	V BELT-P/STRG	200	2.28	456.00
0261	57100 45200	OIL PUMP ASSY	10	118.93	1189.30
0262	57600 45201	GEAR ASSY-P/S	10	319.93	3199.30
0263	58100 45003	BRAKE ASSY-FR	20	128.09	2561.80
0264	58140 45000	SHOE & LINING	400	39.99	15996.00
0265	58200 45003	BRAKE ASSY-FR	20	128.09	2561.80
0266	58300 45003	BRAKE ASSY-RR	20	129.06	2581.20
0267	58400 45003	BRAKE ASSY-RR	20	129.06	2581.20
0268	58531 45001	HOSE-OIL	50	0.78	39.00
0269	58533 45001	HOSE-OIL	50	0.77	38.50
0270	58600 45001	BOOSTER & M/C	10	114.28	1142.80
0271	59234 45000	HOSE-VACUUM	50	0.64	32.00

0109

(CHORUS)

LINE	PART NUNBER TO BE SUPPLIED	PART NAME	Q'TY	UNIT PRICE	AMOUNT
0272	59224 45202	HOSE-VACUUM	50	1.32	66.00
0273	59226 45000	CLIP	50	0.83	41.50
0274	59223 45200	HOSE	50	0.43	21.50
0275	93880 45001	SW ASSY-VACUU	50	2.79	139.50
0276	91835 21100	FUSE-10A	200	0.14	28.00
0277	59710 45004DT	LEVER ASSY-PA	10	13.13	131.30
0278	59910 45002	CABLE ASSY	30	8.10	243.00
0279	93560 73000	SW ASSY-DOOR	50	0.82	41.00
0280	59810 45000	BRAKE ASSY-CE	5	39.74	198.70
0281	62410 46004	C/MEMBER-ENG	5	27.01	135.05
0282	64150 46004	MUD GUARG ASS	40	11.82	472.80
0283	64155 46001	MUD GUARD SUP	40	2.52	100.80
0284	64160 46004	FRT MUDGUARD-	30	23.04	691.20
0285	64170 46000	C/MBR ASSY	5	105.32	526.60
0286	86838 45000	BUSH	50	0.32	16.00
0287	86812 45001	RUBBER ASSY-F	50	3.33	166.50
0288	69110 46002	BUMPER ASSY-F	10	102.34	1023.40
0289	69131 46000	BRKT-MTG CTR	20	1.39	27.80
0290	69132 46000	BRKT-MTG CTR	20	0.54	10.80
0291	69133 46000	BRKT-MTG CORN	20	0.54	10.80
0292	69134 46000	BRKT-MTG CORN	20	1.39	27.80
0293	69210 46003	BUMPER ASSY	5	102.34	511.70
0294	69231 46001	BRKT NO.1	20	1.59	31.80
0295	69232 46001	BRKT NO.2	20	1.07	21.40
0296	69233 46002	BRKT NO.3	20	1.07	21.40
0297	69234 46002	BRKT NO.4	20	1.49	29.80
0298	69810 46000IW	GRILLE-RADIAT	20	15.44	308.80
0299	69852 46000	BEZEL-HEAD LA	20	9.15	183.00
0300	69851 46000	BEZEL-HEAD LA	20	9.15	183.00
0301	86414 45001	BRKT-GRILLE C	50	0.43	21.50
0302	86418 45000	GROMMET-BUMPE	100	0.16	16.00
0303	86415 45001	BRKT-GRILLE L	30	0.47	14.10
0304	86416 45001	BRKT-GRILLE R	30	0.47	14.10
0305	86417 45000	GROMMET-SCREW	200	0.06	12.00
0306	71001 46020	BODY ASSY-FRT	2	1907.61	3815.22
0307	71001 46000	BODY ASSY-FRT	2	1907.61	3815.22
0308	71101 46060	FRT PNL ASSY-	2	1907.61	3815.22
0309	71120 46000	PNL ASSY-FRT	5	5.76	28.80
0310	71130 46000	PNL ASSY-FRT	5	5.76	28.80
0311	71311 46001	PNL ASSY-FRT	2	49.71	99.42
0312	71321 46001	PNL-FRT DR UP	5	8.95	44.75
0313	71322 46001	PNL-FRT DR UP	5	8.95	44.75
0314	72511 46008	SIDE PNL NO.1	5	45.50	227.50
0315	71512 46008	SIDE PNL NO.2	5	66.96	334.80
0316	72513 46008	SIDE PNL NO.3	2	89.27	178.54
0317	73000 46005	RR BODY ASSY-	2	686.75	1373.50
0318	73641 46020	CANOPY PNL-IN	5	26.16	130.80
0319	87535 45000	COVER-WATER R	20	4.48	89.60
0320	73510 46006	RR PNL SUB AS	5	89.41	447.05
0321	73520 46006	RR PNL SUB AS	5	89.41	447.05
0322	73530 46002	PNL ASSY-CANO	2	214.60	429.20
0323	73610 46005	PNL ASSY-RR I	2	79.48	158.96
0324	73620 46005	PNL ASSY-RR I	2	79.48	158.96
0325	74511 46002	ROOF PNL NO.1	2	63.61	127.22

0110

(CHORUS)

LINE	PART NUNBER TO BE SUPPLIED	PART NAME	Q'TY	UNIT PRICE	AMOUNT
0326	74512 46001	ROOF PNL NO.2	2	64.39	128.78
0327	75160 46000	HINGE ASSY	20	2.66	53.20
0328	75170 46000	HINGE ASSY	20	3.06	61.20
0329	75200 46103	ENT DOOR ASSY	5	247.81	1239.05
0330	75240 46000	DOOR ROLLER A	10	2.79	27.90
0331	76100 45000	BIW ASSY-DOOR	5	171.69	858.45
0332	76200 45000	BIW ASSY-DOOR	5	171.69	858.45
0333	D7583 046000	AUTO DR ENG A	2	421.58	843.16
0334	76110 46003	FLAP ASSY-BAT	5	13.83	69.15
0335	76510 46002	A/CON CONDENS	5	26.75	133.75
0336	76520 46002	A/CON CONDENS	5	26.75	133.75
0337	76900 46004	FLAP DOOR ASS	5	64.73	323.65
0338	76950 46000	GARNISH	10	4.72	47.20
0339	81771 21140	LIFTER-TAIL G	20	9.91	198.20
0340	79149 46000	V BELT-A/CON(	50	10.82	541.00
0341	94310 46000	CABLE ASSY-SP	30	3.48	104.40
0342	86120 45002	W/STRIP-FRT W	50	8.93	446.50
0343	81211 46002	GLASS-RR	20	103.94	2078.80
0344	81221 46000	W/STRIP RR WD	24	12.23	293.52
0345	81901 46003	KEY SET-SUPPL	30	3.33	99.90
0346	83922 46001	MOULDING-FRT	50	7.61	380.50
0347	83923 46000	MOULDING-RR	50	2.78	139.00
0348	83924 46000	MOULDING-RR	50	2.78	139.00
0349	83925 46000	MOULDING-RR	50	3.32	166.00
0350	83926 46001	MOULDING-RR	50	6.42	321.00
0351	83931 46000	MOULDING-FRT	50	2.56	128.00
0352	83932 46000	MOULDING-FLAP	50	2.56	128.00
0353	83934 46000	MOULDING-FLAP	50	4.24	212.00
0354	83936 46000	MOULDING-MIDD	50	0.81	40.50
0355	83937 46000	MOULDING-FLAP	50	2.82	141.00
0356	83938 46000	MOULDING-FRT	50	3.96	198.00
0357	83951 46001	EMBLEM-CHROUS	50	2.98	149.00
0358	83952 46000	EMBLEM-HYUNDA	50	2.89	144.50
0359	84311 46010	DOOR GLASS NO	20	12.06	241.20
0360	84312 46010	DOOR GLASS NO	20	12.47	249.40
0361	82411 45001	GLASS-F/DR WD	20	23.24	464.80
0362	82421 45001	GLASS-F/DR WD	20	21.06	421.20
0363	91810 45002	BOX ASSY-FUSE	30	4.97	149.10
0364	81110 45006	LATCH ASSY-F/	30	6.73	201.90
0365	81120 45006	LATCH ASSY-F/	30	5.41	162.30
0366	82405 45003	F/DR WDW-LH	30	7.96	238.80
0367	82406 45000	REG-F/DR WDW	30	7.96	238.80
0368	97210 45003	HEATER ASSY	5	95.06	475.30
0369	82610 45000DT	HDL ASSY-DR I	50	0.80	40.00
0370	97600 46007	A/CON UNIT AS	2	2457.79	4915.58
0371	82620 45001DT	HDL ASSY-DR I	50	0.80	40.00
0372	96210 45003	ANTENNA PILLA	20	3.67	73.40
0373	82630 45000DT	HDL ASSY-DR W	50	0.71	35.50
0374	87101 45011	MIRROR ASSY-O	20	16.74	334.80
0375	87102 45011	MIRROR ASSY-O	20	21.89	437.80
0376	87130 46020	MIRROR ASSY-R	20	8.62	172.40
0377	98110 45001	WIPER MOTOR &	20	28.86	577.20
0378	98310 45003	ARM-WIPER	50	3.14	157.00
0379	98330 45003	BLADE ASSY-W/	1000	3.10	3100.00

0111

(CHORUS)

LINE	PART NUNBER TO BE SUPPLIED	PART NAME	Q'TY	UNIT PRICE	AMOUNT
0380	98610 45001	WASHER TANK &	50	7.28	364.00
0381	86811 46001	MUD FLAP NO.1	50	1.94	97.00
0382	86812 46001	MUD FLAP NO.2	50	1.94	97.00
0383	86813 46002	MUD FLAP NO.3	50	3.71	185.50
0384	86814 46002	MUD FLAP NO.4	50	3.96	198.00
0385	91110 46112	WIRING ASSY-M	2	88.38	176.76
0386	91530 46401	WIRING ASSY-R	2	38.38	76.76
0387	91530 46301	WIRING ASSY-M	2	24.19	48.38
0388	91410 46101	WIRING ASSY-R	5	0.97	4.85
0389	91410 46002	WIRING ASSY-B	5	5.89	29.45
0390	18682 60003	LAMP-HEAD UNI	50	4.22	211.00
0391	18682 60804	UNIT-HEAD LAM	50	4.22	211.00
0392	92101 46001	LAMP ASSY-HEA	50	16.25	812.50
0393	92102 46001	LAMP ASSY-HEA	50	16.25	812.50
0394	18652 21058	BULB 24V 21/5	200	0.28	56.00
0395	18652 40007	BULB-24V 40W	200	0.82	164.00
0396	92260 92102	LAMP ASSY-FOG	50	9.76	488.00
0397	92301 45000	LAMP ASSY-FRT	50	4.13	206.50
0398	92302 45000	LAMP ASSY-FRT	50	4.13	206.50
0399	18652 21008	BULB-RR COMBI	200	0.27	54.00
0400	92401 46001	LAMP ASSY-RR	50	13.92	696.00
0401	92402 46001	LAMP ASSY-RR	50	13.90	695.00
0402	18652 05003	BULB-LICENCE(	200	0.26	52.00
0403	92560 46001	LAMP ASSY-LIC	50	1.66	83.00
0404	18655 10019	BULB-ROOM LAM	200	0.33	66.00
0405	18652 12003	BULB-24V 12W	200	0.26	52.00
0406	92630 86002	LAMP ASSY-STE	50	2.64	132.00
0407	92801 62010	LAMP ASSY-ROO	50	3.00	150.00
0408	92820 46001	LAMP ASSY-FL	50	33.98	1699.00
0409	92820 46101	LAMP ASSY-FL	20	14.75	295.00
0410	93180 45001	SW ASSY-COLD	30	2.97	89.10
0411	93300 45100	SW ASSY-M/FUN	30	33.66	1009.80
0412	93502 46000	SW ASSY-DR OP	30	2.08	62.40
0413	93560 21001	SW ASSY-DOOR	100	0.80	80.00
0414	93561 21002	CAP-DR SW	100	0.23	23.00
0415	93640 88000	SW ASSY-HTR	50	3.34	167.00
0416	93680 46000	SW ASSY-VENT	50	7.95	397.50
0417	93735 91111	SW ASSY-ROOM	50	1.74	87.00
0418	93560 92101	SW ASSY-DOOR	50	0.82	41.00
0419	94100 46102	METER ASSY-CO	10	74.39	743.92

TOTAL 355,104.00

(FOB KOREAN PORT)

0112

(SONATA)

LINE	PART NUNBER TO BE SUPPLIED	PART NAME	Q'TY	UNIT PRICE	AMOUNT
0001	MB198 536	CLIP-WDO GLAS	50	0.11	5.50
0002	05002 14000BC	POLAR GRAY-PA	10	6.09	60.90
0003	05002 14000EB	EBONY BLACK-P	10	6.09	60.90
0004	05002 14000NW	NOBLE WHITE-P	10	6.09	60.90
0005	09110 33120	JACK ASSY	2	12.80	25.60
0006	09111 33500	HANDLE-JACK	2	0.95	1.90
0007	09131 33500	WRENCH-WHEEL	5	5.78	28.90
0008	11407 06141	BOLT(FLANGE)	100	0.06	6.00
0009	13144 10001	NUT-SLOTTED	10	0.16	1.60
0010	13262 12001	NUT-LOCK	10	0.19	1.90
0011	14300 85251	PIN(SPLIT)	50	0.09	4.50
0012	17100 09000	RING"O"	10	0.06	0.60
0013	17100 22100	RING"O"	10	0.19	1.90
0014	17512 10000	GASKET	20	0.17	3.40
0015	17512 12000	GASKET	10	0.17	1.70
0016	17905 39999	HOSE(BLACK)	1	20.94	20.94
0017	17905 39999DF	HOSE(BLUE)	1	20.94	20.94
0018	17905 39999EA	HOSE(RED)	1	20.94	20.94
0019	17905 39999HA	HOSE(WHITE)	1	20.94	20.94
0020	17905 39999JA	HOSE(GREEN)	1	20.94	20.94
0021	17905 39999KA	HOSE(YELLOW)	1	20.94	20.94
0022	18642 08003	BULB(12V 8W)	100	0.43	43.00
0023	18642 21007	BULB(12V 21W)	200	0.60	120.00
0024	18642 21008	BULB(12V 21W)	300	0.32	96.00
0025	18644 21058	BULB(12V 21/5	300	0.36	108.00
0026	18645 05009	BULB(12V 5W)	100	0.28	28.00
0027	18645 08019	BULB(12V 8W)	50	0.38	19.00
0028	18645 10009K	BULB(12V 10W)	50	0.37	18.50
0029	18647 61566	BULB-HALOGEN(	200	5.45	1090.00
0030	18822 08091	PLUG ASSY-SPA	400	0.98	392.00
0031	20910 32A00	GASKET KIT-EN	10	29.06	290.60
0032	20920 32A00	GASKET KIT-EN	10	18.83	188.30
0033	21020 32884	BEARING SET-C	1	28.71	28.71
0034	21102 32B00	ENGINE ASSY-S	1	624.32	624.32
0035	21251 32901	BEARING-FR RH	3	4.14	12.42
0036	21252 32901	BEARING-RR LH	3	4.14	12.42
0037	21253 32901	BEARING-RR RH	3	4.51	13.53
0038	21310 32054	CASE ASSY-FR	2	46.91	93.82
0039	21350 32510	COVER ASSY-TI	2	6.78	13.56
0040	21360 32510	COVER ASSY-TI	2	4.04	8.08
0041	21364 21A00	GASKET-TIMING	1	8.27	8.27
0042	21394 32510	BRACKET ASSY-	1	15.19	15.19
0043	21421 32034	SEAL-OIL	5	1.31	6.55
0044	21441 32000	CASE-OIL SEAL	2	2.77	5.54
0045	21443 32000	SEAL-OIL RR	2	3.16	6.32
0046	21444 32000	GASKET-OIL SE	5	0.47	2.35
0047	21451 33A00	GASKET-LIQUID	3	12.05	36.15
0048	21510 32502	PAN ASSY-OIL	2	17.29	34.58
0049	21512 21000	PLUG-OIL DRAI	5	0.67	3.35
0050	21513 11000	GASKET-OIL PL	10	0.10	1.00
0051	21513 21000	GASKET-OIL PL	100	0.10	10.00
0052	21630 33010	BRACKET ASSY-	2	14.55	29.10
0053	21640 33170	BRACKET ASSY-	2	11.77	23.54
0054	21830 33010	BRACKET ASSY-	2	20.72	41.44
0055	21860 33050	BRACKET ASSY-	2	18.98	37.96

0113

(SONATA)

LINE	PART NUNBER TO BE SUPPLIED	PART NAME	Q'TY	UNIT PRICE	AMOUNT
0056	22100 32500	HEAD ASSY-CYL	3	173.62	520.86
0057	22144 21010	SEAL-OIL	5	1.07	5.35
0058	22211 32010	VALVE-INTAKE	8	3.18	25.44
0059	22212 32010	VALVE-EXHAUST	8	4.74	37.92
0060	22221 32804	SPRING-VALVE	10	1.66	16.60
0061	22222 32010	RETAINER-VALV	10	0.96	9.60
0062	22223 32004	LOCK-VALVE SP	30	0.50	15.00
0063	22224 11000	SEAL-VALVE ST	30	0.50	15.00
0064	22225 11001	SEAT-VALVE SP	10	0.09	0.90
0065	22410 32601	COVER ASSY-RO	2	36.53	73.06
0066	22441 32001	GASKET-ROCKER	5	1.89	9.45
0067	23040 32500	RING SET-PIST	5	61.31	306.55
0068	23060 32134	BEARING SET-C	1	17.96	17.96
0069	23110 32000	CRANKSHAFT	1	133.27	133.27
0070	23120 32004	SPROCKET-CRAN	2	9.83	19.66
0071	23127 33330	BELT"V"	25	8.35	208.75
0072	23129 32520	PULLEY-DAMPER	1	38.28	38.28
0073	23200 32500	FLYWHEEL ASSY	1	48.61	48.61
0074	23352 32004	SPROCKET-CRAN	2	9.15	18.30
0075	23353 32004	SPROCKET-COUN	2	2.63	5.26
0076	23356 32020	BELT-TIMING{B	10	9.09	90.90
0077	23357 32040	TENSIONER ASS	3	5.29	15.87
0078	23410 32810	PISTON & PIN	12	18.19	218.28
0079	24100 32800	CAMSHAFT ASSY	2	87.25	174.50
0080	24211 32504	SPROCKET-CAMS	2	15.08	30.16
0081	24312 32830	BELT-TIMING	10	18.33	183.30
0082	24351 32024	SPROCKET-OIL	2	8.52	17.04
0083	24410 32000	TENSIONER ASS	2	8.68	17.36
0084	24421 32000	SPACER-TENSIO	5	0.88	4.40
0085	24422 32000	SPRING-TENSIO	5	0.60	3.00
0086	24510 32804	SHAFT-INTAKE	2	13.14	26.28
0087	24520 32804	SHAFT-EXHAUST	2	13.14	26.28
0088	24553 32804	ROCKER ARM{C}	10	13.67	136.70
0089	24554 32804	ROCKER ARM{D}	10	13.01	130.10
0090	24610 32820	ADJUSTER ASSY	10	6.64	66.40
0091	25100 32501	PUMP ASSY-WAT	5	24.10	120.50
0092	25124 32001	GASKET-WATER	10	0.52	5.20
0093	25212 32550	BELT"V"	50	5.90	295.00
0094	25221 32500	PULLEY-WATER	2	7.14	14.28
0095	25226 32500	PULLEY-WATER	2	2.36	4.72
0096	25231 33300	FAN-COOLING	5	9.12	45.60
0097	25305 33300	RESERVOIR ASS	3	5.88	17.64
0098	25310 33A10	RADIATOR ASSY	5	91.87	459.35
0099	25318 33000	PLUG-RADIATOR	10	0.45	4.50
0100	25319 33000	RING"O"	20	0.24	4.80
0101	25330 33001	CAP ASSY-RADI	10	3.26	32.60
0102	25331 14000	CLAMP-HOSE	20	0.51	10.20
0103	25350 33300	SHROUD	5	24.76	123.80
0104	25360 33010	SENSOR-THERMO	10	11.10	111.00
0105	25385 33100	RESISTOR	5	19.47	97.35
0106	25385 33150	RESISTOR	3	19.47	58.41
0107	25386 33400	MOTOR	5	62.79	313.95
0108	25411 33331	HOSE-RADIATOR	10	5.76	57.60
0109	25412 33330	HOSE-RADIATOR	10	5.02	50.20

0114

(SONATA)

LINE	PART NUNBER TO BE SUPPLIED	PART NAME	Q'TY	UNIT PRICE	AMOUNT
0110	25451 33300	HOSE-RADIATOR	5	0.94	4.70
0111	25462 21010	RING"O"	10	0.12	1.20
0112	25500 21210	THERMOSTAT AS	20	4.09	81.80
0113	25612 21000	GASKET	20	0.52	10.40
0114	26112 32040	GEAR-OIL PUMP	3	12.13	36.39
0115	26113 32030	GEAR-OIL PUMP	3	9.02	27.06
0116	26250 32900	SCREEN ASSY-O	2	3.90	7.80
0117	26259 32000	GASKET-OIL SC	5	0.16	0.80
0118	26300 21A00	FILTER ASSY-O	300	2.10	630.00
0119	26740 32804	VALVE-P.C.V.	2	5.12	10.24
0120	27100 32810	DISTRIBUTOR A	5	184.15	920.75
0121	27110 21060	CAP ASSY-DIST	10	5.63	56.30
0122	27112 21020	CARBON ASSY-C	10	0.93	9.30
0123	27131 32810	ROTOR ASSY-DI	20	0.86	17.20
0124	27146 32815	PACKING	10	1.94	19.40
0125	27161 32810	RING"O"	20	0.50	10.00
0126	27301 32820	COIL ASSY-IGN	5	35.67	178.35
0127	27360 32800	TRANSISTOR-PO	5	48.44	242.20
0128	27501 32A00	CABLE SET-SPA	50	22.62	1131.00
0129	28111 32510	COVER ASSY-AI	3	11.52	34.56
0130	28112 32580	BODY ASSY-AIR	3	36.65	109.95
0131	28113 32510	ELEMENT-AIR C	150	8.57	1285.50
0132	28138 32500	HOSE-AIR INTA	2	22.38	44.76
0133	28164 32530	SENSOR ASSY-A	2	217.96	435.92
0134	28177 32510	FILTER-NOISE	3	23.41	70.23
0135	28180 32510	GASKET-AIR FL	3	1.98	5.94
0136	28310 32632	MANIFOLD ASSY	2	89.41	178.82
0137	28340 32530	VALVE ASSY-TH	5	5.90	29.50
0138	28411 32000	GASKET-INTAKE	5	1.15	5.75
0139	28431 32800	GASKET-E.G.R.	10	0.28	2.80
0140	28450 32510	VALVE ASSY-E.	5	43.95	219.75
0141	28511 32500	MANIFOLD-EXHA	2	59.40	118.80
0142	28521 32010	GASKET-EXHAUS	5	3.12	15.60
0143	28610 33960	PIPE-EXHAUST	1	99.90	99.90
0144	28650 33960	PIPE-EXHAUST	5	54.45	272.25
0145	28658 21000	HANGER	10	1.03	10.30
0146	28700 33201	PIPE-TAIL W/M	5	93.27	466.35
0147	28757 33000	DAMPER	5	5.04	25.20
0148	28764 36000	GASKET	10	1.23	12.30
0149	28765 36000	GASKET	10	1.55	15.50
0150	28768 36000	HANGER	10	1.02	10.20
0151	29111 33400	PANEL ASSY-UN	2	7.12	14.24
0152	29111 33450	PANEL ASSY-UN	2	4.30	8.60
0153	29113 33550D	COVER-UNDER L	2	6.21	12.42
0154	29140 33301	GUARD-AIR RAD	2	1.48	2.96
0155	29140 33351	GUARD-AIR RAD	2	1.48	2.96
0156	29210 32550	TANK ASSY-SUR	2	98.41	196.82
0157	29215 32500	GASKET-SURGE	5	1.33	6.65
0158	31111 33000	PUMP-FUEL	5	60.32	301.60
0159	31112 33100	FILTER-FUEL P	10	5.49	54.90
0160	31156 28000	PACKING-FUEL	10	0.09	0.90
0161	31316 33000	HOSE-FILTER T	5	26.20	131.00
0162	31410 33010	CANISTER ASSY	3	26.37	79.11
0163	31911 33300	FILTER-FUEL	100	5.66	566.00

0115

(SONATA)

LINE	PART NUNBER TO BE SUPPLIED	PART NAME	Q'TY	UNIT PRICE	AMOUNT
0164	32790 36501	CABLE ASSY-AC	10	10.21	102.10
0165	35100 32920	BODY ASSY-THR	2	230.53	461.06
0166	35101 32900	GASKET-THROTT	10	0.71	7.10
0167	35102 33000	SENSOR ASSY-T	5	59.46	297.30
0168	35104 24601	SERVO KIT-IDL	5	123.33	616.65
0169	35107 33000	RESISTOR-VARI	5	28.31	141.55
0170	35120 32951	BODY ASSY-MIX	2	48.74	97.48
0171	35301 32550	REGULATOR-PRE	3	41.72	125.16
0172	35302 32800	INSULATOR	10	0.60	6.00
0173	35303 32800	INSULATOR	10	1.37	13.70
0174	35305 32800	RING"O"	10	0.73	7.30
0175	35310 32560	INJECTOR ASSY	10	36.53	365.30
0176	35312 32800	RING"O"	20	1.72	34.40
0177	35313 32800	RUBBER-SHEET	10	1.86	18.60
0178	36100 21740	STARTER ASSY(	5	111.78	558.90
0179	36102 11140	STOPPER KIT-S	5	0.96	4.80
0180	36110 21740	BRACKET ASSY-	3	16.92	50.76
0181	36120 11140	SWITCH ASSY	5	22.77	113.85
0182	36131 11140	LEVER	3	2.11	6.33
0183	36139 11140	CLUTCH-OVER R	5	17.39	86.95
0184	36150 21740	ARMATURE ASSY	2	46.35	92.70
0185	36160 21740	YOKE ASSY	2	45.60	91.20
0186	36170 21740	HOLDER ASSY-B	3	7.74	23.22
0187	36173 11140	BRUSH	10	1.48	14.80
0188	36180 21740	BRACKET-RR	2	7.18	14.36
0189	37110 21410	BATTERY ASSY(	5	61.02	305.10
0190	37210 33000	CABLE ASSY-BA	5	8.63	43.15
0191	37220 33000	CABLE ASSY-BA	5	11.26	56.30
0192	37270 24500	CABLE ASSY-GR	5	1.29	6.45
0193	37300 32520	ALTERNATOR AS	5	149.56	747.80
0194	37330 32500	BRACKET ASSY-	2	42.27	84.54
0195	37340 32500	ROTOR ASSY-AL	2	65.92	131.84
0196	37350 32500	STATOR ASSY	2	63.48	126.96
0197	37360 32500	BRACKET ASSY-	2	192.74	385.48
0198	37367 32500	RECTIFIER ASS	5	56.43	282.15
0199	37368 21200	BRUSH	10	1.76	17.60
0200	37370 32500	REGULATOR ASS	5	81.06	405.30
0201	39110 32945	COMPUTER ASSY	2	483.71	967.42
0202	39160 32470	RELAY ASSY-CO	5	34.49	172.45
0203	39170 32510	RELAY ASSY(W/	5	10.53	52.65
0204	39220 21320	SENSOR ASSY-W	10	8.97	89.70
0205	39290 32510	HARNESS-ENGIN	5	5.21	26.05
0206	39460 32680	VALVE-SOLENOI	5	14.01	70.05
0207	4C116 21000	GASKET-LIQUID	3	35.16	105.48
0208	40323 34A00	GEAR KIT-DIFF	1	47.13	47.13
0209	41100 34020	DISC ASSY-CLU	10	35.67	356.70
0210	41412 21000	CLIP-RETURN	10	0.10	1.00
0211	41421 21300	BEARING-CLUTC	5	11.79	58.95
0212	41610 33070	CYLINDER ASSY	2	30.10	60.20
0213	41620 36000	RESERVOIR ASS	3	3.04	9.12
0214	41640 33050	HOSE-CLUTCH	5	7.16	35.80
0215	41660 33A00	CYLINDER KIT-	5	12.01	60.05
0216	41710 33A00	CYLINDER KIT-	5	4.25	21.25
0217	41710 33070	CYLINDER ASSY	2	16.38	32.76

0116

(SONATA)

LINE	PART NUNBER TO BE SUPPLIED	PART NAME	Q'TY	UNIT PRICE	AMOUNT
0218	43000 34041	TRANSMISSION	2	880.32	1760.64
0219	43119 21010	SEAL-OIL	4	0.64	2.56
0220	43131 34000	MAGNET	5	0.54	2.70
0221	43160 34200	CONE-REVERSE	2	6.87	13.74
0222	43215 34040	SHAFT-OUTPUT	1	39.59	39.59
0223	43218 34010	GEAR-INTERMED	1	48.45	48.45
0224	43221 34010	SHAFT-INPUT	1	41.17	41.17
0225	43310 34001	GEAR ASSY-REV	1	11.39	11.39
0226	43322 34010	CASE-DIFFEREN	1	43.75	43.75
0227	43332 34040	GEAR-DIFFEREN	1	36.15	36.15
0228	43360 34001	HUB & SLEEVE-	1	29.57	29.57
0229	43370 34001	HUB & SLEEVE-	1	25.61	25.61
0230	43380 34000	HUB & SLEEVE-	1	29.53	29.53
0231	43622 34002	SLEEVE-SPEEDO	2	3.05	6.10
0232	43624 34001	GEAR-SPEEDOME	5	3.13	15.65
0233	43740 33080	LEVER(A)	1	5.23	5.23
0234	43794 33020	CABLE ASSY-MT	5	31.39	156.95
0235	43796 36700	CLIP	10	0.44	4.40
0236	43910 34000	BODY ASSY-STO	1	7.04	7.04
0237	46514 36001	SEAL-OIL	5	2.61	13.05
0238	49505 33A10	JOINT KIT-FR	3	58.28	174.84
0239	49506 33A10	BOOT KIT-FR A	3	11.93	35.79
0240	49507 33A30	JOINT & SHAFT	3	80.42	241.26
0241	49509 33A10	BOOT KIT-FR A	3	18.53	55.59
0242	49605 33A10	JOINT KIT-FR	3	58.27	174.81
0243	49606 33A10	BOOT KIT-FR A	3	11.93	35.79
0244	49607 33A30	JOINT & SHAFT	3	76.25	228.75
0245	49609 33A10	BOOT KIT-FR A	3	18.53	55.59
0246	51713 36000	SEAL-OIL INR	5	1.31	6.55
0247	51714 36000	SEAL-OIL OTR	5	1.22	6.10
0248	51718 36000	RING-SNAP	5	2.57	12.85
0249	51720 36200	BEARING-FR HU	5	16.68	83.40
0250	52710 33500	HUB-RR WHEEL	4	29.44	117.76
0251	52910 33400	WHEEL ASSY(ST	8	28.83	230.64
0252	52960 33950	COVER ASSY-WH	20	15.63	312.60
0253	53501 36000	SPACER SET-DI	2	4.76	9.52
0254	54500 33010	ARM & BALL JO	2	34.92	69.84
0255	54501 33010	ARM & BALL JO	2	34.92	69.84
0256	54503 31600	BALL JOINT KI	5	9.07	45.35
0257	54610 36002	INSULATOR ASS	4	12.12	48.48
0258	54620 33000	SEAT-SPRING U	4	5.13	20.52
0259	54626 36000	BUMPER-RUBBER	4	3.48	13.92
0260	54628 36000	COVER-DUST	4	1.04	4.16
0261	54630 33200	SPRING-FR(GRE	4	25.67	102.68
0262	54633 33010	PAD-FR SPRING	4	1.32	5.28
0263	54634 33010	PAD-FR SPRING	4	1.50	6.00
0264	54650 33102	STRUT ASSY	4	45.01	180.04
0265	54810 33400	BAR-FR STABIL	2	21.00	42.00
0266	54813 33200	BUSH-STABILIZ	10	1.53	15.30
0267	54817 36010	BUSH-RUBBER	20	0.25	5.00
0268	54830 36100	LINK-STABILIZ	4	7.72	30.88
0269	55310 33102	SHOCK ABSORBE	6	37.45	224.70
0270	55320 36011	CUP ASSY	4	2.49	9.96
0271	55330 33000	BRACKET-SHOCK	4	4.48	17.92

0117

.(SONATA)

LINE	PART NUNBER TO BE SUPPLIED	PART NAME	Q'TY	UNIT PRICE	AMOUNT
0272	55341 33010	PAD-RR SPRING	4	4.07	16.28
0273	55342 36000	BUSH-UPR{A}	4	0.64	2.56
0274	55343 36000	BUSH-UPR{B}	4	0.96	3.84
0275	55347 36000	COVER-DUST	4	2.11	8.44
0276	55348 36000	BUMPER-RR SPR	4	3.79	15.16
0277	55350 33300	SPRING-RR(PIN	4	17.74	70.96
0278	55541 36000	BUSH-ARM	4	4.48	17.92
0279	55612 31010	BUSH-LATERAL	4	1.56	6.24
0280	56300 33140	COLUMN & SHAF	2	103.81	207.62
0281	56410 33300	JOINT ASSY-UN	2	49.40	98.80
0282	56820 36000	END ASSY-TIE	4	7.60	30.40
0283	57100 33500	PUMP ASSY-POW	2	143.69	287.38
0284	57135 33500	SWITCH ASSY-P	5	9.93	49.65
0285	57150 33500	SEAL KIT-P/S	10	6.97	69.70
0286	57170 36100	BELT"V"-POWER	10	2.69	26.90
0287	57175 33250	RESERVOIR ASS	2	17.38	34.76
0288	57194 36000	FILTER	10	1.94	19.40
0289	57510 33150	HOSE ASSY-PRE	3	40.18	120.54
0290	57700 33500	GEAR & LINKAG	2	315.57	631.14
0291	57726 33100	BUSH ASSY-RAC	5	8.24	41.20
0292	57730 33100	ROD ASSY-TIE	2	12.40	24.80
0293	57789 36000	RUBBER-STEERI	4	0.96	3.84
0294	57790 33A00	SEAL KIT-POWE	10	22.23	222.30
0295	58101 33C00	PAD KIT-FR DI	100	23.60	2360.00
0296	58102 33A00	SEAL KIT-FR D	50	9.04	452.00
0297	58301 33A00	CYLINDER KIT-	20	4.18	83.60
0298	58305 31020	SHOE & LINING	100	21.69	2169.00
0299	58311 31000	SPRING-SHOE R	20	0.98	19.60
0300	58312 31000	SPRING-SHOE R	30	0.60	18.00
0301	58321 31000	WASHER-SHOE H	30	0.09	2.70
0302	58322 31000	SPRING-SHOE H	30	0.21	6.30
0303	58323 31000	PIN-SHOE HOLD	40	0.24	9.60
0304	58330 33000	CYLINDER ASSY	2	10.47	20.94
0305	58344 31000	SPRING-ADJUST	30	0.42	12.60
0306	58358 31A00	ADJUSTER-BRAK	10	2.92	29.20
0307	58361 31000	SPRING-SHOE R	20	0.98	19.60
0308	58368 31A00	ADJUSTER-BRAK	10	2.92	29.20
0309	58380 33000	CYLINDER ASSY	2	10.47	20.94
0310	58501 33A00	CYLINDER KIT-	5	18.73	93.65
0311	58510 33201	CYLINDER ASSY	1	53.00	53.00
0312	58731 21350	HOSE-BRAKE FR	10	5.72	57.20
0313	58732 33000	HOSE-BRAKE	10	5.91	59.10
0314	58737 33010	HOSE-BRAKE	10	6.60	66.00
0315	58775 24300	VALVE-PROPORT	2	32.30	64.60
0316	59110 33201	BOOSTER ASSY-	3	166.50	499.50
0317	59760 33020	CABLE ASSY-PA	5	12.90	64.50
0318	59770 33020	CABLE ASSY-PA	5	13.24	66.20
0319	64100 33310	PANEL COMPL-R	5	64.54	322.70
0320	64501 33310	PANEL ASSY-FN	5	48.88	244.40
0321	64502 33310	PANEL ASSY-FN	2	48.88	97.76
0322	66311 33210	PANEL-FENDER	5	49.12	245.60
0323	66321 33210	PANEL-FENDER	5	49.12	245.60
0324	66400 33320	PANEL ASSY-HO	2	76.08	152.16
0325	67101 33000	PANEL-ROOF	1	84.13	84.13

0118

(SONATA)

LINE	PART NUNBER TO BE SUPPLIED	PART NAME	Q'TY	UNIT PRICE	AMOUNT
0326	69100 33010	PANEL ASSY-BA	5	43.22	216.10
0327	69200 33141	PANEL ASSY-TR	5	78.74	393.70
0328	69300 33000	PANEL & FRAME	5	59.89	299.45
0329	69510 33030	DOOR ASSY-FUE	3	2.95	8.85
0330	71101 33210	PILLAR ASSY-F	5	70.71	353.55
0331	71102 33210	PILLAR ASSY-F	5	70.71	353.55
0332	71401 33510	PILLAR ASSY-C	5	38.61	193.05
0333	71402 33200	PILLAR ASSY-C	2	38.61	77.22
0334	71507 33300	PANEL ASSY-QU	3	72.67	218.01
0335	71508 33230	PANEL ASSY-QU	2	72.67	145.34
0336	71601 33002	PANEL ASSY-QU	1	77.54	77.54
0337	71602 33002	PANEL ASSY-QU	1	77.55	77.55
0338	76003 33113	PANEL ASSY-FR	3	98.91	296.73
0339	76004 33102	PANEL ASSY-FR	3	98.91	296.73
0340	77003 33112	PANEL ASSY-RR	3	92.04	276.12
0341	77004 33112	PANEL ASSY-RR	3	92.04	276.12
0342	79110 33000	HINGE ASSY-HO	5	3.18	15.90
0343	79120 33000	HINGE ASSY-HO	5	3.18	15.90
0344	79210 33001	HINGE ASSY-TR	5	7.51	37.55
0345	79220 33002	HINGE ASSY-TR	5	7.62	38.10
0346	79273 33022	BAR-TRUNK LID	5	6.88	34.40
0347	79283 33022	BAR-TRUNK LID	5	6.88	34.40
0348	79340 33001	HINGE ASSY-DR	5	3.48	17.40
0349	79350 33001	HINGE ASSY-DR	5	3.90	19.50
0350	79360 33001	HINGE ASSY-DR	5	3.90	19.50
0351	79380 33000	CHECKER ASSY-	4	5.58	22.32
0352	79480 33000	CHECKER ASSY-	2	5.61	11.22
0353	79490 33000	CHECKER ASSY-	2	5.61	11.22
0354	81110 33000	STRIKER ASSY-	5	4.67	23.35
0355	81130 33000	LATCH ASSY-HO	5	4.15	20.75
0356	81180 33000AQ	HANDLE ASSY-H	3	2.05	6.15
0357	81190 33201	CABLE ASSY-HO	3	3.83	11.49
0358	81230 33190	LATCH ASSY-TR	5	4.63	23.15
0359	81310 33250	LATCH ASSY-FR	2	12.66	25.32
0360	81320 33250	LATCH ASSY-FR	2	12.66	25.32
0361	81387 31000	BUSH-DR O/S H	100	0.06	6.00
0362	81410 33000	LATCH ASSY-RR	2	14.20	28.40
0363	81420 33000	LATCH ASSY-RR	2	14.20	28.40
0364	81470 33101	ROD & BELL CR	3	1.60	4.80
0365	81480 33101	ROD & BELL CR	3	1.60	4.80
0366	81905 33191AQ	KEY SET	3	39.93	119.79
0367	81975 36000	RETAINER-CYLI	10	0.33	3.30
0368	81996 33000	KEY-BLANKING	10	1.23	12.30
0369	82110 33001CA	W/STRIP-FR DR	2	6.15	12.30
0370	82120 33001CA	W/STRIP-FR DR	2	6.15	12.30
0371	82130 33011	W/STRIP ASSY-	2	10.60	21.20
0372	82132 33000	CLIP-W/STRIP	200	0.09	18.00
0373	82140 33011	W/STRIP ASSY-	2	10.60	21.20
0374	82150 33000	W/STRIP-DR DR	2	8.52	17.04
0375	82160 33000	W/STRIP-DR DR	2	8.52	17.04
0376	82210 33030	W/STRIP ASSY-	2	7.03	14.06
0377	82220 33030	W/STRIP ASSY-	2	7.03	14.06
0378	82231 33000	W/STRIP-FR DR	2	4.09	8.18
0379	82234 23000	CLIP-DR BELT	50	0.38	19.00

0119

(SONATA)

LINE	PART NUMBER TO BE SUPPLIED	PART NAME	Q'TY	UNIT PRICE	AMOUNT
0380	82241 33000	W/STRIP-FR DR	2	4.09	8.18
0381	82301 33500RD	PANEL COMPL-F	2	82.53	165.06
0382	82302 33500RD	PANEL COMPL-F	2	82.53	165.06
0383	82315 33000	FASTENER-DR T	50	0.15	7.50
0384	82391 33201	SEAL-FR DR TR	3	2.95	8.85
0385	82392 33100	SEAL-FR DR TR	3	2.95	8.85
0386	82403 33101	REGULATOR ASS	5	10.39	51.95
0387	82404 33101	REGULATOR ASS	5	10.39	51.95
0388	82411 33001	GLASS-FR DR D	5	22.59	112.95
0389	82414 21000	STRIP-SEAL DR	20	0.38	7.60
0390	82421 33001	GLASS-FR DR D	5	22.59	112.95
0391	82510 33021	CHANNEL ASSY-	3	9.73	29.19
0392	82520 33021	CHANNEL ASSY-	3	9.73	29.19
0393	82531 33101	RUN-FR DR WDO	3	7.60	22.80
0394	82541 33101	RUN-FR DR WDO	3	7.60	22.80
0395	82610 33020AQ	HANDLE ASSY-D	10	2.26	22.60
0396	82611 33020AQ	BEZEL-DR I/S	10	0.28	2.80
0397	82620 33020AQ	HANDLE ASSY-D	10	2.26	22.60
0398	82621 33020AQ	BEZEL-DR I/S	10	0.28	2.80
0399	82650 33130	HANDLE ASSY-F	10	7.21	72.10
0400	82660 33130	HANDLE ASSY-F	10	7.21	72.10
0401	82830 33030	MOULDING ASSY	2	10.23	20.46
0402	82840 33030	MOULDING ASSY	2	10.23	20.46
0403	82850 33030	MOULDING ASSY	2	5.92	11.84
0404	82860 33030	MOULDING ASSY	2	5.92	11.84
0405	83110 33001CA	W/STRIP-RR DR	2	5.85	11.70
0406	83120 33001CA	W/STRIP-RR DR	2	5.85	11.70
0407	83130 33010	W/STRIP ASSY-	2	10.04	20.08
0408	83140 33010	W/STRIP ASSY-	2	10.04	20.08
0409	83210 33010	W/STRIP ASSY-	2	8.12	16.24
0410	83219 21001	CLIP-DR BELT	100	0.07	7.00
0411	83220 33010	W/STRIP ASSY-	2	8.12	16.24
0412	83301 33500RD	PANEL COMPL-R	2	67.65	135.30
0413	83302 33500RD	PANEL COMPL-R	2	67.65	135.30
0414	83403 33102	REGULATOR ASS	5	10.39	51.95
0415	83404 33102	REGULATOR ASS	5	10.39	51.95
0416	83411 33000	GLASS-RR DR D	5	16.83	84.15
0417	83417 33000	GLASS-RR DR F	3	7.51	22.53
0418	83421 33000	GLASS-RR DR D	5	16.83	84.15
0419	83427 33000	GLASS-RR DR F	3	7.51	22.53
0420	83510 33000	CHANNEL ASSY-	3	6.95	20.85
0421	83520 33000	CHANNEL ASSY-	3	6.95	20.85
0422	83531 33000	RUN-RR DR WDO	3	4.96	14.88
0423	83533 33000	W/STRIP-RR DR	2	4.19	8.38
0424	83541 33000	RUN-RR DR WDO	3	4.96	14.88
0425	83543 33000	W/STRIP-RR DR	2	4.19	8.38
0426	83650 33130	HANDLE ASSY-R	5	6.95	34.75
0427	83660 33130	HANDLE ASSY-R	5	6.95	34.75
0428	83850 33010	MOULDING ASSY	2	7.16	14.32
0429	83860 33010	MOULDING ASSY	2	7.16	14.32
0430	85101 33250	MIRROR ASSY-R	3	11.81	35.43
0431	86110 33100	GLASS-W/SHLD(	10	106.12	1061.20
0432	86131 33001	MOULDING-W/SH	10	4.74	47.40
0433	86132 33001	MOULDING ASSY	10	7.40	74.00

0120

.(SONATA)

LINE	PART NUNBER TO BE SUPPLIED	PART NAME	Q'TY	UNIT PRICE	AMOUNT
0434	86133 33001	MOULDING ASSY	10	7.40	74.00
0435	86140 21000	RETAINER	100	0.34	34.00
0436	86300 33000	EMBLEM-HYUNDA	10	3.75	37.50
0437	86311 33000	EMBLEM-SONATA	10	3.00	30.00
0438	86324 33000	EMBLEM-GLS	10	2.39	23.90
0439	86332 33000	EMBLEM-2.0I	10	2.22	22.20
0440	86341 33500	EMBLEM-SYMBOL	10	1.39	13.90
0441	86351 33510	GRILLE-RADIAT	5	12.22	61.10
0442	86370 33500	FILLER-TRANSV	5	6.38	31.90
0443	86380 33500	FILLER-TRANSV	5	6.38	31.90
0444	86426 33000	CLIP-TRUNK LI	10	0.15	1.50
0445	86430 33000	WEATHERSTRIP-	2	3.59	7.18
0446	86435 33100	STRIP ASSY-HO	5	2.90	14.50
0447	86501 33550	COVER & BEAM	2	165.75	331.50
0448	86510 33550	COVER ASSY-FR	5	73.30	366.50
0449	86512 33550	GRILLE-FR BUM	10	3.67	36.70
0450	86513 33550	GRILLE-FR BUM	10	1.43	14.30
0451	86514 33550	GRILLE-FR BUM	10	1.43	14.30
0452	86541 33550	STAY-FR BUMPE	5	11.57	57.85
0453	86542 33550	STAY-FR BUMPE	5	11.57	57.85
0454	86601 33550	COVER & BEAM	2	200.28	400.56
0455	86610 33550	COVER ASSY-RR	5	86.39	431.95
0456	86641 33550	STAY-RR BUMPE	3	18.92	56.76
0457	86642 33550	STAY-RR BUMPE	3	18.92	56.76
0458	86671 33560	MOULDING(BLAC	30	9.41	282.30
0459	87111 33101	GLASS-RR WDO(	3	74.20	222.60
0460	87121 33A00	DAM-GLASS	10	3.50	35.00
0461	87121 33000	DAM-GLASS	2	2.99	5.98
0462	87130 33001	MOULDING ASSY	5	6.13	30.65
0463	87133 33001	MOULDING-RR W	5	3.74	18.70
0464	87134 33001	MOULDING-RR W	5	3.74	18.70
0465	87135 33001	JOINT & PAD A	5	2.39	11.95
0466	87136 33001	JOINT & PAD A	5	2.39	11.95
0467	87141 33000	MOULDING & PA	3	9.04	27.12
0468	87321 33030	WEATHERSTRIP-	2	10.89	21.78
0469	87370 33000	MOULDING-BACK	3	15.87	47.61
0470	87605 33670	MIRROR ASSY-O	10	41.83	418.30
0471	87606 33470	MIRROR ASSY-O	10	41.83	418.30
0472	87711 33600	MOULDING ASSY	10	2.91	29.10
0473	87712 33600	MOULDING ASSY	10	2.91	29.10
0474	87721 33600	MOULDING ASSY	10	8.89	88.90
0475	87722 33600	MOULDING ASSY	10	8.89	88.90
0476	87731 33600	MOULDING ASSY	10	7.47	74.70
0477	87732 33600	MOULDING ASSY	10	7.47	74.70
0478	87741 33600	CLIP-W/LINE M	50	0.28	14.00
0479	88830 33000AQ	BUCKLE ASSY-F	3	5.13	15.39
0480	9J600 31000	HOSE(PVC)	1	1.38	1.38
0481	9J700 31000	HOSE(RUBBER)	1	1.39	1.39
0482	91204 33260D	WIRING ASSY-E	1	121.33	121.33
0483	91825 14000	FUSE-SLOW BLO	50	1.81	90.50
0484	91826 14000	FUSE-SLOW BLO	50	0.87	43.50
0485	91828 14000	FUSE-SLOW BLO	50	1.81	90.50
0486	91835 21100	FUSE-BLADE(10	200	0.17	34.00
0487	91836 21100	FUSE-BLADE(15	200	0.17	34.00

0121

(SONATA)

LINE	PART NUNBER TO BE SUPPLIED	PART NAME	Q'TY	UNIT PRICE	AMOUNT
0488	91837 21100	FUSE-BLADE(20	50	0.10	5.00
0489	91839 21100	FUSE-BLADE(30	50	0.17	8.50
0490	92101 33570	HEADLAMP ASSY	5	50.30	251.50
0491	92102 33570	HEADLAMP ASSY	5	50.30	251.50
0492	92110 33570	LENS & HOUSIN	5	47.59	237.95
0493	92120 33570	LENS & HOUSIN	5	47.59	237.95
0494	92301 33500	LAMP ASSY-FR	10	7.53	75.30
0495	92302 33500	LAMP ASSY-FR	10	7.53	75.30
0496	92310 33500	LENS & HSG AS	10	5.21	52.10
0497	92318 14000	NUT-FR T/SIG	10	0.21	2.10
0498	92320 33500	LENS & HSG AS	10	5.21	52.10
0499	92401 33500	LAMP ASSY-RR	5	18.89	94.45
0500	92402 33500	LAMP ASSY-RR	5	18.89	94.45
0501	92405 33500	LAMP ASSY-RR	5	14.28	71.40
0502	92406 33500	LAMP ASSY-RR	5	14.28	71.40
0503	92410 33500	LENS & HSG-RR	5	17.49	87.45
0504	92420 33500	LENS & HSG-RR	5	17.49	87.45
0505	92450 33550	LENS & HSG-RR	5	11.87	59.35
0506	92460 33550	LENS & HSG-RR	5	11.87	59.35
0507	92506 33050	LAMP ASSY-LIC	10	3.84	38.40
0508	92510 33000	LENS & HSG AS	4	2.08	8.32
0509	93400 33300	SWITCH ASSY-M	3	37.80	113.40
0510	93560 33001	SWITCH ASSY-D	20	2.03	40.60
0511	93710 33100	SWITCH ASSY-R	3	6.14	18.42
0512	93720 33200	SWITCH ASSY-A	3	4.34	13.02
0513	93760 33950	SWITCH ASSY-T	3	2.92	8.76
0514	93810 21001	SWITCH ASSY-S	3	3.84	11.52
0515	93830 33150	SWITCH ASSY-P	10	1.92	19.20
0516	93840 24100	SWITCH ASSY-I	5	7.30	36.50
0517	93860 36100	SWITCH ASSY-B	5	5.99	29.95
0518	93920 33100	SENSOR-THERMO	10	12.13	121.30
0519	94240 33700	CABLE ASSY-SP	5	6.23	31.15
0520	94420 33061	GAUGE ASSY-TE	3	36.88	110.64
0521	94460 33500	SENDER ASSY-F	5	19.77	98.85
0522	94650 32520	GAUGE UNIT-WA	10	6.86	68.60
0523	94750 21020	SWITCH ASSY-O	5	3.93	19.65
0524	94770 32480	SENDER ASSY-O	5	17.65	88.25
0525	94950 33100	RHEOSTAT ASSY	2	8.80	17.60
0526	95110 31050	PLUG-CIGAR LI	10	3.13	31.30
0527	95120 14510	SOCKET ASSY-C	5	5.64	28.20
0528	95220 21000	RELAY ASSY-PO	10	3.80	38.00
0529	95220 31300	RELAY ASSY-PO	5	5.73	28.65
0530	95220 33200	RELAY ASSY-PO	5	5.75	28.75
0531	95220 33700	RELAY ASSY-PO	5	6.14	30.70
0532	95240 33200	RELAY ASSY-PO	5	5.72	28.60
0533	95250 33000	RELAY ASSY-PO	5	8.55	42.75
0534	95550 360C0	FLASHER UNIT-	10	7.34	73.40
0535	95720 33000	OPENER ASSY-F	5	16.74	83.70
0536	95730 33000	ACTUATOR ASSY	5	40.44	202.20
0537	95750 33000	ACTUATOR ASSY	5	40.44	202.20
0538	95770 33100	ACTUATOR ASSY	5	40.44	202.20
0539	95780 33100	ACTUATOR ASSY	5	40.44	202.20
0540	95790 33000	OPENER ASSY-T	5	16.50	82.50
0541	95950 33251	CLOCK ASSY-DI	2	38.23	76.46

0122

(SONATA)

LINE	PART NUMBER TO BE SUPPLIED	PART NAME	Q'TY	UNIT PRICE	AMOUNT
0542	96250 33112	ANTENNA ASSY-	10	75.36	753.60
0543	96910 33100	CONDENSER	50	2.43	121.50
0544	96920 33000	FILTER-NOISE	10	2.78	27.80
0545	97116 33000	MOTOR	5	65.95	329.75
0546	97123 33000	CORE & SEAL A	5	77.10	385.50
0547	97606 33300	CONDENSER ASS	3	155.49	466.47
0548	97701 33331	COMPRESSOR AS	3	337.39	1012.17
0549	97730 33300	FAN & MOTOR A	4	105.16	420.64
0550	97762 33330	HOSE-DISCHARG	3	52.11	156.33
0551	97763 33330	HOSE-SUCTION	3	52.69	158.07
0552	98100 33012	MOTOR ASSY-WI	5	54.33	271.65
0553	98200 33003	LINKAGE ASSY-	5	13.60	68.00
0554	98302 33151	BLADE ASSY-W/	100	4.10	410.00
0555	98310 33003	ARM ASSY-W/SH	50	7.52	376.00
0556	98320 33003	ARM ASSY-W/SH	50	7.52	376.00
0557	98350 33102	BLADE ASSY-W/	100	4.72	472.00
0558	98510 33000	MOTOR & PUMP	10	9.49	94.90
0559	98620 33110	RESERVOIR ASS	2	9.49	18.98
0560	98631 33000	NOZZLE ASSY-W	10	1.45	14.50
0561	98810 33000	MOTOR ASSY-P/	3	47.49	142.47
0562	98810 33100	MOTOR ASSY-P/	3	47.49	142.47
0563	98820 33000	MOTOR ASSY-P/	3	47.49	142.47
0564	98820 33100	MOTOR ASSY-P/	3	46.70	140.11

TOTAL   62,144.00

(FOB KOREAN PORT)

0123

現代綜合商事株式會社

現商自2 : 第 91-09-030號   1991.   09.   06
受   信 : 외무부 장관
參   照 : 중동2과장
題   目 : 입금 요청

1. 귀 부처의 평소 협조와 지원에 감사드립니다.

2. EGYPT向 경제원조용 차량 및 부품 中 차량 1次分이 아래와 같이
선적되어 입금 요청하오니 선처하여 주시기 바랍니다.

                    ─ 아   래 ─

   1. 국   가 : EGYPT

   2. 선적내역 :

품 명	수 량	금액(CIF 조건)	선적일	현지도착 예정일	선 명
GRACE	280台	U$3,104,375.22	91. 9.1	91. 10.1	MAERSK SEA
CHORUS	42台	U$ 975,810.68			
SONATA	42台	U$ 356,122.17			
計	364台	U$4,436,308.07			

   3. 요청 금액 : U$4,436,308.07

   4. 당사 구좌 번호 : 한국외환은행 계동지점 *117-JCD-700001 HYUNDAI CORP.*
                      구좌번호 : 117-11-00105-2
                      예금주 : 현대종합상사

                    서 울 鍾 路 區 桂 洞 140의 2 番地
                    現 代 綜 合 商 事 株 式 會 社
                    代 表 理 事 朴 世 勇

                              0124

가 격 표
=========

품 명	수 량	단 가	금 액
GRACE 12인승	260 (NO OPTION)	11,056	2,874,560
	20 (OPTION)	12,859	257,180
CHORUS 25인승	90 (NO OPTION)	23,445	2,110,050
	10 (OPTION)	25,731	257,310
SONATA	50	88,448	442,240
GRACE S.S.T	10	8,584	8,584
CHORUS S.S.T	5	509	2,545
부 품			1,047,531
計	차량 430대 및 부품		7,000,000

가격표.MPG

0125

I. 1차 선적분 가격

		단가(FOB)	운임·보험	단가(CIF)	총액(CIF)	비 고
GRACE	260 (NO OPTION)	10,021	1,035	11,056	2,874,560	
	20 (OPTION)	11,824	1,035	12,859	257,180	
CHORUS	42 (NO OPTION)	21,215	2,230	23,445	984,690	
SONATA	42	7,844.8	1,000	8,844.8	371,481.6	
計	364台				4,487,911.6	

II. 1次 선적분 입금 요청액

USD

품 명	수 량	총액(FOB)	운임·보험 당초계약	운임·보험 실제집행	총액(CIF)	비 고
GRACE	260 (NO OPTION)	2,605,460	289,800	262,435.22	3,104,375.22	
	20 (OPTION)	236,480				
CHORUS	42 (NO OPTION)	891,030	93,660	84,780.68	975,810.68	
SONATA	42	329,481.6	42,000	26,640.57	356,122.17	
計	364台	4,062,451.60	425,460	373,856.47	4,436,308.07	

REF-1.MPG

△51,603.53

1) 실질 운임·보험료가 당초 예상 운임·보험료 보다 감소
2) 1次 선적분 운임·보험료 U$51,603.53 감액됨

0126

걸프사태 관련 대이집트 민수물자 지원품목 확정을 위한 실무조사단 파견

1. 지원업무 추진경위

   o 91.4.7. 이집트측, 우리측의 3000만불 지원접수 결정 공식통보

      - EDCF 1500만불, 군수물자 700만불, 민수물자 800만불

   o 민수용물자 지원품목으로 직업훈련용 시설 및 의료기기 희망 표명

   o 91.5.17. 우리측 직업훈련용 시설 지원 검토서, 의료기기 카탈로그
      송부 및 조사단파견 제의

   o 91. 6. 3. 이집트측, 우리측 조사단 파견에 동의

   o 91. 7.15. 이집트측, 우리측 조사단 조속 방문 요청

      - 우리측, 직업훈련원 자료작성상 시일소요로 9월중 방문예정 통보

2. 조사단 파견 필요성

   o 이집트 기존 훈련원의 설비상태, 훈련생의 기술수준, 현지의 산업기술
      수준을 파악하여야 직업훈련원 기자재 공급품목 결정이 가능

   o 동 파악을 위해 가능한 빠른 시일내 외무부 및 업계전문가로 구성된
      실무조사단 파견 요망

3. 참 고

   o 이집트측은 91.5 군수사절단 파한하여 군수물자 (700만불)지원 품목
      확정

      - 미니버스 및 승용차 총430대

   o 91.9.1. 동 1차분 364대 선적

0127

주식회사 고려무역

해 외 제91-62호   737-0860   1991. 9. 14

수 신 : 외무부 장관

참 조 : 중동 2과장

제 목 : 對 이집트 현지 조사단 파견

1. 당사는 귀부로부터 對 이집트 무상공여 예정 품목(직업훈련원 장비 및 의료기기) 리스트를 받아 검토한 바, 상기 품목의 구성이 매우 복잡하여 물품 공여시 수혜국의 기술 수준에 맞추어 품목 결정을 하는 것이 바람직하다고 사료 됩니다.

2. 따라서 당사는 현지 실정에 맞는 품목을 정확히 파악하여 물품을 공급하고자, 귀 부의 담당자와 당사 직원 그리고 관련업계의 전문가 등으로 현지 조사단을 구성하여 현지를 방문코자 합니다.

3. 상기 조사단을 구성함에 있어 귀 부의 협조를 부탁 드립니다.

4. 당사의 예정 스케쥴은 다음과 같습니다.

      출 국 : SEP. 19, 1991 경
      입 국 : SPE. 25, 1991 경
      출장지 : CAIRO, EGYPT (6泊 7日). 끝.

주 식 회 사 고 려 무 역 사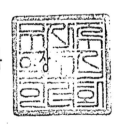

0128

발 신 전 보

번   호 : WCA-0628   910916 1401   FO종별 : _____

수   신 : 주   카이로   ~~대사~~ 총영사 (친전)

발   신 : 장 관   (정진호 중동2과장)

제   목 : 업 연

1. 격조하였습니다. 건강하신지요

2. 민수용 물자지원관련, 차량(3백만불)은 전례에 비추어 차량생산
업체인 현대가 조달토록 하는데 문제가 없으나 직업훈련기기 및 의료기기는
고려무역이 걸프지원 대행업체로 지정되어 있는데다 어차피 현대가 이들기기
생산업체가 아니라서 기존방침대로 고려무역으로 하여금 대행토록 하는 것이
관계법규상 타당한 것으로 사료됩니다. 대사님의 이해있으시기 바라며 조사단
접수가능기간 긴급 알려주시기 바랍니다.

3. Chalkamy 총영사가 지난 9.6 장관님께 영사위임장을 제출한후
이해순 국장과 면담하면서 이집트 정부로서는 한국과의 수교와 관련 모종의 ~~선물~~
선물(gift)를 기대하고 있다고 하였는바, 이집트에는 이미 상당한 걸프지원이
이루어지고 있어 본부로서는 별도의 gift를 ~~절대~~ 고려할 수 없는 입장입니다.
상부에서는 이집트측의 이러한 태도는 양국관계발전에 ~~절대~~ 도움이 안될
것이라는 입장이십니다. 참고하시기 바랍니다. 유엔에서의 양국 외상회담이
순조롭게 되기를 희망하면서 대사님의 건승기원합니다. 끝.

0129

관리번호 91/872

외 무 부

종 별 :

번 호 : CAW-0997

수 신 : 장관(중동이)

발 신 : 주 카이로 총영사

제 목 : 민수물자 지원

일 시 : 91 0916 1640

대:WCA-0626(91.9.13)

연:CAW-0975(91.9.10)

1. 대호 1 항 표제물자 지원합의서 서명 추진중인바, 서명후 결과 보고 위계임.

2. 대호 2 항, 지원차량 모델등 주재국 관계부서와 의견 조정 완료되는대로보고 예정이며, 주재국 관련부서에서 당지 현대지사측과도 접촉이 진행중임을 참고바람.

3. 의료기기 및 직업훈련장비 조달문제와 관련, 주재국 당국은 금후 부품조달의 원할을 기하기 위해서는 반드시 현대가 아니더라도 당지 진출아국상사에 의한 조달을 강력히 요청하였으나, 당관이 아측입장을 설명함으로서 동당국은 하기4 항을 제외한 의료기기 및 훈련장비의 고려무역에 의한 조달에 동의함.

4. 연이나, 주재국 정부당국(국제협력부및 문교부) 은 연호 기술학교 전문직업 훈련기기 지원(연호 1. 나, 1. 라항, 1 백만) 사업은 일반 직업훈련 사업과는 성격을 달리하는 사업임을 강조하면서, 동지원금으로 신설 기술고등학교 또는기존 기술고교의 전자분야 기술훈련용 기기 구입(전문가 일시파견 포함) 사업에 사용하기로 방침을 정하고, 동기기 조달만은 동사업의 원할한 집행을 위해 이미 전자분야에 있어서 당지에 진출하고 있는 아국관련 상사가 담당해 줄것을 요청해옴.

5. 주재국 당국은 상기 4 항 기술고등학교 관련사업은 당초 민수물자 지원사업에 포함되어 있지 않았으나 주재국 정부의 기술교육 강화시책에 따라 특별히신규사업으로 채택된 것임을 강조하면서, 동사업의 효율성및 연속성들을 고려,금후 부품조달 문제등과 연관 당지진출관련 아국상사와 계속적인 관련을 맺기로 요청하고 있음을 감안, 동요청을 호의적으로 검토회시바람.

6. 주재국측은 91.9.25 이후 언제든지 대호 실무조사단을 접수할 수 있다고함(단 도착일시, 비행기편등 수일전 통보요망). 끝.

중아국   차관   2차보   경제국   분석관

91.09.17   08:53

외신 2과 통제관 BW

0130

(총영사 박동순-국장)
예고:91.12.31. 까지

0131

관리번호 91/815

외 무 부

종 별 :

번 호 : CAW-0998

일 시 : 91 0916 1650

수 신 : 장관(중동이)

발 신 : 주 카이로 총영사

제 목 : 군수물자 선적서류

연:CAW-0944(91.9.4)

대:중동이 20005-2192(91.9.7)

1. 대호 선적서류에 자동차 샤시 및 엔진번호가 누락된바, 각차종별 샤시및엔진번호 최선 파우치편 송부바람.

2. 2차선적 시일 및 당지도착 예정일 봉보바람. 끝.

(총영사 박동순-국장)

예고:91.12.31. 까지

중아국

PAGE 1

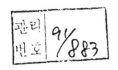

발 신 전 보

번   호 : WCA-0633   910917 1844 FO   종별 :

수   신 : 주 카이로   /대사//총영사 (친전)

발   신 : 장 관   (중동아국장)

제   목 : 업 연

대 : CAW-0997
연 : WCA-6626

특정

전자분야 훈련설비 공급을 애급진출 회사에 발주하는 것은 사무적으로 대단히 복잡한 절차를 거쳐야 하는 이외에도 공연한 오해를 살 가능성이 많고 특히 귀지진출 회사간에 경합이 있는 경우 더욱이 잡음이 있을 가능성이 있어서 그냥 기존경로를 통하는 것이 좋겠읍니다.해량바람니다. 사후 A/S등은 고려무역이 책임진다고 합니다. 지난번 감사원 감사를 받아보니 이게 보통 까다로운 일이 아닙니다. 축건승. 끝.

예고 : 독후파기

보안통제 초

앙 고 재	91년 9월 13일	중동2과	기안자성명	과 장	국 장	차 관	장 관	외신과통제
				초	예			

0133

분류기호 문서번호	중동이 20005- 203	협조문용지 (　　　　　)	결 재	담 당	과 장	국 장
시행일자	1991. 9 .17.					
수　신	총무과장(외환계장)	발　신	중동2과장		(서명)	
제　목	걸프사태 지원경비 지불					

　　　　　연 : 중동이 20005 - 199

　　연호 걸프사태 대이집트 지원차량 1차분 선적에 따른 현대

　종합상사에 대한 지불의뢰 관련, 지불 은행구좌를 아래와 같이 변경

　통보하오니 조치하여 주시기 바랍니다.

　　　　　　　　　　　　-　아　　　　　래 -

　　1. 종전

　　　　ㅇ 은행 : 한국외환은행 계동지점

　　　　ㅇ 구좌번호 : 117-11-00105-2

　　2. 변경

　　　　ㅇ 은행 : 종전과 동일

　　　　ㅇ 구좌번호 : 117-JCD-700001 Hyundai corp　끝.

0134

	분류번호	보존기간

발 신 전 보

번 호 : WCA-0632   910917 1843   FQ종별 :

수 신 : 주 카이로   대사,,총영사

발 신 : 장 관   (중동이)

제 목 : 민수 물자 지원

대 : CAW - 0997

연 : WCA - 0626

1. 관련업계에 의하면 일반적인 ~~라술화교~~ 전자분야 전문기술훈련 기기는 대체로 중소기업들의 전문 생산품이라고 하는바, 동 조달 업무를 위해 귀지 진출 특정 상사를 지정해야 할 이유가 희박함.

2. 따라서, 연호대로 본부와 수출 대행 계약을 체결한 고려무역이 그간 광범위한 조사를 통하여 지원 계획을 수립(전자분야포함)하였고, 실무 조사단이 동 자료를 지참하고 조만간 귀지를 방문할 예정임과 동 사업의 조기 집행 필요성을 고려할 때 전자분야 기술훈련 기기는 고려무역이 조달토록함이 바람직하다고 생각 되는바, 이집트측의 이해를 구하기 바람.

3. 실무조사단 방문시에 향후 부품조달등 이집트측 요구 사항을 상세 협의할 수 있을 것임을 참고바라며, 동 조사단은 외무부및 업계전문가 3명으로 구성하여 9.25이후 3박4일 예정으로 귀지 방문 추진중임. 끝.

(중동아국장 이 해 순)

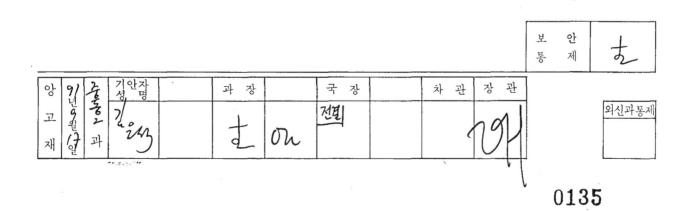

관리번호 91/886

외 무 부

종 별 :

번 호 : CAW-1006

일 시 : 91 0918 1740

수 신 : 장관(중동이)

발 신 : 주 카이로 총영사

제 목 : 민수물자지원

대:WCA-0632
연:CAW-0997

1. 연호 기술고등학교에 지원할 전자분야 훈련기기 지원관련, 주재국 관계 당국은 반드시 특정 아국업체를 선호하는 것은 아니나, 본사업이 기기의 지원으로서 끝나는 1회성사업이 아니고 적어도 일정기간에 걸친 기술지원 및 부품 공급문제등은 당지진출아국상사가 이를 담당하므로서 금후 동아국상사와 직접 접촉을 통하여 상기문제를 효율적으로 수행할 수 있는 이점이 있기때문 이라고 하며만일 고려무역이 기기지원및 전문가파견등 기술지원을 효율적으로 수행할 수 있을경우, 이를 받아들이는데 문제가 없을것이라고 하면서, 본문제는 실무조사단방문시 충분한 의견교환후 결정할 것을 희망하고 있음.

2. 대호 실무조사단 방문기간(3 박 4 일)은 관련 업무에 비추어 너무 단기간 인바, 도착, 출발일을 제외하고 최소한 4 일은 필요한바 일정작성시 반영되도록 조치 건의함. 끝.

(총영사 박동순-국장)

예고:91.12.31. 까지

중아국

91.09.19   00:15

외신 2과 통제관 CD

0136

외 무 부

종 별 :

번 호 : CAW-1005

일 시 : 91 0918 1735

수 신 : 장관(중동이)

발 신 : 주 카이로 총영사

제 목 : 군수물자 선적서류

연:CAW-0998

연호 선적서류에 누락된 차량별 샤시및 엔진번호를 현대로 하여금 당지 현대지사에
FAX 로 송부토록 조치바람, 끝.

(총영사 박동순-국장)

예고:91.12.31. 까지

중아국

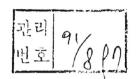

분류기호 문서번호	중동이 20005-2267	기안용지 (720-3869)		시 행 상 특별취급	
보존기간	영구.준영구 10. 5. 3. 1	장 관 ⑩ 초			
수 신 처 보존기간					
시행일자	1991. 9. 18.				

보조기관 국 장 전결 / 심의관 / 과 장 초

협조기관

문서통제 접수 '91.9.19

기안책임자 김은석

발송인

경유 / 수신 주 카이로 총영사 / 참조

발신명의

발송 '91 9 14 외무부

제 목 군수 물자 선적서류

대 : CAW - 0998

대호 자동차 샤시 및 엔진번호 리스트를 별첨과 같이

송부합니다.

첨 부 : 상기 자료 1부. 끝.

0138

	분류번호	보존기간

발 신 전 보

번   호 : WCA-0637   910919 1447   FN종별 : _____

수   신 : 주 이집트 ~~대사~~ 총영사

발   신 : 장 관   (중동이)

제   목 : 군수물자 선적 서류

대 : CAW - 1005

　　대호 샤시 및 엔진번호는 현대 본사에서 귀지 지사에 직접 금일 FAX
송부하며, 금주 파편으로 별도 송부할 예정임.   끝.

(중동아국장 이 해 순)

		보 안 통 제	호

앙 고 재	91년 9월 19일	중동 이 과	기안자 성명 김으성		과 장 호	국 장 전결		차 관 장 관 호	외신과통제

0139

MINISTRY OF FOREIGN AFFAIRS
REPUBLIC OF KOREA

Seoul, 19 September 1991

Dear Mr. Al-Hinai,

Following our telephone conversation of yesterday,
I would like to inform you of the list of the delegation as
follows.

Mr. Kim Eun Seok, Assitant Director of Middle East
                   Division II, Ministry of Foreign Affairs
Mr. Park Ki June, Manager, Korea Trading International INC.
Mr. Jang Ji Young, Assistant Manager, Korea Trading
                   International INC
Mr. Cho Yong Ki, Managing Director, Dae Kyung Ki San Co
Mr, Lee Moon Suk, Director, ED Engineering

We will arrive in Muscat at 23:10 on 28 September by GF 153
and leave for Cairo at 10:30 next morning by GF 73. I would
very much appreciate it if you could issue us visiting visa for
this short visit to your country.

I thank you in advance for your kind cooperation.

Sincerely yours,

Eun Seok Kim
Assistant Director
Middle East Division II

M. Badr Al-Hinai
   Second Secretary
   Embassy of the Sultanate of Oman

0140

	분류번호	보존기간

발 신 전 보

번   호 : WCA-0640   910920 1742   FH종별 :

수   신 : 주 카이로 "대사". 총영사

발   신 : 장 관 (중동이)

제   목 : 조사단 파견

대 : CAW - 1006

연 : WCA - 0632

1. 대호 실무조사단을 아래와 같이 파견코자하니 일정주선바람.

　가. 방문일정

　　도   착 : 9.29 (일) 06:35 SQ 428편(싱가폴 출발)

　　출   발 : 10.3 (목) 12:30 SQ 427편(싱가폴 향발)

　나. 구성 (4명)

　　1) 김은석 중동2과 사무관 (Kim Eun Seok, Asst. Director)

　　2) 장지영 고려무역 대리 (Jang Ji Young, Asst. Manager,
　　　　　　　　　　　　　Korea Trading Int'l INC)

　　3) 조용기 대경기산 전무 (Cho Yong KI, Managing Director,
　　　　　　　　　　　　　Dae Kyoung Engineering INC)

　　4) 이문석 ED Engineering 무역부장 (Lee Moon Suk, Director)

2. 동 조사단의 도착및 출국 항공편 예약상황을 귀지에서도 확인하기
바람. 김사무관의 경우 도착편인 SQ 428편에 아직 RQ 상태로 있는바 귀지 SQ
항공사에 좌석 확보 협조 요청하고 결과 보고바람. 끝.

(중동아국장 이 해 순)

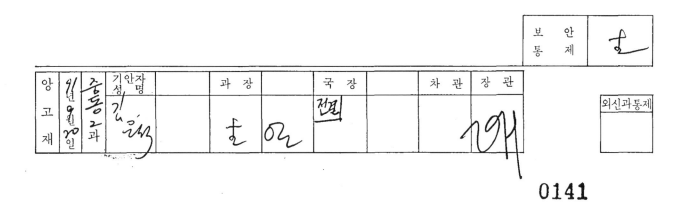

앙고재	91년 9월 20일	중동2과	기안자 성명 김	과 장	국 장 전결	차 관	장 관	보 안 통 제	
								외신과통제	

0141

분류기호 문서번호	중동이 20005- 206	협조문용지 ( )	결 재	담 당	과 장	국 장
시행일자	1991. 9.24.					(서명)
수 신	여권 1과장	발 신 중동 2과장				
제 목	직원 국외 출장					

　

걸프사태 대이집트 민수물자 지원 협의를 위하여 아래와

같이 직원 1명을 이집트에 출장케 하고자 하오니 출국에 필요한

조치를 취하여 주시기 바랍니다.

- 아   래 -

1. 출 장 자 : 중동 2과 김은석 사무관

2. 출 장 기 간 : 91.9.28 - 10.4

3. 출 장 국 : 이집트

　

첨 부 : 원칙 재가문서 사본 1부.   끝.

0142

관리 번호 91/912

외 무 부

종 별 :

번 호 : CAW-1017 일 시 : 91 0924 1110

수 신 : 장관(중동이)

발 신 : 주 카이로 총영사

제 목 : 조사단파견

대:WCA-0640

1. 대호, 당관은 주재국 관계당국과 접촉, 조사단 방문일정을 협의중임.

2. 동조사단 항공편 예약상황관련, 당지 SQ 항공사와 접촉, 김사무관의 당지 도착항경편(SQ428) 좌석확보를 요청한바, 금 9.24 오전 김사무관의 좌석이 확보(REF.NO.J2Y2Q8)되었으며, 조사단 전원의 도착및 출국항공편 예약이 이상없음을 확인한바, 본부 재확인바람. 끝.

(총영사 박동순-국장)

예고:91.12.31. 까지

중아국

91.09.24 17:27
외신 2과 통제관 BW

0143

	분류번호	보존기간

발 신 전 보

번 호 : WCA-0645   910925 1827   FO종별 :

수 신 : 주 카이로 대사 총영사

발 신 : 장 관 (중동이)

제 목 : 조사단 파견

대 : 1) CAW - 1017, 2) CAW - 0804

연 : WCA - 0640

1. 연호 조사단의 여권 관련사항을 아래 통보하니 귀지 도착시 공항에서 입국비자를 발급받도록 조치바람. 주한 총영사관에서는 아직 비자를 발급치 않고 있음.

성 명	여권발급	유효기간	생년월일
가. Kim Eun Seok	███	87.4. 7 - 92.4. 7	███
나. Jang Ji Young	███	91.2. 4 - 94.2. 4	███
다. Lee Moon Suk	███	91.9.19 - 96.9.19	███
라. Cho Yong Ki	███	88.5.10 - 93.5.10	███

2. 대호 2 이집트측이 희망한 7개 직종중 자동차 정비 및 냉동기계 분야는 국내에서도 전체장비의 70-80%를 수입해서 사용하고 있는 실정이기 때문에 기술훈련원 장비는 전기, 전자수리, 공작기계, 용접, 가전기기 5개분야 자료를 작성하였고 이를 중심으로 지원토록 협의할 방침임.

3. 금번 조사단의 귀지방문시 의료기기 및 기술훈련원 장비지원 계획을 확정하고자 하는바, 이집트측 협의 대상자가 관련 관료외에 필히 상기 각분야별 전문가로 구성되도록 이집트측에 주의를 환기시키기 바람. 끝.

(중동아국장 이 해 순)

보 안 통 제	호

앙 고 재	91년 9월 25일	중동2과	기안자 성명		과 장	국 장 전결	차 관	장 관	외신과통제

0144

관리 번호	91/820

분류번호	보존기간

발 신 전 보

번 호 : WCA-0648   910927 1655   BE종별 : _____

수 신 : 주 카이로   대사//총영사   (송웅엽 영사)

발 신 : 장 관   (중동2과 김은석)

제 목 : 업 연

    1. 금번 조사단 일행을 위해 싱글 4실을 9.29-10.3(4박 5일)기간 적정 호텔에 예약바랍니다.

    2. 재회 고대하며 건승기원합니다.　끝.

보 안 통 제	安

앙고재	91년 9월 27일	중동2과	기안자 성명		과 장		국 장		차 관	장 관

외신과통제	K

0145

분류기호 문서번호	중동이20005- 234	기안용지 (720-3869)	시 행 상 특별취급	
보존기간	영구·준영구 10. 5. 3. 1	장 관		
수 신 처 보존기간				
시행일자	1991. 9. 30.			

보 조 기 관	국 장		협 조 기 관		문 서 통 제 검열 1991.10.01 공 제 관
	심의관				
	과 장	전 결			
기안책임자		서 승 열			발 송 인 발송 1991 □□ □□ 외부부
경 유			발 신 명 의		
수 신	주 카이로 총영사			
참 조				
제 목	선적서류 송부			

연 : 중동이 20005-2192

연호 1차선적분 360대에 이어 잔여분 66대에 대한 선적서류를

별첨과 같이 송부합니다.

첨 부 : 선적서류 2부. 끝.

現代綜合商事株式會社

現商自2 : 第 91-09-*262*號   1991. 09.   28
受   信 : 외무부 중동2과장
參   照 : 정진호 과장
題   目 : 이집트向 부품/차량 선적일정 통보 및 대금입금 요청

　　1. 귀부처의 협조와 지원에 감사드립니다.

　　2. 1) 이집트向 차종별(GRACE, CHORUS, SONATA)WARRANTY SPARE PARTS 및
SPECIAL SERVICE TOOL(S.S.T)선적 현황을 다음과 같이 통보드리오며 선적 서류는
유첨과 같습니다.

　　　　　　　　　　　－ 아　　　　　래 －

품　　명		선적일	현지도착 예정일	VESSEL NAME
(GRACE,CHORUS, SONATA) 各 2% WARRATY PARTS		선적항 : 부산 선적일 : 91/9/24	항구 PORT SAID EGYPT 도착 예정일 : 91/10/24	KOALA SUCCESS
S S T	GRACE用 10 SETS			
	CHORUS用 5 SETS			
	SONATA用 1 SETS			

　　　　2) 완성차량 2次 선적 예정일정은 아래와 같습니다.

품　　명		ETD	ETA	VESSEL NAME
CHORUS	58台	ULSAN,KOREA SEP 30	ALEXANDRIA EGYPT OCT 30	ANDES HIGHWAY
SONATA	8台			
계	66台			

0147

3. 대금 입금 협조 요청 : 2. 1)項 선적 품목중 SONATA의 아래 품목에 대한
대금 (당부 공문 현상자2 제91-07-199 참조)및 GRACE, CHORUS의 S.S.T에 대한 대금
입금을 요청드리오니 조속 입금 조치될 수 있도록 선처 바랍니다.

1) 요청내역

(단위 : USD)

차 종	품 명	수량	FOB	운임.보험료	CIF	비 고
	2% WARRANTY	1LOT	9,492	983	10,475	
SONATA	S.S.T	1SET	14,260	740	15,000	
	AIR CON	50	36,000		36,000	
GRACE	S.S.T	10	7,948	636	8,584	
CHORUS	S.S.T	5	2,356.6	188.4	2,545	
계			70,056.6	2,547.4	72,604	

2) 요청금액 : U$72,604

3) 당사구좌번호 : 한국외환은행 계동지점
구좌번호 : 117-JCD-700001
예금주 : 현대종합상사

※ 유 첨 : 선적서류 4부
참고자료 2부

현 대 綜 合 商 事 株 式 會 社
代 表 理 事 朴 世 勇

0148

전 체 가 격 구 조

(단위 : USD)

품 명		수 량	단 가	금 액
GRACE		260	11,056	2,874,560
GRACE (WITH OPTION)		20	12,859	257,180
CHORUS		90	23,445	2,110,050
CHORUS (WITH OPTION)		10	25,731	257,310
SONATA		50	8,844.80	442,240
SST	GRACE	10	858.40	8,584
	CHORUS	5	509	2,545
	SONATA	1	15,000	15,000
SONATA	(AIRCON)	50	720	36,000
	(2% WARRANTY)	1 LOT	10,475	10,475
18% SPARE PARTS				
	GRACE			522610
	CHORUS			394422
	SONATA			69024
T O T A L				7,000,000

REF-2.MPG

0149

現代綜合商事株式會社

現商自2 : 第 91-07- 199 號   1991. 07. 31
受　信 : 외무부
参　照 : 중동2과/정 진호 課長
題　目 : 이집트向 무상원조 차량에 대한 부품

　　　1. 평소 지원에 감사드립니다.

　　　2. 수제건 차량 부품공급에 대한 91년 7월 10일 귀부에서의 실무회의와
관련, 부품 LIST를 유첨 합니다. 부품에 대한 가격, 납기는 다음과 같습니다.

- 다　　　음 -

1) 가격 및 납기 :

구　　분		가격 (단위:USD)		납　　기
		FOB	CIF	
소나타 OPTION ITEM	AIR CON 50개	—	36,000	완성차에 취부되어 선적
	특별수리 공구 (S.S.T.)	14,260	15,000	완성차에 동시 선적
부　품	＊ GRACE 12인승용	470,683	522,610	부품에 대한 공급계약 체결 후 6개월 이내
	＊ CHORUS 25인승용	355,104	394,422	상　　　동
SONATA用	2% WARRANTY 부품	9,492	10,475	완성차에 동시 선적
	＊ 부품	62,144	69,024	부품에 대한 공급계약 체결 후 6개월 이내
합　　계			1,047,531	

2) 부품 LIST :

구　　분	종　　류	ORDER NO.
2% WARRANTY 부품	SONATA用	DO3MAXGAI
＊ 부품	GRACE 12인승용	DO3MAZIGAC
	CHORUS 25인승용	DO3AAZIGCC
	SONATA用	DO3MAXIGBI

3) 요청사항 :
1. 부품에 대한 선적은 공급계약 체결 후 6개월 이내 가능하나, 부품의 특성 및 보관기간(통상
　부품보관 기간은 2년) 감안, 장기보관시 부품의 변질이 예상되는 COLOR 품목, TRIM/SEAT 품목,
　고무제품 및 기타 이집트內 도로, 기후, 사용조건等을 종합고려 장기보관 및 관리가 부적합한
　부품에 대해서는 순차적 선적/납품이 바람직합니다.
2. 따라서 유첨 부품 LIST (＊ 표시분)上 품목에 대한 이집트측으로 부터의 품목별 선적/납기확정이
　요청됩니다.
※ 有　添 : 부품 LIST ----------- 2부   - 끝 -

현 대 종 합 상 사 주 식 회 사
대 표 이 사 박　세　용

0150

정 리 보 존 문 서 목 록					
기록물종류	일반공문서철	등록번호	2020110078	등록일자	2020-11-18
분류번호	721.1	국가코드	XF	보존기간	영구
명 칭	걸프사태: 주변국 지원, 1990-92. 전12권				
생 산 과	중동2과/북미1과	생산년도	1990~1992	담당그룹	
권 차 명	V.5 이집트 III: 1991.10-92.9월				
내용목차					

0001

관리
번호 91/130

원 본

외 무 부

종 별 :

번 호 : CAW-1052   일 시 : 91 1003 1520

수 신 : 장관(중동이)

발 신 : 주 카이로 총영사(김은석 사무관)

제 목 : 이집트 민수물자 지원

대:WCA-0645

　　　대호 실무조사단은 예정대로 9.29-10.3 간 당지를 아문하여 이집트 노동부 AHMED
FOUAD EL-KOUSSY 기술훈련 담당 차관, 교육부 SALAH HEGAZY 기술교육담당차관,
국제협력부 SAID ATEF 아시아 담당 국장과 각 3 차례에 걸쳐 협의를 갖고
민수물자(800 만불)에 대한 품목을 아래와 같이 확정하였음. 동 품목리스트는조사단이
지참함.

　　　1. 의료용품(200 만불, 보건부)

　　　가. NATIONAL HEART INSTITUTE: 273,002 불 상당

　　　나. CAIRO UNIVERSITY(치과대학): 492,096 불 상당

　　　다. AZHAR UNIVERSITY: 500,387 불 상당

　　　라. TANTA UNIVERSITY: 349,344 불 상당

　　　마. BENHA UNIVERSITY: 385,177 불 상당

　　　2. 일반 훈련원 장비(200 만불, 노동부)

　　　가. ASHMOUN 훈련원: 전자 및 전기과정(904,303.05 불)

　　　나. DAKAHLIA 훈련: 선반 및 용접과정(547,846.79 불)

　　　다. ALEXANDRIA 훈련원: 선반과정(469,700.53 불)

　　　라. DAMITTA 훈련원: 용접과정(78,146.26 불)

　　　3. 차량(300 만불, 내무부)

　　　가. 소방차 12 대및 부품: 2,210,333.92 불(추정)

　　　나. 경찰 순찰차 85 대및 부품: 789,666.08 불(추정)

　　　다. 참고사항: 소방차 12 대를 우선 지원하고 나머지금액으로
경찰순찰차를지원하기로 원칙 합의하였으나 차량 단가는 조사단 귀국후 재확인

중아국　　　1차보　　　2차보

봉보키로함.
  4. 기술고등학교 장비(100 만불, 교육부)
  -999,947.72 불 상당의 전기 및 전자과정 품목 확정.끝.
  (총영사 박동순-국장)
  예고:91.12.31. 까지

분류번호	보존기간

발 신 전 보

번   호 : WCA-0667   911008 1431   ED종별 : _____

수   신 : 주 카이로   ~~대사~~ / 총영사   (송웅엽 영사)

발   신 : 장 관   (중동2과 김은석)

제   목 : 업 연

연 : 중동이 20005-2341

1. 연호 송부서류는 지원차량 가격 2%에 달하는 현대측 무상제공
Warranty 부품과 Special Service Tool 16세트(그레이스 10, 코러스 5, 소나타 1)
에 대한 선적서류 입니다. 본인 부재중에 발생한 착오이니 양해바랍니다.

2. 나머지 차량 66대 (코러스 58, 소나타 8)는 9.30 선적되어 10.25경
귀지 도착예정이며 동 선적서류는 금파편 송부하겠습니다.

3. 체류중 여러 협조 감사합니다. 축건승. 끝.

~~(중동이국감 이 혜 순)~~

보안통제	土

앙고재	91년 10월 8일	기안자 성명	과장	국장	차관	장관
	동2과 김양		친			

외신과통제	니

0004

분류기호 문서번호	중동이 20005- 240	기 안 용 지 (720-3869)	시 행 상 특별취급	
보존기간	영구.준영구 10. 5. 3. 1	장 관		
수 신 처 보존기간				
시행일자	1991. 10. 8.			

보조기관	국 장	전 결	협조기관		문 서 통 제
	심의관				김열 1991. 10. 00 통제관
	과 장				
기안책임자		김 은 석			발 송 인

경 유 수 신 참 조	주 카이로 총영사	발신명의		발 송 1991. 10. 00 외무부
제 목	부품 선적서류			

연 : 중동이 20005-2341

연호 현대측 무상제공 2% Warranty 부품 선적서류 1부를

추가로 송부합니다.

첨부 : 선적서류 1부. 끝.

0005

現代綜合商事株式會社

現商自2 : 第 91-10-/*ŋ* 號   1991.   10.   04
受   信 : 외무부 중동2과
參   照 : 정진호 課長
題   目 : 이집트向 차량 2次 선적

1. 귀 부서의 평소 협조와 지원에 감사드립니다.

2. 표제건 관련 2次 선적 현황에 관해 다음과 같이 알려드리오니 참조
바라오며 관련 선적 서류들은 작성 즉시 송부 위계입니다.

― 다   음 ―

1) 2次 선적 : 25인승 (CHORUS) 58台
             승용차 (SONATA) 8台

               計   66台

2) 출항 일시   : 1991. 9. 30
   도착 예정 일시 : 1991.10. 25
   선명   : ANDES HIGHWAY. 끝.

現代綜合商事 株式會社
自   動   車   部
理事 李 康 壹

※ 유첨 : 이집트 국방성에 통보한 SHPPING NOTICE 1부   ―끝―

0006

H Y U N D A I
CORPORATION

TEL : (02)746-1019
TLX : K23175-7
FAX : (02)746-1068

T O   : ARMAMENT AUTHORITY

DATE : 1991. 10. 02
REF : J2-1002025

ATTN   : MAJOR GENERAL MOHMED EL GHAMRAWI
C.C.   : HYUNDAI CAIRO OFFICE/MR. M. SABET
FROM   : K.I. LEE, DIRECTOR/AUTO DEPT. II

RE   : MINI BUS UNDR KOREAN GOV'T GRANT

AA. PLS BE ADVISED OF SHIPPING NOTICE OF 2ND BATCH OF SHIPMENT AS FOLLOWS
    :

    1) DEPARTURE : SEP. 30, 1991, ETA ALEXANDRIA : OCT 25
    2) NAME OF VESSEL : ANDES HIGHWAY
    3) VEHICLE SHIPPED :

       CHORUS (25 SEATER) : 58 UNITS
       SONATA   : 8 UNITS

       TOTAL   : 66 UNITS

BB. TRAINING OF MECHANICS

AS WE REQUESTED BY OFAX 0903105 DATED SEP. 3, PLS PROMPTLY ADVISE OF
THE TRAINING SCHEDULE OF 3 MECHANICS N THE PERSONAL DETAILS OF TRAINEE
AND DESIRED TIME OF TRAINING.

CC. P.D.I

   REF TO OFAX 9109144 DATED SEP 28, PLS KINDLY ADVISE US FOLLOWING POINT
   FOR OUR TIMELY PROCEEDING HERE.

   1) NAME OF DEPOT WHERE THE ABOVE VEHICLES ARE KEPT
   2) HOW SOON THE ABOVE VEHICLES ARE SUPPOSED TO BE IN OPERATION

BEST RGDS/HYUNDAI CORP.
=

0007

現代綜合商事株式會社

現商自2 : 第 91-10-056號   1991. 10. 08
受　信 : 외무부장관
參　照 : 중동2과장
題　目 : 입금 요청

1. 귀부처의 협조와 지원에 감사드립니다.

2. EGYPT向 경제 원조용 차량및 부품중 차량 2次分이 아래와 같이 선적되어
입금 요청하오니 선처하여 주시기 바랍니다.

ー 아　　　래 ー

1. 국가 : EGYPT

2. 선적 내역 :

품 명	수 량	금액(CIF 조건)	선 적 일	현지도착 예정일	선 명
CHORUS	58台	1,368,237.41	91. 9.30	91. 10.25	ANDES HIGHWAY
SONATA	8台	67,753.25			
計	66台	1,435,990.66			

2) 요청금액 : U$1,435,990.66

3) 당사구좌번호 : 한국외환은행 계동지점
　　　　　　　　 구좌번호 : 117-JCD-700001
　　　　　　　　 예금주 : 현대종합상사

※ 유　첨 : 선적서류 3부

서울 종로구 계동 140의 2번지
現代綜合商事株式會社
代表理事 朴世勇

0008

Ⅰ. 2차 선적분 가격

(단위: USD)

품 명	수 량	단가(FOB)	운임, 보험	단가(CIF)	총액(CIF)	비 고
CHORUS	48 (NO OPTION)	21,215	2,230	23,445	1,125,360	
	10 WITH (NO OPTION)	23,501	2,230	25,731	257,310	
SOANTA	8	7,844.80	1,000	8,844.80	70,758.40	
計	66台				1,453,428.40	

Ⅱ. 2차 선적분

(단위 : USD)

품 명	수 량	(A) 총액(FOB)	운임, 보험료		(A) + (B) 총액(CIF)	비 고
			당초계약	실제집행(B)		
CHORUS	48 (NO OPTION)	1,018,320	129,340	114,907.41	1,368,237.41	
	10 WITH (NO OPTION)	235,010				
SOANTA	8	62,758.40	8,000	4,994.85	67,753.25	
計	66台	1,316,088.40	137,340	119,902.26	1,435,990.66	

△17,437.74

1) 실질 운임, 보험료가 당초 예상 운임, 보험료보다 감소
2) 2次 선적분 운임, 보험료 U$17,437.74 감액됨.

관리
번호 91/P49

외 무 부

종 별 :

번 호 : CAW-1079

일 시 : 91 1010 1625

수 신 : 장관(중동이)

발 신 : 주 카이로 총영사

제 목 : 대주재국 민수물자지원 양해각서 서명

대:WCA-0042

연:CAW-1052

1. 본직은 금 91.10.10(목) MAURICE MACRAMALLA 국제협력성 장관과 대호 걸프사태관련 민수물자지원(8 백만불)에 관해 아래 내용의 양해각서에 서명함.

　　가. 직업훈련원장비(노동부): 2 백만불

　　나. 의료용품(보건부): 2 백만불

　　다. 소방차및 경찰차량(내무부): 3 백만불

　　라. 기술고등학교장비(교육부): 1 백만불

2. 동장관은 상기 양해각서 서명후 다방면에 걸친 아국의 물자지원에 깊은 사의를 표하고, 이를 바탕으로 양국정부간 우호.협력관계는 물론, 양국관계의 기본이되는 민간분야의 협력관계가 더욱 강화되기를 희망함.

3. 이에 본직은 양국민간 합작부자로 지난 91.10.8 준공된 GOLDSTAR EGYPT ELECTRONICS TV 부품공장을 언급하고, 향후 양국간 민간협력이 더욱 활성화 될수 있도록 상호 협력할 것을 다짐함.

4. 상기 서명식 내용은 주재국 TV 및 주요일간지에 보도될 예정이며, 동양해각서 사본및 관련기사를 파편 송부예정임.

5. 한편, 군수물자지원 관련 양해각서는 주재국 국방부측과 체결해야 하는바, 국방부 관계자와 협의중이며 진전사항 추보예정임.끝.

　　(총영사 박동순-국장)

　　예고:91.12.31. 까지

중아국	차관	1차보	2차보	분석관	청와대	안기부

PAGE 1

91.10.11　　01:39

외신 2과　통제관 DE

0010

埃에 8백만弗 원조

협정서명

【카이로=聯】朴東厚카이로주재 한국총영사는 10일 모리스 마크라말라 이집트 실에서 조인된 협정에따라 한국은 이집트에 인력부 국제협력담당 국무장관과 한국정부가 공여하는 8백

만달러 상당의 .對이집트무 상원조 제공협정에 서명했다. 이날 마크라말라 장관 과

만달러), 전자장비(1백만달러), 소방차(3백만달러) 등을 무상 공여하게 된당

이무상원조는 지난 1월 이집트에 제공하기로 약속한 걸프전 지원금 1천 5백만 달러중 민간원조 부분이다.

훈련센터 장비 (2백만달러)와 병원 의료기기(2백

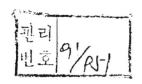

분류기호 문서번호	중동이 20005- 2479	기안용지 (720-3869)	시 행 상 특별취급	
보존기간	영구.준영구/ 10. 5. 3. 1	장 관		
수 신 처 보존기간				
시행일자	1991.10.11.			

보 조 기 관	국 장	전 결	협 조 기 관		문 서 통 제 검열 1991. 10. 11 통제관
	심의관				
	과 장				
기안책임자		김 은 석			발 송 인

경 유		
수 신	주 카이로 총영사	발신명의
참 조		
제 목	차량선적서류 송부	

연 : 중동이 20005 - 2408

연호 이집트 국방부 지원용 차량 66대 (코러스 58, 소나타 8)

에 대한 선적서류를 별첨과 같이 송부합니다.

첩   부 : 선적서류 3부.   끝.

0012

분류기호	중동이	협조문용지		결	담 당	과 장	국 장
문서번호	20005- 221	( )		제	김영삼(서명)	호	
시행일자	1991. 10. 15.						
수 신	총무과장 (외환계장)	발 신	중동 2과장			(서명)	
제 목	걸프사태지원 경비 지불						

연 : 중동이 20005 - 199 (91.9.11)

연호 걸프사태 대이집트 지원관련, 1차 선적 차량 364대및

특별공구, 부속품 송부에 이어 잔여 차량 66대가 91.9.30. 선적

완료되었는바, 동차량 66대에 대한 경비 지불을 아래와 같이 요청

하오니 조치하여 주시기 바랍니다.

- 아   래 -

1. 지불액 : US $1,435,990. 66

2. 지불처 : (주) 현대종합상사

　 o 지불은행 : 한국외환은행 계동 지점

　 o 구좌번호 : 117-JCD-700001

3. 예산항목 : 정무활동, 해외경상이전, 걸프사태 주변

피해국 지원 (이집트)

첨 부 : 1. (주) 현대상사 청구서 사본 1부.

2. 선적서류 사본 1부. 끝.

0013

現代綜合商事株式會社

現商自2 : 第 91-10-096號   1991. 10. 14
受   信 : 외무부 중동2과장
參   照 : 정진호 과장
題   目 : **이집트向 부품/차량 선적일정 통보 및 대금입금 요청**

1. 귀부처의 협조와 지원에 감사드립니다.

2. 1) 이집트向 차종별(GRACE, CHORUS, SONATA)WARRANTY SPARE PARTS 및 SPECIAL SERVICE TOOL(S.S.T)선적 현황을 다음과 같이 통보드리오며 선적 서류는 유첨과 같습니다.

— 아   래 —

품 명		선적일	현지도착 예정일	VESSEL NAME
(GRACE,CHORUS,SONATA) 各 2% WARRANTY PARTS		선적항:부산 선적일: 91/9/24	항구 PORT SAID EGYPT 도착 예정일: 91/10/24	KOALA SUCCESS
S S T	GRACE用 10 SETS			
	CHORUS用 5 SETS			
	SONATA用 1 SETS			

2) 완성차량 2次 선적 예정일정은 아래와 같습니다.

품 명		ETD	ETA	VESSEL NAME
CHORUS	58台	ULSAN,KOREA SEP 30	ALEXANDRIA EGYPT OCT 30	ANDES HIGHWAY
SONATA	8台			
계	66台			

0014

3. 대금 입금 협조 요청 : 2. 1)項 선적 품목중 SONATA의 아래 품목에 대한 대금 (당부 공문 현상자2 제91-07-199 참조) 및 GRACE, CHORUS의 S.S.T에 대한 대금 입금을 요청드리오니 조속 입금 조치될 수 있도록 선처 바랍니다.

1) 요 청 내 역

(단위 : USD)

차 종	품 명	수 량	FOB	운임.보험료	CIF	비 고
SONATA	S.S.T	1 SET	14,260	740	15,000	
	AIR CON	50	36,000		36,000	
GRACE	S.S.T	10	7,948	636	8,584	
CHORUS	S.S.T	5	2,356.6	188.4	2,545	
계			60,564.6	1,564.4	62,129	

2) 요청금액 : U$62,129

3) 당사구좌번호 : 한국외환은행 계동지점
구좌번호 : 117-JCD-700001
예금주 : 현대종합상사

※ 유 첨 : 선적서류 4부
참고자료 2부

1991. 10. 14

現 代 綜 合 商 事 株 式 會 社
代 表 理 事 朴 世 勇

0015

수신 : 외무부 중동 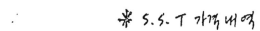 김 오석 서기관님

발신 : 현대종합상사 이 진상

※ S.S.T 가격내역

	차 종	F O B	C I F
WARRANTY 2%	GRACE	55,657.84	62,600
	CHORUS	41,865.65	47,360
	SONATA	9,492.00	10,475
S . S . T	GRACE	7,948.00	8,584
	CHORUS	2,356.60	2,545
	SONATA	14,260.00	15,000
計		131,580.09	146,564

A:외무부.HPG

0016

분류기호	중동이 20005-	협조문용지	결재	담 당	과 장	국 장
문서번호	111	( )				
시행일자	1991. 10.15.			(서명)		
수　　신	총무과장(외환계장`	발　신	중동 2과장			
제　　목	걸프사태 지원 경비 지불					

연 : 중동이 20005 - 199 (91.9.11)

　　　1. 연호 걸프사태 대이집트 지원관련, 1차선적분(차량

364대)에 이어 관련 특별공구및 부속품이 91.9.24 선적 완료되었

는바, 동경비 지불을 아래와 같이 요청하오니 조치하여 주시기

바랍니다.

　　　　　　　- 아　　　　　　　래 -

　가. 지불액 : US $62,129.

　나. 지불처 : (주) 현대종합상사

　　　ㅇ 지불은행 : 한국외환은행 계동지점

　　　ㅇ 구좌번호 : 117-JCD-700001

　다. 예산항목 : 정무활동, 해외경상이전, 걸프사태 주변

피해국지원 (이집트)

/ 계속.../

0017

2. 별첨 선적서류상 상품 대금 총액은 $146,564.- 이나

금번 (주)현대상사 청구금액은 $62,129.- 인바, 이는 계약상 무상

공급키로한 차량 기본부품 (전체차량 구매액의 2%)을 제외하고

소나타 장착용 에어콘 50대와 3종차량 특별공구만이 청구된 것임을

참고로 첨언합니다.

첨   부 : 1. (주)현대상사 청구서 사본 1부.

2. 선적서류 사본 1부.   끝.

現代綜合商事株式會社

現商自2 : 第 91-10-165號   1991. 10. 16
受　　　信 : 외무부장관
參　　　照 : 중동 아프리카 국장/중동2 과장
題　　　目 : **對 이집트 소방차및 순찰차 공급**

　　1. 귀부처의 협조와 지원에 감사드립니다.

　　2. 당사는 1991년 10월 14일 다음과 같이 현대자동차가 생산하는 소방차및 순찰차에 대하여 수정 OFFER 제출하였습니다.

(단위 : USD)

차　종		댓 수	가 격(CIF) 단가	가 격(CIF) TOTAL	비 고
순찰차				U$1,109,300	• 엑셀 1.5 GLS
	차량	100대	U$ 9,500	U$ 950,000	MODEL 로 제작
	엔지니어 교육비 (왕복항공권 부담)	3명		U$ 16,800	• WARRANTY 부품 (차량가격의 2% 상당)
	3년간 사용 부품	1 LOT		U$ 142,500	무상공급
소방차				U$1,890,700	• 8 TON 경화학
	차량	15대	U$113,541	U$1,703,115	소방차로 제작
	엔지니어 교육비 (왕복항공권 부담)	3명		U$ 16,800	• WARRANTY 부품 (차량가격의 2% 상당)
	3년간 사용 부품	1 LOT		U$ 170,785	부품 무상공급
TOTAL				U$3,000,000	

　　3. 차량의 판매, 특히 해외 공급은 다음과 같은 사항이 필수적으로 검토, 고려되어야 합니다.

　　　1) 해외 현지에서의 신속한 AFTER SALES SERVICE 및 부품 공급에 대한 보장.

　　　2) 차량제조 및 납품업체의 해외 현지 정기/순회 SERVICE 실시

　　　3) 차량 구입업체/기관으로부터 기술 사항 질의및 정비(교육) 요청시 즉각적인 처리 수용 보장.

　　4. 상기와 같은 對 고객 SERVICE는 해외현지(本件의 경우에는 이집트 카이로)에 지사 혹은 대리점을 직접 개설 운용하므로서 차량 구입처에 대한 능동적인 SERVICE 제공이 가능합니다.
특히 本件과 같이 우리 정부가 이집트 정부에 공식적으로 증여하는 차량에 대해서는 차량 공급이후의 포괄적인 SERVICE 제공이 매우 중요합니다.
이와같은 관점에서 금번 이집트 정부에 증여되는 소방차와 순찰차는 제반 포괄적 SERVICE 제공이 가능한 당사가 현대자동차(주)가 제작가한 차량을 납품할수 있도록 지원하여 주시기 바랍니다.
　　　　　　　　　　　　　　　　　　　　　　　　- 끝 -

現　代　綜　合　商　事　株　式　會　社
電　子　·　自　動　車　事　業　本　部
理　事　李　康　豊

0019

외 무 부

종 별 :

번 호 : CAW-1097

일 시 : 91 1017 1415

수 신 : 장관(중동이)

발 신 : 주 카이로 총영사

제 목 : 민수물자 지원

연:CAW-0975,1079

1. 주재국 내무부 MAG. GEN. ESSA AMWAR ESSA 제 1 차관은 금 91.10.17 당관에 하기 사항을 통보해 오면서 아측 협조를 요청해 왔음을 보고함.

가. 내무성은 90 년도 아국이 36 대의 경찰순찰차(현대 포니엑셀)를 지원해준데 대해서 감사하며, 동차량은 기술및 성능에서 우수하여 순찰기능을 효과적으로 수행하고 있을뿐 아니라 주요 외국정부 고위인사의 이집트 방문시에 선도차로 사용하고 있음.

나. 한국정부가 91 년도 다시 3 백만불에 해당하는 소방차량 및 순찰차를 지원해 주기로 한데대하여 사의를 표하며, 순찰차는 90 년도 아측이 제공한것과 동종의 차량을 받기를 원하며, 소방차에 대해서는 당지 현대(주)로부터 카타로그, TECHNICAL DATA 및 가격(소방차 대당 12000 불)을 제시받아 검토한바, 내무성측으로서는 이를 받아들이는데 문제가 없음.

다. 내무성이 현대차량을 선호하는 이유는 현대가 이미 90 년도에 제공한 순찰차의 성능이 우수할뿐 아니라, 주재국 국방성도 이미 아측지원으로 많은 현대 차량을 지원받았기 때문이며, 따라서 현대가 이미 많은 차량을 주재국 정부에 제공했으며, 특히 현대가 당지에 지사가 있으므로 금후 부품공급등 아프타써비스 제공이 타사보다 유리한 것이기 때문임.

라. 그러나 내무성이 현대차량만을 교집하는 것은 아니며, 현대보다 더유리한 조건의 차량이 있으면 이를 검토할 것임. 이경우 과거 국방부대표가 방한, 관련 회사와 직접 기술사항 및 가격을 협상했던 것과 같은것을 하기는 어려우나, 관련 아국회사 대표가 TECHNICAL DATA, 가격등 상세한 자료를 가지고 이곳에 와서 내무성 관계기술요원과 협의하는 것이 필요함.

중아국	차관	1차보	2차보	분석관	정와대	안기부

2. 주재국 정부는 외국 무상원조 수령시, 품목선정시 경합이 없을경우 동품목의 제반기능이 국제수준에 손색이 없으며 가격이 유사품목의 국제가격에 비추어 적정가격 인경우 원칙으로 이를 받아들이나, 만일 2 개사 이상의 경합이 있을시는 모든 경합회사로부터 TECHNICAL DATA 및 가격들을 제시받아 이를 검토후 결정하고 있다고함. 끝.

(총영사 박동순-국장)

예고:91.12.31. 까지

이집트국 화학 소방차 지원에 관한 검토 의견

1991. 10. 17

1. 검토 경위

국내에서 대표적인 화학 소방차 제조 업체는 (주)쌍용자동차와 (주)광림기계등 2개 업체이며 당사는 각기 업체로부터 OFFER, SPEC 및 카다로그등을 제출받아 아래 여러가지 사항에 대하여 비교 검토 하였음.

2. 검토 내용

각 메이커의 가격, 제조기간 기계특성 및 기타 조건등을 비교하여 본 결과 다음과 같음.

	(주) 광림기계	(주) 쌍용자동차
가 격 (S/PARTS 제외)	FOB U$84,020.-	FOB U$84,515.-
DELIVERY	9 MONTHS	3 MONTHS
CHASSIS	8ton TRUCK(HYUNDAI)	8ton TRUCK(SSANG YONG)
CABIN	SINGLE (3 SEATS)	DOUBLE (6 SEATS)
WATER TANK	3,500 L	3,000 L
FOAM TANK	600 L	400 L
A / S	샤시 부분은 EGYPT국에 진출할 예정인 현대자동차의 기술진을 이용하고 기계 부분은 현지 기술자를 불러 국내 교육할 예정임. (숙식만 제공)	현지 기술자를 초청하여 샤시및 기계 부분 전반에 걸쳐 교육할 예정임. (숙식 제공및 항공료 부담)

0022

3. 결론

· (주) 광림기계는 소방차의 기계 부분을 전문적으로 생산하는 업체로서
  국내시장 보다 수출을 전문으로 하고 있는 중소업체이고 (주) 쌍용자동차는
  샤시 및 기계 부분을 모두 생산하고 국내시장의 대부분(90%)을 점유하고
  있어 국내 최대 소방차 생산업체임.

· 공급 가격은 거의 비슷하나(차액 U$495.- 본체가격대비 0.6%) 제작 기간이
  광림은 9개월로서, 쌍용의 3개월보다 많은 시간이 소요되는 점이 문제로
  지적되고 있으며, 이는 기타 이집트국 지원물자의 실제 예상 선적시기인
  3-4개월에 비교하여 볼때 현지 인도시기에 있어 큰차이가 나게되어 공여
  효과가 감소될 가능성이 있음. 또한 현재의 환율상승 추세로 보아
  9개월후의 환율 인상분도 검토되어야 할것으로 보임.

· A/S 조건은 쌍용에서 제시하고 있는 조건이 수혜국측에서 보다 환영할 만한
  것으로 검토됨.

· 기술적인 측면에서 볼때 일부 사항은 쌍용이 우세하고 일부 사양은 광림이
  우세하나 전반적으로는 대동소이한 수준이며 정확한 차이점은 유첨한 OFFER및
  사양서 참조하시기 바람.

유 첨 : 1. MAKER OFFER 및 사양
         2. 카다로그

(주) 고 려 무 역 해 외 사 업 팀

EGYPT국 화학 소방차 지원에 관한 검토 의견

1991. 10. 18

1. 검토 경위

국내의 대표적인 화학 소방차 제조 업체는 (주)쌍용자동차 (주)광림기계 등이며 (주)현대자동차도 최근에 생산을 하기 시작하여 3개 업체로 생산 시장이 형성되어 있음.

당사는 이들 3사로부터 OFFER, SPEC 및 CATALOGUE등을 입수하여 이집트 무상 원조에 필요한 참고 사항을 검토 하였음.

2. 검토 내용

각 사에서 제시한 가격, DELIVERY, SPEC, MAINTENANCE & REPAIR 조건등은 다음과 같음.

	쌍용자동차	광림기계	현대자동차
F. O. B	U$ 84,515.-	U$ 84,020.-	U$ 96,880.-
DELIVERY	3 MONTHS	9 MONTHS	6 MONTHS
CHASSIS	8 ton(SSANGYONG)	8 ton(HYUNDAI)	8 ton (HYUNDAI)
CABIN	DOUBLE (6 SEATS)	SINGLE (3 SEATS)	DOUBLE (6 SEATS)
ENGINE MAX OUTPUT	187PS/2,500RPM	190PS/2,900RPM	190PS/2,900RPM
WATER TANK	3,000 L	3,500 L	3,500 L
FOAM TRNK	400 L	600 L	400 L
TRANSMISSION	전진 6단 후진 1단	전진 5단 후진 1단	전진 5단 후진 1단

- 1 -

0024

MAINTENANCE & REPAIR	현지 기술자 2-3명을 초청하여 자체 공장에서 샤시 및 기계 분야 전반에 걸쳐 1-2 주간 교육 예정. (항공료 및 숙식 제공)	샤시 부분은 EGYPT국에 진출할 예정인 현대자동차의 기술진을 이용하고, 기계 부분은 현지 기술자를 불러 자체 공장에서 교육 예정 (숙식만 제공)	3명의 이집트 기술자를 불러 3주간 자체 공장에서 샤시 및 기계 전반에 걸쳐 교육할 예정. 예상 교육비는 U$16,800이며 수혜국 부담 조건임.

3. 결론

· 현대자동차는 자동차 부문에서는 국내 최대 메이커이나 화학 소방차의 경우에는 생산 개시 한지 1년 정도의 역사를 가지고 있으며, 광림기계는 샤시 트럭위에 탑재되는 소방 기계를 전문으로 생산하는 업체로서 샤시 트럭은 현대자동차의 8ton 트럭을 사용할 예정임.

쌍용자동차는 특수 차량의 샤시 및 기계 부분을 모두 생산하는 특수차 전문 생산 업체로서, 내수시장의 대부분을 점유하고 있는 국내 최대의 소방차 메이커임.

· 가격면에서는 현대 자동차가 타 회사들보다 U$12,000 정도 비싸고 쌍용자동차와 광림기계는 거의 비슷한 수준임 (광림기계가 U$495.- 저렴)

· 3사의 샤시 트럭 및 기계 부분의 SPEC은 대동소이한 편임.

(비교표 및 각사 사양서, 오파 참조)

· DELIVERY는 쌍용자동차가 3개월로 가장 빠르며 이는 이집트국에 공여하는 500만불 상당의 기타 무상지원 물품의 선적 시기와 동일하여 수혜국에 동시 인도가 가능함.

· 현재 환율이 계속 상승하는 추세이므로 조기 선적을 하는 경우에는 예산 절감의 효과를 볼 수 있음.

· MAINTENANCE & REPAIR를 위한 현지인 교육 조건은 쌍용자동차에서 제시한 조건이 수혜국측에서 가장 만족할 만한 것으로 검토됨.

유 첨 : · MAKER OFFER 3 매

· SPEC

· CATALOGUE

(주) 고 려 무 역 해 외 사 업 팀

- 2 -

0025

一般豫算檢討意見書

199 /. /0. /9.　　　　중동 2 課

事 業 名	걸프사태 때 이집트 민수물자 지원		
支辨科目	細 項	目	金 額
	1211	341	$4,999,944.─

檢 討 意 見	
主 務 者	정무활동. 해외경상이전에서 집행
擔 當 官	"
審 議 官	"

0026

분류기호 문서번호	중동이20005-		기안용지 (720-3869)		시 행 상 특별취급	
보존기간	영구·준영구 10. 5. 3. 1		차 관		장 관	
수 신 처 보존기간			전결			
시행일자	1991.10.18.					
보조 기관	국 장		협 조 기 관	기획관리실장 총무과장 기획운영담당관	문 서 통 제	
	심의관					
	과 장					
기안책임자	김 은 석				발 송 인	
경 유			발신명의			
수 신	건 의					
참 조						
제 목	걸프사태 대이집트 민수물자 지원					

1. 우리정부는 걸프사태 주변피해국 지원계획의 일환으로

이집트에 700만불 상당의 군수물자와 800만불 상당의 민수물자를

지원키로 하였으며 군수물자는 미니버스 및 승용차 430대로 품목이

확정되어 현재 집행이 마무리 단계에 있습니다.

2. 민수물자 품목은 의료기기(200만불), 기술훈련원장비

(300만불) 및 특수차량(300만불)로 합의되었는바 의료기기와 기술

훈련원 장비를 우선 아래와 같이 지원코자 하오니 재가하여 주시기

바랍니다.

/계속.../

0027

- 아   래 -
가. 의료기기
○ 지 원 액 : $2,000,000
○ 품   목 : 별첩 견적서 참조
○ 수혜기관 : 이집트 보건부 (4개 병원 분산예정)
나. 기술훈련원 장비
○ 지 원 액 : $2,999,944. 66
○ 품   목 : 선반과정(2), 용접과정(2), 전자 및 전기과정(3)
○ 수혜기관 : 이집트 노동부(200만불) 및 문교부(100만불)
다. 총계 : $4,999,944. 66
라. 부대조건
○ 의료기기
- 이집트측이 원하는 경우 물품도착 1년후 A/S팀 파견가능
○ 기술훈련원 장비
- 물품도착직후 장비 작동시범을 위한 기술진 파견
- 물품도착 1년후 A/S팀 재파견
○ 선적기한 : 92.2.17
첨 부 : 1. 수출계약서 1부.
2. 견적서 1부.
3. 관련전문 1부. 끝.

0028

誓 約 書

受 信 ： 外務部長官

題 目 ： 걸프만 事態에 따른 供與用 物品供給

       弊社는 貴部가 主管하는 表題 事業이 緊急支援 및 秘密維持를 要하는

國家的 事業임을 認識하고, 今般 　EGYPT　 國에 供與하는 　　LATHE, ETC

物品을 供與契約 締結함에 있어 아래 事項을 遵守할 것을 誓約하는 바입니다.

1. 物品供給 契約時 品質 價格面에서 一般 輸出契約과 最小限 同等한 또는 보다

    有利한 條件을 適用한다.

2. 締結된 契約은 보다 誠實하고 協助的인 姿勢로 履行한다.

3. 同 契約 內容은 業務上 目的 以外에는 公開하지 않는다.

                    1991　年　10　月　17　日

  會　社　名 ： 株式會社　髙麗貿易

  代　表　者 ： 代表理事　髙　一　男

（署名 및 捺印）

0029

관리	
번호	

발 신 전 보

분류번호	보존기간

번   호 : WCA-0690   911019 1454   BU종별 :

수   신 : 주 카이로 ~~대사~~ 총영사   (친전)

발   신 : 장 관 (중동2과장)

제   목 : 업 연

대 : CAW - 1097

1. 건안하시리라 믿습니다.

2. 정부 무상원조 사업은 수혜국에서 희망품목을 제시하면 보통 예산
회계 관련법규에 따라 본부(또는 대행업체)에서 동 품목을 생산하는 업체로 부터
복수로 offer를 제시받아 성능, 공급시기등 제반조건을 비교 검토하여 가장
유리한 offer를 제시한 업체와 수의계약하는 절차를 취하고 있습니다.

3. 소방차 지원관련, 총영사님의 현대 선정 건의를 유념을 하였습니다만
향후 감사등 제반상황을 고려, 동종 제품생산 타회사의 가격 및 인도조건을 조사
하는 수밖에 없었는바 동 조사결과 쌍룡이 가장 양호한 조건을 제시한 것으로
나타나, 쌍룡을 선정하기로 내부방침을 결정하였으니 이점 양지하시기 바랍니다.

4. 특히 현대의 경우는 최초 총영사관에 제시한 FOB 가격이 $150,192
이었는데, 이를 $107,385로 내렸다가 최종적으로는 $96,880으로 다시 조정
하였으나 그래도 타회사(쌍룡, 광림)에 비해 $12,000이상 높은 가격입니다.

5. 쌍룡은 소방차 국내시장의 90%이상을 공급하고 있는 오랜 생산업체
이고 현대는 소방차 생산에는 1년밖에 되지않은 후발업체이기 때문에 이러한
가격차이가 나고 있는 것으로 보이고, 광림은 자동차 샤시를 현대 및 대우로부터
공급받아 소방기계를 장착하여 생산하고 있는 전문업체로 일괄적인 A/S에 문제가
있는 것으로 검토되었습니다. 쌍룡이 현지에 지사는 없으나 3년치 부품을 뒤 싸갖고하고 3명의 기술자를 무상으로 방화 훈련하여 말병하고 A/S가

6. 동건 조만간 공전으로 아측입장을 통보할 예정인바, 결국 이집트측
으로 봐서도 더좋은 결과가 되는 것이므로 불평이 없을 것으로 사료되오니 필요시
적의 설명바랍니다. 건승기원합니다.   끝.

보 안 통 제	초

앙고재	91년10월1일	중동2과	기안자 성명	김은3		과 장	초	어	여		차 관		장 관			회신과통제	

가능한 수조까지 줄여서가겠다고 하여 쌍룡의 A/S문제
전혀 없는 것으로 생각됩니다.   0030

외 무 부

110-760 서울 종로구 세종로 77번지 / (02)720-3869 / (02)720-3870

문서번호 중동이 20005-15
시행일자 1992. 1.22. (   )

취급		장 관
보존		*ᄊᄒ*
국 장	전결	
심의관		
과 장	*ᄒ*	
담당	김정수	협조

수신   총무과장 (외환계)
참조

제목   걸프사태 주변국지원 경비지불 요청

1. 걸프사태 지원 관련 대이집트 민수물자중 의료기기 지원계약에 따른 동 의료
   기기 일부선적에 따라 경비를 아래와 같이 지불하여 주시기 바랍니다.

- 아   래 -

1. 지 불 액 : US$1,884,884

2. 지 불 처 : (주) 고려무역

    ○ 지불은행 : 제주은행 서울지점

    ○ 구좌번호 : 963 THR 109-01-0

③ 산출근거 : 걸프사태 관련 대이집트 지원물자중 일부를 선적기일내에
              선적함에 따른 경비지불 (91.10.17 계약)

4. 예산항목 : 정무활동, 해외경상이전 (주변국 지원)

2. 동 계약총금액 200만불중 미선적분 $115,110 상당분은 추후 선적후 경비 지급
   요청 예정임을 참고하시기 바랍니다.

첨 부 { 1. 재가공문사본 1부.
        2. 계약서 사본 1부.
        3. 고려무역 청구서 1부.
        4. 선적서부 1부.   끝.

중 동 아 프 리 카 국 장

0031

輸 出 契 約 書

"甲" 外　　務　　部
　　중동 2 課長　鄭 鎭 鎬

"乙"　株式會社　高　麗　貿　易
　　代表理事　副社長　高 一 男

上記 "甲" "乙" 兩者間에 다음과 같이 輸出契約을 締結한다.

第 1 條 : 　輸出物品의 表示
　　　　　 別　　添

第 2 條 : 　"甲"은 上記 第1條의 物品貸金을 船積書類 受取後 "乙"에게 支給한다.

第 3 條 : 　"乙"은 上記 第1條의 物品을 1992 ． 2．17． 까지 KOREAN PORT 港
　　　　　 (또는 空港)에서 EGYPTIAN PORT 行 船舶(또는 航空機)에 船積하여야
　　　　　 한다.　但, 불가피한 事由로 船積이 遲延될 境遇에는 1990. 12. 21.
　　　　　 外務部長官과 "乙"間에 締結된 輸出代行業體 指定 契約書 第4條 規定에
　　　　　 依하여 "乙"은 "甲"에게 船積 遲延事由書를 提出하고 "甲"은 同 遲滯
　　　　　 償金 免除 與否를 決定한다.

第 4 條 : 　"乙"은 船積完了後 7日 以內에 "甲"이 船積物品 通關에 必要한 諸般
　　　　　 船積書類를 "甲" 또는 "甲"의 代理人에게 提出 또는 現地公館에 送付
　　　　　 하여야 한다.

- 1 -

第 5 條 : 上記 船積物品의 品質保證 期間은 船積後 1 年間으로 하며, 이 期間中 正常的인 使用에도 不拘하고 製造不良이나 材質 또는 조립상의 하자가 發生할 境遇 "乙"의 責任下에 解決한다.

本 契約에 明示되지 않은 事由에 對하여는 걸프만 事態 供與品 輸出 代行 契約書에 따른다.

1991 年 10 月 17 日

"甲" 外 務 部　　　　　　"乙" 株式會社 高麗貿易

　　　　　　　　　　　　　　　서울特別市 江南區 三成洞 159

중동 2 課長　鄭 鎭 〔印〕　　　代表理事　副社長　高 一 男 〔印〕

- 2 -

株 式 會 社 高 麗 貿 易

電 話 : (02) 737-0860

F A X : (02) 739-7011

TELEX : KOTII K34311

서울 特別市 江南區 三成洞 159番地

貿易會館 빌딩 11層

TRADE CENTER P.O. BOX 23,24.

수 신 : 외무부 중동 2 과장

제 목 : 걸프만 사태 관련 지원물대 송금 신청

폐사는 귀부와의 계약에 의거하여 아래와 같이 걸프만 사태 관련 지원물품을 기 선적하였아오니 송금조치 하여 주시기 바랍니다.

- 아   래 -

1. 선적물품 내역
   - 별첨참조

2. 비 고
   걸프만 사태 관련 EGYPT 지원 계약분 ('91. 10.17.) 중 의료기기 지원액 (총 U$2,000,000)의 일부임.

3. 송 금 처 : 제주은행 서울지점
   구좌번호 : 963-THR 109-01-0
   예금주 : (주)고려무역.   끝.

1992年 1月 21日

鍾 路 貿 易 本 部 海 外 事 業 팀

0034

(별첨)

품 목	수 량	금 액	선적일	도 착 예정일	선 명	선적항	도착항
1. SURGICAL UROLOGY TABLE (CHS KWON'S 87)	1 UNIT	U$17,350	1/20 '92	2/23 '92	VILLE DE VENUS 9922	BUSAN	ALEXAND- RIA
S/PARTS		867					
2. SURGICAL CARE BED (FOR CHILDREN) (CHS E17-C)	32	11,520					
3. ELECTRICALLY ADJUSTABLE TABLE	12	139,680					
S/PARTS		6,944					
4. INTENSIVE CARE BED(CHS E17-MF)	42	26,460					
5. BED SIDE CABINET (CHS-BSC)	35	5,600					
6. OVER BED TABLE (CHS OBT)	37	8,880					
7. SUCTION APPARATUS (CHS-EV)	20	23,400					
S/PARTS		585.					
8. ANESTHETIC APPAR ATUS WITH SUITABLE MONITOR(ROYAL 88)	22	373,780					
S/PARTS		18,690					
9. ULTRASOUND SCANNER (SONOACE 4500D)	3	165,930					
S/PARTS		16,593					
10.ULTRASOUND SCANNER (SONOACE 4500)	2	72,160					
S/PARTS		4,484					
11.ULTRASOUND SCANNER (SONOACE 88)	3	22,500					
-S/PARTS		1,124					
12.MOBILE X-RAY UNIT (HD 100M-2)	5UNITS	55,500					
-S/PARTS		5,550					
13.X-RAY SYSTEM A)500MA/150KVP RADIOGRAPHIC/ FLUOROSCOPIC W/TV 1.1 SYSTEM	1	55,630					
-S/PARTS		2,876					
14.X-RAY SYSTEM FOR CASUALTY (300MA/125KVP)	1	14,630					
-S/PARTS		1,357					
15.DENTAL CHAIR (HARMONY) WITH X-RAY UNIT(MAX- GLS)	13	104,130					
-S/PARTS		5,515					
16.DENTAL CHAIR (HARMONY)	30	192,000					
-S/PARTS		9,600					

0035

품 목	수 량	금 액	선적일	도 착 예정일	선 명	선적항	도착항
17.SURGICAL HAND INSTRUMENT(GENER- AL, ORTHOPEADIC & NEURO, ORAL	3SETS	244,686					
18.ECHO DOPPLER(ES- 103 MIC) -S/PARTS	8	5,280 264.					
19.X-RAY FILM DEVE- LOPER(JUPIT-908) -S/PARTS	5	70,950 5,676					
20.ANTI-BED SORE MATTRESS	5	2,650					
21.DIATHERMY(SURGIT- OM 300) -S/PARTS	21	131,880 6,308					
22.C-ARM WITH TWO MONITOR(EC-1001 HQ) -S/PARTS	1	51,290 2,565					
T O T A L		U$1,884,884					

0036

I. EQUIPMENTS FOR VOCATIONAL TRAINING CENTER   C.I.F EGYPTIAN MAIN PORT

    (FOR MINISTRY OF MANPOWER AND TRAINING)

A. LATHE

1. LATHE 400 x 100MM	30UNITS	@$ 10,052.83	U$ 315,084.90
2. UNIVERSAL MILLING MACHINE 1100 x 280MM	6	@$ 22,231.34	U$ 133,388.04
3. VERTICAL MILLING MACHINE 1100 x 280MM	6	@$ 19,177.33	U$ 115,063.98
4. PRECISION SURFACE GRINDING MACHINE (L) 550 x 200MM	4	@$ 29,020.76	U$ 116,083.04
5. UNIVERSAL CYLINDRIC GRINDING MACHINE ¢ 265	2	@$ 28,728.66	U$ 57,457.32
6. CARBIDE TOOL GRINDER ¢ 405	2	@$ 688.50	U$ 1,377.-
7. HYDRAULIC POWER HACK SAW MACHINE ¢ 320	2	@$ 7,867.76	U$ 15,735.52
8. BITE WELDING MACHINE 50KVA	2	@$ 4,254.77	U$ 8,509.54
9. UNIVERSAL TOOL & CUTTER GRINDER MACHINE 550 x 150MM	2	@$ 8,858.55	U$ 17,717.10
10. BENCH TYPE DRILLING MACHINE 3-13MM	6	@$ 729.85	U$ 4,379.10
11. PRECISION SURFACE GRINDING MACHINE(S) 450 x 150MM	2	@$ 15,099.69	U$ 30,199.38
12. PRECISION SURFACE PLATE 750 x 500 x 150MM	10	@$ 706.78	U$ 7,067.80
13. HORIZONTAL MILLING MACHINE 1100 x 280MM	6	@$ 19,260.79	U$ 115,564.74
14. PLAIN VICE 100MM(4")	30	@$ 59.12	U$ 1,773.60

B. WELDING

1. BENCH GRINDER ½ HP	6	@$ 150.18	U$ 901.08
2. ELECTRIC DISK GRINDER 100MM	10	@$ 135.84	U$ 1,358.40
3. GAS CUTTING TORCH SET	10	@$ 250.23	U$ 2,502.30

- 1 -

4.	GAS WELDING MACHINE SET	10UNITS	@$ 250.23	U$ 2,502.30
5.	AC ARC WELDER 12.5KVA	10	@$ 462.59	U$ 4,625.90
6.	DC GAUGING & WELDING MACHINE 55KVA	2	@$ 3,275.07	U$ 6,550.14
7.	AIR SPOT WELDING MACHINE 50KVA	2	@$ 3,759.57	U$ 7,519.14
8.	MIG WELDER(1)	2	@$ 4,519.52	U$ 9,039.04
9.	ELECTRIC WATER PRESSURE TESTER 300KG/CM	4	@$ 5,107.24	U$ 20,428.96
10.	DRYING OVEN 400° C	4	@$ 3,614.17	U$ 14,456.68
11.	BENCH TYPE DRILLING MACHINE 3-13MM	6	@$ 729.85	U$ 4,379.10
12.	PLAIN VICE 100MM(4")	30	@$ 59.12	U$ 1,773.60
13.	HYDRAULIC POWER HACK SAW MACHINE ϕ 320	2	@$ 7,867.76	U$ 15,735.52
14.	PRECISION SURFACE PLATE 750 x 500 x 150MM	6	@$ 706.78	U$ 4,240.68
15.	HEATING TORCH SET	10	@$ 321.40	U$ 3,214.-
16.	TIG WELDING MACHINE 15-300A	2	@$ 2,874.29	U$ 5,748.58
17.	HIGH-SPEED UNIVERSAL HYDRAULIC PRESS 100TON	2	@$ 25,658.64	U$ 51,317.28

C. ELECTRONICS MAINTENANCE

1.	Q METER KOTRONIX 3010	2	@$ 1,651.26	U$ 3,302.52
2.	DECADE CAPACITOR CU-410A	15	@$ 337.98	U$ 5,069.70
	CU-410B	15	@$ 337.98	U$ 5,069.70
3.	DECADE INDUCTOR LU-310A	15	@$ 385.97	U$ 5,789.55
	LU-310B	15	@$ 385.97	U$ 5,789.55
4.	DECADE OMDICTPR RU-610A	15	@$ 399.87	U$ 5,998.05
	RU-610B	15	@$ 399.87	U$ 5,998.05
5.	ATTENUATOR AT-121B	5	@$ 331.79	U$ 1,658.95
6.	PLC TRAINER ED-4200/4001/ 4002/4000	5	@$ 7,473.02	U$ 37,365.10

7.	SCR TRAINER ED-5060	8 UNITS	@$ 2,513.47	U$ 20,107.76
8.	OSCILLOSCOPE KOTRONIX 6025	15	@$ 598.63	U$ 8,979.45
9.	DIGITAL MULTIMETER EDM-4750	15	@$ 290.99	U$ 4,364.85
10.	GALVANOMETER KOTRONIX 3122-01	5	@$ 140.40	U$ 702.-
11.	AC AMMETER KOTRONIX 2013	15	@$ 84.49	U$ 1,267.35
12.	AC VOLTMETER KOTRONIX 2013	15	@$ 84.49	U$ 1,267.35
13.	DC AMMETER KOTRONIX 2011	15	@$ 84.49	U$ 1,267.35
14.	DC VOLTMETER KOTRONIX 2011	15	@$ 84.49	U$ 1,267.35
15.	DOUBLE BRIDGE KOTRONIX 3150	5	@$ 843.57	U$ 4,217.85
16.	KOHLAUSCH BRIDGE KOTRONIX 3155	5	@$ 843.57	U$ 4,217.85
17.	MEGGER KOTRONIX DM-500	5	@$ 210.72	U$ 1,053.60
18.	DC POWER SUPPLY ED-330	15	@$ 333.29	U$ 4,999.35
19.	LOGIC TESTER ED-1100	15	@$ 290.40	U$ 4,356.-
20.	ELECTRONIC CIRCUIT ED-2100 TRAINER	15	@$ 2,346.28	U$ 35,194.20
21.	HIGH VOLT METER ED-140-30K	5	@$ 1,927.51	U$ 9,637.55
22.	WHEATSTONE BRIDGE BR-1600	5	@$ 606.61	U$ 3,033.05
23.	DIGITAL LCR METER EDC-1620 TF -1620	5	@$ 1,310.31	U$ 6,551.55
24.	LOGIC CIRCUIT TRAINER ED-1400	15	@$ 780.08	U$ 11,701.20
25.	IC TESTER ED-470B	5	@$ 1,239.67	U$ 6,198.35
26.	OP AMP TRAINER ED-6000	15	@$ 993.79	U$ 14,906.85
27.	BREAD BOARD ED-2200	15	@$ 331.52	U$ 4,972.80
28.	X-Y PLOTTER EDG-2400	5	@$ 624.66	U$ 3,123.30
29.	MICRO PROCESS MPT-1/ TRAINING KIT ED-7000	15	@$ 1,246.86	U$ 18,702.80
30.	SERVO TRAINER ED-4400	15	@$ 2,073.55	U$ 31,103.25

- 3 -

0039

31. VARIABLE AC/DC ED-345B POWER SUPPLY	5 UNITS	@$ 387.74	U$ 1,938.70
32. A/D CONVERTER A/D-4101	15	@$ 330.86	U$ 4,962.90
33. D/A CONVERTER D/A-4101	15	@$ 330.86	U$ 4,962.90
34. POWER FACTOR KOTRONIX 2039	5	@$ 211.31	U$ 1,056.55
35. WATTMETER KOTRONIX 2041	5	@$ 211.31	U$ 1,056.55
36. DC POWER SUPPLY ED-5400 TRAINER	15	@$ 913.48	U$ 13,702.20

D. ELECTRIC INSTALLATION COURSE

1. STROBOSCOPE KOTRONIX DT-301	5	@$ 1,405.42	U$ 7,027.10
2. SCR TRAINER ED-5060	15	@$ 2,513.47	U$ 37,702.05
3. SLIDE RESISTOR KOTRONIX 2791	15	@$ 141.35	U$ 2,120.25
4. DECADE CAPACITOR CU-410A	15	@$ 337.98	U$ 5,069.70
5. DECADE INDUCTOR LU-310A	15	@$ 385.97	U$ 5,789.55
6. DECADE RESISTOR RU-610A	15	@$ 399.87	U$ 5,998.05
7. WHEATSTONE BRIDGE BR-1600	5	@$ 606.61	U$ 3,033.05
8. KELVINBRIDGE KOTRONIX 3150	5	@$ 843.57	U$ 4,217.85
9. EARTH TESTER KOTRONIX 3150	5	@$ 210.72	U$ 1,053.60
10. MEGGER KOTRONIX DM-500	5	@$ 210.72	U$ 1,053.60
11. GALVANOMETER KOTRONIX 3122-01	5	@$ 140.40	U$ 702.-
12. VARIABLE AC/DC ED-345B POWER SUPPLY	8	@$ 387.74	U$ 3,101.92
13. GROWLER KOTRONIX C-13	2	@$ 608.36	U$ 1,216.72
14. HIGH VOLT METER ED-140-30K	5	@$ 1,927.51	U$ 9,637.55
15. X-Y PLOTTER EDG-2400	5	@$ 624.66	U$ 3,123.30
16. INDUCTION VOLTAGE KOTRONIX 31R-3 REGULATOR	2	@$ 2,516.88	U$ 5,033.76

- 4 -

0040

17. OIL INSULATION TESTER KOTRONIX YPS-55	2 UNITS	@$ 1,417.09	U$ 2,834.18
18. AUTOMATIC VOLTAGE REGULATOR KOTRONIX CVA-10K	5	@$ 2,559.82	U$ 12,799.10
19. AC LEVEL METER LM-0102	15	@$ 208.22	U$ 3,123.30
20. DIGITAL MULTIMETER EDM-4750	15	@$ 290.99	U$ 4,364.85
21. CVCF POWER SUPPLY AVR-0200	15	@$ 937.70	U$ 14,065.50
22. ELECTRONIC LOAD EDL-300	5	@$ 1,240.34	U$ 6,201.70
23. 2CH OSCILLOSCOPE KOTRONIX 6025	15	@$ 598.63	U$ 8,979.45
24. DIGITAL LCR METER EDL-1620 TF -1620	15	@$ 1,310.31	U$ 19,654.65
25. AC AMMETER KOTRONIX 2013	15UNITS	@$ 84.49	U$ 1,267.35
26. AC VOLTMETER KOTRONIX 2013	15	@$ 84.49	U$ 1,267.35
27. DC AMMETER KOTRONIX 2011	15	@$ 84.49	U$ 1,267.35
28. DC VOLTMETER KOTRONIX 2011	15	@$ 84.49	U$ 1,267.35
29. POWER FACTOR KOTRONIX 2039	5	@$ 211.31	U$ 1,056.55
30. WATTMETER KOTRONIX 2041	5	@$ 211.31	U$ 1,056.55
31. FREQUENCY COUNTER FC-1050	15	@$ 579.67	U$ 8,695.05
32. THERMOMETER KOTRONIX 2455	5	@$ 211.43	U$ 1,057.15
33. COIL WINDING MACHINE KOTRONIX CWM-1	2	@$ 210.99	U$ 421.98
34. PUNTURE TESTER KOTRONIX 3155	2	@$ 608.36	U$ 1,216.72
35. PNEUMATIC HYDRAULIC ED-7400/7500 SYSTEM	5	@$ 15,351.15	U$ 76,755.75
36. ATTENUATOR AT-121B	15	@$ 331.79	U$ 4,976.85
37. DISTORTION METER DM-0402	15	@$ 1,331.07	U$ 16,966.05
38. SET FOR PLOTTING CHARACTERISTIC OF ELECTRICAL MACHINERY KOTRONIX EMC-1	2	@$ 12,900.66	U$ 25,801.32
39. SERVO TRAINER ED-4400	15	@$ 2,073.55	U$ 31,103.25

- 5 -

0041

```
40. MODULE EXPERIMENT SYSTEM ED-2100      15UNITS    @$ 2,346.28    U$ 35,194.20

41. PLC TRAINER ED-4200/4001/            6          @$ 7,473.02    U$ 44,838.12
             4002/4000

42. AUDIO GENERATOR FG-1880              15          @$ 497.18      U$ 7,457.70

43. DC POWER SUPPLY ED-5400              15          @$ 913.48      U$ 13,702.20

44. D/A INVERTER KOTRONIX 3385           5          @$ 331.68      U$ 1,658.40

45. DC POWER SUPPLY ED-330               15          @$ 333.29      U$ 4,999.35

46. BREAD BOARD ED-2200                  15          @$ 331.52      U$ 4,972.80

47. RF SIGNAL GENERATOR SG-1240          15          @$ 5,506.52    U$ 82,597.80

48. LOGIC DEMO SYSTEM ED-1440            15          @$ 3,330.88    U$ 49,963.20

49. D/A CONVERTER D/A-4101               15          @$ 330.86      U$ 4,962.90

50. A/D CONVERTER A/D-4101               15          @$ 330.86      U$ 4,962.90
-------------------------------------------------------------------------------

S-TOTAL :                          1,159 UNITS                   U$ 1,999,996.81
```

II. EQUIPMENTS FOR TECHNICAL SCHOOL

(FOR MINISTRY OF EDUCATION)

A. ELECTRONICS MAINTENANCE

1. Q METER KOTRONIX 3010	2 UNITS	@$ 1,651.26	U$ 3,302.50
2. DECADE CAPACITOR CU-410A	15	@$ 337.98	U$ 5,069.70
CU-410B	15	@$ 337.98	U$ 5,069.70
3. DECADE INDUCTOR LU-310A	15	@$ 385.97	U$ 5,789.55
LU-310B	15	@$ 385.97	U$ 5,789.55
4. DECADE RESISITOR RU-610A	15	@$ 399.87	U$ 5,998.05
RU-610B	15	@$ 399.87	U$ 5,998.05
5. ATTENUATOR AT-121B	5	@$ 331.79	U$ 1,658.95
6. PLC TRAINER ED-4200/4001 4002/4000	5	@$ 7,473.02	U$ 37,365.10
7. SCR TRAINER ED-5060	8	@$ 2,513.47	U$ 20,107.76
8. OSCILLOSCOPE KOTRONIX 6025	15	@$ 598.63	U$ 8,979.45
9. DIGITAL MULTIMETER EDM-4750	15	@$ 290.99	U$ 4,364.85
10. GALVANOMETER KOTRONIX 3122-01	5	@$ 140.40	U$ 702.-
11. AC AMMERTER KOTRONIX 2013	15	@$ 84.49	U$ 1,267.35
12. AC VOLTEMETER KOTRONIX 2013	15	@$ 84.49	U$ 1,267.35
13. DC AMMETER KOTRONIX 2011	15	@$ 84.49	U$ 1,267.35
14. DC VOLTMETER KOTRONIX 2011	15	@$ 84.49	U$ 1,267.35
15. DOUBLE BRIDGE KOTRONIX 3150	5	@$ 843.57	U$ 4,217.85
16. KOHLAUSCH BRIDGE KOTRONIX 3155	5	@$ 843.57	U$ 4,217.85
17. MEGGER KOTRONIX DM-500	5	@$ 210.72	U$ 1,053.60
18. DC POWER SUPPLY ED-330	15	@$ 333.29	U$ 4,999.35
19. LOGIC TESTER ED-1100	15	@$ 290.40	U$ 4,356.-
20. ELECTRONIC CIRCUIT TRAINER ED-2100	15	@$ 2,346.28	U$ 35,194.20
21. HIGH VOLT METER ED-140-30K	5	@$ 1,927.51	U$ 9,637.55
22. WHEATSTONE BRIDGE BR-1600	5	@$ 606.61	U$ 3,033.05

걸프사태 : 주변국 지원, 1990-92. 전12권 (V.5 이집트 III: 1991.10-92.9월) 441

23. DIGITAL LCR METER EDC-1620 TF -1620	5 UNITS	@$ 1,310.31	U$ 6,551.55
24. LOGIC CIRCUIT TRAINER ED-1400	15	@$ 780.08	U$ 11,701.20
25. IC TESTER ED-470B	5	@$ 1,239.67	U$ 6,198.35
26. OP AMP TRAINER ED-6000	15	@$ 993.79	U$ 14,906.85
27. BREAD BOARD ED-2200	15	@$ 331.52	U$ 4,972.80
28. X-Y PLOTTER EDG-2400	5	@$ 624.66	U$ 3,123.30
29. MICRO PROCESS MPT-1/ED-7000 TRAINING KIT	15	@$ 1,246.86	U$ 18,702.90
30. SERVO TRAINING KIT TRAINER ED-4400	15	@$ 2,073.55	U$ 31,103.25
31. VARIABLE AC/DC POWER SUPPLY, ED-345B	5	@$ 387.74	U$ 1,938.70
32. A/D CONVERTER A/D-4101	15	@$ 330.86	U$ 4,962.90
33. D/A CONVERTER D/A-4101	15	@$ 330.86	U$ 4,962.90
34. POWER FACTOR KOTRONIX 2039	5	@$ 211.31	U$ 1,056.55
35. WATTMETER KOTRONIX 2041	5	@$ 211.31	U$ 1,056.55
36. DC POWER SUPPLY TRAINER, ED-5400	15	@$ 913.48	U$ 13,702.20
37. AM RECEIVER R-3400	15	@$ 2,000.17	U$ 30,002.55
38. AM TRANSMITTER T-3400	15	@$ 2,070.19	U$ 31,052.85
39. ELECTRONIC COMMUNI-ED-2950/2960/ CATION TRAINER 2970	5	@$ 9,509.60	U$ 47,548.-
40. FM TRANSMITTER KOTRONIX 4038	5	@$ 1,413.98	U$ 7,069.90
41. MICROWAVE TRAINER ED-3000	5	@$ 8,707.08	U$ 43,535.40
42. RF SIGNAL GENERATOR SG-1240	15	@$ 5,506.52	U$ 82,597.80
43. FM STEREO SIGNAL GENERATOR, SG-1200	15	@$ 2,342.23	U$ 35,133.45
44. AC LEVEL METER LM-0102	15	@$ 208.22	U$ 3,123.30
45. PULSE GENERATOR FG-1882	15	@$ 1,129.81	U$ 16,947.15
46. DISTORTION METER DM-0402	15	@$ 1,131.07	U$ 16,966.05
47. FREQUENCY COUNTER FC-1050	15	@$ 579.67	U$ 8,695.05

0044

48.	TV TRAINER KOTRONIX 4070	5 UNITS	@$ 3,321.35	U$ 16,606.75
49.	PATTERN GENERATOR KOTRONIX K1200	5	@$ 689.60	U$ 3,448.-
50.	EP ROM PROGRAMMER EDW-2500	5	@$ 1,046.71	U$ 5,233.55
51.	EP ROM ERASER ED-015	5	@$ 276.19	U$ 1,380.95
52.	AUDIO GENERATOR FG-1880	15	@$ 497.18	U$ 7,457.70

B. ELECTRIC INSTALLATION

1.	STROBOSCOPE KOTRONIX DT-301	5	@$ 1,405.42	U$ 7,027.10
2.	SCR TRAINER ED-5060	15	@$ 2,513.47	U$ 37,702.05
3.	SLIDE RESISTOR KOTRONIX 2791	15	@$ 141.35	U$ 2,120.25
4.	DECADE CAPACITOR CU-410A	15	@$ 337.98	U$ 5,069.70
5.	DECADE INDUCTOR LU-310A	15	@$ 385.97	U$ 5,789.55
6.	DECADE RESISTOR RU-610A	15	@$ 399.87	U$ 5,998.05
7.	WHEATSTON BRIDGE BR-1600	5	@$ 606.61	U$ 3,033.05
8.	KELVINBRIDGE KOTRONIX 3150	5	@$ 843.57	U$ 4,217.85
9.	EARTH TESTER KOTRONIX 3150	5	@$ 210.72	U$ 1,053.60
10.	MEGGER KOTRONIX DM-500	5	@$ 210.72	U$ 1,053.60
11.	GALVANOMETER KOTRONIX 3122-01	4	@$ 140.40	U$ 561.60
12.	VARIABLE AC/DC ED-345B POWER SUPPLY	5	@$ 387.74	U$ 1,938.70
13.	GROWLER KOTRONIX C-13	2	@$ 608.36	U$ 1,216.72
14.	HIGH VOLTMETER ED-140-30K	5	@$ 1,927.51	U$ 9,637.55
15.	X-Y PLOTTER EDG-2400	5	@$ 624.66	U$ 3,123.30
16.	INDUCTION VOLTAGE REGULATOR, KOTRONIX 31R-3	2	@$ 2,516.88	U$ 5,033.76
17.	OIL INSULATION TESTER KOTRONIX YPS-55	2	@$ 1,417.09	U$ 2,834.18
18.	AUTOMATIC VOLTAGE REGULATOR KOTRONIX CVA-10K	2	@$ 2,559.82	U$ 5,119.64

- 9 -

0045

19. AC LEVEL METER LM-0102	15UNITS	@$ 208.22	U$ 3,123.30
20. DIGITAL MULTIMETER EDM-4750	15	@$ 290.99	U$ 4,364.85
21. CVCF POWER SUPPLY AVR-0200	15	@$ 937.70	U$ 14,065.50
22. ELECTRONIC LOAD EDL-300	5	@$ 1,240.34	U$ 6,201.70
23. 2CH OSCILLOSCOPE KOTRONIX 6025	10	@$ 598.63	U$ 5,986.30
24. DIGITAL LCR METER EDC-1620 TF - 1620	15	@$ 1,310.31	U$ 19,654.65
25. AC AMMETER KOTRONIX 2013	15	@$ 84.49	U$ 1,267.35
26. AC VOLTMETER KOTRONIX 2013	15	@$ 84.49	U$ 1,267.35
27. DC AMMETER KOTRONIX 2011	15	@$ 84.49	U$ 1,267.35
28. DC VOLTMETER KOTRONIX 2011	15	@$ 84.49	U$ 1,267.35
29. POWER FACTOR KOTRONIX 2039	5	@$ 211.31	U$ 1,056.55
30. WATTMETER KOTRONIX 2041	5	@$ 211.31	U$ 1,056.55
31. FREQUENCY COUNTER FC-1050	15	@$ 579.67	U$ 8,695.05
32. THERMOMETER KOTRONIX 2455	5	@$ 211.43	U$ 1,057.15
33. COIL WINDING MACHINE KOTRONIX CWM-1	2	@$ 210.99	U$ 421.98
34. PUNCTURE TESTER KOTRONIX 3155	2	@$ 608.36	U$ 1,216.72
35. PNEUMATIC HYDRAULIC ED-7400/7500 SYSTEM	2	@$ 15,351.15	U$ 30,702.30
36. ATTENUATOR AT-121B	15	@$ 331.79	U$ 4,976.85
37. DISTORTION METER DM-0402	15	@$ 1,131.07	U$ 16,966.05
38. SET FOR PLOTTING CHARACTERISTIC OF ELECTRICAL MACHINERY KOTRONIX CMC-1	1	@$ 12,900.66	U$ 12,900.66
39. SERVO TRAINER ED-4400	15	@$ 2,073.55	U$ 31,103.25
40. MODULE EXPERIMENT SYSTEM ,ED-2100	15	@$ 2,346.28	U$ 35,194.20
41. PLC TRAINER ED-4200/4001/ 4002/4000	4	@$ 7,473.02	U$ 29,892.08

TOTAL :   958 UNITS   U$ 999,947.85

0046

(FOR MINISTRY OF INTERNATIONAL COOPERATION)

1.	SURGICAL UROLOGY TABLE (CHS KWON'S 87)	1 UNIT	@$ 17,350.-	U$ 17,350.-
	S/PARTS			U$ 867.-
2.	SURGICAL CARE BED(FOR CHILDREN) (CHS-E17-C)	32	@$ 360.-	U$ 11,520.-
3.	ELECTRICALLY ADJUSTABLE TABLE (CHS 1000)	12	@$ 11,640.-	U$ 139,680.-
	S/PARTS			U$ 6,944.-
4.	INTENSIVE CARE BED(CHS-E17-MF)	42	@$ 630.-	U$ 26,460.-
5.	BED SIDE CABINET(CHS-BSC)	35	@$ 160.-	U$ 5,600.-
6.	OVER BED TABLE(CHS-OBT)	37	@$ 240.-	U$ 8,880.-
7.	SUCTION APPARATUS(CHS-EV)	20	@$ 1,170.-	U$ 23,400.-
	-S/PARTS			U$ 585.-
8.	ANESTHETIC APPARATUS WITH SUITABLE MONITOR(ROYAL 88)	22	@$ 16,990.-	U$ 373,780.-
	S/PARTS			U$ 18,690.-
9.	ULTRASOUND SCANNER(SONOACE 4500D)	3	@$ 55,310.-	U$ 165,930.-
	-S/PARTS			U$ 16,593.-
10.	ULTRASOUND SCANNER(SONOACE 4500)	2	@$ 36,080.-	U$ 72,160.-
	-S/PARTS			U$ 4,484.-
11.	ULTRASOUND SCANNER(SONOACE 88)	3	@$ 7,500.-	U$ 22,500.-
	-S/PARTS			U$ 1,124.-
12.	BEDSIDE MONITOR(SE-351 WITH YSI 401)	40	@$ 2,420.-	U$ 96,800.-
	-S/PARTS			U$ 4,840.-
13.	PATIENT MONITOR a. SE-485, SE-132R	2	@$ 5,610.-	U$ 11,220.-
	-S/PARTS			U$ 561.-
	b. PRESSURE TRANSDUCER (2EA)	1	@$ 1,410.-	U$ 1,410.-
	c. TEMPERATURE PROBE(YSI 401)	1	@$ 125.-	U$ 125.-
	d. TEMPERATARE PROBE(YSI 402)	1	@$ 160.-	U$ 160.-

```
14. MOBILE X-RAY UNIT(HD 100M-2)        5 UNITS    @$ 11,100.-    U$ 55,500.-
    -S/PARTS                                                      U$  5,550.-

15. X-RAY SYSTEM                         1         @$ 55,630.-    U$ 55,630.-
    A) 500MA/150KVP RADIOGRAPHIC/
       FLUOROSCOPIC W/TV 1.1 SYSTEM
       -S/PARTS                                                  U$  2,876.-

16. X-RAY SYSTEM FOR CASUALTY            1         @$ 14,630.-    U$ 14,630.-
    (300MA/125KVP)
    -S/PARTS                                                     U$  1,357.-

17. DENTAL CHAIR(HARMONY) WITH          13         @$  8,010.-    U$ 104,130.-
    X-RAY UNIT(MAX-GLS)
    S/PARTS                                                      U$  5,515.-

18. DENTAL CHAIR(HARMONY)               30         @$  6,400.-    U$ 192,000.-
    S/PARTS                                                      U$  9,600.-

19. SURGICAL HAND INSTRUMENT            3 SETS     @$ 81,562.-    U$ 244,686.-
    (GENERAL, ORTHOPEADIC & NEURO, ORAL)

20. ECHO DOPPLER(ES-103 MIC)             8         @$    660.-    U$  5,280.-
    S/PARTS                                                      U$    264.-

21. X-RAY FILM DEVELOPER(JUPIT-908)      5         @$ 14,190.-    U$ 70,950.-
    -S/PARTS                                                     U$  5,676.-

22. ANTI-BED SORE MATTRESS               5         @$    530.-    U$  2,650.-

23. DIATHERMY(SURGITOM 300)             21         @$  6,280.-    U$ 131,880.-
    -S/PARTS                                                     U$  6,308.-

24. C-ARM WITH TWO MONITORS              1         @$ 51,290.-    U$ 51,290.-
    (EC-1001 HQ)
    -S/PARTS                                                     U$  2,565.-

-----------------------------------------------------------------------------

S-TOTAL :                    344 UNITS/3 SETS             U$ 2,000,000.-


G-TOTAL :                                                 U$ 4,999,944.66

```

SPARE PARTS LIST

1. SURGICAL UROLOGY TABLE(CHS KWON'S 87)

    · HAND SWITCH   1 PC   @$ 306.57   U$ 306.57
    · SLIDING CYLINDER   2   @$ 139.84   U$ 279.68
    · PCB ASSY   1   @$ 193.62   U$ 193.62
    · TRENDELENBURG, RESERVE CYLINDER   1   @$ 87.13   U$ 87.13

    TOTAL :   5   U$ 867.-

3. ELECTRICALLY ADJUSTABLE TABLE(CHS 1000)

    · HAND SWITHCH   6 PC   @$ 306.57   U$ 1,839.42
    · SLIDING CYLINDER   10   @$ 139.84   U$ 1,398.40
    · PCB ASSY   6   @$ 193.62   U$ 1,161.72
    · TRENDELENBURG, RESERVE CYLINDER   2   @$ 87.13   U$ 174.26
    · BACK UP-DOWN CYLINDER   3   @$ 162.90   U$ 488.70
    · LATERAL TILT CYLINDER   2   @$ 107.64   U$ 215.28
    · X-RAY PLATE CASSETTE HOLDER   1   @$ 257.26   U$ 257.26
    · MOTOR   2   @$ 704.48   U$ 1,408.96

    TOTAL :   32   U$ 6,944.-

7. SUCTION APPARATUS(CHS-EV)

    · PUMP ACCY   2 PC   @$ 167.-   U$ 334.-
    · BOTTLE CAP   10   @$ 2.15   U$ 21.50
    · SILICON HOSE   20   @$ 3.23   U$ 64.60
    · BOTTLE   20   @$ 2.15   U$ 43.-
    · DELIVERY CAP   4   @$ 30.48   U$ 121.90

    TOTAL :   36   U$ 585.-

8. ANESTHETIC APPARATUS WITH SUITABLE MONITOR(ROYAL 88)

    · CANISTER   44PCS @$ 106.-   U$ 4,664.-
    · GASKET   44   @$ 106.-   U$ 4,664.-
    · DRAINAGE TRAP   22   @$ 106.-   U$ 2,332.-
    · SELECTOR VALVE   22   @$ 213.55   U$ 4,698.-
    · BELLOWS   22   @$ 106.-   U$ 2,332.-

    TOTAL :   154PCS   U$ 18,690.-

- 13 -

0049

9. ULTRASOUND SCANNER(SONOACE 4500 D)

```
· OUTPUT BOARD              3    @$ 1,155.-    U$ 3,465.-
· INPUT BOARD               3    @$ 1,606.70   U$ 4,820.10
· CPU                       3    @$ 1,470.17   U$ 4,410.51
· MOTOR CONTROL             3    @$ 1;299.13   U$ 3,897.39

  ----------------------------------------------------------------

TOTAL :                    12                 U$ 16,593.-
```

10. ULTRASOUND SCANNER(SONOACE 4500)

```
· CPU                       2    @$ 1,060.-    U$ 2,120.-
· T.X BOARD                 2    @$ 1,182.-    U$ 2,364.-

  ----------------------------------------------------------------

TOTAL :                     4                 U$ 4,484.-
```

11. ULTRASOUND SCANNER (SONOACE 88)

```
· ANALOG PULSE UNIT         3    @$ 374.67     U$ 1,124.-
```

12. BEDSIDE MONITOR (SE-351 WITH YSI 401)

```
· LEAD WIRE               520    @$ 1.11       U$ 577.20
· PATIENT CABE ASSY        20    @$ 122.11     U$ 2,442.20
· SPARE FUSE               40    @$ 1.11       U$ 44.40
· ADULT CUFF & CHILD CUFF  40    @$ 44.40      U$ 1,776.20

  ----------------------------------------------------------------

TOTAL :                   620                 U$ 4,840.-
```

13. PATIENT MONITOR (SE-485, SE-132R)

```
· LEAD WIRE                30    @$ 1.10       U$ 33.-
· PATIENT CABLE ASSY        4    @$ 132.-      U$ 528.-

  ----------------------------------------------------------------

TOTAL :                    34                 U$ 561.-
```

0050

14. MOBILE X-RAY SYSTEM (HD 100M-2)

   a. X-RAY FILM CASSETTE WITH SCREENS

SIZE :	14 x 17"	5	@$ 277.50	U$ 1,387.50
	14 x 14"	5	@$ 222.-	U$ 1,110.-
	10 x 12"	5	@$ 177.60	U$ 888.-
	8 x 10"	5	@$ 166.50	U$ 832.50

   b. X-RAY FILM HANGERS

SIZE :	14 x 17"	10	@$ 33.30	U$ 333.-
	14 x 14"	10	@$ 33.30	U$ 333.-
	10 x 12"	10	@$ 33.30	U$ 333.-
	8 x 10"	10	@$ 33.30	U$ 333.-

TOTAL :   60   U$ 5,550.-

15. X-RAY SYSTEM (500MA/150KVP RADIOGRAPHIC/FLUOROSCOPIC V/TV 1.1 SYSTEM)

· POWER OLP PCB	1	@$ 210.98	U$ 210.98
· ROTOR TIMER PCB	1	@$ 244.29	U$ 244.29
· KVP METER/MA ADJUST PCB	1	@$ 266.50	U$ 266.50
· MA UNIT PCB	1	@$ 183.22	U$ 183.22
· CONTROL UNIT PCB	1	@$ 161.01	U$ 161.01
· FLU UNIT PCB	1	@$ 177.67	U$ 177.67
· CONNECTION UNIT PCB	1	@$ 166.56	U$ 166.56
· RELAY UNIT PCB	1	@$ 388.65	U$ 388.65
· DISPLAY UNIT PCB	1	@$ 183.22	U$ 183.22
· TABLE DRIVE PCB	1	@$ 199.88	U$ 199.88
· AUTO-TRANSFORMER,500MA/150KVP	1	@$ 466.38	U$ 466.38
· SCR IRKT-9108	1	@$ 66.63	U$ 66.63
· CONTACTOR CH-15N, 65A	1	@$ 16.66	U$ 16.66
· PUSH-BUTTON SW MUM-1	1	@$ 49.97	U$ 49.97
· PUSH-BATTON SW KH-516-B11	1	@$ 14.44	U$ 14.44
· FISE : (0.5A,1A,3A,5A,10A)	1	@$ 2.22	U$ 2.22
· NAME PLATE FOR DXG-550	1	@$ 77.72	U$ 77.72

TOTAL :   17   U$ 2,876.-

16. X-RAY SYSTEM FOR CASUALTY (300MA/125KVP)

· POWER OLP PCB	1	@$ 155.47	U$ 155.47
· ROTOR TIMER PCB	1	@$ 194.33	U$ 194.33
· KVP METER/MA ADJUST PCB	1	@$ 166.57	U$ 166.57
· MA UNIT PCB	1	@$ 144.36	U$ 144.36
· CONTROL UNIT PCB	1	@$ 111.05	U$ 111.05
· CONNECTION UNIT PCB	1	@$ 133.26	U$ 133.26
· RELAY UNIT PCB	1	@$ 277.62	U$ 277.62

- 15 -

0051

```
· NAME PLATE FOR DXG-325R        1      @$ 55.52      U$ 55.52
· SCR IRKT-9108                  1      @$ 66.63      U$ 66.63
· PUSH BUTTON SW KH-516-B11      1      @$ 49.97      U$ 49.97
· FUSE : (0.5A,1A,3A,5A,10A)     1      @$ 2.22       U$ 2.22

----------------------------------------------------------------------

TOTAL :                         11                   U$ 1,357.-
```

17. DENTAL CHAIR WITH X-RAY SYSTEM (HARMONY & MAX-GLX)

```
· AUTOMATIC CUP P.C.B           34      @$ 11.13      U$ 378.42
· AUTOMATIC CUP                 26      @$ 37.62      U$ 978.12
· LOCKER SWITCH                 34      @$ 5.79       U$ 196.86
· 2-WAY TOGGLE SWITCH           34      @$ 11.59      U$ 394.06
· 3-WAY TOGGLE SWITCH           34      @$ 16.18      U$ 550.12
· GAS CYLINDER                  25      @$ 25.28      U$ 632.-
· CONTROL P.C.B                 15      @$ 159.03     U$ 2,385.42

----------------------------------------------------------------------

TOTAL :                        202                   U$ 5,515.-
```

18. DENTAL CHAIR(HARMONY)

```
· AUTOMATIC CUP P.C.B          120      @$ 11.13      U$ 1,335.60
· AUTOMATIC CUP                120      @$ 37.62      U$ 4,514.40
· LOCKER SWITCH                120      @$ 5.79       U$ 694.80
· 2-WAY TOGGLE SWITCH          110      @$ 11.59      U$ 1,274.90
· 3-WAY TOGGLE SWITCH          110      @$ 16.18      U$ 1,780.30

----------------------------------------------------------------------

TOTAL :                        580                   U$ 9,600.-
```

20. ECHO DOPPLER (SE-103 MIC)

```
· PROBE                          8      @$ 33.-       U$ 264.-
```

21. X-RAY FILM DEVELOPER (JUPIT-908)

```
· EXHAUST HOSE                   4      @$ 709.50     U$ 2,838.-
· PROCESSOR BASE                 4      @$ 709.50     U$ 2,838.-

----------------------------------------------------------------------

TOTAL :                          8                   U$ 5,676
```

0052

22. DIATHERMY (SURGITOM 300)

· HAND PIECE WITH CORD	20	@ $ 63.08	U$ 1,261.60
· CONTROL SWITCH PIECE	20	@ $ 63.08	U$ 1,261.60
· BIPOLOR CORD	20	@ $ 52.57	U$ 1,051.40
· BIPOLOR FORCEPS	20	@ $ 136.67	U$ 2,733.40

TOTAL :	80		U$ 6,308.-

24. C-ARM WITH TWO MONITORS (EC-1001 HQ)

· ABC PCB	1	@ $ 231.27	U$ 231.27
· MEMORY PCB	1	@ $ 988.16	U$ 988.16
· ENHANCE PCB	1	@ $ 367.93	U$ 367.93
· MOTOR CONTROL PCB	1	@ $ 105.12	U$ 105.12
· MEMORY POWER SUPPLY MR 50DD	2	@ $ 262.81	U$ 525.62
· FLUORO TIMER	1	@ $ 157.68	U$ 157.68
· AMP RELAY	2	@ $ 15.77	U$ 31.54
· STABILIZER	1	@ $ 157.68	U$ 157.68

TOTLAL :	10		U$ 2,565.-

- 17 -

0053

* AFTER SERVICE CONDITIONS

1. FOR VOCATIONAL TRAINING CENTER & TECHNICAL SCHOOL EQUIPMENTS.

   · TECHNICIANS SHALL BE DISPATCHED TO EGYPT FOR DEMONSTRATION
     AND TRAINING JUST AFTER THE ARRIVAL OF SHIPPED GOODS AT EACH
     SITE. (FOR 1 WEEK)

   · ANOTHER GROUP OF TECHNICIANS SHALL BE DISPATCHED TO EGYPT
     FOR A/S, 1 YEAR AFTER THE ARRIVAL OF GOODS. (FOR 1 WEEK)

2. FOR MEDICAL EQUIPMENTS

   · ENOUGH S/PARTS FOR MORE THAN 1 YEAR (5-10%) WILL BE SHIPPED
     TOGETHER WITH MAIN EQUIPMENTS.

   · WE SHALL DISPATCH A TEAM OF TECHNICIANS FOR A/S, 1YEAR AFTER
     THE ARRIVAL OF GOODS, IF EGYPT REQUIRES.

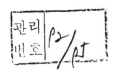

외 무 부

110-760 서울 종로구 세종로 77번지 / (02)720-3869 / (02)720-3870

문서번호 중동이 20005-1 3

시행일자 1992. 1. 22. (   )

취급			장 관	
보존			他書	
국 장	전 결			
심의관				
과 장	호			
담당	김 정 수			협조

수신   주 카이로 총영사

참조

제목   대이집트지원 의료기기 선적서류 송부

대 : CAW - 1052

　　대호 대이집트지원 의료기기(200만불 상당) 중 1차로 US$1,885천불 상당액
선적에 따라 동 선적서류를 별첨 송부하니 주재국 관계부처에 적의 전달, 수령에
착오없으시기 바랍니다.

첨부 : 수령처별 선적서류 각 2부. (총 10부)

0055

	분류번호	보존기간

발 신 전 보

번 호 : WCA-0695   911022 0947 B종별 :

수 신 : 주 카이로   대사//총영사

발 신 : 장 관   (중동이)

제 목 : 민수물자 특수 차량

대 : CAW - 1052

대호 특수 차량은 소방차 200만불, 순찰차 100만불로 구분하여 다음과
같이 지원코자하니 참고바람.

　　　1. 소방차

　　　　가. 공급업체 : 쌍룡

　　　　나. 차량 단가(CIF) : $91.138. 70

　　　　다. 지원 내역 : 소방차(경화학, 8톤)20대 및 3년 사용 부품

　　　　라. 부대조건 : 기술자 3명 방한 초청 훈련실시 (무상), Warranty
　　　　　　　　　　　기간 1년

　　　　마. 선적기일 : 계약후 3개월

　　　2. 순찰차

　　　　가. 공급업체 : 현대

　　　　나. 차량단가(CIF) : $9,500

　　　　다. 지원내역 : 순찰차(엑셀 GSL)90대 및 3년 사용 부품

　　　　라. 부대조건 : 기술자 3명 방한 초청 훈련실시 (유상), Warranty
　　　　　　　　　　　기간 1년

　　　　마. 선적기일 : 계약후 4개월. 끝.

(중동아국장 이 해 순)

	보 안 통 제	

안고재	91년10월21일 중동2과	기안자성명 김OOO		과 장	국 장 전결	차 관	장 관	외신과통제

0056

관리
번호 91/991

외 무 부

종   별 :

번   호 : CAW-1107

일   시 : 91 1022 1710

수   신 : 장 관(중동이)

발   신 : 주 카이로 총영사

제   목 : 민수물자 특수차량

연:CAW-1097

대:WCA-0695

1. 본직은 금 91.10.22. ESSA ANWAR ESSA 주재국 내무부 제 1 차관의 요청으로 동차관을 면담한바, 동차관은 연호 특수차량 무상원조관련 하기 내용의 공문(본직앞 동차관명의 공한)을 수교하고, 동공문 내용은 관계부처 협의및 정부고위층의 재가를 받은 사항이라고 하면서 아측이 동내용에 따라 물자지원을 해줄것을 요청했음(상세 별첨 동공문 영역문 참조).

  가. 소방차 6 대(중간형 MEDIEUM SIZE)

  나. 순찰차

  . 상기 6 대의 소방차를 제외한 전부

  . 단, 이중 1) 절반은 포니엑셀(92 년형, 1500CC) 5DOOR 형으로 통신기기등순찰장비 부착, 2) 잔영 절반은 포니엑셀(92 년형, 1500CC) 4DOOR 형으로 AIR CON 부착하되, 순찰장비는 차에 부착하지 않고 별도 공급

3. 연이나, 동차관은 당초 아측으로부터 12 대의 소방차를 지원받을 계획이었으나, 이태리정부의 무상원조 자금으로 이태리산 소방차(경량형 , 중간형 및 중형)를 다수 지원받기로 되어, 부득이 소방차 대수를 줄이고 주재국이 현재 더욱 필요로 하는 순찰차를 더많이 요청하게 된것이라고 말함.

4. 동차관은 또한 현재 사용중인 대부분의 경찰순찰차(거의 정부가 외국원조품)가 노후하여 교체하지 않을수 없게 되었으며, 특히 최근 주재국의 물가상승등 이유로 사회불안 요소가 증가되고 있으며, 이를 이용한 회교극단주의자의 준동및 이스람 및 콥딕교도간의 종교분쟁(최근 동분쟁으로 2 명사망)등이 발생, 순찰차 수요가 증대되었다고 말하고 상기 소방차및 순찰차 소요대수의 결정은 정부고위층의

중아국   차관   1차보   2차보   분석관

결정이라고 말함.

    5. 동차관은 주재국측이 특정 한국차를 특별히 선호하는 것은 아니라는 것을 지적하면서, 그러나 90 년도 아국 무상원조품인 포니엑셀 경찰순찰차가 그 성능면에서 우수하기 때문에 동종차량을 지원받고져 하는것이 동부의 의도라고 말함.

    첨부:공문 영역문

    (총영사 박동순-국장)

    예고:91.12.31. 까지

PAGE 2

원 본

외 무 부

종 별 :

번 호 : CAW-1108

수 신 : 장 관(중동이)

발 신 : 주 카이로 총영사

제 목 : 민수물자 특수차량

일 시 : 91 1022 1720

연:CAW-1107

별첨(1)

MINISTRY OF INTERIOR

FIRST UNDERSECRETARY FOR FINANCIAL AFFAIRS

GENERAL DEPARTMENT OF PROJECTS AND FINACIAL RESEARCH

REF.4318,22/10/1991

EXCELLENCY

I WOULD LIKE TO REFER TO THE MEMORANDUM OF UNDERSTANDING SIGNED IN CAIRO IN 10 OCTOBER, 1991 CONCERNING THE ECONOMIC ASSISTANCE FROM THE REPUBLIC OF KOREA TO THE ARAB REPUBLIC OF EGYPT THAT INCLUDES USD 3 MILLION TO THE MINISTRY OF INTERIOR CONSISTING OF FIRE AND POLICE VEHICLES.

PLEASE BE KINDLY INFORMED THAT THE NEEDS OF THE MINISTRY OF INTERIOR REGARDING THESE TYPES OF CARS ARE AS FOLLOWS-

FIRST: SIX INTERMEDIATE FIRE CARS WITH TRANSMITTORS.

SECOND: APPROPRIATING HALF THE REST OF THE USD 3MILLION FOR EXPORTING EXCEL CARS (5DOORS) WITH CAPACITY 100C.C. HYUNDAI 1992 WITH TRANSMITTOR AND WITHOUT A/C.

THIRD: APPROPRIATING THE LAST HALF OF THE USD 3MILLION IN EXPORTING EXCEL CARS(4DOORS) HYUNDAI 1992 WITH CAPACITY 1500 C.C WITH A/C AND WITHOUT TRANSMITTORS - THE PREPERATIONS SHOULD BE SENT SEPERATELY TO BE DEVELOPED ACCORDING TO THE CIRCUMSTANCES OF EACH POLICE STATION.

TRANSMITTORS SHOULD BE IN ACCORDANCE WITH VIBRATION DATA ATTACHED.

중아국   차관   1차보   2차보   분석관

FOURTH: SPARE PARTS OF DIFFERENT KINDS OF CARS SHOULD BE WITHIN 10 % LIMIT OF TOTAL VALUE FOR EACH KIND.

WE KINDLY REQUEST THE PROGRAMMING UNIT OF TRANSMITTOR VIBRATIONS, IT'SSPECIAL PROGRAMMES, IT'S TECHNICAL CATALOGUES AND ALSO THOSE OF THE PREVIOUSLY EXPORTED SYSTEMS.

THE MINISTRY OF INTERIOR OF THE ARAB REPUBLIC OF EGYPT AVAILS ITSELF OF THIS OPPORTUNITY TO RENEW TO THE CONSULATE GENERAL OF THE REPUBLIC OF KOREA IN CAIRO THE ASSURANCES OF ITS HIGHEST CONSIDERATION.

CAW-1109 로 계속됨

PAGE 2

0060

관리번호	91/113

외 무 부

종 별 :

번 호 : CAW-1109

수 신 : 장관(중동이)

발 신 : 주 카이로 총영사

제 목 : 민수물자 특수차량

일 시 : 91 1022 1720

연:CAW-1107

별첨(2)

MINISTRY OF INTERIOR

GENERAL DEPARTMENT OF POLICE COMMUNICATIONS

ENGINEERING AFFAIRS BRANCH

CHIEF OF GENERAL DEPARTMENT FOR PROJECTS

RELATED TO THE GRANT OFFERED FROM THE REPUBLIC OF KOREA TO THE MINISTRY OF INTERIOR CONSISTING OF EMERGENCY CARS WITH TRANSMITTORS, WE KINDLY INFORM THAT THESE SYSTEMS BE WORKING IN ACCORDANCE TO THE FOLLOWING VIBRATIONS

CH/ TX(MHZ)/ RX(MHZ)

CH1/71.950/78.450

CH2/72.150/78.650

CH3/72.200/78.700

CH4/72.250/78.750

CH5/72.300/78.800

CH6/72.350/78.850

CH7/72.400/78.900

CH8/72.450/78.950

CH9/72.500/79.000

CH10/72.600/79.100

CH11/72.650/79.150

CH12/72.275/78.775

중아국   차관   1차보   2차보   분석관

PAGE 1

91.10.23   01:27

외신 2과 통제관 DE

0061

CH13/72.325/78.825
CH13/72.325/78.825
CH14/72.375/78.875
CH15/72.425/78.925
CH16/72.475/78.975
CH17/72.525/79.025
CH18/72.025/78.525

PLEASE ATTACH THE PROGRAMMING UNIT OF THESE VIBRATIONS AND THE TECHNICAL CATALOGUES THAT WILL BE SHIPPED. ALSO THE ONES CONCERNING THE SYSTEMS THAT WERE PREVIOUSLY EXPORTED.

ACCEPT, EXCELLENCY, THE ASSURANCES OF MY HIGHEST CONSIDERATION.END.

PAGE 2

0062

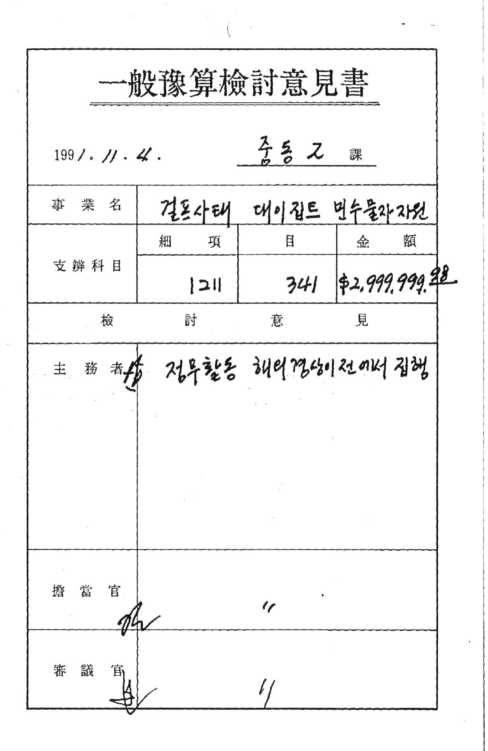

一般豫算檢討意見書

199 /. //. 4.　　　중동 2 課

事 業 名	걸프사태 대이집트 민수물자지원		
支辦科目	細　項	目	金　額
	1211	341	$2,999,999.98
檢　討　意　見			
主 務 者	정무활동 해외경상이전에서 집행		
擔 當 官	"		
審 議 官	"		

분류기호 문서번호	중동이20005-	기안용지 (720-3869)	시 행 상 특별취급	
보존기간	영구.준영구 10. 5. 3. 1	차 관	장 관	
수 신 처 보존기간		전 결		
시행일자	1991.11. 1			

보조기관	국 장		협조기관	기획관리실장	문 서 통 제
	심 의 관			총 무 과 장	
	과 장			기획운영담당관	
기안책임자	김 은 석				발 송 인

경 유		발신명의	
수 신	건 의		
참 조			

제 목	걸프사태 대이집트 민수물자 지원

1. 우리정부는 걸프사태 주변피해국 지원계획의 일환으로

이집트에 700만불 상당의 군수물자와 800만불 상당의 민수물자를

지원키로 하였으며 군수물자는 미니버스 및 승용차 430대로 품목을

확정, 현재 집행이 마무리 단계에 있고 민수물자는 기술훈련원장비

(300만불)와 의료기기(200만불)로 1차 지원키로 합의하여 동집행을

위한 수출계약을 91.10.17 체결한바 있습니다.

/계속.../

0064

2. 이집트측은 민수물자 잔여분(300만불)에 대해 순찰차 및

소방차로 지원해 줄것을 요청하여온바 아래 내역과 같이 집행코자

하오니 재가하여 주시기 바랍니다.

- 아   래 -

가. 경찰순찰차 (92. 3. 18에 집행)

    o 공급업체 : 현대자동차

    o 공급모델

      - EXCEL 1.5 GLS 5 DOOR (에어콘 미장착)

      - EXCEL 1.5 GLS 4 DOOR (에어콘 장착)

    o 공급내역

      - 5 DOOR 모델 (120대) : $1,064,400 (CIF 단가 $8,870)

      (부품 $114,840 별도 공급)

      - 4 DOOR 모델 (115대) : $1,092,500 (CIF 단가 $9,500)

      (부품 $117,650 별도 공급)

    o 공급품목 총액 : $2,389,390

나. 소방차

    o 공급업체 : 쌍룡 자동차

    o 공급내역 : 경화학 소방차 6대 (부품 $61,231. 98 별도공급)

    o 차량단가(CIF) : $91,563   /계속.../

0065

o 공급품목 총액 : $610,609.98

다. 지원총계 : $2,999,999.98

라. 부대조건

o 순찰차 : 이집트 정비공 3명 방한초청 교육실시

o 소방차 : 이집트 정비공 1명 방한초청 교육실시

마. 지출예산 : 정무활동,해외경상이전,걸프전 주변피해국지원(이집트)

첨부 : 1. 순찰차 견적서 1부.

2. 순찰차 수출계약서 안 1부.

3. 소방차 견적서 1부.

4. 소방차 수출계약서 안 1부.   끝.

HYUNDAI CORPORATION

P.O. BOX K.P.O. 672, C.P.O. 8943
SEOUL, KOREA

ORIGINAL

HEAD OFFICE
140-2, KYE-DONG, CHONGRO-KU
SEOUL KOREA

TELEX: K23175 HDCORP
CABLE: HDSANGSA SEOUL
TEL : (02)746-1019

OFFER FOR HYUNDAI PETROL CAR
(No. J2-91102501)

MESSRS.

DATE : OCT. 25, 1991
OUR REF NO.: J2-102501
YOUR REF NO.

GENTLEMEN:
WE ARE PLEASED TO MAKE AN OFFER UNDER THE FOLLOWING TERMS AND CONDITIONS.

COMMODITY	:	HYUNDAI PETROL CAR
QUANTITY	:	90 UNITS
AMOUNT(TOTAL)	:	USD 855,000(CIF ALEXANDRIA OR PORT SAID, EGYPT)
PAYMENT	:	CASH AGAINST DELIVERY
SHIPMENT	:	WITH 4 MONTHS FROM CONTRACT DATE BY CAR-CARRIER, PARTIAL SHIPMENT AND TRANSHIPMENT ALLOWED RESPECTIVELY.
PACKING	:	UNBOXED
DISCHARGING PORT	:	ALEXANDRIA OR PORT SAID(AVAILABLE PORT FOR CAR-CARRIER CALLING)
INSPECTION	:	MAKER'S INSPECTION TO BE FINAL
ORIGIN	:	REPUBLIC OF KOREA
VALIDITY	:	OCT 31, 1991
WARRANTY	:	SUBJECT TO THE WARRANTY COVERAGE CONDITIONS OF HYUNDAI MOTOR COMPANY IN THE TERRITORY WHERE VEHICLES BELONG TO.
REMARK	:	1) - WARRANTY SPARE PARTS FOR INITIAL RUNNING, WHICH AMOUNTS TO 2% OF CONTRACT VALUE, TO BE SUPPLIED AT NO EXTRA COST. - THE TRAINING 3 ENGINEERING OFFICERS FOR 2 WEEKS IN KOREA FOR MAINTENANCE AND REPAIR SHALL BE CARRIED OUT AT NO EXTRA COST.
		2) RECOMMENDED SPARE PARTS FOR 3 YEARS, WHICH AMOUNT TO U$145,000 SHALL BE SEPARATE.

DESCRIPTION	Q'TY	U/PRICE	AMOUNT
HYUNDAI PETROL CAR, LEFT HANDLE			
A. BASIC PRICE	90 UNITS	$8,760.	$788,400.
FOB KOREA	90 UNITS	$8,760.	$788,400.
OCEAN FREIGHT	90 UNITS	$700.	$63,000.
INSURANCE	90 UNITS	$40.	$3,600.
CIF ALEXANDRIA OR PORT SAID, EGYPT	90 UNITS	$9,500.	$855,000.

////XXXXXXXXXXXXXXXXXXXXXXXXXXXXXXXXXXXXXXXXXXXXXXXXXXXXXX//////////

REMARKS AA. : HYUNDAI PETROL CAR BY THIS OFFER IS EQUIPPED WITH FOLLOWING ITEMS :
1. AIR CON
2. POWER STEERING
3. PATROL PACKAGE
- MOBILE TRANSRECEIVER
- WARNING FLASHER & SIREN

BB. : TOTAL PRICE FOR PACKAGE OFFER COVERING 3 YEAR'S S/PARTS SHALL BE USD 1,000,000.-

VERY TRULY YOURS
HYUNDAI CORPORATION

Y.S. KOH, GENERAL MANAGER
AUTOMOBILE DEPT. II

0067

가 격 구 조

구 분		가격 (IN USD)	
		90년도 공급	금번 OFFER
F O B		7,935	8,760
	- 차량 BASIC	5,400	5,975
	- AIRCON	430	430
	- POWER STEERING	240	240
	- POWER ANTENNA 外	115	115
	- PATROL PACKAGE	1,500	2,000
	- 부 품	250	-
OCN FRT & M/INS		1,030	740
C I F		8,965	9,500

가격구조.MP

0068

가격구조
＝＝＝＝＝＝＝＝

구 분	가 격 (IN USD)		비 고
	90년도 납품가격	금번 OFFER 가격	
F O B	$7,935.00 (부품가격 $250 포함)	$8,760.00	· EXCEL 1.5 GLS, 4DOOR MODEL (선택사양인 AIRCON 및 POWER STEERING 포함)에 PATROL PACKAGE 장착됨
C I F	$8,965.00	$9,500.00	

* 90년도 공급가격(CIF) 기준하여 5.9% 인상됨.

0069

現代綜合商事株式會社

現商自2 : 第 91-10- 186 號   1991. 10. 30
受　信 : 외무부 장관
參　照 : 중동아프리카 국장/중동 2과장
題　目 : 對 이집트 순찰차 공급

      1. 귀부처의 협조와 지원에 감사드립니다.

      2. 1991년 10월 25일 요청하신 현대자동차가 생산하는 순찰차에 대한 OFFER를 유첨과 같이 제출합니다.

      3. 참고로 90년 12월 선적한 對 이집트向 현대자동차 순찰차에 장착된 무전기 SYSTEM은 UHF 430/440 MHZ TYPE였으나 금번 이집트측에서 요구하는 SYSTEM은 LOW BAND의 70MHZ TYPE 입니다.
유첨 당사 OFFER에 제시된 무전기는 UHF 430/440 MHZ TYPE이며, 금년 이집트측에서 요구하는 LOW BAND 70 MHZ TYPE 무전기를 장착하여 공급가능한지 여부는 1991년 11월 2일까지 별도 확인하여 드리겠습니다.

      4. 참고로 90년 12월에 현대자동차에 장착되어 이집트에 공급된 무전기의 주파수는 다음과 같습니다.

- 다　　　　　음 -

UHF
=====

```
 1.   CH1/433.025/443.425
 2.   CH2/432.850/443.250
 3.   ,,CH1/433.175/443.575
 4.   CH2/432.975/443.375
 5.   ,,CH1/432.950/443.350
 6.   CH2/433.150/443.350
 7.   ,,CH1/433.075/443.475
 8.   CH2/432.875/443.275
 9.   ,,CH1/432.925/443.325
10.   CH2/433.125/443.525
```

SPECIAL
=========

```
11.   (1) CH1/432.800/443.200
12.       CH2/432.825/443.225
13.   (2) CH1/432.900/443.300
14.       CH2/433.050/443.450
15.   (3) CH1/433.100/443.500
16.       CH2/433.225/443.625
```

- 끝 -

현 대 종 합 상 사 주 식 회 사
전 자 · 자 동 차 사 업 본 부
이 사 　 이 　 강 　 일

0070

HYUNDAI CORPORATION
P.O. BOX K.P.O. 672, C.P.O. 8943
SEOUL, KOREA

HEAD OFFICE
140-2, KYE-DONG, CHONGRO-KU
SEOUL KOREA

TELEX:K23175 HDCORP
CABLE:HDSANGSA SEOUL
TEL :(02)746-1019

OFFER FOR HYUNDAI PATROL CAR
MESSRS.   (No. J2-91102901)

DATE : OCT. 29, 1991
OUR REF NO.:J2-102901
YOUR REF NO.

GENTLEMEN:
WE ARE PLEASED TO MAKE AN OFFER UNDER THE FOLLOWING TERMS AND CONDITIONS.

```
COMMODITY        : HYUNDAI PATROL CAR
QUANTITY         : 235 UNITS
AMOUNT(TOTAL)    : USD 2,389,390(CIF ALEXANDRIA OR PORT SAID, EGYPT)
PAYMENT          : CASH AGAINST DELIVERY
SHIPMENT         : WITHIN 4 MONTHS FROM CONTRACT DATE BY CAR-CARRIER, PARTIAL
                   SHIPMENT AND TRANSHIPMENT ALLOWED RESPECTIVELY.
PACKING          : UNBOXED
DISCHARGING PORT : ALEXANDRIA OR PORT SAID(AVAILABLE PORT FOR CAR-CARRIER CALLING)
INSPECTION       : MAKER'S INSPECTION TO BE FINAL
ORIGIN           : REPUBLIC OF KOREA
VALIDITY         : NOV 15, 1991
WARRANTY         : SUBJECT TO THE WARRANTY COVERAGE CONDITIONS OF HYUNDAI MOTOR
                   COMPANY IN THE TERRITORY WHERE VEHICLES BELONG TO.
REMARK           : 1) WARRANTY SPARE PARTS FOR INITIAL RUNNING, WHICH AMOUNTS TO
                       2% OF CONTRACT VALUE, TO BE SUPPLIED AT NO EXTRA COST.
                   2) THE TRAINING 3 ENGINEERING OFFICERS FOR 2 WEEKS IN KOREA FOR
                      MAINTENANCE AND REPAIR SHALL BE CARRIED OUT AT NO EXTRA COST.
```

DESCRIPTION	Q'TY	U/PRICE	AMOUNT
1. HYUNDAI PATROL CAR, LHD	120 UNITS		
EXCEL 1.5 GLS, 92 YEAR MODEL, 5DOOR EQUIPPED WITH			
1) POWER STEERING			
2) POWER ANTENNA ETC			
3) PATROL PACKAGE			
- WARNING FLASHER & SIREN			
- MOBILE TRANSRECEIVER			
BUT WITHOUT AIRCON			
FOB KOREA	120 UNITS	$8,130.	$975,600.
OCEAN FREIGHT	120 UNITS	$700.	$84,000.
MARINE INSURANCE	120 UNITS	$40.	$4,800.
CIF ALEXANDRIA OR PORT SAID	120 UNITS	$8,870.	$1,064,400.
RECOMMENDED SPARE PARTS(ABOUT 10% OF CIF VALUE)			$114,840.
CIF TOTAL INCLUDING S/PARTS (10% OF CIF VALUE)	120 UNITS		$1,179,240.

0071

DESCRITION	Q'TY	U/PRICE	AMOUNT
2. HYUNDAI PATROL CAR, LHD	115 UNITS		

EXCEL 1.5 GLS, 92 YEAR MODEL,
4DOOR EQUIPPED WITH
1) POWER STEERING
2) AIRCON
3) POWER ANTENNA ETC
4) PATROL PACKAGE
  - WARNING FLASHER & SIREN
  - MOBILE TRANSRECEIVER
    (NOT TO BE FIXED TO VEHICLE)

	Q'TY	U/PRICE	AMOUNT
FOB KOREA	115 UNITS	$8,760.	$1,007,400.
OCEAN FREIGHT	115 UNITS	$700.	$80,500.
MARINE INSURANCE	115 UNITS	$40.	$4,600.
CIF ALEXANDRIA OR PORT SAID	115 UNITS	$9,500.	$1,092,500.
RECOMMENDED SPARE PARTS(ABOUT 10% OF CIF VALUE)			$117,650.
CIF TOTAL INCLUDING S/PARTS(10% OF CIF VALUE)	115 UNITS		$1,210,150.

※ ACCORDINGLY, GRAND TOTAL PRICE FOR 235 UNITS OF HYUNDAI PATROL CAR INCLUDING
ENGINEER TRAINING   FEE SHALL BE U$2,389,390.-

////XXXXXXXXXXXXXXXXXXXXXXXXXXXXXXXXXXXXXXXXXXXXXXXXXXXXXXXXXX//////////

VERY TRULY YOURS
HYUNDAI CORPORATION

Y.S. KOH, GENERAL MANAGER
AUTOMOBILE DEPT.II

0072

誓 約 書

受 信 : 外務部長官
題 目 : 걸프만 事態에 따른 供與用 物品供給

      弊社는 貴部가 主管하는 表題 事業이 緊急支援 및 秘密維持를 요하는 國家的 事業임을 認識하고 今般 이집트 國에 供與하는 物品을 供與契約 諦結함에 있어 아래 事項을 遵守할 것을 誓約하는 바입니다.

1. 物品供與 契約時 品質 價格面에서 一般 輸出契約과 最小限 同等한 또는 보다 有利한 條件을 適用한다

2. 締結된 契約은 誠實하고 協助的인 姿勢로 履行한다.

3. 同 契約 內容은 業務上 目的 以外에는 公開하지 않는다.

1991年   10月 30日

會　社　名 : (주)현대종합상사
代　表　者 : 박　세　용

0073

輸 出 契 約 書

"甲" 外 務 部

　　　중동 2課長　鄭 鎭 鎬

"乙" 株式會社 高 麗 貿 易

　　　代表理事　副社長 高 一 男

上記 "甲" "乙" 兩者間에 다음과 같이 輸出契約을 締結한다.

第 1 條 : 輸出物品의 表示

　　　　　別 　添

第 2 條 : "甲" 은 上記 第1條의 物品貸金을 船積書類 受取後 "乙" 에게 支給한다.

第 3 條 : "乙" 은 上記 第1條의 物品을 1992 . 3 . 1 . 까지 KOREAN PORT 港
　　　　　(또는 空港) 에서 EGYPTIAN PORT 行 船舶(또는 航空機) 에 船積하여야
　　　　　한다. 但, 불가피한 事由로 船積이 遲延될 境遇에는 1990. 12. 21.
　　　　　外務部長官과 "乙" 間에 締結된 輸出代行業體 指定 契約書 第4條 規定에
　　　　　依하여 "乙" 은 "甲" 에게 船積 遲延事由書를 提出하고 "甲" 은 同 遲滯
　　　　　償金 免除 與否를 決定한다.

第 4 條 : "乙" 은 船積完了後 7日 以內에 "甲" 이 船積物品 通關에 必要한 諸般
　　　　　船積書類를 "甲" 또는 "甲" 의 代理人에게 提出 또는 現地公館에 送付
　　　　　하여야 한다.

- 1 -

第 5 條 : 上記 船積物品의 品質保證 期間은 船積後 1 年間으로 하며, 이 期間中 正常的인 使用에도 不拘하고 製造不良이나 材質 또는 조립상의 하자가 發生할 境遇 "乙"의 責任下에 解決한다.

本 契約에 明示되지 않은 事由에 對하여는 걸프만 事態 供與品 輸出 代行 契約書에 따른다.

1991 年 11 月 1 日

"甲" 外 務 部

중동 2 課長 鄭 鎭 鎬

"乙" 株式會社 高麗貿易

서울特別市 江南區 三成洞 159

代表理事 副社長 高 一 男

- 2 -

DESCRIPTION	Q'TY	UNIT PRICE	AMOUNT
			C.I.F EGYPTIAN PORT
SSANGYONG CHEMICAL F.F. TRUCK (MODEL : FCK030L3-DOUBLE CAB) STANDARD EQUIPPED WITH D1146 ENG, 187PS AND SIX(6) SEATERS	6UNITS	@$ 91,563.-	U$ 549,378.-
- S/PARTS	6 SETS	@$ 10,205.33	U$ 61,231.98
TOTAL	6UNITS & 6 SETS		U$ 610,609.98

* REMARK

ONE EGYPTIAN ENGINEER SHALL BE INVITED TO TRAIN IN OPERATING

OF F.F TRUCK FOR ONE WEEK IN PLANT OF SSANGYONG WITH FREE OF CHARGE.

- 3 -

0076

誓 約 書

受 信 : 外務部長官

題 目 : 걸프만 事態에 따른 供與用 物品供給

　　　　　幣社는 貴部가 主管하는 表題 事業이 緊急支援 및 秘密維持를 要하는
國家的 事業임을 認識하고, 今般　　EGYPT　　國에 供與하는　　F.F TRUCK
物品을 供與契約 締結함에 있어 아래 事項을 遵守할 것을 誓約하는 바입니다.

1. 物品供給 契約時 品質 價格面에서 一般 輸出契約과 最小限 同等한 또는 보다
　　有利한 條件을 適用한다.

2. 締結된 契約은 보다 誠實하고 協助的인 姿勢로 履行한다.

3. 同 契約 內容은 業務上 目的 以外에는 公開하지 않는다.

　　　　　　　　　　　　　　　　　1991 年 11 月 1 日

　會 社 名 : 株式會社 高麗貿易

　代 表 者 : 代表理事 高 一 　

　(署名 및 捺印)

0077

KOTI

KOREA TRADING INTERNATIONAL INC.

PHONE:(02)551-3114
FAX :(02)551-3100
TELEX:KOTII K27434
CABLE:KOTII SEOUL

11TH FLOOR, TRADE TOWER,
159, SAMSUNG-DONG, KANGNAM-KU,
SEOUL, KOREA
TRADE CENTER P.O.BOX23, 24

DATE:NOV. 1, 1991
YOUR REF:
OUR REF:KOOBS-20022

OFFER SHEET

To: THE MINISTRY OF FOREIGN AFFAIRS IN R.O.K

Dear Sirs,

We have the pleasure in offering you as follows:

Delivery	: WITHIN 4MONTHS AFTER SIGNING CONTRACT	Packing	:STANDARD EXPORT PACKING
Origin	: R. O. K	Inspection	:MAKER'S INSPECTION TO BE FINAL
Port of Shipment	: KOREAN PORT	Validity	:DEC. 1, 1991
Destination	: EGYPTIAN PORT	Remarks	:
Payment	: C. A. D		

Description	Quantity	Unit Price	Amount	Remarks
				C.I.F EGYPTIAN PORT
SSANGYONG CHERMICAL F.F TRUCK (MODEL : FCK030L3-DOUBLE CAB) STANDARD EQUIPPED WITH D1146 ENG. 187PS AND SIX(6) SEATERS	6UNITS	@$91,563.-	U$549,378.-	
S/PARTS	6SET	@$10,205.33	U$61,231.98	
TOTAL :	6UNITS & 6SET		U$610,609.98	

*REMARK

ONE EGYPTIAN ENGINEER SHALL BE INVITED TO TRAIN IN OPERATING OF F.F TRUCK FOR ONE WEEK IN PLANT OF SSANGYONG WITH FREE OF CHARGE.

Accepted by

Very truly yours,

Korea Trading International Inc.

0078

S. Y. KIM/DIRECTOR

원 가 계 산 서 (사전원가)

단 위 : U$

품명	경제명	F. O. B	F (CBM)	I	M	C. I. F
· SSANGYONG CHEMICAL F.F TRUCK (MODEL : FCK030L3-DOUBLE CAB)	상용차	84,515 x 6 = 507,090	80 x 372 = 29,760	2,387	10,141	549,378
· S/PSRTS (FOR 3YEARS)	"	58,359.-	80 x 18 = 1,440	266	1,166.98	61,231.98
TOTAL		565,449.-	31,200	2,653	11,307.98	610,609.98

FREIGHT : U$80/CBM

RATE : 0.395%

MARGIN : FOB x 2%

SsangYong Motor Company

Ssangyong Building, 24-1, 2-ka, Jeo-dong
Chung-gu, Seoul, Korea 100-748
C.P.O. Box 2123
Phone: (02) 273-4191
Telex : SSYMC K27596
Cable : SSYMC SEOUL
Fax : (02) 274-5062

Ref.No. SYMC911025-B   Date: NOVEMBER 01, 1991
Messrs. KOREA TRADING INTERNATIONAL INC.

Dear sirs,

    We are pleased to offer/quote you the undermentioned goods subject to

Delivery	: WITHIN THREE (3) MONTHS AFTER RECEIPT OF YOUR L/C
Payment	: BY AN IRREVOCABLE LOCAL L/C AT SIGHT IN OUR FAVOR
Packing	: - VEHICLE : UNBOXED BARE CONDITION
	- S/PARTS : WOODEN PACKING
Insurance	: TO BE COVERED BY BUYER
Inspection	: MAKER'S INSPECTION TO BE FINAL
Validity	: UNTIL THE END OF NOV. 1991
Remarks	: FINAL DESTINATION : EGYPT ONLY
	PLEASE REFER TO OUR DETAILED SPECIFICATION
	DETAILED SPARE PARTS LISTS WILL BE FOLLOWED SOON

H.S.No.	Item No.	Description	Quantity	Unit price	Amount
8705.30.0000		SSANGYONG CHEMICAL F.F.TRUCK (MODEL : FCK030L-3 DOUBLE CAB)		FOB KOREA	
		STANDARD EQUIPPED WITH D1146 ENG., 187PS AND SIX (6) SEATERS			
		- STANDARD VEHICLE PRICE	6UNITS	@$84,515.-	U$507,090.-
		- SPARE PARTS FOR THREE (3) YEARS			58,359.-
		TOTAL FOB KOREA :	6UNITS		U$565,449.-

* NOTE :

WE WILL INVITE ONE TECHNICIAN AND/OR ENGINEER OF EGYPT TO TRAIN
IN OPERATION OF F.F.TRUCK FOR ONE WEEK IN OUR PLANT

Accepted by :

Yours faithfully,
SSANGYONG MOTOR COMPANY

J.G.HWANG/GENERAL MANAGER
OVERSEAS BUSINESS DEPT.

FT/1   (210mm × 297mm)

0080

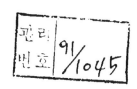
분류기호 문서번호	중동이20005 2101	기안용지 (720-3869)	시 행 상 특별취급	
보존기간	영구.준영구 10. 5. 3. 1		장 관	
수 신 처 보존기간				
시행일자	1991. 11. 5.			

보조 기관	국 장	전 결	협 조 기 관			문 서 통 제	
	심의관	62L				검열 1991. 11 ㅁㄷ 공제관	
	과 장	호					
기안책임자		김 은 석				발 송 인	

경 유		발 신 명 의	
수 신	주 카이로 총영사		
참 조			

제 목	무상원조

1. 대이집트 군수물자 지원관련 잔여부품을 별첨과 같이

송부할 계획이니 참고하시기 바랍니다.

2. 군수물자품목 계약시 공급회사인 현대는 각차종별(Grace,

Chorus, Sonata)1명씩 3명의 이집트 정비공을 2주동안 방한초청키로

하였는바, 차량전량 및 기본부품이 이미 모두 선적완료되었음에

비추어 정비공 초청을 조속 시행하는 것이 바람직할 것으로 사료되니

필요한 조치를 취하여 주시기 바랍니다 (현대측은 12월중순 접수희망).

첨 부 : 부품 공급 계획서 1부. 끝.

0081

現代綜合商事株式會社

현상자2 : 제 91-10-188 호   1991. 10. 30
수 신 : 외무부장관
제 목 : EGYPT向 A/S 부품공급계약체결

1. 평소 귀부처의 협조에 감사드립니다.

2. EGYPT 무상원조 자금 지원과 관련하여 귀부처와 당사간의 수출계약서
    (91. 6. 30 체결)에 의거 차량/ WARRANTY 부품/S.S.T 전량을 선적완료 한
    바 있읍니다.

3. 각차종별 A/S 공급은 2次에 걸쳐 91. 12月末限 전량의 64%를 선적 실시하고
    92. 3月末限 잔여분 전량을 선적 실시코자 합니다.

4. 따라서 유첨 계약서 내용대로 귀부처와 당사간의 계약을 체결코자 하오니
    적의 업무참조 조치하여 주시기 바랍니다.

* 유 첨 : 계약서 2부.   끝.

現 代 綜 合 商 社 株式會社
自   動   車   部
理   事   李   康   壹

0082

부품공급계약서

"甲" 外務部
    中東2課長 정진호

"乙" 현대종합상사 株式會社
    代表理事 박세용

上記 "甲" "乙" 兩者間에 다음과 같이 부품 공급 납기 조건 契約을 締結한다.

第 1條 : 공급부품 LIST(別添)

第 2條 : 공급 부품 선적시기

(단위 : USD)

구 분		ORDER 금액 (FOB KOREAN PORT)	선 적 시 기		비 고
			'91 12月末限 (FAST MOVING ITEM)	'92 3月末限 (기타품목)	(CIF ALEXANDRIA OR PORT SAID, EGYPT)
상용차 부품	12인승용	470,683	약289,200/약61%	잔 량	522,610
	25인승용	355,104	약218,200/약61%	잔 량	394,422
승용차부품		62,144	약 56,800/약91%	잔 량	69,024
계		887,931	약564,200/약64%	잔량/약36%	986,056

第 3條 : "甲"은 上記 第 1條 물품을 第 2條의 선적시기에 의거 1992. 3月 31日까지 부산
        혹은 울산港에서 이집트행 船舶에 船積하여야 한다.
        但, 불가피한 事由로 船積이 遲延될 경우에는 外務部長官과 "乙"間에 締結된
        輸出代行業體 指定 契約書 第 4條 規定에 의하여 "乙"은 "甲"에게 선적지연사유서를
        提出하고 "甲"은 同遲滯償金 勉除與否를 決定한다.

第 4條 : "乙"은 船積完了後 7日以內에 "甲"이 船積物品通關에 必要한 諸般 船籍書類를 "甲"
        또는 "甲"의 代理人에게 提出 또는 現地公官에 送付하여야 한다.

第 5條(대금결제) : "乙'의 "甲"에 대한 대금결제는 CAD(CASH AGAINST DOCUMENT) 방식으로서
        후불결제로 한다.
        但, "乙"이 구체증빙서류를 첨부하여 물품대금 선지급을 신청할 때에는 불가피한
        경우에 한하여 선지급 할 수 있다.

第 6條 : 이상의 제조항에서 명시되지 않은 사항은 外務部長官과 "乙"사이에 旣 締結된
        輸出代行業體 指定 契約書 規定에 따른다.

        본 계약은 후일에 증하기 위하여 본 계약서 2부를 작성하여 각자 서명날인한 후
        각 1부씩 보관한다.

                                    1 9 9 1.   1 0.   3 0

    "甲" 外   務   部   "乙" 현대종합상사 株式會社
        中東2課長 정진호   代 表 理 事 박 세 용

                                                0083

분류기호 문서번호	중동이 20005- **41358**	기 안 용 지 (720-3869)		시 행 상 특별취급	
보존기간	영구.준영구 10. 5. 3. 1	장 관			
수 신 처 보존기간					
시행일자	1991. 11. 5.				

보조기관	국 장	전 결	협조기관			발송인
	심의관			국내경제국		
	과 장					
기안책임자		김 은 석				

경 유	
수 신	수신처 참조
참 조	

발신명의

제 목   무상원조

1.   우리나라는 걸프전 주변피해국 지원계획의 일환으로

이집트에 800만불 상당의 민수물자를 지원키로 한바, 있습니다.

대리 협력부 장관과

❖   주이집트 총영사는 동지원과 관련하여 이집트 ~~정부와~~

협의합니다.

양해각서를 교환하~~고 이를 이집트 언론에 홍보토록~~ 하였음을 보고

~~하여 왔는바, 동 양해각서 사본을 참고로 별첨과 같이 송부합니다.~~

액수나 품목이 결정되면 우선

2.   무상원조 공여시 수혜국과 양해각서~~를~~ 교환형식을 통해 하고

한다면

공여사실을 언론에 ~~발~~표토록하고 물품수령후에는 기증식을 거행토록

홍보효과면에서

~~조치하는 것이~~ 우리의 대개도국 무상원조 효과를 제고하는데 바람직

/계속.../

0084

할 것으로 사료되니 향후 귀주재국에 대한 무상원조는 ~~한자 날정어~~ _{시행에 참고하시기}

~~하락한다면 가급적 이러한 절차에 따라 시행되도록 조치하여~~

~~주시카~~ 바랍니다.

첨 부 : 양해각서 사본 1부.　 끝.

수신처 : 주나이지리아, 주가나, 주카메룬, 주코트디브와르, ~~주아른~~

　　　주시에라레온, 주말라위, 주나미비아, 주요르단, 주가봉,

　　　주모리셔스, 주자이르, 주알제리, 주예멘, 주모로코,

　　　주수단, 주세네갈, 주케냐, 주잠비아, 주스와질랜드,

　　　주우간다, 주이디오피아, 주튀니지대사, 주모리타니대사 대리

　　　주카이로총영사.　　 끝.

"소득은 정당하게, 소비는 알뜰하게"

주 카 이 로 총 영 사 관

번   호 : 주카(경) 20005- 346   1991.10.17

수   신 : 장관

참   조 : 중동아프리카국장

제   목 : 민수물자지원 양해각서 사본 송부

　　　　　연 : CAW - 0179

　　　연호, 91.10.10(목) 당관과 주재국 국제협력성간에 체결한 Gulf사태관련

대주재국 민수물자 지원에 관한 양해각서 사본 및 동건관련 주재국 언론보도 내용을

별첨 송부합니다.

첨   부 : 1. 양해각서 사본(영어 및 아랍어본) 1부

　　　　　2. 관련기사 4부. 끝.

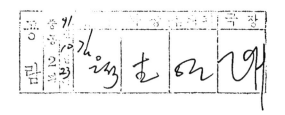

주 카 이 로 총 영

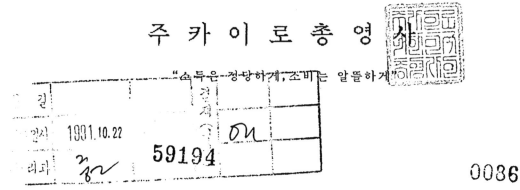

"소득은 정당하게, 소비는 알뜰하게"

59194

0086

مذكــــرة تفاهــــم
بشــــأن
المساعدة الاقتصادية من جمهورية كوريا الى جمهورية مصر العربية
―――――――

عـــــام :
―――

١ ‐ تعبر هذه المذكرة عن تفاهم حكومتى جمهورية كوريا وجمهورية مصر العربية
بشأن رغبتهما فى تنمية وتقوية علاقات الصداقة بين البلديـــن .

٢ ‐ تقدم حكومة جمهورية كوريا الى حكومة جمهورية مصر العربية منحة سلعيـــة
للاستخدام المدنى بمبلغ ٨ مليون دولار امريكى تخصص على الوجه التالى :‐

أ ‐ معدات مهنيـــة	٢ مليون دولار أمريكـــى
ب ‐ معدات طبيـــة	٢ مليون دولار أمريكـــى
جـ ‐ سيارات اطفاء حريـــق وسيارات شرطـــــة	٣ مليون دولار امريكـــى
د ‐ معدات للمدارس الفنيـــة	١ مليون دولار امريكـــى

وسوف يتم الاتفاق على قائمة هذه السلـــع فيما بين الطرفيـــن .

السلطـــات :
―――

٣ ‐ تكون السلطات المنفـــذه المسئولة عن انجاز هذه المعونة هـــى :

أ ‐ عن الجانب المصـــرى :

‐ وزارة القوى العاملة والتدريـــب (معدات مهنيـــة) .
‐ وزارة الصحـــــة (معدات طبيـــة) .
‐ جامعة الازهـــــر (معدات طبيـــة) .
‐ وزارة التعليـــم (معدات طبية للمستشفيات الجامعيـــة، ومعدات للمـــدارس الفنيـــة) .
‐ وزارة الداخليـــة (سيارات اطفاء حريق وسيارات شرطـة) .

ب ‐ عن الجانب الكـــورى :

‐ وزارة الخارجيـــة

0087

- ٢ -

المسئوليـــــات :

٤ – يقـوم الجانـب الكـورى بتوريـد البنـود الموضحـه اعلاه (سيف) الـى الموانى المصريــة .

٥ – يضمـن الجانب الكـورى ان تكون البنـود المورده من نوع جيد وقابــل للتسويق وصالح ايضا للوفاء بالاحتياجات المصريــة .

٦ – السلطات المنفذه المصرية سوف تكون مسئولة عن سرعة التخليص الجمركى فى الموانى المصرية ولايتحمل الجانب الكورى اية جمارك أو أية رسوم محلية أو تكلفة للنقل الداخلى مطلوبه فى مصـر .

٧ – تدخل هذه الاتفاقيـة حيز التنفيذ اعتبارا من تاريخ التوقيـع .

٨ – يمكن ادخال أية تعديلات على هذه المذكرة فى أى وقت عن طريق تبـادل خطابات بين الموقعين وبعد اتخاذ الاجراءات القانونية اللازمـة .

وقعـت من نسختيـن باللغتيـن العربية والانجليزية لكل منـها نفس الحجية، وفى حالـة الاختـلاف فى الترجمـة يطبق النص الانجليـزى .

تـم بالقاهـرة فى العاشـر من شهـر أكتوبـر ١٩٩١ .

عن حكومة جمهورية مصر العربية

دكتور موريس مكرم اللـــه
وزير الدولة للتعاون الدولى

عن حكومـة كوريـــا

السفير دنجسون بـــارك
القنصل العام فى القاهـرة

0088

Memorandum of Understanding
Related to the Economic Assistance of the Republic of
Korea to the Arab Republic of Egypt

General :

1. This memorandum expresses the understanding of the Governments of the Republic of Korea and the Arab Republic of Egypt concerning their desire to promote and strengthen the friendly relations between the two countries.

2. The Government of the Republic of Korea will extend to the Government of the Arab Republic of Egypt commodities grant for cvilian use of US $ 8 million specified as follows:-

A. Vocational Equipment	US$ 2 Million
B. Medical Equipment	US$ 2 Million
C. Fire Fighting Trucks and police cars.	US$ 3 Million
D. Equipment for Technical Schools	US$ 1 Million

The list of these commodities will be agreed upon between the two parties.

- 1 -

0089

Authorities

3. The executing authorities responsible for implementing this assistance will
be :

    A - For the Egyptian Side

        - The Ministry of Manpower and Training   (Vocational Equipment)

        - The Ministry of Health   (Medical Equipment)

        - Azhar University   (Medical Equipment)

        - The Ministry of Eduacation   (Medical Equipment for
                                     University Hospitals and
                                     Equipment for Technical schools)

        - Ministry of Interior   (Fire Fighting Trucks and Police Cars)

    B - The Korean Side

        - The Ministry of Foreign Affairs .

Responsibilities

4- The Korean side will deliver the above mentioned items (CIF) in the
Egyptian port.

5- The Korean side ensures that the supplied items are of sound and marketable
quality and also fit to meet the Egyptian requirments.

6- The Egyptian executing authorities will be responsible for the prompt clearance of the items in the Egyptian ports and the Korean side will not bear any customs, or any other local duties and internal transport cost required in Egypt.

7- This Memorandum will enter into force on the date of signing .

8- Amendments to this memorandum may be made at any time by exchanging letters between the signatories and after taking the necessary arrangments.

     Signed in duplicate in Arabic and English originals, being equally authentic, but in case of difference in interpretation, the English version applies.

     Done in Cairo, on October 10, 1991.

For the Government of the
Republic of Korea

For the Government of the
Arab Republic of Egypt

H.E.Ambassador Dongsoon Park
Consul General of the
Republic of Korea in Cairo

H.E. Maurice Makramalla
Minister of State for
International Cooperation

- 3 -

0091

1 column X 5.5 cms containing
an article concerning a donation
from South Korea to Egypt
titled :

8 Million Dollars donation from
South Korea

Dr. Mouris Makramalla State's Minister for international co-operation
and consul Dongsoon Park South Korea General consul in Egypt ,
Sign today an agreement to present 8 Million dollars to Egypt....
will be divided as follows :
2 Million dollars for the supply of equipments for the training centers
of the Ministry of labour power, 2 Million dollars for Hospitals and
the Heart institute, 3 Million dollars to import fire trucks and
1 Million dollar for the supply of electronic equipments.

٨ ملايين دولار
منحة من كوريا الجنوبية

وقع اليوم الدكتور موريس مكرم
الله وزير الدولة للتعاون الدولى
واانجاسون بارك قنصل كوريا
الجنوبية بالقاهرة على اتفاقية يقدم
بمقتضاها لمصر ٨ ملايين دولار
منحة .. يتم تخصيصها كالآتى ٢٠
مليون دولار لتوريد معدات لمراكز
التدريب التابعة لوزارة القوى العاملة
و٢ مليون دولار لاستيراد اجهزة طبية
للمستشفيات ومعهد القلب و٣ ملايين
دولار لاستيراد سيارات الملاء ومليون
دولار لتوريد معدات الكترونية .

0092

1 column X 7 cms article
concerning Korean donation
to Egypt, titled :

----

8 Million dollars Korean donation to Egypt

An understanding memorandum was signed yesterday between Egypt and
Korea. According to this memorandum, Korea will give a donation
of goods for the civil uses, the amount of this donation is 8 Million
dollars. The goods will be allocated for the supply of vocational
equipments for the training centers of the labour power ministry,
2 Million Dollars medical equipments for hospitals and the heart
institute, 3 Million Dollars for fire trucks and Police cars
And 1 Million dollar for electronic equipments for technical schools.
The memorandum was signed by the Egyptian side represented by
Dr. Mouris Makramalla and General Consul Dongsoon Park of Korea
for the Korean side.

٨ ملايين دولار
منحة كورية لمصر

وقعت مصر وكوريا امس مذكرة
تفاهم . تقدم كوريا الجنوبية بمقتضى
المذكرة منحة سلعية لمصر للاستخدام
المدني بمبلغ ٨ ملايين دولار . تخصص
السلع للتمويل وتوريد معدات مهنية
لمراكز التدريب التابعة لوزارة القوى .
العاملة بمبلغ ٢ مليون دولار . ومعدات
طبية للمستشفيات الجامعية ومعهد
القلب بمبلغ مليوني دولار . وسيارات
اطفاء حريق وسيارات شرطة بمبلغ ٣
ملايين دولار . ومعدات الكترونية
للمدارس الفنية بمبلغ مليون دولار .
وقع المذكرة ، عن الجانب المصري
الدكتور موريس مكرم الله وزير الدولة
للتعاون الدولي . وعن الجانب الكوري
رنجون بارك القنصل العام في القاهرة .

0093

1 column X 5 cms box containing
a news concerning the Korean
donation, titled :

----
2 Million Dollars from South Korea to develop
4 centers of Vocational training .

Egypt and South Korea agreed to supply"The vocational training centers
of the labor power ministry" of machines and equipments in the field
of " Metal Formation ". The total cost is about 2 million dollars ,
including training and supply of equipments, the amount will be paid
before the end of this year.

مليونا دولار من كوريا الجنوبية
لتطوير ٤ مراكز للتدريب المهنى
اتفقت مصر وكوريا الجنوبية على
تزويد مراكز التدريب المهنى التابعة لوزارة
القوى العاملة والتدريب بالالات
والمعدات والادوات والتجهيزات فى
مجالات تشكيل المعادن من خراطة ولحام
واجهزة الكترونية وكهربائية فى حدود
مبلغ ٢ مليون دولار يتم توريدها قبل
نهاية العام الحالى .

0094

OCTOBER,11,1991

AL AKHBAR
----

1 column X 5 cms Box containing
a news concerning Korea's donation
to Egypt, titled :

----

8 Million Dollars to import
medical & electronic equipments

Dr. Mouris Makramalla State's Minister for International co-operation
and Consul DONGSOON PARK General consul of South Korea in Egypt, signed
yesterday on an economical agreement to present an 8 Million Dollars
donation to Egypt.
This donation will be allocated for importing machines and medical
equipments, fire trucks,and electronic equipments.

----

٨ ملايين دولار لاستيراد
اجهزة طبية والكترونية

ووقع الدكتور موريس مكرم الله
وزير الدولة للتعاون الدولى ودانجاسون
بارك قنصل كوريا الجنوبية بالقاهرة
أمس على اتفاقية اقتصادية بتقدم
بمقتضاها لمصر ٨ ملايين دولار
منحة ٠٠ تخصص لاستيراد ٠ الات
ومعدات طبية وسيارات اطفاء واجهزة
الكترونية ٠

0095

	분류번호	보존기간

발 신 전 보

번 호 : WCA-0718 911105 1609 ED종별 : _____

수 신 : 주 카이로 대사//총영사

발 신 : 장 관 (중동이)

제 목 : 민수물자 차량

대 : CAW - 1107

대호 요청에 따라 특수차량은 아래와 같이 지원코자 하니 이집트측에
통보바람.

1. 순찰차

   가. EXCEL 1.5 GLS 5 DOOR 모델

      1) 수량 : 120대

      2) 사양 : 에어콘 미장착, 통신장비 및 경광등 부착

      3) 가격 : $1,064,400 (부품 $114,840 별도공급)

   나. EXCEL 1.5 GLS 4 DOOR 모델

      1) 수량 : 115대

      2) 사양 : 에어콘 장착, 경광등 부착, 통신장비 별도송부

      3) 가격 : $1,092,500 (부품 $117,650 별도공급)

   다. 부대조건 : 정비공 3명 방한초청(2주)

   라. 선적기일 : 92.3.5

   마. 기 타 : 통신장비 상세사항 추송   /계속.../

	보안통제	초

앙고재	91년11월5일 중동2과	기안자성명	과장	국장 전결	차관	장관	외신과통제
			초 04				

0096

2. 소방차
   가. 모   델 : 쌍룡 8톤 중화학 소방차
   나. 수   량 : 6대
   다. 가   격 : $610,609, 98
   라. 부대조건 : 정비공 1명 방한초청(1주)
   마. 선적기일 : 92.3.5   끝.

(중동아국장 이 해 순)

0097

관리번호 91/1046

외 무 부

종 별 :

번 호 : CAW-1153

일 시 : 91 1106 1150

수 신 : 장관(중동이)

발 신 : 주 카이로 총영사

제 목 : 민수물자 차량

대:WCA-0718

주재국측은 대호 소방차의 TECHNICAL DATA 및 CATALOGUE 를 요청해온바, 파우치편송부바람. 끝.

(총영사 박동순-국장)

예고:91.12.31. 까지

중아국

91.11.06   19:56

외신 2과 통제관 CF

0098

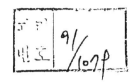

분류기호 문서번호	중동이 20005- 2070	기안용지 (720-3869)		시 행 상 특별취급	
보존기간	영구.준영구 10. 5. 3. 1	장 · 관			
수 신 처 보존기간					
시행일자	1991.11. 7.				

보 조 기 관	국 장	전 결	협 조 기 관		문 서 통 제
	심의관				검열 1991. 11 0 8 통제관
	과 장	古			
기안책임자		김 은 석			발 송 인

경 유		발 신 명 의	
수 신	주 카이로 총영사		
참 조			

제 목	민수물자 차량

대 : CAW - 1153

대호 쌍용 소방차의 카탈로그 및 technical data를 별첨과

같이 송부합니다.

첨 부 : 1. 카탈로그 2매

　　　　2. technical data 1부.　끝.

0099

관리번호	91/1266		

분류기호 문서번호	중동이20005- 1266	기 안 용 지 (720-3869)	시 행 상 특별취급	
보존기간	영구.준영구 10. 5. 3. 1	장 관		
수신처 보존기간				
시행일자	1991.11. 8.			

보조기관

	국 장	전 결
	심의관	
	과 장	

협조기관

문 서 통 제

검열 1991. 11. 0 9 통제관

기안책임자	김 은 석		발 송 인

경 유	
수 신	주 카이로 총영사
참 조	

발신명의

제 목 군수물자 카탈로그

1. 대호로 요청한바 있는 ^{과 변년, (주)고려무역으로부터 입수한} 군수물자 카탈로그 3부를 별첨과

같이 송부합니다.

2. 국방부에도 수출가능한 군수물자의 카탈로그 송부를

요청하였는바, 동 카탈로그도 추후 접수시 송부할 예정입니다.

첨 부 : 카탈로그 3부. 끝.

예 고 : 91.12.31.일반.

0100

輸 出 契 約 書

"甲" 外　　務　　部
　　　중동 2 과장 정진호

"乙" 株式會社 현대종합상사
　　　代表理事 박　세　용

　　　上記 "甲" "乙" 兩者間에 다음과 같이 수출계약을 체결한다.

　第 1 條 : 輸出物品의 表示(別添)

　第 2 條 : "甲"은 上記 第1條의 物品을 1992年 3月 5日 까지 울산港에서 이집트 행
　　　　　　　船舶에 船積하여야 한다.
　　　　　　　但, 불가피한 事由로 船積이 遲延될 境遇에는 "甲"과 "乙" 間에 締結된
　　　　　　　輸出代行業體 指定 契約書 第4條 規定에 依하여 "乙"은 "甲"에게 船積
　　　　　　　遲延事由書를 提出하고 "甲"은 同 遲滯賞金 免除 與否를 決定한다.

　第 3 條 : "乙"은 船積完了後 7日 以內에 "甲"이 船積物品 通關에 必要한 諸般
　　　　　　　船積書類를 "甲" 또는 "甲"의 代理人에게 提出 또는 現地 公館에
　　　　　　　送付하여야 한다.

　第 4 條 : 上記 船積物品의 品質保證期間은 船積後 1年間으로 하며, 이 期間中
　　　　　　　正常的인 使用에도 不拘하고 製造不良이나 材質 또는 조립상의 하자가
　　　　　　　발생할 境遇 "乙"의 責任下에 解決한다.

　　　本 契約에 明示되지 않은 事項에 대하여는 걸프만　事態 供與品 輸出
　代行 契約書에　따른다.

　　　　　　　　　　　　　　　　　　　　　　　　1991. 11. 05

"甲" 外　　務　　部　　　　　　　　　　　　　　"乙" 株式會社 현대종합상사
　　　중동 2 과장 정진호　　　　　　　　　　　　　　代表理事 박　세

　　　　　　　　　　　　　　　　　　　　　　　0101

輸 出 商 品

물 품	수 량	단가 (CIF ALEXANDRIA OR PORT SAID)	(단위 : U$) 금 액
1-1 순찰차 (차종 : EXCEL 1.5 GLS 5DOOR 로써 파워스티어링 파워 안테나 순찰장비 장착)	120	8,870	1,064,400
1-2 관련 부품			114,840
2-1 순찰차 (차종 : EXCEL 1.5 GLS 4DOOR 로써 파워스티어링 파워 안테나 순찰장비 에어콘 장착 단, 수출장비중 무전기는 차량 취부되지 않은 상태로 공급)	115	9,500	1,092,500
1-2 관련 부품			117,650
		합계	2,389,390

◆ 공급부대조건

─(株) 현대측 비용으로 3名의 이집트 정비공에 대한 방한 초청, 2주간 정비교육실시

─차량 가격 2%에 해당되는 필수부품 현대 측 비용으로 공급

0102

誓 約 書

受 信 : 外務部長官
題 目 : 걸프만 事態에 따른 供與用 物品供給

　　　　弊社는 貴部가 主管하는 表題 事業이 緊急支援 및 秘密維持를 요하는 國家的 事業임을 認識하고, 今般 이집트 國에 供與하는 物品을 供與契約 締結함에 있어 아래 事項을 遵守할 것을 誓約하는 바입니다.

1. 物品供與 契約時 品質 價格面에서 一般 輸出契約과 最小限 同等한 또는 보다 有利한
   條件을 適用한다

2. 締結된 契約은 誠實하고 協助的인 姿勢로 履行한다.

3. 同 契約 內容은 業務上 目的 以外에는 公開하지 않는다.

1991年　11月　05日

會　社　名 : (주)현대종합상사
代　表　者 : 박　세　용

0103

* INVOICE-NO = S1L01650   * NATION = DO3MAX

CASE-NO	NET-WEIGHT	GROSS-WEIGHT	MEASURE-MENT	
12512	160 KG	190 KG	110 085 075 (.70 CBM)	116.87 KG
12513	120 KG	150 KG	110 085 075 (.70 CBM)	116.87 KG
12514	135 KG	165 KG	110 085 075 (.70 CBM)	116.87 KG
12670	180 KG	260 KG	170 110 137 (2.56 CBM)	426.98 KG
12671	220 KG	310 KG	220 118 110 (2.85 CBM)	475.93 KG
12672	200 KG	290 KG	220 118 110 (2.85 CBM)	475.93 KG
12673	455 KG	545 KG	220 118 110 (2.85 CBM)	475.93 KG
12676	75 KG	165 KG	170 110 157 (2.93 CBM)	489.31 KG
12677	35 KG	115 KG	170 110 137 (2.56 CBM)	426.98 KG
12711	105 KG	145 KG	148 113 110 (1.83 CBM)	306.60 KG
12712	505 KG	595 KG	220 118 110 (2.85 CBM)	475.93 KG
12713	210 KG	270 KG	170 110 075 (1.40 CBM)	233.75 KG
12714	90 KG	150 KG	170 110 075 (1.40 CBM)	233.75 KG
12715	405 KG	465 KG	170 110 075 (1.40 CBM)	233.75 KG
12719	70 KG	80 KG	170 076 104 (1.34 CBM)	223.94 KG
12720	50 KG	60 KG	156 056 130 (1.13 CBM)	189.28 KG
12721	80 KG	100 KG	176 116 180 (3.67 CBM)	612.48 KG
12722	80 KG	100 KG	176 116 180 (3.67 CBM)	612.48 KG
12723	10 KG	15 KG	176 038 093 (.62 CBM)	103.66 KG

TOTAL   19 CASES   3,185 KG   4,170 KG   38.01 CBM   6347.29 KG

0104

관리 번호	91/1115

외 무 부

종 별 :

번 호 : CAW-1200

일 시 : 91 1125 1040

수 신 : 장관(중동이)

발 신 : 주 카이로 총영사대리

제 목 : 무상원조

대:중동이 20005-2681(91.11.5)

대호, 대주재국 군수물자지원 관련,3 명의 주재국 정비공이 현대(자)연수차(91.12.2-14 간) 11.29 당지 출국 예정임.끝.

(총영사대리 공선섭-국장)

예고:91.12.31. 까지

중아국

관리 번호	91/122

외 무 부

종 별 :

번 호 : CAW-1202   일 시 : 91 1126 1145

수 신 : 장관(중동이)

발 신 : 주 카이로 총영사대리

제 목 : 민수물자차량

대:WCA-0718

1. 대호 특수차량 지원내용을 주재국측에 통보한바, 주재국측은 하기사항을요청해옴.

가. 소방차(6 대): 10 퍼센트 SPARE PART 포함및 동차량 정비공(2 명)별도 초청

나. EXCEL 4 DOOR 모델(115 대): 에어콘장착및 통신장비 별도외에 경광등도별도송부 요망.

다. 대호차량 가능한 조기 선적(92.1 월 희망)

2. 상기 주재국측 요청사항 검토 결과 가능한 조속 회보바람. 끝.

(총영사대리 공선섭-국장)

예고:92.6.30 까지

중아국   차관   분석관

	분류번호	보존기간

발 신 전 보

번   호 : WCA-0758   911129 1630 DW   종별 : _____

수   신 : 주카이로   ///대사, 총영사

발   신 : 장 관   (중동이)

제   목 : 민수물자차량

대 : CAW - 1202

대호 가,나항 요청대로 조치하였으며, 선적은 가능한 조기 선적토록
노력하겠으나 1월중 선적은 어려울 것으로 보임. 끝.

(중동아국장 이 해 순)

예 고 : 92.6.30.까지

	보 안 통 제	±

앙고재	91년 4월 2일	2과	기안자 성명		과 장 신리지	국 장		차 관	장 관	
										외신과통제

0107

외 무 부

110-760 서울 종로구 세종로 77번지   / (02)720-3869   / (02)720-3870

문서번호 중동이 20005-2♭0

시행일자 1991.12.23. (   )

취급		장 관	
보존			
국 장	전 결		
심의관			
과 장			
담 당	김 정 수		협조

수신   총무과장 (외환계)

참조

제목   걸프사태 주변국 지원 경비지불

    걸프사태 지원관련 대이집트 군수물자 700만불 지원계약에 따른 자동차 부품 선적에 따라 경비를 아래와 같이 지불하여 주시기 바랍니다.

- 아   래 -

1. 지불액 : ₩689,067

2. 지불처 : (주) 현대종합상사

   ㅇ 지불은행 : 외환은행 계동지점

   ㅇ 구좌번호 : 117-JCD-700001

3. 산출근거 : 걸프사태 관련 대이집트 지원물자중 일부를 선적기일까지 선적함에 따른 경비지불 (91.10.30 계약)

4. 예산항복 : 정무활동 - 해외경상이전 (주변국지원)

첨 부 : 1. 재가공문 사본 1부.

     2. 계약서 사본 1부.

     3. 현대종합상사 청구서 1부.

     4. 선적서류 1부.   끝.

0108

一般豫算檢討意見書

1991. 6. 21.   중동2 課

事 業 名	걸프사태관련 이집트 군수물자지원		
支辦科目	細 項	目	金 額
	1211	341	$9,000,000.-

檢 討 意 見	
主 務 者	정부활동, 해외긴성이로 이원액에나 집행함
擔 當 官	"
調 整 官	"

분류기호 문서번호	중동이20005-	기안용지 (720-2327)	시 행 상 특별취급	
보존기간	영구.준영구 10. 5. 3. 1	차 관	장 관	
수 신 처 보존기간		전결		
시행일자	1991. 6.17.			
보조 기관	국 장 / 심의관 / 과 장	협 조 기 관	기획관리실장 미 주 국 장 총 무 과 장 기획운영담당관	문 서 통 제
기안책임자	허 덕 행			발 송 인
경 유 수 신 참 조	건 의	발신명의		
제 목	걸프만 사태 관련 이집트에 대한 군수물자지원(700만불)			

1. 이집트에 지원키로한 700만불 상당의 군수물자 공여와

관련, 이집트 정부는 '91.5.30-6.8간 군수사절단을 파한, 국내 자동차

업계를 시찰케한후 가격 및 기술적 제원에 대한 검토를 하고 직접 공급

품목, 공급업체 및 공급조건을 결정한후 별첨(3)과 같이 중동아프리카

국장앞 요청서를 통해 현대자동차 미니버스 420대 및 관련부품의 지원을

요청하였습니다.

2. 걸프사태관련 물자무상원조추진을 위해 (주)고려무역과 수출

대행계약을 체결한바 있으나, 상기와같이 이집트정부가 자동차 전문가로

구성된 군수사절단을 파견, 아래와 같이 공급대상품목으로 현대자동차의

/계속.../

0110

미니버스 380대, 소나타 승용차 50대(사절단 귀국후 추가변경 신청)

및 관련부품을 신청하였으므로 동대행계약과는 별도로 (주)현대측과

별첨(1) 및 (2)와 같이 직접계약을 체결코자 하오니 재가하여 주시기

바랍니다.

　　　3. 이집트 군수사절단의 방한기간중 공급업체 선정과 관련,

업체간 과당경쟁을 방지하고 각업체에 공정한 참여기회를 주기위해

별첨 (4)와 같이 이집트측이 요청한 가격등 공급조건에 대한 자료를

91.6.3 각업체에 통보하고 91.6.4 각업체로 부터 공급조건에 대한

자료를 동시에 접수받아 사절단측에 제공한 바 있으므로 첨언합니다.

　　　　　　　　　-　　다　　　음　　-

　　　가.　계약금액　:　$7,000,000

　　　나.　계약내용

품목명	수량	단가(CIF)	금액
HD Grace(12인승)	260	11,056	2,874,560
HD Grace(12인승, 옵션포함)	20	12,859	257,180
12인승용 특별공구 (S.S.T)	10	858.4	8,584
HD Chorus(25인승)	90	23,445	2,110,050

/계속.../

0111

HD Chorus(25인승, 옵션포함)	10	25,731	257,310
25인승용 특별공구 (S.S.T)	5	509	2,545
HD Sonata(2,000cc)	50	8,844.8	442,240
12,25인승 버스 및 승용차 부품	발주계약후 이집트측 별도신청예정		1,047,531

합 계 : 7,000,000

○ 기타 부대조건

- (주) 현대측 비용으로 각차종별로 3명의 이집트 정비공

에 대한 방한초청, 2주간 정비교육 실시(현대측 공급

조건에 기제시)

- 차량가격 2%에 해당되는 필수부품 무상공급(현대측

공급 조건에 기제시)

- 기타 정비공 교육용 기자재 무상공급(현대측 공급조건에

기제시)

- 기타 정비공 교육용 기자재 무상공급(현대측 공급조건에

기제시)

첨 부 : 1. (주) 현대와 체결예정인 수출대행 계약서 각2부.

2. 수출계약서 및 서약서 각2부.

3. 이집트 군수사절단의 군수물자 지원요청서 1부.

4. 자동차업계의 공급조건 제시

5. 기타관련 보고서 및 공문.   끝.

0112

부품공급계약서

"甲" 外務部
　　　中東2課長 정진호

"乙" 현대종합상사 株式會社
　　　代表理事 박세용

　　　　上記 "甲" "乙" 兩者間에 다음과 같이 부품 공급 납기 조건 契約을 締結한다.

第 1條 : 공급부품 LIST (別添)

第 2條 : 공급 부품 선적시기

(단위 : USD)

구 분		ORDER 금액 (FOB KOREAN PORT)	선적 시기		비 고 (CIF ALEXANDRIA OR PORT SAID, EGYPT)
			'91. 12月 末限 (FAST MOVING ITEM)	'92. 3月 末限 (기타품목)	
상용차 부품	12인승用	470,683	약289,200/약61%	잔량	522,610
	25인승用	355,104	약218,200/약61%	잔량	394,422
승용차부품		62,144	약 56,800/약91%	잔량	69,024
계		887,931	약564,200/약64%	잔량/약36%	986,056

第 3條 : "甲"은 上記 第 1條 물품을 第 2條의 선적시기에 의거 1992. 3月 31日 까지 부산
　　　　혹은 울산港에서 이집트행 船舶에 船籍하여야 한다.
　　　　但, 불가피한 事由로 船籍이 遲延될 경우에는 外務部長官과 "乙" 間에 締結된
　　　　輸出代行業體 指定 契約書 第 4條 規定에 의하여 "乙"은 "甲"에게 선적지연사유서
　　　　를 提出하고 "甲"은 同遲滯償金 免除與否를 決定한다.

第 4條 : "乙"은 船籍完了後 7日以內에 "甲"이 船籍物品通關에 必要한 諸般 船籍書類를 "甲"
　　　　또는 "甲"의 代理人에게 提出 또는 現地公官에 送付하여야 한다.

第 5條 (대금결제) : "乙"의 "甲"에 대한 대금결제는 CAD(CASH AGAINST DOCUMENT)
　　　　방식으로서 후불결제로 한다.
　　　　但, "乙"이 구체증빙서류를 첨부하여 물품대금 선지급을 신청할 때에는
　　　　불가피한 경우에 한하여 선지급할수 있다.

第 6條 : 이상의 제조항에서 명시되지 않은 사항은 外務部長官과 "乙" 사이에 旣 締結된
　　　　輸出代行業體 指定 契約書 規定에 따른다.

　　　　본계약은 후일에 증하기 위하여 본 계약서 2부를 작성하여 각자 서명날인한후 각
　　　　1부씩 보관한다.

1991. 10.30

"갑" 外　務　部
　　　中東2課長 정진호

"을" 현대종합상사 株式會社
　　　代　表　理　事 박세용

0113

現代綜合商事株式會社

現商自2 : 第 91-12- *105* 號   1991. 12. 20
受　　信 : 외무부 중동 2과장
參　　照 : 정 진호 과장
題　　目 : 이집트向 부품 선적서류 송부/정산보고서 제출

1.　貴 部處의 노고와 협조에 감사드립니다.

2.　표제관련 12月 14日字 CS LASPEZIA V-05WB호편에 선적된 GRACE·CHORUS·
SONATA A/S PARTS 137 BOXES(1,177 ITEMS/56,017 PCS,　CIF價 U$689,067.40상당)의
선적서류, 정산보고서 및 운임/보험료 지급 영수증 유첨하오며, 금년 12月 26日以內
당사구좌로 관련 부품대전 입금시켜 주실 것을 요청드립니다.
(당사구좌 번호 : 한국외환은행 계동지점, 117-JCD-700001, 현대종합상사 자동차2부)

3.　차량 A/S PARTS 잔량(U$296,988.60 상당)은 내년초 2月경 추가 선적
예정임을 참조하시기 바랍니다.

＊ 有　　添 : - 정산보고서 ---------------- 1부
　　　　　　　- 운임/보험료 영수증 -------- 1부
　　　　　　　- B/L 원본 ----------------- 1SET
　　　　　　　- 보험증서 ----------------- 1SET
　　　　　　　- 상업송장 ----------------- 3부
　　　　　　　- 포장명세서 --------------- 3부

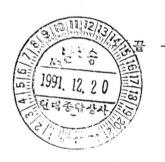

現代綜合商事株式會社

代表理事　朴　世　勇

0114

이정트 국방성向 원조차량 · 부품 / 정산보고서

1991. 12. 19

구 분	OPTION	Q'TY	CIF 단가	계약금액	선적일	Q'TY	CIF 단가 (정산가격)	INV 금액	비 고
GRACE SUPER (12 SEATS)	A/CON P/STRG T/GLASS	20	$12,859	$257,180	91. 8. 31	20	$12,761.26	$255,255.37	
	NOTHING	260	$11,056	$2,874,560	91. 8. 31	260	$10,958.26	$2,849,149.85	
CHORUS STD (25 SEATS)	A/CON P/STRG T/GLASS	10	$25,731	$257,310	91. 9. 30	10	$25,482.162	$254,821.62	
	NOTHING	90	$23,445	$2,110,050	91. 8. 31 / 91. 9. 30	42 / 48	$23,233.58 / $23,196.162	$975,810.68 / $1,113,415.79	
SONATA GLS (2.000cc)	A/CON	50	$8,844.80	$442,240	91. 8. 31 / 91. 9. 30	42 / 8	$8,479.09 / $8,469.156	$356,122.17 / $67,753.25	
SUB TOTAL		430		$5,941,340		430		$5,872,328.73	BAL $69,011.27 : 실계발생 운임·보험료 잔액
SONATA	S.S.T	1		$15,000	91. 9. 24	1		$15,000	
	A/CON	50	$720	$36,000	91. 9. 30	50	$720	$36,000	
GRACE	S.S.T	10		$8,584	91. 9. 24	10		$8,584	
CHORUS	S.S.T	5		$2,545	91. 9. 24	5		$2,545	
A/S PARTS	SONATA PARTS GRACE PARTS CHORUS PARTS TOTAL			$69,024 $522,610 $394,422 $986,056	91.12.14 92. 2月 (예정)			$689,067.40 미 정	충부품 ORDER分中 약 75% 금액 BAL $296,988.60中 정산예정
SUB TOTAL		66		$1,048,185		66		$751,196.40	
GRAND TOTAL		496		$6,989,525		496		$6,623,525.13	原 계약금액 $7MIL의 BAL $10,475 : SONATA WARRANTY 금址

A:이정트-1.MPP

(別 添 - 1)

1991년 11월 1일 기 계약된 내용을 아래와 같이 변경함.

DESCRIPTION	Q'TY	UNIT PRICE	AMOUNT
		C.I.F. EGYPTIAN PORT	
SSANGYONG CHEMICAL F.F. TRUCK (MODEL : FCK030L3-DOUBLE CAB) STANDARD EQUIPPED WITH D1146 ENG, 187PS AND SIX(6) SEATERS	6UNITS	@$91,563.-	U$549,378.-
- S/PARTS	6 SETS	@$10,205.33	U$61,231.98
T O T A L	6UNITS & 6SETS		U$610,609.98

* REMARK

 TWO EGYPTIAN ENGINEERS SHALL BE INVITED TO TRAIN IN OPERATING

 OF F.F. TRUCK FOR ONE WEEK IN PLANT OF SSANGYONG WITH FREE OF CHARGE.

1991年　11月　27日

"甲" 外　務　部　　　　　　"乙" 株式會社 高麗貿易

　　　　　　　　　　　　　　서울特別市 江南區 三成洞 1

　　中東 2 課長　鄭　鎭　鎬　　　　代表理事　副社長　高一

0116

외 무 부

110-760 서울 종로구 세종로 77번지 / (02)720-3869 / (02)720-3870

문서번호 중동이 20005-
시행일자 1991.12.30. (   )

수신   주카이로 총영사
참조

취급		장 관	
보존			
국 장	전 결		
심의관			
과 장			
담당	김 정 수		협조

제목   자동차부품 선적서류 송부

        귀주재국 군수물자 700만불 지원계약 관련, 자동차부품 지원예정 986,056중

1차선적 ($689,067상당)에 따른 관련서류를 별첨 송부하오니 주재국 국방성에 적의

전달, 동부품 수령에 착오 없으시기 바랍니다.

첨 부 : 동선적 서류 2부.

0117

외 무 부

110-760 서울 종로구 세종로 77번지   / (02)720-3869   / (02)720-3870

문서번호 중동이 20005-

시행일자 1992. 2.12. (   )

취급		장 관	
보존			
국 장	전 결		
심의관			
과 장			
담당	김정수		협조

수신   주 카이로 총영사

참조

제목   대이집트 지원 민수물자 선적서류 송부

연 : 중동이 20005-131 (92.1.22)

　　　대이집트지원 민수물자중 직업훈련원 장비(US $1.999.996 81 상당) 기술고등
학교장비(US $999,947 85 상당)및 의료기기 잔여분 ($115,110 상당)선적에 따라 동
선적서류를 별첨 송부하니 주재국 관계부처에 적의 전달 수령에 착오없으시기 바랍니다.

첨 부 : 수령처별 선적서류 각 2부. (총 10부)

0118

외 무 부

110-760 서울 종로구 세종로 77번지 / (02)720-3869 / (02)720-3870

문서번호 중동이 20005- 30
시행일자 1992. 2. 12. ( )

취급		장 관
보존		(서명)
국 장	전 결	
심의관		
과 장	(서명)	
담당	김정수	협조

수신 총무과장 (외환)
참조

제목 걸프사태 주변국 경비지급 요청

연 : 중동이 20005-15 (92.1.22)

걸프사태지원 관련 대이집트 민수물자 지원계약에 따른 하기물품 선적에 따른 경비를 아래와 같이 지불하여 주시기 바랍니다.

  가. 지불액 : US $3,115,060 66

  - 직업훈련원 장비 $1,999,996 81
  - 기술학교 장비 $999,947 85
  - 의료기기 (잔여분) $115,116

  나. 지불처 : (주) 고려무역

  ㅇ 지불은행 : 제주은행 서울지점
  ㅇ 구좌번호 : 963 THR 109-01-0

  다. 산출근거 : 걸프사태 관련 대이집트 지원물자 선적기일내 선적에 따른
  경비지불 (91.10.17 계약)

  라. 예산항목 : 정무활동-해외경상이전 (주변국 지원)

첨부 : 1. 재가공문 사본 1부.
     2. 계약서 사본 1부.
     3. 고려무역 청구서 1부.
     4. 선적서류 1부.   끝.

중동아프리카국장

0119

株 式 會 社 高 麗 貿 易

電 話 : (02) 737-0860

F A X : (02) 739-7011

TELEX : KOTII K34311

서울 特別市 江南區 三成洞 159番地

貿易會館 빌딩 11層

TRADE CENTER P.O. BOX 23,24.

수 신 : 외무부 중동 2 과장

제 목 : 걸프만 사태 관련 지원물대 송금 신청

폐사는 귀부와의 계약에 의거하여 아래와 같이 걸프만 사태 관련 지원물품을 기 선적하였아오니 송금조치 하여 주시기 바랍니다.

- 아   래 -

1. 선적물품 내역

 - 별 첨 참 조

2. 비 고

걸프만 사태 관련 EGYPT 지원 계약분 ('91. 10.17.) 중 직업훈련원장비 (U$1,999,996.81), 기술고등학교장비(U$999,947.85), 의료기기(U$115,116.-)등임.

3. 송 금 처 : 제주은행 서울지점

 구좌번호 : 963-THR 109-01-0

 예 금 주 : (주)고려무역.   끝.

1992年 2月 11日

鍾 路 貿 易 本 部 海 外 事 業 팀 ㊞

0120

I. EQUIPMENTS FOR VOCATIONAL TRAINING CENTER   C.I.F EGYPTIAN MAIN PORT

(FOR MINISTRY OF MANPOWER AND TRAINING)

A. LATHE

1.	LATHE 400 x 100MM	30UNITS	@$ 10,052.83	U$ 315,084.90
2.	UNIVERSAL MILLING MACHINE 1100 x 280MM	6	@$ 22,231.34	U$ 133,388.04
3.	VERTICAL MILLING MACHINE 1100 x 280MM	6	@$ 19,177.33	U$ 115,063.98
4.	PRECISION SURFACE GRINDING MACHINE (L) 550 x 200MM	4	@$ 29,020.76	U$ 116,083.04
5.	UNIVERSAL CYLINDRIC GRINDING MACHINE ¢ 265	2	@$ 28,728.66	U$ 57,457.32
6.	CARBIDE TOOL GRINDER ¢ 405	2	@$ 688.50	U$ 1,377.-
7.	HYDRAULIC POWER HACK SAW MACHINE ¢ 320	2	@$ 7,867.76	U$ 15,735.52
8.	BITE WELDING MACHINE 50KVA	2	@$ 4,254.77	U$ 8,509.54
9.	UNIVERSAL TOOL & CUTTER GRINDER MACHINE 550 x 150MM	2	@$ 8,858.55	U$ 17,717.10
10.	BENCH TYPE DRILLING MACHINE 3-13MM	6	@$ 729.85	U$ 4,379.10
11.	PRECISION SURFACE GRINDING MACHINE(S) 450 x 150MM	2	@$ 15,099.69	U$ 30,199.38
12.	PRECISION SURFACE PLATE 750 x 500 x 150MM	10	@$ 706.78	U$ 7,067.80
13.	HORIZONTAL MILLING MACHINE 1100 x 280MM	6	@$ 19,260.79	U$ 115,564.74
14.	PLAIN VICE 100MM(4")	30	@$ 59.12	U$ 1,773.60

B. WELDING

1.	BENCH GRINDER ½ HP	6	@$ 150.18	U$ 901.08
2.	ELECTRIC DISK GRINDER 100MM	10	@$ 135.84	U$ 1,358.40
3.	GAS CUTTING TORCH SET	10	@$ 250.23	U$ 2,502.30

- 1 -

0121

4. GAS WELDING MACHINE SET	10UNITS	@$ 250.23	U$ 2,502.30
5. AC ARC WELDER 12.5KVA	10	@$ 462.59	U$ 4,625.90
6. DC GAUGING & WELDING MACHINE 55KVA	2	@$ 3,275.07	U$ 6,550.14
7. AIR SPOT WELDING MACHINE 50KVA	2	@$ 3,759.57	U$ 7,519.14
8. MIG WELDER(1)	2	@$ 4,519.52	U$ 9,039.04
9. ELECTRIC WATER PRESSURE TESTER 300KG/CM	4	@$ 5,107.24	U$ 20,428.96
10. DRYING OVEN 400° C	4	@$ 3,614.17	U$ 14,456.68
11. BENCH TYPE DRILLING MACHINE 3-13MM	6	@$ 729.85	U$ 4,379.10
12. PLAIN VICE 100MM(4")	30	@$ 59.12	U$ 1,773.60
13. HYDRAULIC POWER HACK SAW MACHINE ¢ 320	2	@$ 7,867.76	U$ 15,735.52
14. PRECISION SURFACE PLATE 750 x 500 x 150MM	6	@$ 706.78	U$ 4,240.68
15. HEATING TORCH SET	10	@$ 321.40	U$ 3,214.-
16. TIG WELDING MACHINE 15-300A	2	@$ 2,874.29	U$ 5,748.58
17. HIGH-SPEED UNIVERSAL HYDRAULIC PRESS 100TON	2	@$ 25,658.64	U$ 51,317.28

C. ELECTRONICS MAINTENANCE

1. Q METER KOTRONIX 3010	2	@$ 1,651.26	U$ 3,302.52
2. DECADE CAPACITOR CU-410A	15	@$ 337.98	U$ 5,069.70
CU-410B	15	@$ 337.98	U$ 5,069.70
3. DECADE INDUCTOR LU-310A	15	@$ 385.97	U$ 5,789.55
LU-310B	15	@$ 385.97	U$ 5,789.55
4. DECADE RESISTER RU-610A	15	@$ 399.87	U$ 5,998.05
RU-610B	15	@$ 399.87	U$ 5,998.05
5. ATTENUATOR AT-121B	5	@$ 331.79	U$ 1,658.95
6. PLC TRAINER ED-4200/4001/ 4002/4000	5	@$ 7,473.02	U$ 37,365.10

- 2 -

0122

7.	SCR TRAINER ED-5060	8 UNITS	@$ 2,513.47	U$ 20,107.76
8.	OSCILLOSCOPE KOTRONIX 6025	15	@$ 598.63	U$ 8,979.45
9.	DIGITAL MULTIMETER EDM-4750	15	@$ 290.99	U$ 4,364.85
10.	GALVANOMETER KOTRONIX 3122-01	5	@$ 140.40	U$ 702.-
11.	AC AMMETER KOTRONIX 2013	15	@$ 84.49	U$ 1,267.35
12.	AC VOLTMETER KOTRONIX 2013	15	@$ 84.49	U$ 1,267.35
13.	DC AMMETER KOTRONIX 2011	15	@$ 84.49	U$ 1,267.35
14.	DC VOLTMETER KOTRONIX 2011	15	@$ 84.49	U$ 1,267.35
15.	DOUBLE BRIDGE KOTRONIX 3150	5	@$ 843.57	U$ 4,217.85
16.	KOHLAUSCH BRIDGE KOTRONIX 3155	5	@$ 843.57	U$ 4,217.85
17.	MEGGER KOTRONIX DM-500	5	@$ 210.72	U$ 1,053.60
18.	DC POWER SUPPLY ED-330	15	@$ 333.29	U$ 4,999.35
19.	LOGIC TESTER ED-1100	15	@$ 290.40	U$ 4,356.-
20.	ELECTRONIC CIRCUIT ED-2100 TRAINER	15	@$ 2,346.28	U$ 35,194.20
21.	HIGH VOLT METER ED-140-30K	5	@$ 1,927.51	U$ 9,637.55
22.	WHEATSTONE BRIDGE BR-1600	5	@$ 606.61	U$ 3,033.05
23.	DIGITAL LCR METER EDC-1620 TF -1620	5	@$ 1,310.31	U$ 6,551.55
24.	LOGIC CIRCUIT TRAINER ED-1400	15	@$ 780.08	U$ 11,701.20
25.	IC TESTER ED-470B	5	@$ 1,239.67	U$ 6,198.35
26.	OP AMP TRAINER ED-6000	15	@$ 993.79	U$ 14,906.85
27.	BREAD BOARD ED-2200	15	@$ 331.52	U$ 4,972.80
28.	X-Y PLOTTER EDG-2400	5	@$ 624.66	U$ 3,123.30
29.	MICRO PROCESS MPT-1/ TRAINING KIT ED-7000	15	@$ 1,246.86	U$ 18,702.80
30.	SERVO TRAINER ED-4400	15	@$ 2,073.55	U$ 31,103.25

- 3 -

0123

31. VARIABLE AC/DC ED-345B POWER SUPPLY	5 UNITS	@ $ 387.74	U$ 1,938.70
32. A/D CONVERTER A/D-4101	15	@ $ 330.86	U$ 4,962.90
33. D/A CONVERTER D/A-4101	15	@ $ 330.86	U$ 4,962.90
34. POWER FACTOR KOTRONIX 2039	5	@ $ 211.31	U$ 1,056.55
35. WATTMETER KOTRONIX 2041	5	@ $ 211.31	U$ 1,056.55
36. DC POWER SUPPLY ED-5400 TRAINER.	15	@ $ 913.48	U$ 13,702.20

D. ELECTRIC INSTALLATION COURSE

1. STROBOSCOPE KOTRONIX DT-301	5	@ $ 1,405.42	U$ 7,027.10
2. SCR TRAINER ED-5060	15	@ $ 2,513.47	U$ 37,702.05
3. SLIDE RESISTOR KOTRONIX 2791	15	@ $ 141.35	U$ 2,120.25
4. DECADE CAPACITOR CU-410A	15	@ $ 337.98	U$ 5,069.70
5. DECADE INDUCTOR LU-310A	15	@ $ 385.97	U$ 5,789.55
6. DECADE RESISTOR RU-610A	15	@ $ 399.87	U$ 5,998.05
7. WHEATSTONE BRIDGE BR-1600	5	@ $ 606.61	U$ 3,033.05
8. KELVINBRIDGE KOTRONIX 3150	5	@ $ 843.57	U$ 4,217.85
9. EARTH TESTER KOTRONIX 3150	5	@ $ 210.72	U$ 1,053.60
10. MEGGER KOTRONIX DM-500	5	@ $ 210.72	U$ 1,053.60
11. GALVANOMETER KOTRONIX 3122-01	5	@ $ 140.40	U$ 702.-
12. VARIABLE AC/DC ED-345B POWER SUPPLY	8	@ $ 387.74	U$ 3,101.92
13. GROWLER KOTRONIX C-13	2	@ $ 608.36	U$ 1,216.72
14. HIGH VOLT METER ED-140-30K	5	@ $ 1,927.51	U$ 9,637.55
15. X-Y PLOTTER EDG-2400	5	@ $ 624.66	U$ 3,123.30
16. INDUCTION VOLTAGE KOTRONIX 31R-3 REGULATOR	2	@ $ 2,516.88	U$ 5,033.76

- 4 -

0124

17. OIL INSULATION TESTER KOTRONIX YPS-55	2 UNITS	@$ 1,417.09	U$ 2,834.18
18. AUTOMATIC VOLTAGE REGULATOR KOTRONIX CVA-10K	5	@$ 2,559.82	U$ 12,799.10
19. AC LEVEL METER LM-0102	15	@$ 208.22	U$ 3,123.30
20. DIGITAL MULTIMETER EDM-4750	15	@$ 290.99	U$ 4,364.85
21. CVCF POWER SUPPLY AVR-0200	15	@$ 937.70	U$ 14,065.50
22. ELECTRONIC LOAD EDL-300	5	@$ 1,240.34	U$ 6,201.70
23. 2CH OSCILLOSCOPE KOTRONIX 6025	15	@$ 598.63	U$ 8,979.45
24. DIGITAL LCR METER EDL-1620 TF -1620	15	@$ 1,310.31	U$ 19,654.65
25. AC AMMETER KOTRONIX 2013	15UNITS	@$ 84.49	U$ 1,267.35
26. AC VOLTMETER KOTRONIX 2013	15	@$ 84.49	U$ 1,267.35
27. DC AMMETER KOTRONIX 2011	15	@$ 84.49	U$ 1,267.35
28. DC VOLTMETER KOTRONIX 2011	15	@$ 84.49	U$ 1,267.35
29. POWER FACTOR KOTRONIX 2039	5	@$ 211.31	U$ 1,056.55
30. WATTMETER KOTRONIX 2041	5	@$ 211.31	U$ 1,056.55
31. FREQUENCY COUNTER FC-1050	15	@$ 579.67	U$ 8,695.05
32. THERMOMETER KOTRONIX 2455	5	@$ 211.43	U$ 1,057.15
33. COIL WINDING MACHINE KOTRONIX CWM-1	2	@$ 210.99	U$ 421.98
34. PUNTURE TESTER KOTRONIX 3155	2	@$ 608.36	U$ 1,216.72
35. PNEUMATIC HYDRAULIC ED-7400/7500 SYSTEM	5	@$ 15,351.15	U$ 76,755.75
36. ATTENUATOR AT-121B	15	@$ 331.79	U$ 4,976.85
37. DISTORTION METER DM-0402	15	@$ 1,331.07	U$ 16,966.05
38. SET FOR PLOTTING CHARACTERISTIC OF ELECTRICAL MACHINERY KOTRONIX EMC-1	2	@$ 12,900.66	U$ 25,801.32
39. SERVO TRAINER ED-4400	15	@$ 2,073.55	U$ 31,103.25

- 5 -

0125

40. MODULE EXPERIMENT SYSTEM ED-2100	15UNITS	@$ 2,346.28	U$ 35,194.20
41. PLC TRAINER ED-4200/4001/ 4002/4000	6	@$ 7,473.02	U$ 44,838.12
42. AUDIO GENERATOR FG-1880	15	@$ 497.18	U$ 7,457.70
43. DC POWER SUPPLY ED-5400	15	@$ 913.48	U$ 13,702.20
44. D/A INVERTER KOTRONIX 3385	5	@$ 331.68	U$ 1,658.40
45. DC POWER SUPPLY ED-330	15	@$ 333.29	U$ 4,999.35
46. BREAD BOARD ED-2200	15	@$ 331.52	U$ 4,972.80
47. RF SIGNAL GENERATOR SG-1240	15	@$ 5,506.52	U$ 82,597.80
48. LOGIC DEMO SYSTEM ED-1440	15	@$ 3,330.88	U$ 49,963.20
49. D/A CONVERTER D/A-4101	15	@$ 330.86	U$ 4,962.90
50. A/D CONVERTER A/D-4101	15	@$ 330.86	U$ 4,962.90

S-TOTAL :   1,159 UNITS   U$ 1,999,996.81

- 6 -

0126

II. EQUIPMENTS FOR TECHNICAL SCHOOL

(FOR MINISTRY OF EDUCATION)

A. ELECTRONICS MAINTENANCE

1.	Q METER KOTRONIX 3010	2 UNITS	@$ 1,651.26	U$ 3,302.50
2.	DECADE CAPACITOR CU-410A	15	@$ 337.98	U$ 5,069.70
	CU-410B	15	@$ 337.98	U$ 5,069.70
3.	DECADE INDUCTOR LU-310A	15	@$ 385.97	U$ 5,789.55
	LU-310B	15	@$ 385.97	U$ 5,789.55
4.	DECADE RESISITOR RU-610A	15	@$ 399.87	U$ 5,998.05
	RU-610B	15	@$ 399.87	U$ 5,998.05
5.	ATTENUATOR AT-121B	5	@$ 331.79	U$ 1,658.95
6.	PLC TRAINER ED-4200/4001 4002/4000	5	@$ 7,473.02	U$ 37,365.10
7.	SCR TRAINER ED-5060	8	@$ 2,513.47	U$ 20,107.76
8.	OSCILLOSCOPE KOTRONIX 6025	15	@$ 598.63	U$ 8,979.45
9.	DIGITAL MULTIMETER EDM-4750	15	@$ 290.99	U$ 4,364.85
10.	GALVANOMETER KOTRONIX 3122-01	5	@$ 140.40	U$ 702.-
11.	AC AMMERTER KOTRONIX 2013	15	@$ 84.49	U$ 1,267.35
12.	AC VOLTEMETER KOTRONIX 2013	15	@$ 84.49	U$ 1,267.35
13.	DC AMMETER KOTRONIX 2011	15	@$ 84.49	U$ 1,267.35
14.	DC VOLTMETER KOTRONIX 2011	15	@$ 84.49	U$ 1,267.35
15.	DOUBLE BRIDGE KOTRONIX 3150	5	@$ 843.57	U$ 4,217.85
16.	KOHLAUSCH BRIDGE KOTRONIX 3155	5	@$ 843.57	U$ 4,217.85
17.	MEGGER KOTRONIX DM-500	5	@$ 210.72	U$ 1,053.60
18.	DC POWER SUPPLY ED-330	15	@$ 333.29	U$ 4,999.35
19.	LOGIC TESTER ED-1100	15	@$ 290.40	U$ 4,356.-
20.	ELECTRONIC CIRCUIT TRAINER ED-2100	15	@$ 2,346.28	U$ 35,194.20
21.	HIGH VOLT METER ED-140-30K	5	@$ 1,927.51	U$ 9,637.55
22.	WHEATSTONE BRIDGE BR-1600	5	@$ 606.61	U$ 3,033.05

- 7 -

23. DIGITAL LCR METER EDC-1620 TF -1620	5 UNITS	@$ 1,310.31	U$ 6,551.55
24. LOGIC CIRCUIT TRAINER ED-1400	15	@$ 780.08	U$ 11,701.20
25. IC TESTER ED-470B	5	@$ 1,239.67	U$ 6,198.35
26. OP AMP TRAINER ED-6000	15	@$ 993.79	U$ 14,906.85
27. BREAD BOARD ED-2200	15	@$ 331.52	U$ 4,972.80
28. X-Y PLOTTER EDG-2400	5	@$ 624.66	U$ 3,123.30
29. MICRO PROCESS MPT-1/ED-7000 TRAINING KIT	15	@$ 1,246.86	U$ 18,702.90
30. SERVO TRAINING KIT TRAINER ED-4400	15	@$ 2,073.55	U$ 31,103.25
31. VARIABLE AC/DC POWER SUPPLY, ED-345B	5	@$ 387.74	U$ 1,938.70
32. A/D CONVERTER A/D-4101	15	@$ 330.86	U$ 4,962.90
33. D/A CONVERTER D/A-4101	15	@$ 330.86	U$ 4,962.90
34. POWER FACTOR KOTRONIX 2039	5	@$ 211.31	U$ 1,056.55
35. WATTMETER KOTRONIX 2041	5	@$ 211.31	U$ 1,056.55
36. DC POWER SUPPLY TRAINER, ED-5400	15	@$ 913.48	U$ 13,702.20
37. AM RECEIVER R-3400	15	@$ 2,000.17	U$ 30,002.55
38. AM TRANSMITTER T-3400	15	@$ 2,070.19	U$ 31,052.85
39. ELECTRONIC COMMUNI-ED-2950/2960/ CATION TRAINER 2970	5	@$ 9,509.60	U$ 47,548.-
40. FM TRANSMITTER KOTRONIX 4038	5	@$ 1,413.98	U$ 7,069.90
41. MICROWAVE TRAINER ED-3000	5	@$ 8,707.08	U$ 43,535.40
42. RF SIGNAL GENERATOR SG-1240	15	@$ 5,506.52	U$ 82,597.80
43. FM STEREO SIGNAL GENERATOR, SG-1200	15	@$ 2,342.23	U$ 35,133.45
44. AC LEVEL METER LM-0102	15	@$ 208.22	U$ 3,123.30
45. PULSE GENERATOR FG-1882	15	@$ 1,129.81	U$ 16,947.15
46. DISTORTION METER DM-0402	15	@$ 1,131.07	U$ 16,966.05
47. FREQUENCY COUNTER FC-1050	15	@$ 579.67	U$ 8,695.05

0128

48. TV TRAINER KOTRONIX 4070	5 UNITS	@$ 3,321.35	U$ 16,606.75
49. PATTERN GENERATOR KOTRONIX K1200	5	@$ 689.60	U$ 3,448.-
50. EP ROM PROGRAMMER EDW-2500	5	@$ 1,046.71	U$ 5,233.55
51. EP ROM ERASER ED-015	5	@$ 276.19	U$ 1,380.95
52. AUDIO GENERATOR FG-1880	15	@$ 497.18	U$ 7,457.70

B. ELECTRIC INSTALLATION

1. STROBOSCOPE KOTRONIX DT-301	5	@$ 1,405.42	U$ 7,027.10
2. SCR TRAINER ED-5060	15	@$ 2,513.47	U$ 37,702.05
3. SLIDE RESISTOR KOTRONIX 2791	15	@$ 141.35	U$ 2,120.25
4. DECADE CAPACITOR CU-410A	15	@$ 337.98	U$ 5,069.70
5. DECADE INDUCTOR LU-310A	15	@$ 385.97	U$ 5,789.55
6. DECADE RESISTOR RU-610A	15	@$ 399.87	U$ 5,998.05
7. WHEATSTON BRIDGE BR-1600	5	@$ 606.61	U$ 3,033.05
8. KELVINBRIDGE KOTRONIX 3150	5	@$ 843.57	U$ 4,217.85
9. EARTH TESTER KOTRONIX 3150	5	@$ 210.72	U$ 1,053.60
10. MEGGER KOTRONIX DM-500	5	@$ 210.72	U$ 1,053.60
11. GALVANOMETER KOTRONIX 3122-01	4	@$ 140.40	U$ 561.60
12. VARIABLE AC/DC ED-345B POWER SUPPLY	5	@$ 387.74	U$ 1,938.70
13. GROWLER KOTRONIX C-13	2	@$ 608.36	U$ 1,216.72
14. HIGH VOLTMETER ED-140-30K	5	@$ 1,927.51	U$ 9,637.55
15. X-Y PLOTTER EDG-2400	5	@$ 624.66	U$ 3,123.30
16. INDUCTION VOLTAGE REGULATOR, KOTRONIX 31R-3	2	@$ 2,516.88	U$ 5,033.76
17. OIL INSULATION TESTER KOTRONIX YPS-55	2	@$ 1,417.09	U$ 2,834.18
18. AUTOMATIC VOLTAGE REGULATOR KOTRONIX CVA-10K	2	@$ 2,559.82	U$ 5,119.64

- 9 -

0129

19. AC LEVEL METER LM-0102	15UNITS	@$ 208.22	U$ 3,123.30
20. DIGITAL MULTIMETER EDM-4750	15	@$ 290.99	U$ 4,364.85
21. CVCF POWER SUPPLY AVR-0200	15	@$ 937.70	U$ 14,065.50
22. ELECTRONIC LOAD EDL-300	5	@$ 1,240.34	U$ 6,201.70
23. 2CH OSCILLOSCOPE KOTRONIX 6025	10	@$ 598.63	U$ 5,986.30
24. DIGITAL LCR METER EDC-1620 TF - 1620	15	@$ 1,310.31	U$ 19,654.65
25. AC AMMETER KOTRONIX 2013	15	@$ 84.49	U$ 1,267.35
26. AC VOLTMETER KOTRONIX 2013	15	@$ 84.49	U$ 1,267.35
27. DC AMMETER KOTRONIX 2011	15	@$ 84.49	U$ 1,267.35
28. DC VOLTMETER KOTRONIX 2011	15	@$ 84.49	U$ 1,267.35
29. POWER FACTOR KOTRONIX 2039	5	@$ 211.31	U$ 1,056.55
30. WATTMETER KOTRONIX 2041	5	@$ 211.31	U$ 1,056.55
31. FREQUENCY COUNTER FC-1050	15	@$ 579.67	U$ 8,695.05
32. THERMOMETER KOTRONIX 2455	5	@$ 211.43	U$ 1,057.15
33. COIL WINDING MACHINE KOTRONIX CWM-1	2	@$ 210.99	U$ 421.98
34. PUNCTURE TESTER KOTRONIX 3155	2	@$ 608.36	U$ 1,216.72
35. PNEUMATIC HYDRAULIC ED-7400/7500 SYSTEM	2	@$ 15,351.15	U$ 30,702.30
36. ATTENUATOR AT-121B	15	@$ 331.79	U$ 4,976.85
37. DISTORTION METER DM-0402	15	@$ 1,131.07	U$ 16,966.05
38. SET FOR PLOTTING CHARACTERISTIC OF ELECTRICAL MACHINERY KOTRONIX CMC-1	1	@$ 12,900.66	U$ 12,900.66
39. SERVO TRAINER ED-4400	15	@$ 2,073.55	U$ 31,103.25
40. MODULE EXPERIMENT SYSTEM ,ED-2100	15	@$ 2,346.28	U$ 35,194.20
41. PLC TRAINER ED-4200/4001/ 4002/4000	4	@$ 7,473.02	U$ 29,892.08

TOTAL :   958 UNITS   U$ 999,947.85

Ⅲ. MEDICAL EQUIPMENTS

(FOR MINISTRY OF INTERNATIONAL COOPERATION)

1. BEDSIDE MONIOR (SE-351 WITH YSI 401)   40 UNITS   @$2,420.-   U$96,800.-

   - S/PARTS   U$4,840.-

2. PATIENT MONITOR   2   @$5,610.-   U$11,220.
   A. SE-485, SE-132R   U$561.-
      - S/PARTS
   B. PRESSURE TRANSDUCER (2EA)   1   @$1,410.-   U$1,410.-
   C. TEMPERATURE PROBE (YSI 401)   1   @$125.-   U$125.-
   D. TEMPERATARE PROBE (YSI 402)   1   @$160.-   U$160.-

TOTAL :   U$115,116.-

   G. TOTAL :   U$3,115,060.66
   ==

         Ⅳ. E. T. D.   :   FEB. 7, 1992

              E. T. A.   :   FEB. 26, 1992

         Ⅴ. 선   명   :   ZIM ELAT 67W

         Ⅵ. 선 적 항   :   BUSAN, KOREA

         Ⅶ. 도 착 항   :   ALEXANDRIA

0131

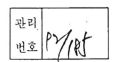

관리 번호	PY185

분류번호	보존기간

발 신 전 보

번   호 : **WCA-0079**   920221 1413 FL   종별 :

수   신 : 주 카이로   대사//총영사

발   신 : 장 관   (중동이)

제   목 : 민수물자 차량선적 지연

연 : WCA - 0718

대 : CAW - 1107

연호로 통보한 대이집트 지원용 순찰차(235대) 선적은 제조회사인
현대자동차(주)의 91.12.17부터 1개월여동안 지속된 노사분규로 인한 차량
생산지연으로 부득이 당초 3.5일에서 3.20일로 변경 선적하게 됨을 주재국
내무부에 적의 설명바람. 끝.

(중동아국장 최 상 덕)

보 안 통 제	니

앙 고 재	92 년 2 월 21 일	중 2 과	기안자 성 명 김세훈	과 장 니	심의관 이	국 장 전결	차 관	장 관 허		외신과통제

0132

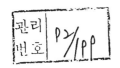

외 무 부

110-760 서울 종로구 세종로 77번지   / (02)720-3869   / (02)720-3870

문서번호 중동이 20005-43
시행일자 1991. 2.27. (   )

취급		장 관
보존		길
국 장	전 결	
심의관	02	
과 장		
담당	김 정 수	협조

수신   감사관
참조

제목   계약업무관련 문의

1. 걸프사태 주변피해국 물자지원 방침에 따라, 우리국에서는 해당업체와 대행
    업체 지정계약을 체결, 동업무를 수행하여 왔습니다.

2. 별첨 동계약 제4조는 「건별 계약서상에 명시된 선적기일을 준수하며, 이의
    미준수시 지체일수 .... 부득이한 사유로 ....
    지체상금 면제여부를 결정한다」 로 되어 있는바, 공급업체의 노사분규로
    인한 생산지연으로 선적기일 미준수시 노사분규를 지체상금 면제에 해당되는
    부득이한 사유로 간주, 동경우에 지체상금 면제가 가능한지를 검토 회시하여
    주시기 바랍니다.

   첨부 : 동 계약 제4조 사본.   끝.

중 동 아 프 리 카 국 장

0133

現代綜合商事株式會社

현상자2 : 제 92-02- //3 호   1992.   02.   26
수   신 : 외무부 아·중동국장
참   조 : 중동 2과 김 정수 사무관
제   목 : 이집트向 순찰차 선적件

1. 貴 부처의 평소 협조와 지원에 감사드립니다.

2. 폐사 공문 현상자2 제 92-02-054 호(92年 2月 19日字) 관련, 표제 차량의
계약납기 (92年 3月 20日)內 선적 不可에 따른 지연사유서 및 관련자료를 유첨 제출
하오니 불가항력적인 사항임을 감안하시어 旣 요청드린 바와 같이 기존납기를 92年
3月 20日까지로 유예될 수 있도록 선처를 바랍니다. 아울러, 貴 부처의 의견을 서면
으로 통보해 주시기 바랍니다.

유 첨 : 1. 지연 사유서 --------------- 1부
          2. 일반 상거래 계약조항 ------ 1부
          3. 관련 신문기사 ------------ 7부

현 대 종 합 상 사 주 식 회 사
대 표 이 사   박   세   용

0134

遲 延 事 由 書

貴部와 '91.11.15日字 契約締結한 EGYPT向 무상원조 순찰차 EXCEL 235台 관련

하여 貴部에서도 주지하다시피 '91年 12月 17日부터 시작된 현대자동차(株) 울산공장의

노사분규로 인하여 '92年 1月末까지 정상적인 차량생산이 이루어지지 않아 부득이 계약

납기 (92年 3月 5日)內에 선적할 수 없는 상황이 되었기에 이에 遲延事由書를 제출합니다.

1992.   02.   26

현 대 종 합 상 사 주 식 회 사
대 표 이 사   박   세   용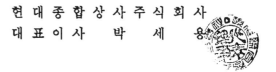

0135

現代자동차 수출전면중단 위기

"4만5천대분 차질"

울산 1·2 공장선 작업 중지
부품업체 연쇄도산 우려

조선일보 '92. 1. 11.

△ HYUNDAI CORPORATION

Head Office
140-2, Kye-Dong, Chongro-Ku,
Seoul, Korea(110-793)

Telex : K23175 HDCORP
Tel : (02)746-1114
Fax : (02)741-2341

SALES CONTRACT

Contract No. : _____
Date : _____

Hyundai Corporation ("Seller") agrees to sell to _____ having its
registered office at _____
_____ ("Buyer") and Buyer agrees to purchase from Seller
the goods described hereinbelow under the terms and conditions set forth on the face and the back hereof.

Item No.	Commodity Description	Quantity	Unit Price	Amount
	Total Contract Price			

1. Origin :

2. Shipment :

3. Payment :

4. Insurance :

5. Packing :

6. Shipping Marks :

7. Port of Shipment :

8. Port of Destination :

9. Partial Shipment : Allowed/Prohibited   10. Transshipment : Allowed/Prohibited

11. Special condition(s), if any, shall be written in the space hereunder or attached hereto forming a part hereof
subject to initial signature by both parties.

IN WITNESS WHEREOF, the parties hereto have duly executed and signed this Contract on the date and year
first above written.

For and on behalf of (Buyer)

For and on behalf of (Seller)

_____

_____

Name :

Title :

Name :   0137

Title :

GENERAL TERMS AND CONDITIONS

1. **QUANTITY** : The quantity stipulated on the face hereof shall be subject to a variation of ten percent (10%) more or less at Seller's option.

2. **SHIPMENT** : Shipment of the goods shall be made within the time stipulated on the face hereof subject to the necessary shipping space being available. The date of relevant bills of lading shall be deemed to be the date of shipment and each shipment shall be deemed to be a separate and independent contract. Unless otherwise stipulated on the face hereof, partial shipments and/or transshipments shall be allowed. In case of FCA, FAS or FOB basis, Buyer shall provide Seller with the necessary shipping space and other shipping instructions in a timely manner. Otherwise, it shall be deemed to be a breach by Buyer of this Contract and Seller shall be entitled to dispose of the goods at its sole discretion and Buyer shall bear any additional costs and expenses incurred therefrom and all risks of the goods. Unless otherwise set forth herein, the trade terms used herein shall be interpreted in accordance with INCOTERMS 1990, published by the International Chamber of Commerce.

3. **PAYMENT** : In case of L/C payment terms, Buyer shall, immediately but within fifteen (15) days after the date of this Contract, provide Seller with an irrevocable letter of credit to be established in favor of Seller by a first class bank in a form and substance satisfactory to Seller. The letter of credit shall be in the amount of the total Contract Price hereof and shall be freely negotiable against the beneficiary's drafts drawn at sight on Buyer or its bank when accompanied by other stipulated documents. The letter of credit shall be valid and effective for negotiation of the relative drafts for at least fifteen (15) days after the last day of shipment. If Buyer fails to provide the letter of credit as specified herein above or fulfill the payment term under this Contract, Seller shall be entitled to postpone the subsequent shipment or cancel all or any part of this Contract and/or may dispose of the goods at the sole risks and accounts of Buyer.

4. **INCREASED COSTS** : Any additional, new and/or increased customs duty, tax, fee, charge, freight, insurance premium, surcharge and/or other extra expense which becomes payable relating to the performance of this Contract shall be borne by Buyer.

5. **PACKING** : The make-up, packing and marking of the goods shall be at Seller's option. In case special instructions are necessary, Buyer shall furnish Seller with such instructions sufficiently in advance for the preparation of shipment of the goods on time.

6. **INSPECTION** : The inspection of the goods shall be performed in Korea by Seller or the manufacturer according to the export regulations of Korea and such pre-shipment inspection shall be considered to be final and binding upon both parties hereto.

7. **INSURANCE** : Unless otherwise agreed herein or elsewhere, insurance shall be effected for the amount of Seller's invoice plus ten percent (10%) covering insurance for FPA (Free from Particular Average) only. Any additional insurance required by Buyer shall be at its own risks and expenses.

8. **PATENT** : Seller shall not be responsible for any infringement or alleged infringement by any third party with regard to patent, utility model, trade mark, design or copy right originated or chosen by Buyer, whether in Buyer's country or elsewhere, and any dispute in connection therewith shall be settled solely by Buyer and any loss and/or damage caused thereby shall be borne by Buyer.

9. **INSOLVENCY** : In the event that Buyer neglects, defaults or breaches any of its contractual obligations under this Contract or becomes insolvent or bankrupt, Seller shall have the right to suspend the performance of its subsequent obligations hereunder or cancel this Contract in whole or in part reserving the right to claim against Buyer for expenses, charges, losses and/or market differences caused by suspension or cancellation.

10. **FORCE MAJEURE** : If any performance of this Contract is prevented or delayed in whole or in part, by reason of any prohibition of export, Act of God, war, embargo, mobilization, riots, civil commotion, war-like condition, strike, lock-out or other labor dispute, shortage or control of power supply, plague or other epidemics, quarantine, fire, flood, tidal waves, typoon, earthquake, explosion, the bankruptcy, dissolution, winding-up or insolvency of the manufacturers or suppliers of the goods, or any other cause beyond the reasonable control of Seller, manufacturers or suppliers of the goods, then Seller shall not be liable for the non-performance of this Contract including non-shipment or late shipment of the goods, and Buyer shall accept any shipment made within a reasonable time, or shall accept the cancellation of all or any part of this Contract at Seller's discretion.

11. **CLAIMS** : Any claim by Buyer arising hereunder shall be notified to Seller by cable, telex or facsimile within thirty (30) days after arrival of the relevant goods at the destination specified in the bills of lading. Full particulars of such claim, together with sworn surveyor's report shall be made in writing and forwarded by registered airmail within fifteen (15) days after the aforementioned notice. In no event may Buyer assert or raise a claim for normal wear and tear or for any other reasons whatsoever after the goods are used, sold, cut, processed or otherwise altered. In no event shall Seller be liable for prospective profits, or indirect, special or consequential damages.

12. **WARRANTY** : Unless expressly stipulated on the face of this contract, seller makes no warranty or condition, expressly or impliedly, as to the fitness and suitability of the goods for any particular purpose.

13. **WAIVER** : The failure of Seller at any time to require full performance by Buyer shall not affect the right of Seller to enforce the same. The waiver by Seller of any breach of any provision hereof shall not be construed as a waiver of any succeeding breach of any provision or waiver of the provision itself.

14. **ASSIGNMENT** : This Contract, and any right or obligation under this Contract shall not be transferable or otherwise assignable by either party without the written consent of the other party.

15. **ARBITRATION** : All disputes, controversies, or differences which may arise between the parties, out of or in relation to or in connection with this Contract or for the breach thereof, shall be finally settled by arbitration in Seoul, Korea in accordance with the Commercial Arbitration Rules of the Korean Commercial Arbitration Board and under the laws of Korea. The award rendered by the arbitrator(s) shall be final and binding upon both parties concerned.

0138

現代車수출 전면 중단

분규여파 이달중 2萬臺차질 예상

국내 자동차수출의 3분의2가량을 담당하고 있는 現代자동차의 수출이 올들어 전면중단상태에 빠짐에 따라 올해 국내 자동차수출이 큰 차질을 빚을 것으로 우려된다.

10일 관련업계에 따르면 상여금지급문제를 놓고 노사분규를 빚고 있는 現代자동차는 분규에 따른 생산차질등으로 작년 12월에 1만대이상의 수출차질을 빚은데 이어 올들어서는 수출이 전면 중단상태에 빠졌다.

이에따라 現代자동차는 올들어 10일 현재까지 단 한 대의 자동차도 선적을 하지못했으며 1월중 수출차질물량은 지난달보다 더 늘어날 것이 확실시된다.

現代자동차는 작년 12월에 3만5천3백대의 자동차를 수출할 계획이었으나 실제수출은 2만4천1백62대에 그쳤으며 올1월에는 2만2천대를 수출할 계획이었다.

한편 現代자동차의 수출이 이처럼 차질을 빚게됨에 따라 전반적인 올해 국내자동차수출목표 달성도 어려워질 전망이다.

특히 1~2년전부터 시장개척에 나서 이제 막 시장기반을 다지기 시작한 유럽및 東유럽지역에 대한 물량공급이 차질을 빚을경우 국산차의 시장다변화노력에 결정적인 타격을 줄 것으로 우려된다.

現代자동차가 작년9월부터 진출하기 시작한 東歐시장의 경우 현재 주문이 밀려있으나 작년12월에 이미 6백대이상의 공급차질을 빚었으며 앞으로도 이같은 현상이 심해져 시장확대에 타격이 예상된다.

국내 자동차업계는 올해 모두 46만대의 자동차수출목표를 세워놓고 있으나 現代자동차의 수출차질이 계속될 경우 이같은 목표달성은 불가능할 것으로 업계관계자들은 내다보고 있다.

동아일보 '92. 1. 10.

0139

외 무 부

110-760 서울 종로구 세종로 77번지   / (02)720-3869   / (02)720-3870

문서번호   중동이 20005-486

시행일자   1992. 3. 3. (   )

수신   주 카이로 총영사

참조

취급		장 관	
보존		세	川
국 장	전 결		
심의관			
과 장	川		
담당	김 정 수		협조

제목   민수물자 특수차량 선적서류 송부

        대 : CAW - 1107

        귀주재국 민수물자 지원관련 대호 요청중 소방차 (6대, $610,609.98 상당)
선적에 따른 관련서류를 별첨 송부하오니 주재국 내무성에 적의 전달, 동 차량 수령에
착오 없으시기 바랍니다.

        첨부 : 동 선적서류 2부.

0140

외 무 부

110-760 서울 종로구 세종로 77번지   / (02)720-3869   / (02)720-3870

문서번호 중동이 20005- 44

시행일자 1992. 3. 3. (   )

취급		장 관	
보존		*k+'* *lll*	
국 장	전 결		
심의관			
과 장	*lll*		
담 당	김 정 수		협조

수신 총무과장 (외환계)

참조

제목 걸프사태 주변국 지원 경비지불

_____

걸프사태 관련 별첨 대이집트 민수물자 지원계약에 따른 소방차(6대) 선적에 따라 경비를 아래와 같이 지불하여 주시기 바랍니다.

- 아   래 -

1. 지불액 : US$610,609 **98**

2. 지불처 : (주)고려무역

  ㅇ 지불은행 : 제주은행 서울지점

  ㅇ 구좌번호 : 963-THR 109-01-0

3. 산출근거 : 걸프사태 관련 대이집트 지원물자중 일부를 선적기일까지
             선적함에 따른 경비지불 (91.11.1 계약)

4. 예산항목 : 정무활동-해외경상이전 (주변국 지원)

첨 부 : 1. 재가공문 사본 1부.

      2. 계약서 사본 1부.

      3. 고려무역 청구서 1부.

      4. 선적서류 1부.   끝.

중 동 아 프 리 카 국 장

0141

株式會社 高麗貿易

電 話 : (02)737-0860

FAX : (02)739-7011

TELEX : KOTII K34311

서울特別市 江南區 三成洞 159番地

貿易會館 빌딩 11層

TRADE CENTER P.O. BOX 23, 24

수 신 : 외무부 종농 2과장

제 목 : 걸프만 사태 관련 지원 물대 송금신청

폐사는 귀부와의 계약에 의거하여 아래와 같이 걸프만 관련 지원물품을 기 선적 하였아오니 송금 조치 하여 주시기 바랍니다.

- 아 래 -

1. 선적물품 내역

품 목	수 량	금 액	선적일	도 착 예정일	선 명	선적항	도착항
SSANGYONG CHEMICAL F.F. TRUCK	6 UNITS	U$549,378	2/21 '92	4/3 '92	NILE V-219	BUSAN	ALEXAN DRIA
S/PARTS	6 SETS	U$61,231.98	2/21 '92	4/3 '92	NILE V-219	BUSAN	ALEXAN DRIA
T O T A L		U$610,609.98					

2. 비 고

걸프만 사태 관련 EGYPT 지원 계약분 ('91. 11. 1.)의 선적건임.

3. 송 금 처 : 제주은행 서울지점

구좌번호 : 963-THR 109-01-0

예 금 주 : (주)고려무역. 끝.

1992. 2. 27.

鍾 路 貿 易 本 部 海 外 事 業 팀 長

0142

원 본

외 무 부

종 별 :

번 호 : CAW-0181

일 시 : 92 0305 1440

수 신 : 장관(중동이)사본: 박동순 주카이로총영사

발 신 : 주 카이로 총영사대리

제 목 : 걸프사태관련 민수물자 지원

대:중동이 20005-300(92.2.12)

1. 민수물자(의료기기, 직업훈련원장비 및 기술고등학교장비)지원관련 92.3.3 고려무역(주)으로부터 동제품이 각 설치장소에 도착되는대로 아국 기술지원단이 주재국을 방문, 기기설치및 사용법 시범을 보일 예정임을 통보받음.

2. 그러나, 현재까지 상기품목이 알렉산드리아항에 도착하지 않았고 3.5 부터 라마단이 시작되어 92.4 월하순경에야 동지원단 방문이 가능할 것으로 예상되며, 그 구체적인 방문일자는 주재국측과 협의후 추후 통보예정이니 이를 고려무역측에도 통보바람. 끝.

(총영사대리 공선섭-국장)

예고:92.6.30. 까지

중아국   차관   1차보   2차보   중아국   분석관

외 무 부

종 별 :

번 호 : CAW-0180   일 시 : 92 0305 1430

수 신 : 장관(중동이)사본: 박동순 주 카이로총영사

발 신 : 주 카이로총영사대리

제 목 : 걸프사태관련 군수물자 지원

대:중동이 20005-9(92.1.4)

1. 표제관련, 주재국 국방부측은 대호 2 차선적 예정인 차량부품 대금(약 30만불)중 일부로 소나타 정비용 MULTI-USE TESTER(미국산, 91.5 월 주재국사절단 아국방문시 현대측이 소개) 2 대를 구입해 줄것을 당관에 요청해옴.

2. 당관은 원칙적으로 표제 원조금액은 외국제품 구입에는 사용할 수 없음을 설명하였으나, 주재국측은 아국이 제공한 소나타차량이 현재 주재국 관계요로주요인사들의 공용차로 사용되고 있어 동차량의 적절한 정비 및 유지를 위해 상기 TESTER 가 절실히 요청되고 있음을 강조함.

3. 당관이 파악한 상기 TESTER 의 단가는 약 이천불이라 하는바, 주재국 고위층에 대한 아국산차량의 인식제고를 위해 가능한 한 잔여부품 대금이 일부로 MULTI-USE TESTER 2 대 구입을 건의함.

4. 한편, 표제관련 지금까지 아국이 제공한 차량및 부품의 INVOICE 상 총액(지원예정 2 차부품가 포함)은 USD 6,920,513.73 으로 당초 계약액 7 백만불보다 USD 79,486.27 이 덜 집행될 예정이며, 이는 실제 FREIGHT 요금이 당초 예상보다 적게 소요된데 기인하는 것으로 당관은 주재국측과 협의 동차액 추가집행없이 2 차선적 예정인 차량부품 제공만으로 표제건을 완결하는 것으로 추진예정임을 참고바람. 끝.

(총영사대리 공선섭-국장)

예고:92.6.30. 까지

중아국   차관   1차보   2차보   중아국   분석관

관리
번호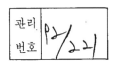

발 신 전 보

번 호 : WCA-0107   920309 1507 FO   종별 : _____

수 신 : 주 카이로   대사//총영사

발 신 : 장 관   (중동이)

제 목 : 걸프사태 물자지원

대 : CAW - 0180

연 : 중동 20005-9

1. 대호 소나타 정비용 TESTER는 현대(주)와 협의한바 국내 미생산 품목이므로

   수입하여야 한다하며, 연호 지원은 국내 물자지원 방침에 따른 것이므로,

   수입품 지원은 불과함.

2. 대호 4항의 집행잔액 $79,000여불은 91년말 기준으로 예산 회계 규정의거,

   계약액을 제외한 잔액은 전액 불용처리되어 추가 집행은 할 수 없음을

   참고바람. 끝.

(중동아국장 최 상 덕)

앙 고 재	92 년 월 일	기안자 성 명	과 장	국 장	차 관	장 관

외신과통제

0145

외 무 부

110-760 서울 종로구 세종로 77번지   / (02)720-3869   / (02)720-3870

문서번호 중동이 20005-664

시행일자 1992. 3. 17. (   )

수신   주 카이로 총영사

참조

취급		장 관	
보존			
국 장	전 결		
심의관			
과 장			
담당	김 정 수		협조

제목   대이집트 민수물자 선적서류 송부

연 : WCA - 0718

　　연호로 통보한 순찰차 235대 및 차량부품 선적에 따른 동 선적서류를 별첨
송부하오니 주재국 내무성에 적의 전달, 수령에 착오 없으시기 바랍니다.

첨 부 : 동 선적서류 2부.

0146

現代綜合商事株式會社

✓

現商自2 : 제 92-03- 067 호   1992.   03.   13
受 信 : 외무부 중동 2과
參 照 : 정 진호 과장
題 目 : 이집트向 순찰차 및 부품 선적서류 송부/정산보고서 제출

1. 貴 部處의 노고와 협조에 감사드립니다.

2. 표제관련, 3月 5日字 CYPRESS PASS 8L613A편에 선적된 EXCEL PATROL CAR
235台와 同日字 VILLE DE TITANA 9323편에 선적된 WARRANTY用 S/PARTS (359 ITEMS/
6,313 PCS, CIF U$ 43,138.-), AFTER SERVICE用 S/PARTS (724 ITEMS/47,354 PCS, CIF
U$ 232,490.-)의 선적서류, 정산보고서 및 운임/보험료 지급 영수증 유첨하오니, 금년
3月 19日 以內 당사구좌로 관련대전 입금시켜 주실것을 요청드립니다.
(당사구좌 번호 : 한국외환은해 계동지점, 117-JCD-700001, 현대종합상사주식회사
 자동차 2부)

* 유 첨 : 1) 정산보고서 --------------- 1부
          2) 운임/보험료 영수증 ------- 1부
          3) B/L 원본 ----------------- 1SET
          4) 보험 증서 --------------- 1SET
          5) 상업송장 ----------------- 3부
          6) 포장 명세서 ------------- 3부   - 끝 -

現代綜合商事株式會社
代表理事   朴 世 勇

0147

PRICE BREAK DOWN FOR EGYPT PATROL CARS, S/PARTS

1992. 03. 13

I T E M		CONTRACT AMOUNT	Q'TY	FOB ULSAN	OCEAN FREIGHT	INSURANCE	T O T A L
HYUNDAI EXCEL	1.5 GLS 5DOOR, LHD	U$ 1,064,400	120	U$ 950,400	U$ 110,400	U$ 3,600	U$ 1,064,400
PATROL CAR	1.5 GLS 4DOOR, LHD	U$ 1,092,500	115	U$ 983,250	U$ 105,800	U$ 3,450	U$ 1,092,500
SUB TOTAL		U$ 2,156,900	235	U$ 1,933,650	U$ 216,200	U$ 7,050	U$ 2,156,900
S/PARTS FOR WARRANTY (FREE OF CHARGE)		U$ 43,138	359 ITEMS/ 6,313PCS (21 BOXES)	U$ 38,400.27	U$ 4,562.73	U$ 175	U$ 43,138
S/PARTS FOR AFTER SERVICE		U$ 232,490	724 ITEMS/ 47,354PCS (112 BOXES)	U$ 209,497.13	U$ 22,062.87	U$ 930	U$ 232,490
SUB TOTAL		U$ 232,490	724 ITEMS/ 47,354PCS (112 BOXES)	U$ 209,497.13	U$ 22,062.87	U$ 930	U$ 232,490
GRAND TOTAL		U$ 2,389,390		U$ 2,143,147	U$ 238,263	U$ 7,980	U$ 2,389,390

PRICE-2.MPL

0148

외 무 부

110-760 서울 종로구 세종로 77번지 / (02)720-3869 / (02)720-3870

문서번호 중동이 20005-60

시행일자 1992. 3. 17. ( )

취급		장 관	
보존		*4e*	
국 장	전 결		
심의관			
과 장	*lll*		
담당	김정수		협조

수신 총무과장(외환계)
참조

제목 걸프사태 관련 경비지불 의뢰

　　　　걸프사태 주변국 지원 관련 대 이집트 민수물자 지원 계약중 순찰차 235대 및 동 차량부품($232,490상당) 선적에 따른 경비를 아래와 같이 지불 의뢰하니 조치하여 주시기 바랍니다.

- 아　　　래 -

　1. 지불액 : $2,389,390

　2. 지불처 : (주) 현대종합상사

　　　ㅇ 지불은행 : 한국외환은행 계동 지점

　　　ㅇ 구좌번호 : 117-JCD-700001

　3. 산출근거 : 걸프사태 주변국 지원관련 대 이집트 민수물자 지원 계약액 중 선적기일까지의 선적분 경비지불(91.11.1 계약)

　4. 예산항목 : 정무활동-해외경상이전(주변국 지원)

첨　　부 : 가. 재가공문 사본 1부.

　　　　　나. 계약서 사본 1부.

　　　　　다. (주) 현대상사 청구서 1부.

　　　　　라. 선적서류 1부.　끝.

중 동 아 프 리 카 국 장

0149

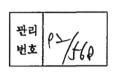

외 무 부

종 별 :

번 호 : CAW-0463　　　　　　　　　　　　일 시 : 92 0720 0910

수 신 : 장 관(중동이)

발 신 : 주 카이로 총영사

제 목 : 민수물자 특수차량 정비공 방한훈련

　　　대:WCA-0718(91.11.5),0758(91.11.29)

　　1. 걸프사태계기 주재국에 지원한 특수차량(순찰차및 소방차)관련, 주재국 내무부측은 대호 합의에 따라 92.9.1 부터 4 명의 주재국정비공(순찰차 2 명, 소방차 2 명)의 방한훈련을 요청해옴.

　　2. 이와관련, 상기 정비공의 방한훈련기간, 9.1 부터 훈련가능 여부 회시및 가능시 항공권 송부등 후속조치바람. 끝.

　　(총영사 박동순-국장)

　　예고:92.12.31. 까지

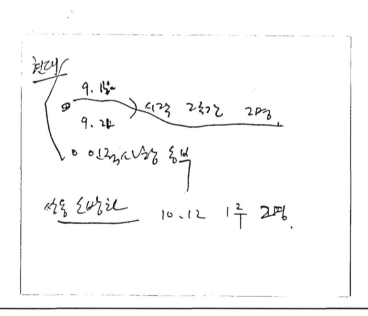

중아국

PAGE 1

관리
번호 ₧/5₇₈

분류번호	보존기간

발 신 전 보

번 호 : WCA-0374   920723 1354 WG   종별 :

수 신 : 주 카이로   대사//총영사

발 신 : 장 관   (중동이)

제 목 : 민수물자 정비공 방한훈련

대 : CAW - 0463

1. 대호 문과 관련 해당업체는 아래와 같이 ~~방한훈련을 희망하는 바~~, *계속하고 있으니* 귀주재국 내무부에
   적의 통보하고 결과 보고바람.

   가. 순찰차 (현대 종합상사)   *(11. 부터 23까지 약속기간이, 72 며칠남요)*

      1) 방한 훈련기간 : 9.14.부터 2주간

      2) 훈련인원 : 2명.

   나. 소방차 (쌍용자동차)

      1) 방한훈련기간 : 10.12.부터 1주간

      2) 훈련인원 : 2명 ~~방초 계약상 인원임~~

2. 상기 훈련에 참가 ~~희망~~ *하나 가능* 시, 항공권 송부에 필요한 방한자 인적사항 보고바람.   끝.

                                        (중동아국장 최 상 덕)

보 안 통 제	ん

앙고재 '92년7월23일	중동 2 과	기안자 성명 7/36우		과 장 ん	심의관 07	국 장 전 결	차 관	장 관 21

외신과통제

0151

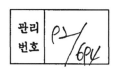
원　본

외　무　부

종　별 :

번　호 : CAW-0589 　　　　　　　　　일　시 : 92 0919 1345

수　신 : 장관(중동이)

발　신 : 주 카이로 총영사

제　목 : 민수물자 정비공 방한훈련

　　대:WCA-0374

　　연:CAW-0463

　　1.　표제관련,　당지　주재　현대지사에　의하면　대호　아국지원 순찰차(현대종합상사)정비공 2 명의 방한훈련이 현대측 사정으로 당초일정을 변경, 11.9 부터 2 주간 실시할 예정이라하며, 이와관련, 주재국 내무부는 당관으로부터 공식적인 통보를 희망하고 있다하니 동건 확인 회시바람.

　　2. 주재국 내무부측은 상기 훈련과정 및 소방차 연수(쌍룡)훈련생 명단 및 인적사항은 내주중 당관에 통보 가능하다하니 접수하는대로 보고 위계임.끝.

　　(총영사 박동순-국장)

　　예고:92.12.31 까지

중아국

PAGE 1

* 원본수령부서 승인없이 복사 금지

92.09.19　　20:03

외신 2과 통제관 FK

0152

550　걸프 사태 주변국 지원 2: 이집트

	분류번호	보존기간

발 신 전 보

번 호 : WCA-0484   920921 1443   WG종별 :

수 신 : 주 카이로   /대/사/ 총영사

발 신 : 장 관   (중동이)

제 목 : 민수물자 정비공 훈련

대 : CAW - 0589

연 : WCA - 0374

대호, 현대측 훈련일정변경으로 11.9부터 2주간 실시 예정이며, 항공권 등 송부 준비중이라/함.

허논만 더들치고 제국측에 공식 통보바람.

(중동아국장 최 상 덕)

양고재	92년9월21일	중동2과	기안자성명		과 장	심의관	국 장		차 관	장 관	
							전 결				외신과통제

0153

외 무 부

종 별 :

번 호 : CAW-0617   일 시 : 92 0930 1605

수 신 : 장관(중동이)

발 신 : 주 카이로 총영사

제 목 : 민수물자 정비공 훈련

대:WCA-0374

연:CAW-0589

1. 주재국 내부부측은 아국 지원차량 정비훈련생 명단을 아래와 같이 통보하여왔음.

가. 순찰차 정비과정

. MAHMOUD EL-SAID MOHAMED ESSA

계급: CAPTAIN, NATIONAL POLICE

. HOSAM AHMED DARDER HAMED

계급: CAPTAIN, NATIONAL POLICE

나. 소방차 정비과정

. MR. AHMED MOHAMED SAID NEGM

-계급: LIEUTENANT COLONEL

-여권번호: ███ (89.4.17 발급)

-생년월일: ███

. MR. ALI ALI ALI ABD EL-RAZEK

-계급: MAJOR

-여권번호: ███ (89.4.8 발급)

-생년월일: ███

2. 순찰차 훈련정비공들은 아직 여권을 발급받지않고 있다고 하는바 추보위계임.끝.

(총영사 박동순-국장)

중아국

외교문서 비밀해제: 걸프 사태 44
걸프 사태 주변국 지원 2: 이집트

초판인쇄 2024년 03월 15일
초판발행 2024년 03월 15일

지은이 한국학술정보(주)
펴낸이 채종준
펴낸곳 한국학술정보(주)
주 소 경기도 파주시 회동길 230(문발동)
전 화 031-908-3181(대표)
팩 스 031-908-3189
홈페이지 http://ebook.kstudy.com
E-mail 출판사업부 publish@kstudy.com
등 록 제일산-115호(2000. 6. 19)

ISBN   979-11-7217-006-6 94340
        979-11-6983-960-0 94340 (set)